D0292315

LOS CUENTOS DE IGNACIO ALDECOA

BIBLIOTECA ROMÁNICA HISPÁNICA

DIRIGIDA POR DÁMASO ALONSO

II. ESTUDIOS Y ENSAYOS, 343

IRENE ANDRES-SUÁREZ

LOS CUENTOS DE IGNACIO ALDECOA

CONSIDERACIONES TEÓRICAS EN TORNO AL CUENTO LITERARIO

BIBLIOTECA ROMÁNICA HISPÁNICA
EDITORIAL GREDOS
MADRID

EDITORIAL GREDOS, S. A.

Sánchez Pacheco, 81, Madrid. España.

Depósito Legal: M. 6425-1986.

ISBN 84-249-1025-7. Rústica.
ISBN 84-249-1026-5. Guaflex.

Impreso en España. Printed in Spain.
Gráficas Cóndor, S. A., Sánchez Pacheco, 81, Madrid, 1986. — 5905.

A Axel Andres.

AGRADECIMIENTOS

Quiero expresar mi máximo agradecimiento a Josefina Rodríguez de Aldecoa por su cordial recibimiento y por haberme prestado un material tan valioso para la elaboración de este trabajo. Estoy muy agradecida al escritor Francisco García Pavón, quien tuvo la amabilidad de poner a mi disposición su nutrida biblioteca sobre el cuento, y al profesor Luis López Molina, cuya vasta erudición y disponibilidad fueron en todo momento de un valor inestimable para mí.

Mi gratitud va dirigida también a los profesores Ramón Sugranyes de Franch y Eugenio García de Nora por sus útiles sugerencias.

INTRODUCCIÓN

Ignacio Aldecoa Isasi nació en Vitoria, la noche del 24 al 25 de julio de 1925, en el seno de una familia de ascendencia vasca por los cuatro costados. Su padre, Simón Aldecoa, estaba casado con Carmen Isasi y regentaba un negocio de pintura industrial y decoración, fundado por el abuelo, Laureano de Aldecoa, que había dejado el caserío ALDEKOA, perdido en las montañas de Euskadi, para venir a instalarse en la Llanada alavesa.

Del matrimonio Aldecoa-Isasi, además de Ignacio, nació una niña, Teresa, dos años más joven que él, que vive actualmente en Vitoria y tiene tres hijos.

La infancia de nuestro escritor transcurre, pues, en la ciudad alavesa, ciudad que Aldecoa retrata poéticamente en la guía del País Vasco que escribió por encargo:

> Vitoria es una mancha gris de la que destacan violentas las torres de las iglesias. Mágicamente esta masa gris se nacara de pronto. Atardece y las últimas luces del crepúsculo, las luces frías del sol tras de los montes, se reflejan en las cristaleras de sus galerías y miradores. La ciudad tiene un aire encantado, un aire de ciudad de cuento apresada bajo una campana de cristal que fulge, que trasmite noticias importantes al viajero con un sutil parpadeo...[1].

Tras estas páginas alienta el poeta que revive con emoción la belleza del paisaje de su tierra y de su ciudad; una ciudad

---

[1] Ignacio Aldecoa, *El país vasco*, Barcelona, Ed. Noguer, 1962, pág. 10.

que él ha amado entrañablemente sin que ello le haya impedido percibir las limitaciones de sus coordenadas pequeño-burguesas y la pobreza espiritual de muchos de sus moradores. «Solía afirmar que su vocación de escritor, tempranísima, nació en él como una rebeldía frente al medio burgués, limitadísimo, de su ciudad en aquellos tiempos»[2].

Esta aguda sensibilidad crítica procede en buena medida de la preclara inteligencia del niño Aldecoa, pero se vio muy propiciada por el ambiente liberal y artístico que reinaba en el seno de su propia familia, dado que su tío, Adrián Aldecoa, fue un notable pintor postimpresionista, que obtuvo varias Primeras Medallas en Exposiciones Nacionales. Poseía un gran estudio, en la calle de Postas, número 42, donde se reunían, para hablar de pintura y de otros temas, Ignacio Díaz Olano, Gustavo de Maeztu (hermano de Ramiro), Zuloaga, Echevarría y otros pintores. De su charla brotaban igualmente, teñidos de recuerdos añorantes, los años que los hermanos Aldecoa habían pasado en París aprendiendo el oficio. A través de estos hombres el niño Aldecoa va a descubrir el extraño mundo de la bohemia y de los artistas así como un aluvión de nuevas ideas que serán decisivas en su vida. Por otra parte, su abuela materna, María Isasi, va a desarrollar sensiblemente su imaginación, al contarle infatigablemente historias de todo tipo. El papel que esta mujer ejerció en sus gustos y en su formación de escritor fue puesto de relieve por Aldecoa en múltiples ocasiones y sus sueños de aventuras así como su vocación temprana de marinero bien podrían ser una consecuencia directa de esta influencia.

Sabemos —por declaraciones de la viuda del escritor— que su experiencia escolar en el colegio de los Marianistas fue «catastrófica», a causa de su falta de sumisa adaptación a un sistema institucional carente de sentido lógico; y ello contribuyó a acrecentar su amor por los libros de aventuras, que lo iban a transportar hacia un mundo maravilloso de evasión y de ensueño. Siempre que puede se refugia en el campo, en los ríos y

---

[2] *Ignacio Aldecoa. Cuentos*, Madrid, Ed. Cátedra, 1977. Edición de Josefina Rodríguez de Aldecoa, pág. 13.

montes de su tierra en búsqueda de experiencias emocionantes y, entretanto, sueña y sueña con ese mar que le atrae magnéticamente. Desde su pupitre de clase oye sus bramidos, las sirenas de los barcos que se alejan o llegan a puerto, percibe sus matices cromáticos desde la lejanía y se siente invadido de olores yodados y salinos como la primera vez que contempló el inmenso océano.

A los 17 años, con el bachillerato terminado, Aldecoa se traslada a Salamanca para iniciar sus estudios universitarios, y allí descubre la inmensa llanura castellana cuyo paisaje le deslumbrará por contraste con el de su tierra. Aunque se había matriculado en la Facultad de Filosofía y Letras, aparece pocas veces por clase, ya que «su verdadero mundo estaba fuera de las aulas» como muy bien señaló Carmen Martín Gaite [3].

Los dos años que permaneció en esta vieja ciudad vivió en un barrio de gitanos y mantuvo con ellos estrechas relaciones. La manera de vivir de estos hombres le fascinaba, así como su lengua, que no tardará en aprender. De estas gentes, y de otras por el estilo, sacará Aldecoa la savia para sus historias. Ya en esta época su preferencia por los temas del riesgo y de las gentes marginadas es evidente, como lo muestran, aunque parezcan anecdóticos, los versos que recitaba a sus compañeros las pocas veces que aparecía por clase:

> Cuatro disparos de alerta
> despertaron a Chicago.
> Larrigán rió su muerte
> mirando al cielo al soslayo;
> Larrigán cayó de espaldas
> junto a la puerta de un Banco.

Sus gustos temáticos no concordaban con los de sus compañeros aficionados a la poesía, pero éstos se sentían atraídos por sus versos y, sobre todo, por su fuerte personalidad, como declara Carmen Martín Gaite en el artículo ya citado:

---

[3] Carmen Martín Gaite, «Un aviso: Ha muerto Ignacio Aldecoa. Apuntes urgentes para la biografía de un joven escritor», en *La Estafeta Literaria*, núm. 433, 1 de diciembre de 1969, pág. 6.

> Nos gustaba mucho a los amigos de entonces (...) esta historia del pistolero Larrigán, y la recitábamos a veces mientras tomábamos el sol (...) entre clase y clase [4].

Aprobados los cursos de Comunes, «a base de apretar un poco en mayo», Aldecoa se traslada a Madrid en 1945, y allí se instala en una pensión bohemia de estudiantes y artistas, la pensión «Garde», que él llamaba «Ateneo Garde». Por allí desfilan personajes tan interesantes como Carlos Edmundo de Ory, Pedro Bueno, Rafael Santos Torroella, Alberto Crespo, Molina Sánchez, Zabaleta y los poetas Zubiaurre y Morales. Con todos ellos tratará el joven Aldecoa y algunos terminarán siendo sus amigos, como Carlos Edmundo de Ory, por ejemplo, al que consideraba Aldecoa un verdadero «maldito» y una de las personas más auténticamente extrañas que había conocido [5].

En la Facultad de Letras coincide con Jesús Fernández Santos, Rafael Sánchez Ferlosio, Carmen Martín Gaite, Medardo Fraile, Alfonso Sastre, Alfonso Paso y, más tarde, con Josefina Rodríguez, quien habría de ser un día su esposa. Todos ellos forman pronto un grupo de amistad y camaradería y no tardarán en aunar sus esfuerzos para salir del ostracismo intelectual que caracterizaba el momento. En su mayoría participaron, con narraciones y otros trabajos, en los grupos literarios, las emisoras y las revistas que durante algún tiempo —entre 1947 y 1956— mantuvieron un atractivo intelectual y un interés notorio, quizá el único posible en aquel momento. Aldecoa colaboró semanalmente en la emisora «La Voz de la Falange», en las revistas político-intelectuales *La Hora, Alcalá* y *Juventud,* y en otras específicamente literarias, como *Correo Literario, Clavileño* y *Revista Española* principalmente. Esta última había sido fundada por Rafael Sánchez Ferlosio, Alfonso Sastre y el mismo Aldecoa, bajo el patrocinio de Antonio Rodríguez Moñino; y aunque su vida fue efímera (sólo vieron la luz unos pocos números), sirvió para reunir una serie de escritores dispares de gran valía

---

[4] Carmen Martín Gaite, art. cit., pág. 6.

[5] Revelaciones hechas por el escritor a Antonio Hernández: «El escritor al día: Ignacio Aldecoa», en *La Estafeta Literaria,* núm. 421, 1969, pág. 10.

que conjuntamente lucharon por superar los estrechos límites de aquel ambiente de regresión espiritual que les había deparado el destino.

Otro factor de importancia decisiva, y que es necesario tener en cuenta al enjuiciar esta época, son los cafés literarios, lugares de diálogo y de convivencia, donde la gente se conocía y, consecuentemente, anudaba amistades, a veces duraderas. Cuando Ignacio Aldecoa llegó a Madrid, ávido de horizontes nuevos, no tardó en recorrer las diferentes tertulias por entonces en boga: «La Granja», «El Gijón», «El Abra», «Cock», «Capitol», «La Elipa», etc., etc. Pero es «El Comercial» —situado en la Glorieta de Bilbao— el que se convertirá con el tiempo en su café favorito y allí se reunirá en lo sucesivo con grandes amigos y con otras gentes diversas e igualmente interesantes: Mary y Fernando Baeza, Fernando Guillermo de Castro, Rafael Azcona, Jesús Fernández Santos y su mujer María, Marcelo Arroita Jáuregui, Ramón Sánchez Bayton, Pachés, etc. Según testimonio del entrañable amigo de Aldecoa, Eusebio García Luengo,

> no era raro ver con ellos a poetas como Alcántara o Díez-Crespo, a directores de cine como Berlanga y Saura, (...). Allí he visto —continúa diciendo— al pintor Díaz-Caneja, a Meny Arniches, a Pepín Bello, a Fernando Chueca... Quiero significar, con estas personas diversas, que la Glorieta de Bilbao era como una encrucijada abierta de la vida literaria e intelectual de hace veinte o veinticinco años [6].

A finales de 1950, I. Aldecoa conoce a Josefina Rodríguez, amiga de Rafael Sánchez Ferlosio, y en marzo de 1952 se casa con ella. Se instalan en un piso del paseo de la Florida y desde entonces comienza para ellos una vida preñada de experiencias de todo tipo, ya que ambos son seres dinámicos, cultos, sensibles y poco convencionales. En octubre de 1954 nace su hija Susana y en este mismo año Aldecoa publica su primera novela *El fulgor y la sangre*.

En el verano de 1955 se enrola como marinero en una «pareja de pesca» y hace en ella todo lo que los pescadores llaman

---

[6] Eusebio García Luengo, «Cafés literarios y...», en *La Estafeta Literaria*, núm. 578, 15 de diciembre de 1975, pág. 5.

«una marea» [7]. Esta experiencia le proporcionará además el lenguaje marítimo plasmado tan magistralmente en su novela *Gran Sol*, publicada en 1957 y galardonada con el Premio de la Crítica. Un año antes, en 1956, había salido a la luz la novela de temática gitana *Con el viento solano*, en la que el narrador cristaliza literariamente la vida de estos hombres que viven a cuerpo limpio, así como su lenguaje: el caló, que él ha aprendido de viva voz en sus asiduos contactos con ellos.

Toda la obra de Aldecoa va a emanar así de experiencias vividas, porque él era esencialmente un hombre de acción que buscaba con ahínco el contacto concreto y material con hombres y ambientes. Se sentía muy atraído por las gentes de oficios duros, especialmente por los que desprecian el peligro e incluso la muerte, y también por los mundos dramáticos como los toros y el boxeo. Se consideraba amigo de los que las tardes triunfales de San Isidro sacaban el pañuelo si había toreado «superior» Ángel Teruel o Paco Camino, de los tasqueros de Cea Bermúdez o de los noctámbulos de la Gran Vía, de Mario Camús o Domingo Dominguín [8]. «Citaba con frecuencia una fra-

---

[7] Con el fin de aprender a captar en toda su hondura lo que significa la vida de estos hombres en permanente lucha contra el medio, porque en la mar «se vive en plena tragedia: el espacio reducido, las incomodidades, el despertar de la violencia en el corazón de la gente, el escaso tiempo de franquía en los puertos. También, sobre todo, el mar, que es amigo y enemigo». Pero a pesar de esta dureza y violencia —continúa el escritor— «todo lo preside un aura de delicadeza» (Declaraciones de Aldecoa a Julio Trenas: «Así trabaja Ignacio Aldecoa», en *Pueblo*, 5 de octubre de 1957, pág. 11).

Se comenta el viaje en *Pensamiento alavés*, Vitoria, 30 de agosto de 1955, bajo el título: «Ignacio Aldecoa viaja y escribe. Para ambientarse fue a Gran Sol como un marinero más». Carlos Luis Álvarez recogió la siguiente declaración de Aldecoa en *Blanco y Negro*, 1 de marzo de 1958: «Embarqué en Gijón para un mes. Naturalmente puse en regla mis papeles». Josefina Rodríguez de Aldecoa afirma, sin embargo, que su marido embarcó en Santander. El viaje duró del 25 de julio al 18 de agosto.

Su libreta de navegante o Inscripción Marítima, expedida en Santander el 15 de julio de 1955, es como la de cualquier otro marinero. Estos son los datos personales que en ella figuran: «Cuerpo: alto. Ojos: ídem. Pelo: ídem. Frente: ancha. Nariz: regular. Boca: ídem. Color: sano. Barba: Saliente y firme. Particularidades: no».

[8] Antonio Hernández, art. cit., pág. 11.

se que creo que es de Ortega, en la que dice que la vida, como la moneda, hay que saber gastarla a tiempo y con gracia, (...). Admiraba mucho a la gente que tiene la valentía de jugarse la vida con generosidad» [9], y ello lo puso claramente de manifiesto al escribir el libro *Neutral Corner,* sin duda el más original de los suyos, y el más poético, en el que inmortaliza el mundo trágico del boxeo.

Aunque amó y trató de comprender a cualquier ser humano por el simple hecho de serlo, se sintió siempre más cerca de los que vivían precaria y penosamente. Convivió con ellos y compartió su pobreza; admiró su hospitalidad generosa y el valor de esas mujeres sombrías de nuestro pueblo, que sufren en silencio y, llegado el momento, manifiestan una fortaleza de ánimo inconmensurable. Le asombraba la religiosidad ancestral de estas gentes y la dignidad con la que soportaban sus penalidades y con la que morían pegadas a la tierra; una tierra árida y pobre, la mayoría de las veces, que ni siquiera les devolvía, como pago a sus esfuerzos, el sustento necesario. De todas estas cosas ha hablado I. Aldecoa en sus libros, ya que, según él, la labor del escritor es «la de un Quijano cuerdo desmontador de gigantones, encerrador de miedos, oreador de verdades» [10]. Él convirtió su oficio de escritor en una única y exclusiva profesión dándose una perfecta correspondencia entre su quehacer literario y su actividad vital. Por otra parte, consciente de que para lograr la madurez artística es necesario trabajar sin tregua, se entregó a una tarea autoinformativa de todo orden; leía incansablemente y llegó a ser uno de los escritores más cultos de su generación. Estaba informado de cuanto ocurría en el campo de la narrativa mundial contemporánea y poseía extensos saberes en lo que se refiere a nombres, títulos, técnicas, corrien-

[9] Declaraciones de Josefina Rodríguez de Aldecoa a Miguel de Santiago, «Ignacio Aldecoa: una historia partida», en *La Estafeta Literaria,* núm. 578, 15 de diciembre de 1975, pág. 9.

[10] Palabras pronunciadas por Aldecoa en un famoso coloquio «Sobre la forma y el ejercicio de la profesión literaria» mantenido en la Universidad de verano de Santander en agosto de 1956 y recogidas por Gaspar Gómez de la Serna en su libro *Ensayos sobre la literatura social,* Madrid, Guadarrama, 1971.

tes, etc., «pues aplicó a su estudio aquella seriedad y honestidad intelectual que tan radicalmente le caracterizaron» [11]. En lo que respecta a la literatura española, sentía especial predilección por los clásicos, preferentemente por Cervantes y Quevedo. De los modernos, el Valle-Inclán de los esperpentos y su compatriota Baroja. De los extranjeros los autores que más le fascinaron fueron quizás los norteamericanos, desde Jack London y Mark Twain hasta Scott, Faulkner, Hemingway, Truman Capote, etc. De todos ellos le atraía sobre todo Hemingway, por su precisión expresiva y porque, como él, amaba al ser humano que desprecia el peligro, pero le parecía más importante Faulkner como escritor y creador de mundos novelísticos.

En octubre de 1958 el matrimonio Aldecoa se marcha a Nueva York, y allí residen hasta mayo de 1959. En los Estados Unidos Aldecoa pronuncia conferencias en las universidades de Yale, Brynn Mawr y Columbia. Josefina Rodríguez ha escrito largamente sobre este viaje:

> La experiencia de Nueva York fue fascinante. La ciudad tan lejana y exótica, entonces, tan capital del mundo en aquellos años, nos entusiasmó. Los cines, los teatros, los museos, pero sobre todo la gente, la vida que palpitaba a nuestro alrededor. En un mismo día podía uno cruzarse por la calle, de hecho nos sucedió, con personajes tan diferentes y atractivos como Greta Garbo, Truman Capote y Jack Dempsey. A través de amigos y amigos estuvimos en contacto con el grupo de la «Partisan Review», con Gustav Regler, con Jack Kerouac, con Waldo Frank... Nueva York fue una fiesta maravillosa y el país nos atrajo enormemente. Su vitalidad, su violencia, sus contradicciones y contrastes, lo horrible y lo hermoso de su fluido existir; la exuberancia y la grandeza del continente americano [12].

Estas palabras de la esposa del escritor sintetizan bien la compenetración —o mejor: la coincidencia espontánea— de Aldecoa con el estilo neoyorquino de vida. El goce/tragedia del vivir aprisa del norteamericano armonizaba perfectamente con la filosofía

[11] Gaspar Gómez de la Serna, *op. cit.*, pág. 85.
[12] Josefina Rodríguez de Aldecoa, *op. cit.*, pág. 21.

que Aldecoa tenía de la existencia; de ahí que se sintiera tan bien en dicho país.

Otras de las veces que el escritor sale de España es para ir con su esposa a Polonia a fin de cobrar la traducción de su novela *Con el viento solano,* lo que será un buen pretexto para pasar diez estupendos días en el país nórdico. En 1964 vuelven a Estados Unidos. Esta vez los Aldecoa estuvieron en Bloomington, invitados por la Universidad del Estado de Indiana. Ignacio dio además conferencias en las Universidades de Purdue (Indiana), Urbana (Illinois) y Pittsburg (Oklahoma). De Europa nuestro escritor conoció Francia (fue invitado varias veces por la Universidad de Aix-en-Provence), Inglaterra, Alemania y Holanda, pero lo que más le fascinaban eran las islas, porque en ellas se puede hacer una vida muy liberada de prejuicios y condicionamientos. Siendo muy joven ya había escrito un bello poema dedicado a las islas, que publicó en su *Libro de las algas.* En 1958 había conocido Ibiza, todavía muy virgen en aquella época, y desde entonces pasó en esta isla grandes temporadas. Josefina nos dice que allí se encontraron con gente muy curiosa —posiblemente la que el escritor retrata en su magnífico cuento «Ave del Paraíso»—, y que vivieron días muy alegres [13]. Visitó también las islas Canarias, de las que Lanzarote y la Graciosa terminaron convirtiéndose en un grato refugio para él, especialmente la última, que el narrador retrata en su última novela *Parte de una historia.*

En definitiva, como escribió Salvador Jiménez [14], la vida de Aldecoa fue una doble aventura: literaria y humana. Aunque tenía hipertensión, exceso de glóbulos rojos y una predisposición congénita hacia la enfermedad del corazón —su madre había muerto de un infarto en 1960— nunca se cuidó ni escatimó un minuto de su vida. Presentía que iba a morir joven, y, según palabras de su viuda, lo repetía diariamente. Por eso quizás vivió tan intensamente todos los momentos de su existencia: «le

[13] Miguel de Santiago, art. cit., pág. 9.

[14] Salvador Jiménez, «Ha muerto Ignacio Aldecoa», en *ABC,* domingo 16 de noviembre de 1969, pág. 53.

gustaba agotarlo todo y mantener a los que le rodeaban en una alegre tensión de proyectos, entusiasmos, discusiones, críticas, análisis, divagaciones...» [15]. Sus amigos le querían y le admiraban: «pocos hombres como Ignacio, en ocasiones tan distante y sarcástico, provocaban tanta ternura. Era el punto de reunión de muchas conversaciones, el centro de conversación de muchas reuniones. Nos encontrábamos los amigos y nos preguntábamos: «¿Has visto a Ignacio? Y comenzábamos a hablar de él, como él lo hiciera quizá, como él acaso hablase de nosotros; le imitábamos; repetíamos sus dichos, sus motes, sus burlas; llamábamos a los amigos como él quería que los llamásemos. Se imponía» [16].

Los que lo conocieron coinciden en opinar que era un hombre «de genio vivo, de categóricos juicios, de preferencias y exclusiones tajantes, pronto a la polémica, mordaz y agudo, pero de honda y humanísima cordialidad» [17]. Trasnochaba desde los dieciocho años, usaba siempre mocasines, fumaba y bebía whisky, «tenía que tomar medicinas y las tomaba, pero también tenía que cuidarse y no lo hacía. Ello no se hubiera acordado con su manera de entender la vida» [18].

El 15 de noviembre de 1969, a la una y media de la tarde, murió repentinamente de un ataque al corazón en casa de Domingo Dominguín, cuando se disponían todos a salir al campo para ver una tienta taurina. La novela sobre los toros que tenía la intención de escribir queda así truncada, al igual que la vida y la carrera literaria de uno de nuestros mejores y más entrañables escritores.

---

[15] Josefina Rodríguez de Aldecoa, *op. cit.*, pág. 22.

[16] Eusebio García Luengo, «Una tarde con Ignacio Aldecoa», en *El Urogallo*, núm. cero, pág. 21.

[17] José Luis Alborg, *Hora actual de la novela española*, Madrid, Ed. Taurus, 1958, pág. 275.

[18] M. García Viñó, *Ignacio Aldecoa*, Madrid, EPESA, 1972, pág. 58.

CONSIDERACIONES TEÓRICAS EN TORNO AL CUENTO LITERARIO

Para poder apreciar en toda su magnitud lo que significa el nombre de I. Aldecoa en el ámbito de la cuentística, creemos necesario clarificar previamente una serie de conceptos relativos a este género sutil y escurridizo y, por otra parte, ver qué lugar ocupaba el cuento en España y fuera de ella en el momento en que ven la luz los primeros relatos de nuestro escritor. Comencemos por este último punto.

Como señaló en su día Jorge Campos, la disminución de producción editorial durante los años españoles de guerra y postguerra por una parte, y la emigración de los mejores escritores —con el consiguiente desconocimiento durante años de lo que éstos escribían— por la otra, cortó lo que de modo espontáneo podía haber surgido de las innovaciones de vanguardia que ya iban sedimentándose por entonces. No hay que olvidar que «Nova novorum» y lo que se llamó arte deshumanizado fueron las primeras posiciones de cuentistas como Max Aub y Francisco Ayala. Pero estos tuvieron que exiliarse y, aunque continuaron su obra en la emigración, no lograron su inmediata difusión en España. La primera colección de cuentos de Max Aub (*No son cuentos*), aparecida en Méjico en 1944, no llegó a los lectores a quienes prioritariamente iba destinada, así como tampoco los dos libros (*Los usurpadores* y *La cabeza del cordero*) que Francisco Ayala publicó en Buenos Aires en 1949. Tampoco salió en España nada de la múltiple obra tardía de Ramón Gómez de la Serna. En los años cuarenta, pues, los principales cultivadores del cuento en España fueron Samuel Ros, Tomás Borrás, Jorge Campos y José María Sánchez Silva, cuyo éxito de público no fue muy grande. Incluso los primeros cuentos de Camilo José Cela se editaron en pequeñas tiradas y pasaron casi inadvertidos. En este estado de cosas no es nada extraño que los cuentistas de la generación de Aldecoa hayan tratado de buscar modelos de escritura vigentes fuera de las fronteras nacionales, con el fin de poder continuar la evolución cuentística iniciada por Leopoldo Alas Clarín y Emilia Pardo Bazán a finales del siglo XIX y continuada brillantemente, más tarde, por Pío Baroja. A nuestro juicio éstos son, sin duda, los escritores que más han contribuido a la evolución del género en España hasta el momento que analizamos. Clarín aborda el cuento con la mentalidad novelística propia de su época, ofreciéndonos casi toda la vida de sus personajes, pero encontramos ya en él un rasgo esencial característico del cuento contemporáneo: el lenguaje poético. La mayoría de sus relatos tienen «osatura» de cuento tradicional, pero poseen la plasticidad y el colorido de los actuales, lo que les confiere hondura y trascendencia.

En lo que respecta a Baroja, sus relatos, sin principio ni final, poseen un aire fragmentario, inconcluso, muy del gusto de hoy. A él ya no le interesa ofrecer toda una vida, sino que, a menudo, se contenta con plasmar un instante, y ese carácter de instantaneidad es otro de los rasgos esenciales de los cuentos que hoy se escriben. Baroja encamina, pues, el cuento literario hacia rumbos nuevos en la medida en que la *brevedad* por una parte y la *intensidad* por otra van a ser rasgos llamados a imponerse después, aunque no inmediatamente, a causa del corte que supuso el estallido de la guerra civil. Va a ser Ignacio Aldecoa quien, alrededor de 1950, continuará la tradición, sentando al mismo tiempo los cimientos de nuevas tendencias constructivas entroncadas con la cuentística que en esos momentos se hacía en lengua inglesa, especialmente en Norteamérica, tendencias que van a influir no sólo sobre los cuentistas de su generación, sino también sobre los que vendrán después, hasta tal punto que pensamos puede hablarse de una escuela aldecoana en el ámbito del cuento español.

Pero volvamos a Norteamérica para ver lo que allí sucedía en esos momentos. No es exagerado decir que el cuento («short story») constituye una especie característica de la literatura norteamericana. Desde E. A. Poe a los relatos más largos de Herman Melville, en el siglo XIX, pasando por la obra de tono menor de Francis Bret Harte, el cuento llega al siglo XX como un género al que Sherwood Anderson, Hemingway, Lardner y Caldwell convertirán en una de las formas literarias más ampliamente difundidas y en un fenómeno editorial y de público sin precedentes. El «magazine» se encargará de darlos a conocer nacionalmente [1], alcanzando capas de lectores que allí encontrarán no sólo las buenas manifestaciones de la literatura de su país, sino también una expresión realista, incluso crítica, de la sociedad de los EE. UU. Con justicia se afirma que en el período que media entre la Primera y la Segunda Guerra Mundial, la «short story» norteamericana llegó a su madurez. En las décadas de 1930 y 1940 los grandes de la literatura norteamericana —Hemingway, Faulkner y Fitzgerald—, recogiendo la herencia de los años anteriores, acabaron de conformar un tipo de literatura y, sobre todo, un estilo narrativo que caracteriza y otorga fisionomía nacional a una buena parte de la producción ficcio-

[1] Conviene señalar que el «magazine» ha sido análogamente en España el vehículo que ha permitido hacer la revolución en favor del cuento, como señaló Mariano Baquero Goyanes en el prólogo de su *Antología de cuentos contemporáneos*, Barcelona, Labor, 1964. Aldecoa, por su parte, piensa que éste es sin duda el medio más natural de transmisión y de difusión del cuento, porque «un libro de cuentos obliga al lector a entrar tantas veces en situación como relatos contenga. Pocos lectores soportan la prueba. La novela es una carretera o un paseo, pero no catorce o quince callejones incomunicados entre sí». (Declaraciones de I. Aldecoa a M. Fernández Braso, en «Ignacio Aldecoa levanta acta de los años de crisálida», *Índice de Artes y Letras*, núm. 236, octubre 1968, pág. 42).

A nuestro juicio, el «magazine», además de permitir al cuento lograr su autonomía, contribuyó, en cierta manera, a modificar su forma, su estructura, entendida ésta como principio configurador y compositivo. Dicho de otro modo, para que un cuento pueda ser publicado en un periódico o revista no debe ser demasiado extenso, ya que de lo contrario desbordaría los estrechos límites espaciales de que el formato periodístico dispone; en consecuencia, el cuento va a ganar en brevedad y con ello en condensación e intensidad, rasgos esenciales e indispensables en el cuento moderno.

nal hasta la actualidad; producción que influyó y, a su vez, fue conmovida por nuevas formas de expresión y nuevas técnicas, como el cine, y que modificó profundamente otras concepciones —europeas y latinoamericanas— relativas a la literatura de ficción [2].

Esta huella se deja sentir de manera especial en el escritor I. Aldecoa. Como ya se dijo al bosquejar su biografía, él fue un verdadero intelectual y uno de los escritores más cultos y mejor informados de su generación en lo que se refiere a nombres y corrientes vigentes allende las fronteras nacionales. En lo que respecta al género cuento, sus ideas participan de los hallazgos y de las teorías de los más insignes cultivadores norteamericanos, cuyas obras conocía de cerca, como demuestra su artículo inédito «El cuento en los Estados Unidos», que me ha sido cedido amablemente por la viuda del escritor, Josefina Rodríguez.

Dicho artículo constituye un documento valiosísimo para la comprensión y análisis de sus cuentos, pero además, y esto es aún más importante, nos ayuda a clarificar ciertos conceptos cuentísticos a los que hacíamos alusión al comienzo de este apartado, a saber: ¿Qué es y qué no es un cuento literario? ¿Qué exigen los grandes teóricos del cuento para que un texto narrativo pueda llamarse así? ¿Dónde está la nota definitoria importante? [3]. A través de este texto vemos que para Aldecoa un

---

[2] Aquí sigo de cerca la introducción de Wáshington Sardi a la antología: *El cuento norteamericano contemporáneo*, Buenos Aires, Centro Editor de América Latina, 1976.

[3] Recordemos que, aunque el cuento es tan viejo como el hombre, la palabra CUENTO, postverbal de *contar* —derivado a su vez del latín COMPUTARE— es relativamente reciente, puesto que en la Edad Media aún no se utilizaba con el sentido que aquí nos interesa. Se hablaba de «contar un exiemplo», «contar fábulas o apólogos», sucesos ordinarios o extraordinarios cuya intención esencial era de carácter moralizante. Posteriormente la palabra CUENTO designa «chistes», «anécdotas», «cuentecillos» de origen popular que se transmitían oralmente o por escrito en obras que en sí no eran cuentos, sino novelas o tratados didácticos. En el siglo XIX, el cuento de invención personal, producto de la imaginación del escritor, va a cobrar autonomía estética y, por otra parte, ciertos escritores como los hermanos Grimm en Alemania y Perrault en Francia, etc., van a recoger por escrito los cuentos populares de tradición oral. De este modo dos especies distintas, el cuento popular y el literario, quedan enfrentadas y hasta contrapuestas.

buen cuento debe estar estructurado en función de un EFECTO único o sencillo y que cada parte del mismo, cada núcleo, cada palabra incluso debe tender a ese efecto preconcebido [4]. Según él, «a partir de Hawthorne [5] dejamos de entender como cuento —hecha la salvedad del cuento histórico— todo aquello que, perteneciendo a lo narrativo, no es un estudio unificado de una situación intensa» [6]; *intensidad* que se logra, sin duda, al construir el cuento en función de ese famoso EFECTO único propuesto por Edgar Allan Poe [7]. Pues bien, «ese cierto EFECTO único o sencillo —según Aldecoa— es el que caracteriza el cuento mo-

---

Vemos, pues, que el término CUENTO engloba un amplio conjunto de significaciones muy diversas en español. Además de designar el cuento popular y el literario ya mencionados, aparece asociado al «relato infantil» y al «embuste» en el habla vulgar. Por otra parte, el hecho de emplear varios términos —relato, relato corto, narración breve, etc.— para designar el cuento literario ha contribuido a embrollar aún más las cosas. Pensamos que el vocablo CUENTO ha quedado tan adscrito a lo popular, tradicional y folklórico que sería necesario encontrar otro término para designar lo que en la actualidad se llama «cuento literario».

Dicho problema no se plantea en la terminología inglesa o alemana, por ejemplo, precisamente porque poseen dos términos diferentes («Short story» llaman los ingleses al cuento literario para distinguirlo del «Tale», designación reservada para el cuento popular, infantil, etc. En alemán análogamente «Kurzgeschichte» (cuento literario) se opone a «Märchen» (cuento popular)).

[4] Francisco Ayala abunda en la misma dirección: «Sólo cuando nos encontramos ante una estructura verbal organizada en función de un núcleo, cuyo sentido apunta hacia el misterio, reconocemos la presencia de un verdadero cuento». Opinión recogida por Erna Brandenberger en *Estudios sobre el cuento español contemporáneo*, Madrid, Editora Nacional, 1973, pág. 130.

[5] Hawthorne, escritor norteamericano (1804-1864), autor de cuentos de marcado pesimismo, cuentos que estudiará posteriormente E. A. Poe desarrollando su propia teoría cuentística: «A skilful literary artist has constructed a tale. If wise, he has not fashioned his thoughts to accommodate his incidents; but having conceived, with deliberate care, a certain unique or single 'effect' to be wrought out, he then invents such incidents he then combines such events as may best aid him in establishing this preconceived effect». Edgar Allan Poe, «Review of Twice-Tol Tales» en *Selected writings*, Penguin Books, Harmondsworth, Middlesex, England, 1967, pág. 446.

[6] Ignacio Aldecoa, «El cuento en los Estados Unidos», pág. 2.

[7] Dice E. A. Poe al hablar del cuento: «In the whole composition there should be no word written, of which the tendency, direct or indirect, is not to the one preestablished design», en *op. cit.*, pág. 446.

derno. Aquí es donde la trama, el conjunto de incidentes, la suma de episodios —muchas veces innecesarios o adjetivos— por exigencia de la «unidad interna» que propone el EFECTO único, se depura, se hace lo que se ha llamado «acción motivada o argumento»[8]. Es decir, que ciertos elementos que nos pueden parecer superfluos al comenzar la lectura poseen una estudiada funcionalidad en la estructura global del relato. No se trata, pues, de una digresión real sino de una aparente digresión por medio de la cual el cuentista nos atrapa desde la primera frase y nos predispone para que recibamos de lleno el impacto de lo que vendrá después.

La mayoría de los cuentos de Aldecoa empiezan discursivamente, mas esas entradas lentas y suntuarias tan características de sus relatos poseen la extraordinaria cualidad de arrebatar nuestra atención aislándonos de todo lo que nos rodea; estamos muy lejos aún de saber lo que va a ocurrir en el cuento y, sin embargo, no podemos sustraernos a su atmósfera. Esto es, sin duda, una forma de intensidad manifestada o ejercida en la manera con que el autor nos va acercando al suceso.

En otras ocasiones, desde la primera frase y, sin preparación previa, el autor nos coloca de lleno en la acción de sus cuentos, como es el caso de «El asesino», «Los bisoñés de don Ramón» y algunos más, pero este tipo de relatos es minoritario en su obra. Sea como fuere, vemos que tanto en un caso como en el otro el autor recurre a la INTENSIDAD porque sabe perfectamente que no existe otra manera de que un cuento sea eficaz y se grabe en nuestra memoria y sensibilidad de manera ostensible y definitiva. En el cuento va a suceder algo y ese algo será intenso; todo rodeo es innecesario, todo comentario al acaecimiento en sí debe ser radicalmente suprimido.

Es un hecho bien conocido de todos que los cuentos arquetípicos de estos últimos cien años han nacido de una despiadada eliminación de todas las ideas o situaciones intermedias, de todos los rellenos o fases de transición que la novela permite o incluso exige.

---

[8] Ignacio Aldecoa, art. cit., pág. 3.

En lo que respecta a nuestro escritor, la mayoría de sus relatos pueden ser calificados de «esenciales» en la medida en que están despojados de aditamentos superfluos, de elementos sobrantes. Su narrativa es como un impacto, como un golpe directo y contundente. En sus cuentos se narra una breve anécdota y esa anécdota tiene un «antes» y un «despues» que no están explicitados en lo que se relata, y que el lector tiene que «escribir por su propia cuenta porque de ellos sólo se nos da lo esencial [9]. Cuentos magistrales como «Seguir de pobres» (1951), «La urraca cruza la carretera» (1956), «Arqueología» (1951), «Las piedras del páramo» (1961), etc., etc., están estructurados en función de un único efecto, y cada parte o secuencia del mismo, cada núcleo, cada palabra incluso tiende sin vacilación a ese efecto.

Evidentemente no todos los cuentos de Aldecoa alcanzan la misma perfección. Algunos de ellos resultan excesivamente largos —«Vísperas del silencio» (1955), «Young Sánchez» (1957), etc.— y en ellos encontramos elementos superfluos que disminuyen su calidad artística. Los más bellos y mejor logrados se encuentran sin duda entre los menos extensos, aunque hay que decir que en su última etapa productiva —en la que casi todos sus relatos son largos— hallamos cuentos, como «Un buitre ha hecho su nido en el café» o «El silbo de la lechuza», de gran belleza y de una calidad compositiva indiscutible, como se verá en el estudio detallado que hacemos de ambos.

I. Aldecoa ha tocado todas las teclas del cuento. En su producción encontramos relatos largos, cortos y cortísimos, pero todos son cuentos, porque lo que determina que una narración sea cuento o novela no es la longitud. La diferencia es de tipo estructural, como muy bien sabía el escritor; así lo reflejan cier-

---

[9] En la actualidad el cuento necesita la contribución del lector reflexivo, de un lector dispuesto a re-crear una buena parte de ese orbe que sólo está sugerido, evocado, porque el cuento es una entrevisión, un mundo poblado de resonancias en el que el determinismo creador del artista queda reducido al mínimo. El papel que le toca desempeñar al lector en el cuento es muy superior al que se le pide en la novela y bien podría ser éste uno de los factores que intervienen en el hecho de que haya pocos lectores aficionados a leer cuentos.

tas declaraciones que hizo al respecto en alguna ocasión. Sintetizando los puntos de vista expuestos por Aldecoa, podemos establecer tres diferencias fundamentales entre novela y cuento. La primera centrada en *los soportes narrativos*: «El cuento no se hace con el ritmo de los sucesos. El cuento se hace con el ritmo de la palabra»[10]. Dicho de otro modo, la palabra es el soporte esencial del cuento moderno, mientras que el de la novela es el suceso. Esto no quiere decir que en el cuento no exista la anécdota; evidentemente existe, pero ésta no vale por sí misma, como en la novela, sino en cuanto es capaz de actuar como una especie de explosión abriendo de par en par una realidad mucho más amplia, y esto sólo se consigue mediante un tratamiento especial del lenguaje, de la palabra[11].

La segunda diferencia reside en *los ritmos narrativos o «tempos de orquesta»*[12], para utilizar la terminología de nuestro autor. El «tempo» es una noción musical y se refiere a la mayor o menor cantidad de «tiempo» narrado en el tiempo real en que se produce la narración. Pues bien, el cuentista, al no tener por aliado el tiempo, no puede proceder acumulativamente; su único recurso es trabajar en profundidad, condensar el tiempo has-

---

[10] Declaraciones de Aldecoa a Erna Brandenberger reproducidas en su libro *Estudios sobre el cuento español contemporáneo*, pág. 139.

[11] Para J. Cortázar, tanto en el cine como en la novela, la captación de esa realidad más amplia y multiforme «se logra mediante el desarrollo de elementos parciales, acumulativos, que no excluyen, por supuesto, una síntesis que dé el «clímax» de la obra; en una fotografía o en un cuento de gran calidad, se procede inversamente, es decir que el fotógrafo o el cuentista se ven precisados a escoger y limitar una imagen o un acaecimiento que sean «significativos», que no solamente valgan por sí mismos sino que sean capaces de actuar en el espectador o en el lector como una especie de «apertura», de fermento que proyecta la inteligencia y la sensibilidad hacia algo que va mucho más allá de la anécdota visual o literaria contenidas en la foto o en el cuento» (Julio Cortázar, «Algunos aspectos del cuento», en *La casilla de los Morelli*, Barcelona, Tusquets Editor, 1975, págs. 137-138).

[12] A la pregunta ¿Cuál es la diferencia esencial entre la novela y el cuento?, responde Aldecoa: «Una de ellas el «tempo» (...). No me refiero al «tempo» en sentido rectilíneo, con la sencillez de lo biográfico. Quiero decir el «tempo» de orquesta» (Varios, «Ignacio Aldecoa ha nacido para vivir la vida y para escribirla», en *El Español*, 20-26 de marzo de 1955, pág. 46.

ta lograr casi su quintaesencia. En efecto, basta una breve mirada al cuento moderno para observar que éste tiende, cada vez más, a llenar vacíos, paréntesis, a cristalizar en instantes fugaces, mínimos, que adquieren una dimensión gigantesca en la pluma del escritor. Ciertos cuentos de Francisco Umbral («Tribunal-José Antonio-Sol», «Tamauré», etc.) o de Ana María Matute (del libro *Los niños tontos* principalmente) o del mismo Aldecoa (piénsese en el libro *Neutral Corner*) ilustran bien lo dicho. Pero hay que añadir que la condensación temporal no es privativa de los cuentos cortos, dado que la hallamos análogamente en otros mucho más extensos que los mencionados, como es el caso de «Seguir de pobres», relato que, a causa de su gran difusión, tomaremos aquí como modelo para ejemplificar nuestra teoría. Al leer atentamente «Seguir de pobres» observamos que el tiempo acotado para la acción, unos veinte días aproximadamente —período durante el cual un grupo de segadores permanece en un pueblo castellano con el fin de efectuar la siega de cereales—, es muy superior al de la narración, que sólo se centra en fragmentos de cuatro días no consecutivos, el primero de los cuales recibe un tratamiento más pormenorizado y estetizado que los restantes. Vemos, pues, que el escritor procede de forma selectiva ofreciendo al lector únicamente los momentos que son representativos, «significativos», en función del efecto que se propuso al escribir el cuento; en este caso concreto, la puesta en escena de la solidaridad que nace y se estrecha paulatinamente entre los protagonistas de condición humilde cuando sobreviene la desgracia.

La lectura de este cuento se realiza en pocos minutos, mas, al terminar, nos queda la impresión de haber permanecido días, incluso meses, al lado de estos seres; es más, su recuerdo se instala en nosotros y difícilmente podremos desprendernos de él, como tampoco podremos hacerlo con todos los buenos cuentos que hayamos leído o podamos leer en el futuro; ello se debe sin duda a la capacidad que poseen todos los buenos cuentos de rebasar sus propios límites iluminando algo que va más allá de la pequeña anécdota que cuentan.

La tercera y última diferencia fundamental entre los dos géneros ya mencionados es *el tratamiento estilístico.* El escritor argentino J. Cortázar, al constatar la potenciación expresiva del cuento, lo llama «caracol del lenguaje», «hermano misterioso de la poesía» [13], llegando a definirlo como «la semilla donde duerme un árbol gigantesco» [14]. Otro cuentista español bien conocido, Francisco Umbral, insiste en el hondo lirismo del género [15]. Es evidente que el lenguaje del cuento participa de muchos de los recursos estilísticos de la poesía; los relatos de I. Aldecoa son un bellísimo testimonio, como se verá en el estudio que dedicamos al tratamiento estilístico. A nuestro juicio, una de las características primordiales del lenguaje cuentístico es su poder evocativo, su capacidad de sugerir mucho más de lo que expresa. Este es uno de los grandes secretos y, al mismo tiempo, la gran dificultad del buen cuento en general y particularmente de los de nuestro escritor.

Es bien sabido que el cuento —particularmente el español— ha sido un género condenado no sólo por la indiferencia [16], sino también por la incomprensión, como lo revelan las declaraciones de Andrés Amorós al examinar las vicisitudes formales de la cuentística española:

> Cualquiera que participe como jurado en un premio literario de cuentos, suele asombrarse del bajo nivel de la mayoría de los presentados (...). Muchos de los que concurren a concursos no parecen haber asimilado la revolucion técnica que se ha producido en nuestro siglo en el arte de narrar [17].

Pero la cosa no se detiene aquí, sino que Amorós termina su ensayo designando al cuento como la «Cenicienta de nues-

---

[13] J. Cortázar, art. cit., pág. 135.

[14] *Ibidem*, pág. 142.

[15] Francisco Umbral, *Teoría de Lola*, Barcelona, Ed. Destino, 1977, págs. 21-22.

[16] Mientras los críticos siguen acumulando teorías y manteniendo enconadas polémicas en torno a la novela, casi nadie se interesa por la problemática del cuento.

[17] Andrés Amorós, «Fernández Santos o el arte de narrar», en *Literatura y filología* (Fundación Juan March), núm. 60, mayo, 1978, págs. 6-7.

tras letras» y como un género que difícilmente interesa a las editoriales.

En nuestra opinión, el gran error de éste y de otros comentarios similares relativos al cuento reside en el hecho de partir de unos presupuestos de análisis ajenos al cuento literario. La mayoría de los estudiosos del género han intentado explicitarlo en función de esquemas y parámetros novelísticos y no cuentísticos. Aquellos que quieran acercarse con rigor a este género sutil y difícil tendrán que hacerlo desde dentro, utilizando una metodología adecuada, porque el relato corto —y esto conviene acentuarlo— no es un paso que da el joven escritor camino de mayores empresas, como han pretendido muchos críticos, sino una empresa en sí, «algo que ha nacido por sí mismo, en sí mismo y hasta de sí mismo», como afirma Julio Cortázar [18]. Aldecoa apunta en la misma dirección en su respuesta a Julio Trenas, cuando éste le preguntó si creía en la transición de un género a otro:

> Pienso que no son pasos, sino cosas distintas. Poco tiene que aprender el novelista en un cuento y nada el cuentista en la novela. Es más, todavía considero más difícil el relato corto. Así lo pregona la historia literaria: hay menos buenos cuentistas que novelistas [19].

Vemos, pues, que estamos ante un género autónomo que nada tiene que ver con la novela, sino que «vive, alienta, se mueve y muere con una fisiología distinta» [20], y por ende de ninguna manera puede ser analizado desde parámetros novelísticos. Pensamos que el día en que el género cuento se nutra de un discurso crítico exigente, bien fundamentado desde parámetros propios y aplicado a la obra de nuestros mejores cuentistas, que son muchos, se dejará de hablar de imperfecciones formales y de otras presuntas imperfecciones. Por otra parte, las innovaciones técnicas a las que alude A. Amorós se introducen en Es-

---

[18] Julio Cortázar, «Del cuento breve y sus alrededores», en *La casilla de los Morelli*, pág. 107.

[19] Julio Trenas, «Así trabaja Ignacio Aldecoa», en *Pueblo*, 5 de octubre de 1957, pág. 11.

[20] Ignacio Aldecoa, art. cit., pág. 3.

paña en el ámbito de la novela a partir de los años 60 principalmente, mientras que el cuento —así lo demuestran los relatos de Aldecoa— había alcanzado una gran maestría técnica ya por los años 50.

Valga todo esto como justificación de nuestro convencimiento sincero de que ha llegado ya el momento de revisar juicios apresurados que a nadie favorecen y que relegan injustamente a la narración breve. El día en que se cumpla este «desiderátum» las cosas cambiarán sin duda, pues, como señaló muy acertadamente F. García Pavón [21], nunca hubo tantos y tan buenos cuentistas en España como en los últimos años.

[21] Francisco García Pavón, *Antología de cuentistas españoles contemporáneos*, Madrid, Gredos, 1976 (3ª ed.): «Me atrevo a afirmar que (...) el florecimiento del cuento español actual es superior al de la novela. Desde 1939 hasta nuestros días, puede señalarse la aparición de seis, ocho, diez, hasta doce novelas importantes, según los gustos, que han valorado el género narrativo en nuestro país. El número de libros de cuentos excelentes y no digamos de cuentos sueltos, es, a mi entender, mucho mayor. El día que las grandes editoriales se ocupen adecuadamente de este género —si es que llegan alguna vez a este feliz término de su rutina y miopía— el lector español quedará extraordinariamente sorprendido» (pág. 8).

JUSTIFICACIÓN METODOLÓGICA

Si bien la crítica ha reconocido unánimemente la maestría de los cuentos de I. Aldecoa, paradójicamente no se ha dedicado ni un solo libro al estudio de los mismos [1]. Muchas veces nos hemos preguntado el porqué de este fenómeno y hemos llegado a la conclusión de que los cuentos de Aldecoa —aun habiendo alcanzado las cotas más altas a las que ha llegado este género en la literatura española— sólo serían estimados en su justo valor el día en que dicho género contara con el reconocimiento que merece y con el que cuentan en la actualidad otros géneros literarios. Conscientes de ello, a la vez que intentamos llenar un hueco que se hace cada vez más visible, hemos tratado de esclarecer, en la medida de nuestras posibilidades, una serie de puntos que nos parecen indispensables para enjuiciar adecuadamente este bellísimo género.

Como ya dijimos en el apartado dedicado a estas cuestiones teóricas —quizás no esté de más repetirlo— el cuento literario es un género autónomo que posee sus leyes propias y desde luego no puede ser analizado desde parámetros novelísticos. Aquellos que quieran acercarse a él con rigor tendrán que hacerlo desde dentro, utilizando una metodología adecuada. Esto es lo que nosotros intentamos hacer al estudiar los relatos del escritor vasco. Empezando por detectar ese EFECTO único y senci-

[1] Queremos advertir que el libro de José Luis Martín Nogales, *Los relatos de Ignacio Aldecoa* (ver bibliografía) vio la luz cuando éste nuestro estaba ya en prensa; por consiguiente no hemos podido tener en cuenta sus aportaciones.

llo existente en cada uno, tratamos de analizar todos aquellos elementos que, de manera directa o indirecta, concurren y contribuyen a su consecución. Dicho método es genuinamente cuentístico y, a nuestro juicio, puede aplicarse al cuento literario en general, cualquiera que sea su autor, pues estamos convencidos de que existen ciertas constantes, ciertos valores que se aplican a todos los buenos cuentos —ya sean fantásticos o realistas, dramáticos o humoristas, etc.—, a saber: condensación, intensidad, máxima economía de medios, un solo foco de atención, lenguaje evocativo, etc.

La finalidad que nosotros perseguimos en la primera parte de nuestro trabajo, dedicada al estudio de los cuentos de I. Aldecoa, es la de lograr una interpretación de los mismos a través de la forma, entendida ésta en un sentido amplio como principio configurador de los mismos. Estamos convencidos de que el planteamiento estructural y compositivo de los cuentos informa y conforma de manera sustantiva la entraña profunda del cuento literario. Por eso hemos dedicado especial interés al desarrollo y división de las diversas partes o núcleos, pero sin olvidar que el cuento es una unidad destinada a producir un efecto único, que sus partes suponen un todo y que el todo supone las partes.

Podríamos comparar la estructura del cuento con un juego de ajedrez, en el que el «valor» de un rey o de un peón no proviene de que la pieza sea más o menos grande o de material más o menos noble, sino de la relación que guarda con respecto a las demás, sometidas como lo están todas a una disposición sistemática. De la misma manera, cada parte o secuencia del cuento, cada núcleo narrativo no tiene valor «per se» sino en su relación con los demás como parte integrante de la totalidad, y es el EFECTO ÚNICO el que establece las vinculaciones funcionales entre los diferentes núcleos estructurales y/o anecdóticos [2].

La primera parte de nuestro trabajo la hemos consagrado, pues, al estudio de los cuentos de I. Aldecoa, respetando el or-

---

[2] Para Aldecoa «los materiales del relato sirven decidida y delicadamente al EFECTO, sea éste sorpresivo o no, pero dentro o desde dentro o informando una naturaleza, la del CUENTO de una manera sustantiva» (I. Aldecoa, art. cit., pág. 4).

den cronológico de publicación de los diferentes libros [3], dado que fue el mismo autor quien hizo la selección de los cuentos que componen cada uno de ellos [4], y porque pensamos que, al hacerlo, le guió una razón profunda, a saber, la de reunir en una unidad superior y bajo un título simbólico —que a menudo encierra la clave para su interpretación— un número determinado de cuentos que poseen ciertas afinidades temáticas. Así el libro *Espera de tercera clase*, por ejemplo, reúne diez cuentos cuyo tema central es la miseria y el dolor en la sociedad española de postguerra; *El corazón y otros frutos amargos* desarrolla principalmente el tema del trabajo, y así cada uno de los libros se anuda en torno a un tema central a un problema acuciante para el hombre: la soledad (*Caballo de pica*), el tiempo (*Arqueología*), etc., etc. Por ello hemos tratado de hacer un breve estudio global de cada libro antes de pasar a analizar con detalle uno o dos de sus cuentos elegidos como ejemplificación ilustrativa del conjunto.

El criterio que hemos seguido para la selección de los mismos es triple. Por una parte, el estructural, teniendo en cuenta el efecto único del que ya hemos hablado, así como lo bello y equilibrado de las proporciones compositivas. Por otra, el temático, tratando de elegir aquel cuento que a nuestro juicio representa mejor cada libro [5]. Por último ha sido el factor estético el que ha intervenido decisivamente en la selección de los cuentos estudiados, pues no hay que olvidar que la mayoría de éstos

---

[3] *Espera de tercera clase* y *Vísperas del silencio* (dada la multitud de características comunes que ambos poseen, los hemos estudiado conjuntamente), *El corazón y otros frutos amargos, Caballo de pica, Arqueología, Neutral Corner, Pájaros y espantapájaros* y *Los pájaros de Baden-Baden.*

[4] No hay que olvidar que la mayoría de sus cuentos antes de ser recogidos en libros se habían publicado en revistas y periódicos.

[5] Así «La urraca cruza la carretera», además de desarrollar el tema del trabajo, realizado en circunstancias penosas, característica común del libro *El corazón y otros frutos amargos,* en el que se inserta, nos ofrece las repercusiones de estos hechos en la vida afectiva de los protagonistas. El escritor nos muestra unas conductas, una parcela mínima de unas vidas, sin añadir ni moraleja ni reflexión alguna a la fábula. Los protagonistas se conducen solos y el escritor, oculto en la acción, deja el campo libre al lector reflexivo.

son verdaderas joyas desde el punto de vista de la validez artística.

La segunda parte del libro está dedicada al estudio de ciertos resortes que configuran el estilo personalísimo de Ignacio Aldecoa y que hacen que sus cuentos sean imposibles de confundir con los de cualquier otro autor contemporáneo. Si bien es verdad que el escritor deja, en apariencia, por supuesto, que sus personajes se conduzcan solos, ocultándose en la acción para lograr así una impresión de objetividad, no sucede lo mismo en el estilo, donde su presencia es preponderante y bien visible.

El lenguaje es soporte esencial en los cuentos modernos, y Aldecoa lo sabía muy bien. Por ello el de los suyos es casi inconmensurablemente rico y la frescura y el dinamismo que trasuntan las palabras que utiliza radica en una aptitud de evocación que va mas allá de la mera descripción minuciosa y precisa, o, enunciado de otro modo, radica en la expresión poética feliz (con sus propias exigencias de precisión) mejor que en la referencia directa al objeto real. No hay que olvidar que los cuentos de Ignacio Aldecoa crecieron siempre a la sombra de una indeclinable vocación poética. Advertimos en toda su obra la presencia y la huella de esta inicial vocación y si a partir de un momento abandonó el mundo de la poesía como algo juvenil, su veta poética persistió soterrada y siguió alimentando sus mejores creaciones.

Dado que ninguna de las cuestiones principales que abordamos —I. «Trayectoria de un maestro» y II. «Recursos de estilo»— ha sido analizada hasta ahora de forma sistemática y detallada, estimamos que un trabajo como el nuestro no sólo se justifica sino que puede encontrar un sitio y una función en la escasa y fragmentaria bibliografía acerca de uno de nuestros máximos escritores contemporáneos.

I

TRAYECTORIA DE UN MAESTRO

> Tallados en diamante están estos cuentos que en su conjunto nos parecen testimonio de una época, arte inefable, donde con las palabras precisas se pinta, se evoca, se hace vivir un mundo entero.
>
> ANTONIO TOVAR

DE *ESPERA DE TERCERA CLASE* A *LOS PÁJAROS DE BADEN-BADEN*

Alrededor de 1950, comienzan a aparecer en España los escritos de unos jóvenes que vivieron la guerra civil siendo niños. Son esos «niños asombrados, asomados precozmente al mundo», según las palabras de Ana M.ª Matute. Para toda esta generación —denominada por E. de Nora «La nueva oleada» [1] y por I. Aldecoa «La generación intermedia» [2]— el hecho bélico abrirá ante sus ojos un mundo desconocido de violencia, de odio, de muerte y de miedo, ampliando considerablemente las experiencias vividas hasta ese momento. Personas y sucesos desconocidos para muchos de ellos a causa de su condición económica privilegiada entrarán a formar parte de su mundo cotidiano, como testimonian las palabras de A. M.ª Matute:

> Hombres, mujeres y niños insospechados, harapientos, ardiendo en un odio para mí, entonces, incomprensible. Gentes que jamás vi en ninguna parte, que nunca imaginé que pudieran vivir en la misma ciudad que yo. Era como si alguien hubiera vaciado las aguas de un estanque, al parecer tranquilo y limpio, y aparecieran en su fondo infinidad de desechos que no podíamos suponer [3].

Aunque pronto deberán buscar un modo de vivir en medio de estos horrores, las vidas de estos jóvenes quedarán marcadas

[1] Eugenio G. de Nora, *La novela española contemporánea,* Madrid, Ed. Gredos, 2.ª ed., tomo III, 1970, págs. 259-328.

[2] Josefina Rodríguez de Aldecoa, *op. cit.,* pág. 17.

[3] Varios, *El autor enjuicia su obra,* Madrid, Editora Nacional, 1966, pág. 143.

para siempre por dicho conflicto histórico, como revelan las trágicas palabras de J. Asenjo Sedano:

> Yo no sé por qué, los de mi edad, sin motivos, nos dimos cuenta de que, aun siendo niños, habíamos envejecido de repente. La vida, la guerra y las personas empezaron a pesarnos terriblemente. Parecía que el frío nos había helado en mitad del camino y que éramos ya, tan pronto, árboles desnudos y perdidos. Habíamos visto pasar primero a los de un lado y, ahora, veíamos llegar a los del otro. Y nadie parecía caer en la cuenta de que nosotros estábamos allí, de que nosotros existíamos, de que también nosotros, más que hecho, habíamos sufrido aquella mala guerra; la teníamos escrita en la piel, en los ojos, en el temblor de las manos... [4].

Interrumpida prematuramente su niñez y sin entender del todo ese mundo irracional de sangre y horror que se abría ante sus ojos, estos escritores tratarán, al crecer, de encontrarle una explicación a todo aquello; no nos sorprende, pues, el número abundantísimo de novelas y de cuentos, entre los que proliferan en la postguerra, cuyo motivo central es la infancia enmarcada por la lucha fratricida. Son claro exponente de lo dicho los cuentos de A. María Matute «Historias de la Artámila» (1961) y «El río» (1963), «Andrés» (1967) de Dolores Medio, «Cabeza rapada» (1965) de Jesús Fernández Santos y «La mortaja» (1957) de Miguel Delibes. Los ejemplos podrían multiplicarse.

Estos años de miedo, de zozobra y de pesadilla se reflejan análogamente en algunos cuentos de Ignacio Aldecoa, siendo especialmente revelador el titulado «Patio de armas» (1961). En él, el niño Gamarra-Aldecoa revive la guerra, la perturbación experimentada por los alumnos en el colegio al ocupar los alemanes la parte baja del caserón que lo albega; o al asistir al entierro del padre de Vázquez, uno de sus camaradas, que pertenecía al bando franquista; o al informarse de manera vaga y confusa de la muerte en la cárcel del padre de Isasmendi, perteneciente al bando contrario.

Estos niños no pueden comprender unos hechos que se les revelan crueles, dramáticos; son víctimas inocentes sobre las que

---

[4] José Asenjo Sedano, *Conversación sobre la guerra*, Barcelona, Ed. Destino, 1978, pág. 215.

ha caído un castigo desmesurado, una guerra de la que no se sienten acreedores, pero cuyas consecuencias viven en toda su profundidad y crudeza.

En otro de los relatos de nuestro escritor, «Un corazón humilde y fatigado» (póstumo), es el joven Toni quien, desde la lejanía del tiempo, revive la guerra a través de un suceso aparentemente insignificante: la visita de un hombre, de un fantasma «cargado de lutos antiguos», que, obsesionado por la pérdida de su hijo, exige al padre de Toni que le certifique su muerte: «Usted lo vio. No le pido más que eso. Lo demás no importa. Quién lo hizo, no importa. Tiene que certificar la muerte de mi hijo porque necesito que no haya desaparecido, que esté muerto» (I, 385). Y este incidente hará fluir a un primer plano —en la mente de Toni— sucesos cuyo recuerdo se le había borrado momentáneamente y que, al irrumpir de manera brutal, desvelan muchas incógnitas que habían quedado hasta entonces sin explicación: «Toni estaba entendiendo, iba comprendiendo desde lo lejano. Había como un horizonte de tiempo donde estaban sucesos, y aullidos que no formaban parte de su vida, y ahora regresaban, siniestros y en bandada» (I, 386), oprimiéndole el corazón enfermo.

Esta contienda no sólo será determinante para el futuro de esta generación, sino que supondrá además para la mayoría de ellos un corte rotundo con el pasado. El mundo de sus padres se desmoronó como ruinas de guerra, arrastrando consigo los valores sobre los que se asentaba su sociedad. El miedo y la perplejidad penetraban en todos los hogares, pertenecientes a uno u otro bando, y el niño siente la inseguridad, la zozobra; sin ejemplos ni consignas aplicables a las nuevas situaciones que deberá afrontar, va creciendo en el recelo y en la desconfianza, porque

> madurar entre bombas, entre muertos urgentes, crecer con la amenaza de un bosque de manos crispadas sobre ti, sin que nadie te dé razón de todo, es un trago que, de no haberlo pasado, no es posible entenderlo [5].

---

[5] Alfonso Albalá, *Los días del odio*, Madrid, Ed. Guadarrama, 1969, pág. 154.

En esta atmósfera de destrucción y de odio, esos niños van a volver sus ojos hacia el mundo de sus abuelos, quienes aún encarnan ciertos valores sustentadores de lo humano. Van a intentar conquistar el presente a través del pasado, de ese pasado para ellos remoto, que encierra la imagen de contactos vitales entre los seres humanos, de creencias y de mitos profundos que tanto necesitan para poder liberarse de la situación opresiva en que se encuentran. Así por ejemplo, F. García Pavón, aunque poco afectado por la guerra, dedica a sus abuelos en sus primeros libros de cuentos —*Cuentos de mamá* (1952), *Cuentos republicanos* (1961) y *Los liberales* (1965)— páginas bellísimas preñadas de emoción y de afecto, al tiempo que recrea episodios, tipos y ambientes de su infancia hasta el final de la guerra civil. Y en el relato de I. Aldecoa «... y aquí un poco de humo» [6] la figura de doña Ricarda —abuela del escritor— adquiere una dimensión casi mítica, permitiendo al niño Rafael-Aldecoa entroncarse con el pasado remoto, con ese pasado que ella ha transformado para él en leyenda con objeto de hacérselo más accesible, más tangible y trascendente.

Si la infancia de los escritores de esta generación transcurrió bajo el signo de la guerra civil, su adolescencia se vió marcada por la segunda guerra mundial y por sus consecuencias inmediatas. Las privaciones materiales de todo tipo vinieron además acompañadas de la penuria intelectual.

> No había libros, no había revistas, no había cine ni teatro que valiese la pena. El aislamiento era total. El mundo estaba en guerra y del extranjero no llegaba nada. Vivíamos encerrados en nuestros propios problemas nacionales: el miedo, el desconcierto, la desesperación de la postguerra. La Universidad, reprimida, mezquina, anémica, acobardada, reflejaba la situación del país [7].

De ahí que la mayoría de estos escritores —especialmente Aldecoa— prefieran formarse en la «Universidad de la Vida»,

[6] Publicado por primera vez en el *Correo Literario,* 1 de enero de 1953, e incluido posteriormente en el libro *Arqueología* (1961).

[7] Josefina Rodríguez de Aldecoa, *op. cit.,* pág. 11.

en contacto con los seres de carne y hueso, seres desgarrados por el miedo, el hambre y la desesperanza, pero con una filosofía práctica profunda y, sobre todo, con una gran humanidad.

Estos escritores prematuramente responsables, serios y rebeldes, sienten la necesidad y el deseo de revisar los valores caducos que han heredado de sus padres, y que ya no les sirven, y de desenmascarar los males e injusticias que pesan sobre los hombres y la sociedad que les rodea, y por ello se lanzan a la ardua tarea de sacudir las conciencias dormidas con el fin de despertar a cuantos estaban sumidos en la atonía de aquel ambiente opaco. Paradójicamente, la represión intelectual y el difícil acceso a la cultura, lejos de generar en ellos el desaliento, constituyeron un incentivo, provocaron una curiosidad profunda por informarse de las corrientes literarias vigentes al otro lado de las fronteras nacionales, acrecentando su sed de conocimiento y su afán «por desbordar los límites cerradamente nacionales para integrarse en las grandes corrientes de la «Weltliteratur» [8]. Poco a poco y con grandes dificultades van entrando en contacto con las obras de Sartre, Hemingway, Capote, Dos Passos, Joyce, Pavese, etc., cuyos hallazgos les alentarán en la búsqueda de nuevas vías, al enviarles desde lejos sugerencias inesperadas, como ha señalado Carmen Martín Gaite [9].

Josefina Rodríguez ofrece igualmente, en sus palabras, la constancia de esta época:

> Vivíamos en una gran tensión intelectual, teníamos curiosidad, avidez, pasión por acercarnos a un aliento cultural tan difícil de alcanzar y cuando caía un libro en nuestras manos nos lo pasábamos de uno a otro y lo comentábamos con pasión. Jesús Fernández Santos, Rafael Sánchez Ferlosio, Carmen Martín Gaite, Alfonso Sastre, José María de Quinto, Ignacio y yo, en Madrid, como otros muchachos de la misma generación en Barcelona o en otros lugares de España, formábamos un bloque de amistad y camaradería absolutamente ebrio de literatura [10].

[8] Eugenio G. de Nora, *op. cit.*, pág. 260.

[9] Carmen Martín Gaite, art. cit., pág. 6.

[10] Josefina Martín de Aldecoa: *op. cit.*, págs. 18-19

Inquietud intelectual, por una parte; amor a la libertad, a la justicia y solidaridad con el ser humano que sufre, por otra, serán características comunes de todos los escritores de esta generación. No hay en ellos odio ni resentimiento, sino avidez de equidad, de horizontes más amplios, y una gran ternura y comprensión al acercarse a los seres que sufren a su alrededor. Ellos han sufrido hondamente y por lo mismo pueden comprenderlos, ya que sufrir es vía de conocimiento y factor de catalización del sentimiento.

Todas estas características las encontramos en los relatos de Ignacio Aldecoa correspondientes a su primera etapa de escritor. Casi todos sus cuentos participan de las inquietudes éticas y políticas de los narradores sociales, aunque del común de ellos se aleja por el mayor cuidado de su estilo, por su riqueza de léxico, y por evitar las simplificaciones en que vino a dar «la generación del medio siglo», como se la ha llamado. Así, *Vísperas del silencio* (1955), *Espera de tercera clase* (1955), *El corazón y otros frutos amargos* (1959), *Caballo de pica* (1961), y *Arqueología* (1961) son libros de historias cálidas y humanas, desesperanzadas y trágicas, de personajes desvalidos y entrañables que tratan de acercar al lector las incomprensiones y los problemas de que son portadores. Y si en algunos de estos cuentos surge la denuncia explícita —«La urraca cruza la carretera», «Seguir de pobres», «El corazón y otros frutos amargos»—, por encima de ella se eleva e impone el tono cordial y humano de comprensión y de simpatía, que puede vincularse con la manera de escribir de algún otro cuentista de la época: Vicente Soto en «Vidas humildes, cuentos humildes» (1948), Medardo Fraile en «Cuentos con algún amor» (1954), etc. De acuerdo con esto, en los cuentos de Aldecoa no hay protagonistas colectivos, sino individuos que sufren, seres humildes que se desgarran a través de sus problemas y sus momentáneas o continuadas frustraciones.

Percibimos eso sí resonancias dickensianas y galdosianas en el modo que tiene nuestro narrador de profundizar en los seres humildes. Le interesa describir las situaciones, los trances, siempre con un sutil manejo del pormenor, de la alusión indirecta y de un lenguaje altamente evocador.

Independiente y libre, Aldecoa nunca se dejó llevar de corrientes a la moda ni de extremismos. Por eso, no dudó en reconocer abiertamente su adhesión al «realismo social» en un momento en que la crítica literaria condenaba despiadadamente dicha corriente:

> Soy un escritor al que se puede incluir con pocas dudas en el realismo o en lo que damos como valor común al término. Supongo que soy un escritor social, porque tengo preocupaciones de carácter social. Pero si usted me pregunta por cuál es la misión del «escritor social» tendré que responderle que al parecer no es una sola misión, sino muchas. Desde el testimonio a la protesta [11].

El término «social», aplicado a la literatura de Aldecoa, debe ser entendido, pues, en sentido muy amplio, ya que su testimonio de la realidad circundante está exento de consignas ideológicas. Obedece más bien a una visión del mundo cuyo trasfondo transmite una honda compasión por los seres humildes y dolientes. En efecto, por sus páginas circulan hombres desvalidos, menesterosos y marginados, seres hundidos por la pobreza, por la falta de perspectivas, víctimas que luchan por salir de su situación sin lograrlo casi nunca. Pero a pesar de esto, raras veces se vislumbra en ellos el odio, porque están impregnados de un senequismo ancestral muy arraigado en el alma española. No ambicionan riquezas porque saben y piensan como el filósofo Cabeda —personaje de la novela *Con el viento solano* , y como el mismo escritor— que «lo natural es no tener nada. Eso es lo natural, como todos los bichos del mundo. Hay que trabajar para comer hoy, no mañana. Hoy es lo importante» [12].

El narrador se siente así muy cerca de los seres libres que pueblan y dan vida a sus cuentos —«Solar del Paraíso», «Los bienaventurados», «Seguir de pobres», «Un artista llamado Fai-

---

[11] M. Fernández Braso, «Ignacio Aldecoa levanta acta de los años de crisálida» en *Índice de Artes y Letras,* núm. 236, octubre, 1968, pág. 42.

[12] Ignacio Aldecoa, *Con el viento solano,* Barcelona, Ed. Planeta, 3.ª ed., 1970, pág. 135.

sán», etc.—, seres despojados de bienes materiales, buenos y de alma incorruptible. Muchos de ellos viven al aire libre, como marginados que son, en el «terreno de nadie» que hacen suyo descubriendo sus misterios, «hablan de tú a las estrellas», dicen «el padre sol» y «la madre luna» y «la noche está serena» o «el día está amurriado (...) y saben refranes antiguos y a los vientos les cambian los nombres» (I, 233). Su alma es pura y aventurera, como la del propio escritor. Se recetan la filosofía del presente para el espíritu, y se burlan de los que luchan por una posición en la vida y actúan como si fuesen a vivir siglos.

Es importante señalar acerca de todo esto que Aldecoa no cae en el tradicional maniqueísmo de buenos y malos correspondiente en tosco esquematismo a pobres y ricos, sino que sitúa las cosas en su lugar y presenta a los hombres como seres humanos, con vicios y virtudes a la par, cualquiera que sea el nivel social en que se encuentren. Los personajes que describe en el relato «Ave del Paraíso» (1965) por ejemplo, pertenecen a la clase social privilegiada —especialmente el «Rey», que sin trabajar dispone siempre de dinero—, y, sin embargo, tanto él como sus «gentilhombres» son seres libres porque no acaban de enraizar en parte alguna. Son pájaros prestos a alzar el vuelo, almas rebeldes que no están de acuerdo con las normas sociales cuya vigencia les aporta poco y a las que desafían escandalosamente. No hay que olvidar que la libertad es algo espiritual y no material, y que los pobres, aun viviendo en la pobreza, pueden tener como de hecho ocurre en tantos y tantos casos un espíritu burgués. Por otra parte, la chulería, el amor propio llevado hasta extremos peligrosos, las peleas inútiles y sin motivo, las trampas... están igualmente presentes en algunos de sus relatos como esquemas de conducta representativos de la gente humilde: «Los vecinos del callejón de Andín» (1951), «Los atentados del barrio de la cal» (1951). Pero hay que señalar que, por encima de la denuncia, se alza siempre la comprensión y el amor del escritor hacia esos seres condicionados, la mayoría de las veces, por su falta de instrucción y de cultura.

Otro de los grandes logros de la cuentística aldecoana es saber captar al hombre entroncado en la realización de su trabajo cotidiano en sus diversos matices y características. Su libro *El corazón y otros frutos amargos* (1959) reúne once relatos publicados con anterioridad en revistas literarias —salvo el que da título al libro— y en todos ellos, directa o indirectamente, se desarrolla el tema del trabajo. A estos cuentos hay que añadir «Santa Olaja de acero» y «El aprendiz de cobrador», incluidos en libros anteriores. Y son sobre todo los trabajos duros, penosos e incluso violentos, aquellos que exigen del hombre la aplicación de sus facultades máximas, los que merecen la atención y el amor profundo del narrador. Para lograr describirlos en toda su hondura, Aldecoa llevó a cabo en la realidad de su propio vivir un aprendizaje casi profesional de los oficios, interesándose por las más variadas técnicas, por el nombre y el manejo de los diversos instrumentos en sí mismos y en cuanto emanan directamente de la sabiduría popular. Llevado de su especial afán por ahondar en el conocimiento del clima y ambiente en que se efectúan los diversos trabajos que describe, no dudó en someterse a las correspondientes vivencias directas. Así se enroló varias veces como marinero antes de escribir su novela «*Gran Sol*» y los cuentos de tema marino: «Rol del ocaso» (1957), «Entre el cielo y el mar» (1955), «La noche de los grandes peces» (1965), etc. Y para impregnarse de lo que es el mar, del significado profundo del lenguaje marítimo y de la jerga marinera, de lo que significa la pesca de altura o de bajura —especialmente la primera— llegó a realizar idéntico trabajo al de cualquiera de los tripulantes de un barco pesquero consagrado a este tipo de faenas. Análogamente vivió desde dentro las experiencias de los toreros que retrata en el cuento «Los pozos» (1963) [13] y la de los boxeadores que plasma en su desgarrador

---

[13] Antes de la guerra Blasco Ibáñez y Lorca habían tratado igualmente en sus obras el tema de las corridas de toros; después de Aldecoa otros cuentistas se ocuparán del tema taurino: Jorge Cela Trulock «Blanquito, peón de brega» (1958); Fernando Quiñones «La gran temporada» (1960) y José María Sanjuán «El ruido del sol» (1971). Pero ninguno de ellos lo hará de forma tan lírica y con un sentido tan «humanista». Dicha fórmula literaria moderna de aproximación «humanista» al tema de los toros, boxeadores y pescadores procede de Hemingway.

libro *Neutral Corner* (1962). Conocía también el duro oficio de fogonero como si él mismo lo hubiera ejercido durante años. Había viajado con los camioneros y sabía de los temores casi supersticiosos que asaltan al conductor en la noche, mientras oye el respirar acompasado del compañero en la litera, y sus esfuerzos para combatir el sueño en la madrugada. Oficios mayores o menores, todos están descritos con el mismo rigor y entrañable hondura. Los trabajadores y los trabajos que pinta Aldecoa no resultan artificiales porque están sustentados en experiencias vividas, y en ello se fundamenta el que se hable de una «épica de los oficios» en su literatura [14].

Temáticamente la cuentística de Aldecoa posee, sin ninguna duda, una riqueza de puntos de vista mayor que las del resto de sus contemporáneos. Algunos de sus relatos dejan atrás la limitadora fidelidad a los hechos palpables para abrirse a una perspectiva de totalidad, a una realidad que abarca lo natural y lo sobrenatural, la experiencia vivida y la experiencia soñada, lo consciente y lo subconsciente, lo inmanente y lo trascendente. Todos sabemos que el subconsciente es una parte misteriosa del individuo poco explorada aún. Un mundo poblado de personajes que se nos revelan en el sueño a través de un lenguaje simbólico. Jung nos ha hecho penetrar en ese mundo desconocido, mucho más rico y más vasto que el del «yo consciente», revelándonos que el hombre no podrá realizarse plenamente mientras no conozca el universo de su subconsciencia. Ese conocimiento es, según él, condición imperativa para la realización de la personalidad integrada, «unificada», y esta integración se hace viable cuando se ha realizado plenamente el proceso de «individuación»; es decir, cuando el consciente llega a conocer su subconsciente y lo acepta, viviendo en armonía con él, y complementándose ambos mutuamente.

[14] En 1955 declaraba Aldecoa en una entrevista que concedió a la revista *Destino*: «... En líneas generales mi propósito es desarrollar novelísticamente, en la medida de mis fuerzas, la épica de los grandes oficios» («Ignacio Aldecoa. Programa para largo» en *Destino*, núm. 956, 3 de diciembre). Estas palabras las reproduce J. L. Alborg, *op. cit.*, pág. 278.

No tenemos testimonio de si Aldecoa conocía o no directamente las teorías de Jung, pero lo que sí es evidente es que en su relato «Pájaros y espantapájaros» [15], por ejemplo, el narrador nos ofrece «la experiencia vivida» y «la experiencia soñada» de sus protagonistas. Y que, a través de ésta última, concretizada en símbolos tradicionales, podemos penetrar en el «yo íntimo» de los seres de su historia, conociéndolos más hondamente. Pero además estos sueños van a revelar, tanto al lector como a los que los viven, la dualidad trágica y difícilmente conciliable entre «la experiencia vivida» (= los pájaros) y «la experiencia soñada» (= los espantapájaros). En este relato se alteran sin que nos demos cuenta las secuencias temporales y la ubicación espacial, y de improviso nos encontramos con una realidad multiplicada en varias escalas y en diversos planos de tiempo y de espacio, según corresponde a la verdadera imagen de lo que comúnmente llamamos realidad. Aldecoa sabe que ésta encierra una gran complejidad y que los laberintos del cerebro son campo inagotable de exploración y de conocimiento. Este relato y otros de los que componen el libro *Pájaros y espantapájaros* son un claro exponente de la profundidad y trascendencia de nuestro escritor, que no repara en medios en su búsqueda de comprensión del individuo común para descubrir lo que hay de esencial en cada criatura de carne y hueso. Al mismo tiempo, se pone así de manifiesto la gran dificultad del ser humano para comprenderse a sí mismo, comprender a los demás y, a su vez, ser comprendido.

Vemos, pues, que, fiel a su propósito artístico, I. Aldecoa se apartó del realismo concebido como una meta *per se* creando sus propios mundos y enriqueciendo su obra con un toque de misterio. Por otra parte, percibimos a través de toda su obra una visión simbólica de aquella que trasciende la superficie externa de los hechos. Sus relatos, planeados con rigor y cuidadosamente elaborados, trascienden lo anecdótico, van más allá del

[15] Publicado por primera vez en *Correo Literario*, 1 de diciembre de 1950, y posteriormente como etiqueta de un libro en 1963.

hecho cotidiano en su realidad palpable para calar en una dimensión más honda.

Aunque Aldecoa será fiel a esta tendencia simbolista hasta el final de su carrera de escritor, observamos un cierto cambio en su obra a partir de los años 60, cambio paralelo al que se efectúa por entonces en la sociedad española. Como todos sabemos, al período de aislamiento interior y exterior, provocado por la guerra civil, en que España cerró sus fronteras y fue excluida y marginada por los demás países al terminar la segunda guerra mundial, sucedió una nueva fase, determinada por la guerra fría, que incorporó nuevamente a España en la comunidad internacional situándola a la vez bajo la esfera de influencia norteamericana. Estos hechos serán decisivos en el cambio histórico español. Los norteamericanos obtienen el permiso para implantar en el Mediterráneo las bases militares que necesitan a fin de reforzar su poder estratégico, y a cambio España recibe los dólares que tanta falta le hacen para reconstruir su precaria economía. Las fronteras nacionales se abren y una avalancha turística invade el país con el consecuente aporte de divisas y de nuevas conductas que serán determinantes para la modificación de las viejas estructuras sociales españolas.

Todas estas fuerzas, más la poderosa influencia del capital, que condiciona e incluso mueve las decisiones del gobierno, obligaron al régimen a un cambio de dirección, y desde entonces los acontecimientos se precipitaron: se creó el Plan de Desarrollo Económico, y los españoles asistieron a un proceso de industrialización creciente y a una mejora de las condiciones de trabajo [16]. En definitiva, el viejo rostro de España fue desapareciendo, a pesar de las múltiples fuerzas que trataron de impedir el proceso histórico, y el cambio generó un mayor bienestar material, que se extendió a todas las capas de la sociedad. Como era de esperar, las nuevas condiciones económicas, políticas y sociales engendraron una nueva visión de los problemas exis-

[16] Ramón Tamames, *La República. La Era de Franco*, Madrid, Ed. Alfaguara, 1977, págs. 454-573.

tentes, y acarrearon el nacimiento de otros desconocidos hasta entonces.

En el ámbito literario, estos años 60 se caracterizan por el cansancio de la llamada literatura social y por una gran ansia de renovación. Empiezan a incorporarse los nombres más importantes del exilio y se produce el llamado «boom» hispanoamericano con su consecuente renovación técnica y especialmente lingüística. La imaginación recupera sus derechos, y la literatura española, al aprovecharse de las innovaciones formales de la literatura universal, dominada por el espíritu de experimentación y de cambio, se hace en su conjunto más ambiciosa.

En 1962 el peruano Mario Vargas Llosa obtiene el premio «Biblioteca Breve» con su novela *La ciudad y los perros*, y se publican dos obras españolas —*Tiempo de silencio* de Luis Martín Santos y *Fin de fiesta* de Juan Goytisolo— que ejercerán, especialmente la primera, una poderosa influencia en la renovación estilística y en la concepción estructural de la prosa narrativa española. *Tiempo de silencio* es la primera novela española, de la segunda mitad de nuestro siglo, que abre perspectivas enteramente nuevas en la concepción temática y en la técnica estructural del arte narrativo [17].

Como era de suponer, Ignacio Aldecoa, siempre pendiente de las nuevas corrientes literarias, no fue ajeno a esta evolución. Su último libro de relatos *Los pájaros de Baden-Baden* (1965), así como los cuentos póstumos y la última novela *Parte de una historia* (1967), dan cabida a la visión de la nueva España de los años sesenta y a las innovaciones técnicas, especialmente

[17] El primero que señaló los valores intrínsecos y extrínsecos de esta obra, así como su absoluta diferencia respecto a las novelas de otros narradores jóvenes, fue Ricardo Doménech en su artículo: «Ante una novela irrepetible», en *Ínsula*, núm. 187, junio, 1962, pág. 4. Desde entonces el número de estudios que se le han dedicado es abundantísimo. Entre ellos vale la pena destacar el libro de Alfonso Rey, *Construcción y sentido de «Tiempo de silencio»*, Madrid, Ed. José Porrúa Turanzas, S. A., 1980. Y el artículo de Robert Spires: «El nuevo lenguaje de la 'novela'», en *Ínsula*, núms. 396-97, 1979, págs. 6-7 (en el que señala que el estilo de Martín Santos constituye una muestra de «cómo el nuevo empleo del lenguaje en la novela de postguerra crea una nueva visión de la realidad española de los años sesenta»).

lingüísticas, que se habían producido en el campo literario. Los personajes que pueblan sus últimos cuentos gozan de la sociedad de consumo, del bienestar material, pero en su mayoría viven completamente alienados, ahogados por prejuicios y convencionalismos absurdos, que Aldecoa desenmascara y ridiculiza utilizando la técnica de la deformación esperpéntica. Hay en *Pájaros de Baden-Baden* situaciones de gran fuerza y expresividad, y páginas de indudable maestría estilística que revelan el temple del escritor. Y es que otro de los aspectos que adquieren especial relevancia en esta obra, quizás el más renovador y significativo de todos, es el tratamiento del lenguaje.

Es bien sabido que en la actualidad la estructura narrativa y el uso consciente de un determinado nivel de lenguaje determina en fundamental medida los valores de la obra literaria, constituyendo la clave del logro artístico. La obra del escritor ha llegado así a ser, como ha señalado reiteradamente la crítica, un verdadero acontecimiento de la palabra. El lenguaje ha obtenido por sí mismo un rango esencial y determinante, y los escritores tratarán de extraer de la lengua el máximo rendimiento desde el punto de vista artístico. Los nuevos escritores de lengua castellana —especialmente los hispanoamericanos: J. L. Borges, Julio Cortázar, Mario Vargas Llosa, Carlos Fuentes, etc.— luchan contra el anquilosamiento de la lengua academicista y retórica. Desean destruir el lenguaje para renovarlo, para revitalizar el sentido de las palabras, sentido que se ha perdido o atrofiado a causa de un empleo huero y grandilocuente. Además hay en casi todos ellos un propósito consciente, ligado a lo político, de acabar con los lenguajes encubridores. «La nueva novela hispanoamericana —afirma Carlos Fuentes— se presenta como una fundación del lenguaje contra los prolongamientos calcificados de nuestra falsa y feudal fundación de origen y su lenguaje igualmente falso y anacrónico» [18], y para lograr sus objetivos los escritores se entregan a una batalla de experimentación, no dudando en quebrantar la sintaxis tradicional, creando

[18] Carlos Fuentes, *La nueva novela latinoamericana*, México, Cuadernos de Joaquín Mortiz, 1969, pág. 78.

nuevas formas y nuevas estructuras. Las ideas y los problemas cobran fuerza y vigor por la manera de expresarlos, y el uso de ciertos recursos amanerados ya no resulta eficaz para reflejar el mundo actual y sus inquietudes. Los primeros innovadores de la lengua literaria en España después de la guerra civil serán R. Sánchez Ferlosio, Camilo José Cela, Jesús Fernández Santos, I. Aldecoa y Luis Martín Santos. Su preocupación por el lenguaje irá más allá de la carga semántica de la palabra y de su valor expresivo, comprometiéndose con las raíces profundas del lenguaje, con el lenguaje como estructura, utilizando, al mismo tiempo, el poder sugeridor de los vocablos. Otro de los novelistas de la misma época, que irá incluso más lejos que ellos en esta dirección, es Juan Goytisolo, considerado por Carlos Fuentes como «el puente de unión entre la literatura latinoamericana y la española» [19].

En el ámbito del género cuentístico son Julio Cortázar en Hispanoamérica y Ricardo Doménech con sus dos últimos libros —*Figuraciones* (1977) y *La pirámide de Khéops* (1980)— en España, quienes han ido más lejos en el campo de la experimentación lingüística. El primero ha escrito un cuento titulado «Usted se tendió a tu lado», en el que lleva hasta límites muy difíciles de superar su afán de renovación idiomática. El mismo título nos indica ya una trastocación de la sintaxis, de la concordancia. Asimismo Ricardo Doménech en uno de los cuentos del libro *Figuraciones,* —«Estampa de costumbres»—, llega a darnos una impresión de perversión sintáctica al eludir una gran parte de los «verbos dicendi», y al presentar en un mismo plano el lenguaje descriptivo-narrativo y el conversacional.

Ignacio Aldecoa sin ir tan lejos —la base de su lenguaje sigue siendo clásica— introduce en su último libro de cuentos innovaciones apreciables. El desenfreno y desasosiego de los personajes descritos en el relato «Ave del Paraíso», por ejemplo, nos llegan directamente a través de expresiones vivas e hiperbólicas que ellos utilizan en su espontáneo fluir, y de cierta dislocación —siempre moderada— de la expresión tradicional. La ex-

---

[19] Carlos Fuentes, *op. cit.*, pág. 81.

perimentación con el lenguaje se manifiesta igualmente en el uso de otros idiomas: inglés, francés, alemán, incluso latín, y esto no sólo a nivel léxico —fenómeno normal, dada la universalización de la cultura— sino a nivel sintáctico. Por otra parte, la inclusión en «Ave del Paraíso» de la musicalidad a través de los sones de rumba de los negros de las Antillas, que envuelve la llegada del «Rey» a la isla (= El Paraíso) y que prepara el clima de desenfreno propicio al desarrollo del cuento, es otro gran logro lingüístico.

A esto hay que añadir los vocablos compuestos de otros varios, a veces muy largos, unidos por guiones intermedios; los paréntesis utilizados con intencionalidad; las letanías que se convierten análogamente en la música de fondo de algunos de estos cuentos; la inserción de siglas, etc.

En el relato «Amadís» (póstumo) apenas distinguimos a los personajes de relleno; sus siluetas aparecen a manera de entidades emblemáticas; «El hombre gordo», «el hombre de las manos aleteantes», «el hombre del pelo planchado», etc. Este mismo recurso lo utilizará años más tarde Ricardo Doménech en su libro *Figuraciones* ya citado, haciéndolo extensivo a los personajes esenciales.

Pero el gran aporte de I. Aldecoa a la cuentística, lo que le convierte en el verdadero maestro del cuento español del siglo XX, no es ni la originalidad de los temas, ni las innovaciones lingüísticas, sino la forma, entendida en sentido amplio, como principio configurador, es decir, el planteamiento estructural y compositivo de sus cuentos. Percibimos el geometrismo o la trabazón constructiva de algunos de ellos como se percibe en la construcción de una catedral o en la composición de una sonata, y nos extasiamos ante relatos como «Pájaros y espantapájaros» (1950), cuya estructura cíclica engloba la totalidad de la psique, distinguiendo en su interior dos partes bien delimitadas, correspondientes a «la experiencia vivida» (= pájaros) y a «la experiencia soñada» (= espantapájaros) de los protagonistas. Igualmente geométrico, incluso cubista, es el relato «Un buitre ha hecho su nido en el café» (1965), donde el espacio-café (= tablero de ajedrez) se convierte en el elemento estructurador del mismo y en el que los personajes (= piezas de ajedrez) se desplazan brusca y hábilmente como se hace en el tablero. En ocasiones, los diseños de sus cuentos son verdaderos laberintos que poco tienen que envidiar a los de J. L. Borges, tan justamente alabados por la crítica literaria. Muchos de ellos se nos presentan como un artefacto en el que cada elemento desempeña una función calculada. De este modo, para leerlos adecuadamente es necesario examinar detenidamente su estructura interna y su técnica narrativa; es decir, «analizarlos». Tal análisis revela, a menudo, cómo los mejores cuentos de esta etapa deben su eficacia no sólo a la maravillosa capacidad inventiva del autor y a la maestría de su lenguaje, sino también al laborioso y lento montaje de los componentes, que suelen estar sabiamente interconectados, de modo que forman una unidad intrincada a la vez que armoniosa.

Pero pasemos ya al análisis detallado de los cuentos de nuestro escritor para poder así apreciar mejor los valores mencionados.

LAS VÍCTIMAS

Con tu pañuelo negro a la cabeza pensando
en hijos, cátedra de lágrimas valiente como
siempre y bien dispuesta.

MANUEL ALCÁNTARA

«ESPERA DE TERCERA CLASE» Y «VÍSPERAS DEL SILENCIO» (1955)

Ambos títulos sugieren de manera profundamente lírica el contenido de los relatos que se agrupan en los respectivos volúmenes. En ellos está omnipresente la España de la postguerra, la escasez, la miseria y el desamparo. Una España que no ofrecía alternativas y que hundió a los españoles —particularmente a los pobres— en un fondo de negrura abismática, en un callejón del que parecía imposible salir.

Los seres que discurren por estas páginas esperan la muerte en una «sala de tercera clase», como reveló el mismo escritor [1], y Aldecoa nos desvela el transcurrir de sus vidas en la inminente proximidad, en las «vísperas» del gran silencio trascendental y definitivo que es la muerte.

¡Cuánta desolación y cuánto desvalimiento encierran estos relatos! Vislumbramos en ellos como un velo de fatalismo que envuelve indefectiblemente todas esas vidas y que pesa sobre ellas como una condena. Al desamparo habitual, escalofriante ya de por sí, viene a añadirse casi siempre el accidente —«Seguir de pobres», «Hasta que llegan las doce»—; la muerte de un ser

[1] Entrevista con Ignacio Aldecoa, *Ateneo,* 1 de noviembre de 1954.

querido, que trunca una familia —«La humilde vida de Sebastián Zafra», «Vísperas del silencio», «Quería dormir en paz», «Chico de Madrid»—; o la desgracia —«Solar del Paraíso»— que hunde aún más a estos seres en un sufrimiento desgarrador.

Su pobreza es extremada; ni siquiera poseen un cobijo digno y necesario a todo ser humano. Viven en chabolas —«Quería dormir en paz»—, y chamizos —«Solar del Paraíso»— construidos con toda clase de materiales heterogéneos en las afueras de las ciudades; o al aire libre en el terreno de nadie que ellos hacen suyo adaptándolo a sus necesidades: «La humilde vida de Sebastián Zafra», «Chico de Madrid», «Muy de mañana». Y en su mayoría tampoco poseen un trabajo remunerado ni tienen esperanzas de lograrlo, ya que la encrucijada social que el destino les ha deparado les cierra difinitivamente el camino de las ilusiones. Son víctimas inocentes que expían un pecado ajeno, y sobre las cuales han caído las terribles consecuencias de la deficiencia social, política y económica de los años de la postguerra.

Son gente «de pobreza absoluta de medios económicos», pero «millonarios de resignación y alegría» (II, 229), porque viven y aceptan la pobreza de manera evangélica y llevan su cruz con resignación.

En estos dos libros Aldecoa ha sabido captar maravillosamente el alma de los seres humildes de su tiempo, su creencia profunda —hondo legado del espíritu cristiano característico de nuestra cultura— de que por la cruz y la adversidad se llega al conocimiento de Dios y a la vida eterna, y de que hay que llevar la cruz con paciencia y ánimo alegre. Así está dicho en la Biblia: «el que no toma su cruz y me sigue no es digno de mí» [2]; «Bienaventurados los pobres de espíritu, porque suyo es el reino de los cielos. Bienaventurados los que lloran» [3], y así se les ha repetido insistentemente a estos seres. Estas sentencias han sido grabadas con letras de fuego en su corazón y han dictado los pasos de la gente humilde durante siglos haciendo

---

2 Mt 10, 38

3 Mt 5, 1-12.

que soportaran con conmovedora dignidad el sufrimiento, la miseria y el infortunio y que depositaran todas sus esperanzas en el más allá.

A esto hay que añadir la influencia sumamente nefasta que ejerció la Iglesia Católica en la postguerra española, con su política paternalista e intervencionista [4] al utilizar la religiosidad como un opio para paliar las miserias del pueblo desvalido y conseguir con ello —en complicidad con el gobierno— el inmovilismo en la jerarquía social. Los eclesiásticos predicaron la resignación pasiva y la oración confiada como el medio más eficaz para salir de la indigencia, añadiendo que la riqueza es nociva por razones ascéticas, dado que «cuando todo nos sobra ya no nos acordamos de Dios».

Este estado de cosas, unido a la represión de todo tipo, contribuyó a destruir toda capacidad de lucha en el ánimo del pueblo bajo, y lo sumió en una desconsoladora impotencia, haciendo que aceptara con resignación la fatalidad en la que se veía inmerso.

Para sentir el deseo de luchar es necesario vislumbrar un poco de luz, aunque sea mínima, y a estos seres se les había negado; por eso no nos sorprende su pasividad. Cuando se tocan esos fondos de negrura, puede haber mucha humanidad y mucha valentía en la resignación.

Para ellos la vida es «un valle de lágrimas» que deben soportar para merecer y lograr la vida eterna, en la que han depositado todas sus esperanzas. Es bien sabido que la esperanza está profundamente enraizada en el corazón del hombre, haciendo que oriente sus pasos hacia un futuro diferente del presente; pero, cuando ese futuro es desesperanzadamente cerrado, tiende a depositar la realización de sus deseos en el más allá.

---

[4] F. Alcañiz, *Al obrero,* Granada, 1963. De este folleto, con ese tono de resignación social paternalista, se habían editado, hasta ese año 117.000 ejemplares. L. M. Jiménez, S. J., Font, *Catecismo Apologético,* Barcelona, 1946. Este problema ha sido magistralmente estudiado por Enrique Miret, «La educación nacionalcatólica en nuestra posguerra», en *Tiempo de Historia,* núm. 16, marzo, 1976, págs. 4-21.

Esta es la actitud de las gentes que pueblan el universo de estos relatos. Para ellos la muerte es liberadora porque los va a arrancar de sus sufrimientos y penalidades presentes, y aunque los vemos desgarrados interiormente, soportan su sufrimiento con admirable estoicismo; y si en algún momento se rebelan contra su situación, vuelven inmediatamente a la serenidad habitual encauzando valiente y silenciosamente su dolor. A la puerta de cada chabola, de cada chamizo, encontramos «la piedra», «el pedrusco de las lamentaciones y de los llantos», que se asemeja mucho al «muro de las lamentaciones de Jerusalén». Este «pedrusco» les sirve de asiento para tomar el aire o el sol, según el tiempo; a él van a sentarse los niños entre hipos y lloros, después de haber sido azotados por alguna falta; es asimismo el refugio de los adultos. Invita a la reflexión, y en él tratan de encontrar consuelo silencioso a sus desgracias y preocupaciones.

Aldecoa, hombre intrínsecamente bueno, ha vivido desde dentro los problemas de los pobres. Igual que Cristo, convivió con pescadores, trabajadores humildes, marginados, tahúres, etc. Compartió con ellos el escaso pan del trabajo, sus angustias, sus temores, aprendió a captar en sus miradas y en sus parcos diálogos la «realidad cruda y tierna» de sus vidas, su maravillosa humildad, y amó y valoró particularmente la solidaridad existente entre ellos, su disponibilidad y comprensión hacia el sufrimiento de los demás. Y, aunque él no es un ser resignado, ni consigo mismo ni con la situación que le rodea, comprende y admira profundamente la resignación y la dignidad con la que estas gentes sobrellevan sus miserias. Por ello nos desvela con entrañable ternura y humanidad la honda sencillez y bondad de sus almas, haciéndose solidario de sus problemas y sufriendo intensamente con ellos en un acto de sublime hermandad. Y siendo ello así, no dudó en hacer trascender a un primer plano, con nitidez crudamente realista, toda la sordidez de la situación española de los años de postguerra, con sus deficiencias sociales y de otros tipos escandalosamente penosas, dramáticas. Como un demiurgo, se distancia de los hechos para plasmarlos con la mayor objetividad, sin caer en sentimentalismos, pero tras sus palabras percibimos un inconmensurable amor y respeto hacia ese mundo desgarrado por una tragedia colectiva, hundido en la desesperanza.

«SEGUIR DE POBRES»

Como ya se dijo en los capítulos precedentes, los cuentos de I. Aldecoa están construidos con la exactitud y perfección de un trazado geométrico en el que, por encima de las partes que los componen, percibimos una unidad indisoluble, encaminada a producir un efecto único y totalizador. Esto es lo que sucede en «Seguir de pobres», donde cada una de las secuencias está construida en función de las otras y en virtud de un sólo efecto: la solidaridad entre la gente humilde. Solidaridad que está latente desde el comienzo del relato y que se irá reforzando progresivamente hasta alcanzar la cima cuando sobreviene la desgracia; desgracia que servirá de revulsivo para estrechar los lazos ya existentes entre los protagonistas.

Pero atengámonos más concretamente a la narración y veamos cómo distribuye Aldecoa el material de la misma.

Teniendo en cuenta el tiempo de la narración, distinguimos en el relato «Seguir de pobres» las siguientes secuencias [5]:

1) Una breve *introducción* de estilo descriptivo-narrativo, presentadora de dos realidades que se revelarán antagónicas al final del cuento (ciudad/campo).

2) *Una primera parte*, que nosotros llamamos *presentativa*, la más extensa de todas, a la que el autor dedica cuatro páginas y media (secuencias I y II), que recoge la actividad de los personajes durante un día.

3) *Otra*, propiamente *activa*, desarrollada en dos páginas y media (secuencias III, IV y V), que abarca unos veinte días aproximadamente.

4) Y *el cierre o efecto final* (secuencia VI) consagrado a la despedida y separación de los protagonistas, hechos que se efectúan en brevísimos instantes.

[5] Es necesario advertir que Aldecoa divide el relato en seis capítulos o secuencias: el primero muy extenso en relación a los otros cinco, muy breves.

1. *Introducción.* — Se inicia el relato con una imagen que nos da una visión halagüeña y festiva de las ciudades de provincia en primavera. Los atractivos e ilusorios carteles publicitarios que pululan por doquier, con un segador sonriente y satisfecho, acompañado de un niño de ojos serenos a cuyos pies se vislumbra la hucha del ahorro, nada tienen que ver con los que efectúan el duro trabajo de la siega. Tras su agradable y engañosa fachada se esconde la cruda realidad: son anuncios para los labradores ricos, y «nada dicen a las cuadrillas de segadores que, como una tormenta de melancolía, cruzan las ciudades buscando el pan del trabajo por los caminos del país» (I, 25).

Después de esta descripción plástica y colorista de una realidad falaz y publicitaria, el escritor, sin ningún elemento de transición, desplaza bruscamente nuestra atención hacia una segunda visión —correspondiente a un segundo núcleo narrativo— que rompe la apariencia anterior y nos sitúa de improviso en el campo a principios de mayo, haciéndonos partícipes del despertar de la naturaleza: «la vida vuelve» (I, 25).

A través de breves pinceladas descriptivas referidas a ciertos animales —«el grillo», «la lombriz», «la cigüeña»— y a sus respectivas actividades —«sierra», «enloquece», «pasea»—, nos trasmite sutil y hábilmente toda la belleza, quietud («pasea»), y zozobra («sierra», «enloquece») que encierra el campo, sin necesidad de recurrir a estratagemas artificiosas.

Y en íntima conexión con lo inmediatamente expuesto, nos enteramos más adelante de que cuatro de los protagonistas del relato proceden del campo, de la tierra, entrañable para ellos, pero al mismo tiempo inhóspita, porque no les ofrece el fruto necesario para subvenir a sus necesidades. El otro —«El Quinto»— viene de la ciudad, de la bella ciudad que oculta la cárcel y el hospital tras su espléndida y deslumbrante fachada; por eso ambas realidades —«ciudad-campo»—, contrariamente a lo que señaló J. M. Martínez Cachero [6], no están desvinculadas del resto del cuento, sino que tienen una estudiada funcionalidad

[6] José M. Martínez Cachero, «Ignacio Aldecoa: «Seguir de pobres»», en *El comentario de textos,* 2. Madrid, Ed. Castalia, 1974, pág. 191.

en la estructura global del relato, y cobrarán sentido al final del mismo, como veremos más adelante.

2. Después de esta visión de conjunto, sugeridora del marco en el que va a desarrollarse el suceso, el escritor nos introduce en el meollo de la historia.

La acción de esta primera parte —que hemos llamado presentativa— se reduce a un solo día, centrándose en el viaje que los personajes hacen desde el lugar del encuentro hasta el pueblo de destino, y en su estancia en dicho pueblo durante ese mismo día. Pero dentro de esta unidad se distinguen tres subunidades, marcadas por tres hitos o jalones temporales: *el amanecer* («la cita fue para las cinco y media»); *el mediodía* («al mediodía les para un sombrajo»); y *el anochecer* («las seis»). La distribución de la temporalidad queda, pues, equilibrada en tres unidades de unas seis horas cada una aproximadamente:

2.1. Desde el amanecer hasta el mediodía.
2.2. Desde el mediodía hasta las seis de la tarde.
2.3. Desde las seis de la tarde hasta medianoche [7].

Estos tres núcleos forman un conjunto orgánico, se entrelazan estrechamente, ofreciendo una red de relaciones que apuntan a la finalidad de la obra. Y, aunque separables, se nos dan en combinación indisoluble, son arrastrados los unos por los otros, ya que cada uno de ellos va a añadir nuevos matices al anterior y conjuntamente coadyuvarán a la presentación de los protagonistas y del ambiente de solidaridad que paulatinamente se irá desarrollando entre ellos.

2.1. Comienza el primer núcleo narrativo de esta secuencia con un fragmento que describe un conjunto de cuadrillas de se-

[7] No está delimitado con exactitud el final de esta jornada, aunque muy bien podemos suponer que se trata de una hora muy avanzada, ya que llegan al pueblo a las seis de la tarde, hablan con la gente, discuten con Martín acerca del trabajo, cenan, se entretienen en la sobremesa, y aun antes de dormir, prolongan la charla en el pajar.

gadores de manera generalizada y como algo ordinario y habitual en esa época del año —posiblemente el mes de julio—, para pasar inmediatamente a la presentación de una cuadrilla concreta, objeto de la acción del cuento:

> En la cuadrilla van hombres solos. Cinco hombres solos. Dos del noroeste, donde un celemín de trigo es un tesoro. Otros dos de la parte húmeda de las Castillas. El Quinto, de donde los hombres se muerden los dedos, lloran y es inútil (I, 26).

Hasta el momento sólo conocemos su procedencia. Cuatro de ellos vienen de regiones agrícolas, una de ellas especialmente pobre; y el quinto, por las alusiones del autor, inferimos que acaba de salir de la cárcel, de esa cárcel que como un velo de sombras impide el sosiego a los españoles de la postguerra. Todos ellos son seres desvalidos y pobres; su pobreza es puesta de relieve a través de la reiteración de ciertos refranes populares, los cuales a la vez que cumplen la función mencionada introducen sutilmente la peripecia de la segunda parte, deslizando al mismo tiempo, casi imperceptiblemente, en la narración una mínima dosis de «suspense» —el riesgo de la llegada del viento pardo—, a cuya caracterización dedica el escritor varias líneas:

> Con mala manta hay buen cobijo, hasta que la coz de un aire, entre medias cálido, tuerce el cuello y balda los riñones. Cuando a un segador le da el aire pardo que mata el cereal y quema la hierba —aire que viene de lejos, lento y a rastras, mefítico como el de las alcantarillas—, el segador se embadurna de miel donde le golpeó. Pero es pobre el remedio. Hay que estar tumbado en el pajar viendo las arañas recorrer sus telas. Telas que de puro sutiles son impactos sobre el cristal de la nada (I, 26).

Descripción detallada que llega a concentrar, de manera embrionaria, todos los elementos necesarios al desarrollo de la acción de la segunda parte, evitando así, cuando llegue el momento, las digresiones explicativas tan poco propicias al estilo rápido y dinámico de esta última. Pero prolongar el «suspense» no tendría sentido, dado que acaba de comenzar el relato y aún no conocemos prácticamente nada de los personajes. Por eso el escritor vuelve inmediatamente su atención hacia ellos para ofrecernos más detalles relativos a su identidad.

Curiosamente sólo se nos comunica el apellido de uno de ellos, el de Zito Moraña, posiblemente por ser el portavoz de la cuadrilla. Los demás responden por el nombre a secas —Amadeo— o por un apodo —San Juan y Conejo—. «El Quinto», como desprovisto de todo, ni aun esto posee. Le llaman simplemente «El Quinto», «por un buen sentido nominador» (I, 26).

Todos ellos forman «un puño de trabajo», del que destaca «El Quinto» por su silencio: «El Quinto callado; cuando más, sí o no». Y el escritor siente la necesidad de desplazar su narración hacia el pasado para explicarnos la presencia de este hombre en el grupo y las razones de su silencio; para ello, interrumpe momentáneamente el discurso lineal, y mediante un «flash back» hace revivir la escena que tuvo lugar en la cantina de la estación el día anterior, al producirse el encuentro; pero no se demora en digresiones inútiles sino que vuelve inmediatamente al presente por medio del adverbio de tiempo «ahora», para acompañar a los personajes durante un trecho del viaje y describir sucintamente su manera de ocupar el tiempo, resaltando particularmente la comunicación que va surgiendo entre ellos a través de la charla. Sus diálogos parcos y jugosos contienen, por otra parte, referencias a vivencias del pasado, un pasado que se actualiza a través de los recuerdos que se despiertan en los personajes al recorrer espacios conocidos y que van a dilatar considerablemente el tiempo de la narración:

> Zito conoce el terreno. *Todos los años* deja su tierra para segar a jornal.
>
> —Amadeo, de la revuelta esa nos salió *el pasado* una liebre como un burro.
>
> —Sí, hombre, pero no el pasado, sino *otro año atrás*.
>
> Y Zito y Amadeo hablan del *antaño* perdiéndose en detalles... (I, 27)[8].

---

[8] Salvo indicación contraria, todos los subrayados de las citas correspondientes a los textos de I. Aldecoa son míos.

2.2. «Al mediodía les para un sombrajo», y la frugal comida compartida fraternalmente va a cobrar una importancia decisiva, especialmente el momento de asueto que le sigue, dado que nos aportará nuevos detalles relativos a su vida íntima y familiar y, por otra parte resaltará una vez más la extremada pobreza de los protagonistas; pobreza que servirá cuando llegue el momento, para poner de relieve la importancia humana de su generoso gesto: la entrega de una parte del jornal al Quinto.

Terminado el refrigerio, los protagonistas descansan fumando «los cigarrillos de las mil muertes de fuego», y dejan volar su imaginación hacia los seres queridos a quienes han tenido que abandonar para aportarles, a la vuelta, el pan que no llega a producir «el pañuelo de tierra» arrendado detrás de la casa. Y el espacio, limitado hasta ahora al camino y a la cantina de la estación, se dilata, del mismo modo que ocurría con el tiempo, a través del recuerdo, mostrándonos una parcela de la vida íntima de los protagonistas; y para ahondar en el universo de escasez en el que estos seres viven, Aldecoa añade una precisión complementaria:

> Dicen la mujer, los chavales, el que se fue de las calenturas, el que vino por San Juan de hará tres años. No poseen con la brutal terquedad de los afortunados y hasta parece que han olvidado en los rincones de la memoria los posesivos débiles de la vida. Están libres (I, 27).

Precisamente por estar despojados de ataduras materiales son capaces de captar el sufrimiento de los que les rodean y de darse cuenta de que «hay un ser de silencio y de sombras con ellos, uno que ha dicho sí y no y poca cosa más». Su fina sensibilidad les permite saber cuándo hay que dar ocasión al compañero «sin molestarle, de un suspiro, de una lágrima, de una risa. Un compañero puede estar necesitado de descanso y es necesario saber, cuando cuente, el momento en que hay que balancear la cabeza o agacharla hacia el suelo o levantarla hacia el sol» (I, 28). Y es Zito, alma de la cuadrilla, quien rompe el hielo, ofreciendo al Quinto, con sus palabras, la oportunidad de sentirse parte integrante del grupo, incitándole a exteriorizar sus preocupaciones. Pero las manifestaciones de ternura no deben prolongarse demasiado, ya que, de lo contrario, podrían resultar molestas. Por eso Zito se incorpora bruscamente induciéndoles a reanudar la marcha.

2.3. Hasta aquí el escritor se ha preocupado de presentarnos a los protagonistas, insistiendo en su pobreza y en su bondad, puesta esta última de manifiesto en dos momentos culminantes: el encuentro en la cantina y el descanso que sigue a la comida. Pero ahora va a dar prioridad a la descripción del escenario en que se desarrollará la acción propiamente dicha del relato: el pueblo y sus gentes.

A las seis de la tarde los cinco hombres llegan al pueblo, y dentro de él a la plaza en torno a la cual se anuda la vida colectiva: el pilón que reúne los juegos de los niños, la iglesia, etc. El encuentro con los campesinos del lugar es afable y cordial. Zito los conoce de otros años y sabe algo de sus desgracias y dolencias; y a la vez que se interesa por ellos, se queja de su hado, de la necesidad de abandonar su tierra para ganar el sustento en la ajena: «precisamente están los tiempos malos. No se marcha la gente de su tierra porque estén buenos, ni porque la vida sea una delicia, ni porque los hijos tengan todo el pan que quieran» (I, 29). Mas el tono de protesta no es agresivo, es más bien un lamento, un estallido contra su propio destino.

Dado que el campesino Martín sólo tiene trabajo para dos hombres, el grupo debe dispersarse y, una vez más, es Zito Moraña quien toma la iniciativa para ofrecer generosamente a San Juan y a Conejo la posibilidad de beneficiarse de la oferta. Los demás tratarán de encontrar trabajo al día siguiente, pero hasta entonces compartirán el pajar de Martín, adonde suben para depositar sus escasos enseres, pasando luego a la cocina, donde les espera la mujer de aquél. Tras la cena, la mujer pide a Zito —por serle más conocido— que cante para animar la sobremesa. Él se niega, alegando que tiene «la garganta con nudos», pero, ante la insistencia de la anfitriona, entona una copla que fluye de lo más hondo de sí:

> Al marchar a la siega
> entran rencores
> trabajar para ricos
> seguir de pobres (I, 30).

Al analizar los cuentos que desarrollan la temática del trabajo —particularmente en el libro *El corazón y otros frutos amargos*— veremos que en algunos de ellos brota la rebeldía y la protesta ante las injusticias sociales. En este caso, Zito se rebela análogamente contra su situación, contra el hecho de tener que abandonar su tierra para trabajar a jornal para otro. En sus palabras se percibe la rebeldía y la impotencia, y esta copla, antes que ir dirigida especialmente contra la familia de Martín, es como algo que se desgarra y le permite descargar su interior, aminorando el malestar que siente.

Acto seguido y de improviso asistimos a un corte narrativo que sitúa a los personajes en el pajar, después de la cena, y mediante una breve secuencia separada deliberadamente por el autor con puntos suspensivos —secuencia que hemos incluido en la primera parte por participar temporalmente de esa primera jornada, aunque estilísticamente posee las características de la segunda— el escritor nos ofrece dos planos independientes y paralelos, semejantes a dos «flashs» cinematográficos, que despojan a los personajes de sus apariencias, mostrándolos en su intimidad. En lo alto, en el pajar, San Juan y Conejo, contentos, calculan con sencillas palabras los jornales que percibirán por esos veinte días de trabajo que van a hacer. En lo bajo, Martín habla con un amigo del mismo asunto económico «en términos comerciales y escogidos». A través de sus breves diálogos vemos que los últimos, sin ser ricos, han caído en la trampa del dinero, en su influjo corrosivo y maligno, y que su corazón está lejos de alimentar las esencias generosas que entraña el de los segadores.

3. Distinguimos análogamente para la segunda parte del cuento tres subunidades, que reducen progresivamente su extensión (cuarenta y cuatro líneas para la primera, diecisiete pa-

ra la segunda y once para la última), separadas por el autor mediante puntos suspensivos equivalentes a saltos narrativos. Esta separación tipográfica cumple, pues, una función bien definida en el relato. Dado que el tiempo acotado para la actividad de la siega en el pueblo —unos veinte días— es muy superior al de la narración, el autor ha tenido que proceder de forma selectiva escogiendo momentos representativos en función de la finalidad que se propuso desde el comienzo. La temporalidad se agrupa, pues, no cronológicamente, sino en torno a tres fechas: la jornada cuarta, cuatro días antes del final de la siega y la jornada última.

3.1. El primer núcleo narrativo de esta segunda parte se ordena en torno a la cuarta jornada de trabajo, en la que irrumpe un factor extrapersonal: la llegada del viento pardo.

Tras un breve fragmento narrativo, que resume la actividad de los segadores durante tres días y explica que Zito, Amadeo y el «Quinto» trabajan para el alcalde, aparece en primer plano el quehacer de la cuarta jornada, investida de poderes míticos. Si en la primera parte del relato resaltaba la solidaridad que nace en el corazón de estos campesinos humildes ante el «Quinto», ser ajeno a ellos, al que dieron cabida en su grupo sin reservas a sabiendas de que acababa de salir de la cárcel, ahora esta solidaridad va a ganar en profundidad y elevación al salir victoriosa de una dura prueba: la desgracia que se abate sobre el «Quinto». Con lo irrelevante combina Aldecoa lo excepcional: el accidente, lo que añade un eslabón más a la cadena emprendida al inicio del cuento. Valiéndose de un enhebramiento de frases cortas en imperfecto de indicativo, prepara el clímax zozobrante que precede la llegada del viento pardo, insistiendo en el efecto que produce en los humanos y en los animales:

> A la cuarta jornada apretó el calor. En el fondo del llano una boca invisible alentaba un aire en llamas (...). Los segadores sudaban. Buscaban las culebras la humedad debajo de las piedras. Los hombres se refrescaban la garganta con vinagre y agua. En el saucal la dama del sapo, que tiene ojos de víbora y boca de pez, lo miraba todo maldiciendo (...). *Podía llegar la desgracia* (I, 30).

La frase final, aún más inquietante que las precedentes, preludia la llegada inminente del «viento pardo», que, como un vendaval, llega y se entronca en el primer plano de la narración —por medio del pretérito indefinido: «vino», «su primer golpe fue tremendo», etc.— ensañándose con el ser más desvalido del grupo: «El Quinto». Éste, tiritando, derrotado, es conducido por sus compañeros al pajar, y allí asistimos a una de las más bellas y conmovedoras escenas del relato. Los segadores, animados por sus profundas creencias populares, le van a untar con miel las espaldas en un intento inútil de aliviar sus males [9]. La cohesión y firmeza del grupo se hace ahora mucho más patente ante la hostil presencia del médico, que se burla de ellos y no les aporta la ayuda deseada y necesaria. Cuando éste se marcha, los compañeros redoblan sus atenciones con «El Quinto»: volvieron a untarle con miel, y «Zito le echó la manta», como una madre que despliega toda su ternura ante la presencia de un hijo enfermo.

3.2. El núcleo segundo se anuda en torno a la visita de Zito Moraña al «Quinto», postrado en el pajar, contemplando como única distracción posible las telas de las arañas, «telas que de puro sutiles son impactos sobre el cristal de la nada», y que en el relato se erigen en símbolo de la fragilidad de la existencia humana y del destino.

Esta visita va a realzar una vez más la exquisita sensibilidad y ternura de Zito ante la desgracia de su compañero. El infortunio ha salvado todas las distancias que los separaban, y el «usted» ha dejado paso al «tú» cálido y cordial, que rompe la frontera de los convencionalismos. Zito se interesa por el estado de salud del enfermo, y en sus palabras escuetas y precisas se trasluce el temor de que «El Quinto» deba abandonar su pobre morada antes de estar restablecido por completo y, paradójicamen-

---

[9] No hay que olvidar que el poder purificador y curativo de la miel tiene raíces profundas en diversas religiones y culturas, constituyendo en la tradición islámica la panacea por excelencia para preservar la salud.

te, es este último quien trata de calmarle: «No me echarán a la calle de repente...». «No, no, desde luego... dudaba Zito» (I, 31).

3.3. Y lo que hasta ahora había sido un simple temor se verá confirmado en la conversación que mantiene el alcalde con Zito al entregarle su soldada y la del compañero enfermo: «Y dile al «Quinto» (...), que levante con vosotros» (I, 32). Zito intenta persuadir al alcalde para que le aloje hasta su curación, pero cuando éste le contesta «Y yo qué quieres que le haga», no insiste, porque sabe que hacerlo sería igual que predicar en el desierto.

4. Acabada la actividad de la siega, los segadores abandonan el pueblo, y el escritor los presenta como en un escaparate cerrado, en el mismo puente que habían dejado veinte días atrás para tomar el camino que los llevaría a «los pueblos del campo lontano». Perderse en digresiones acerca del viaje de regreso hubiera resultado enojoso para el lector y totalmente superfluo, puesto que el autor había dedicado ya unas bellas páginas al viaje de ida. Ahora la acción se precipita, y todos los elementos que habían ido deslizándose paulatinamente a lo largo de la narración van a cobrar sentido y significación.

Se había insistido mucho en la pobreza de los cuatro segadores. Sabemos que si han ido a trabajar a jornal es porque ese dinero es indispensable para subvenir a las necesidades más inmediatas de la familia: «No se marcha la gente de su tierra (...) porque los hijos tengan todo el pan que quieran» (I, 29). Tras estas palabras, su gesto —la entrega de una parte de su soldada al «Quinto»— alcanzará ante los ojos del lector la más honda dimensión humana.

Una vez más es Zito quien habla en nombre de los cuatro: «Mira, los compañeros y yo hemos hecho... un ahorro. Es poco, pero no te vendrá mal. Tómalo. Le dio un fajito de billetes pequeños» (I, 32). La emoción que nace en el corazón del «Quinto» le produce un ahogo impidiéndole exteriorizar sus sentimientos, «estaba a punto de llorar, pero no sabía o lo había olvidado», endurecido por las penalidades de la vida. Y la popular e íntima psicología de Zito le ayuda a salir del paso con sus palabras: «no digas nada, hombre». En este momento la fuerza del grupo se diluye en beneficio del individuo, ya que la personalidad de cada uno de ellos se agiganta ante el lector y ante la mirada del «Quinto»: «Les dio la mano largamente a cada uno. —Adiós, Zito; adiós, Amadeo; adiós, San Juan; adiós, Conejo» (I, 32). Este puente ha sido testigo de una de las escenas más emocionantes del cuento, pero, al mismo tiempo, representa una encrucijada que separará el destino de estos hombres, y la oposición (el Quinto/los cuatro), que había llegado a desaparecer durante la estancia en el pueblo, se restablece de nuevo, arrastrando consigo otra anterior y generalizadora, ya presente en la introducción del relato (ciudad/campo). Los cuatro regresan a la tierra, a su tierra entrañable, donde les esperan los suyos. El «Quinto» pierde, encamina sus pasos a la ciudad para perderse en la insolidaridad y el anonimato.

Como vemos, cada núcleo narrativo, cada palabra incluso, ha contribuido al efecto que el narrador se había propuesto desde el comienzo: la puesta en escena de la solidaridad que nace y se desarrolla entre los pobres. Y el escritor, al llegar al punto culminante, interrumpe sabiamente el discurso narrativo, logrando con ello que el contenido del cuento trascienda a su creador y adquiera, merced al comportamiento perceptivo del lector, significaciones nuevas.

El examen de la estructura y de la distribución temporal y espacial del relato «Seguir de pobres», nos lleva, pues, a esta representación gráfica:

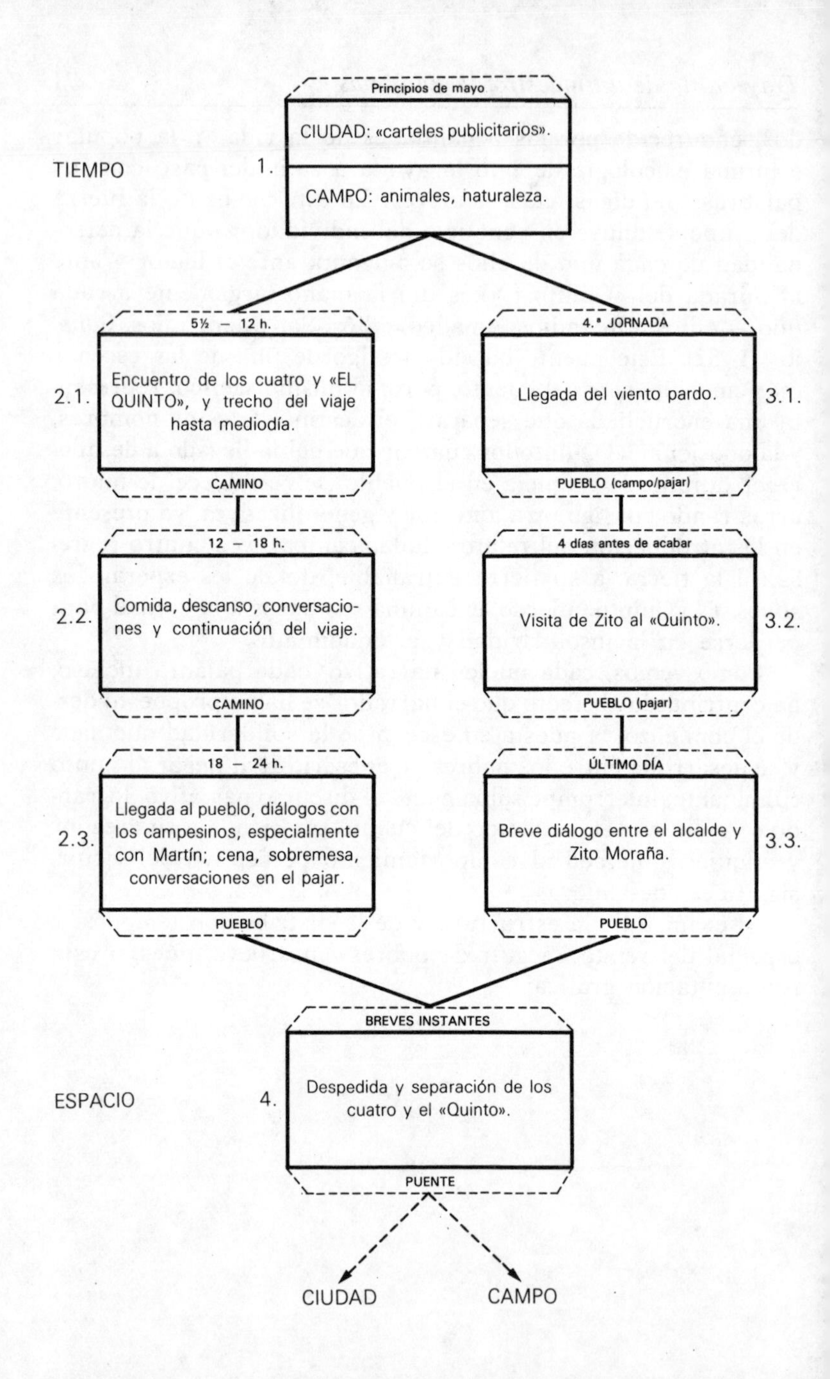
Principios de mayo
CIUDAD: «carteles publicitarios».
TIEMPO
1.
CAMPO: animales, naturaleza.
5½ — 12 h.
2.1.
Encuentro de los cuatro y «EL QUINTO», y trecho del viaje hasta mediodía.
CAMINO
12 — 18 h.
2.2.
Comida, descanso, conversaciones y continuación del viaje.
CAMINO
18 — 24 h.
2.3.
Llegada al pueblo, diálogos con los campesinos, especialmente con Martín; cena, sobremesa, conversaciones en el pajar.
PUEBLO
4.ª JORNADA
Llegada del viento pardo.
3.1.
PUEBLO (campo/pajar)
4 días antes de acabar
Visita de Zito al «Quinto».
3.2.
PUEBLO (pajar)
ÚLTIMO DÍA
Breve diálogo entre el alcalde y Zito Moraña.
3.3.
PUEBLO
BREVES INSTANTES
ESPACIO
4.
Despedida y separación de los cuatro y el «Quinto».
PUENTE
CIUDAD
CAMPO

Al examinar detenidamente este diseño observamos que, además de la introducción y del cierre o efecto final, sobresalen en la composición del cuento dos partes de distinta extensión y de contextura muy diferente: una que hemos llamado «presentativa», a la que el escritor consagra cuatro páginas y media, y otra propiamente «activa», que ocupa solamente dos páginas y media. La primera se desarrolla en un día, y la segunda abarca unos veinte aproximadamente. El tiempo narrado se distribuye, por tanto, de manera muy desigual a lo largo del relato, y esta desproporción temporal obedece a varias causas: para desarrollar la acción de la siega, el escritor necesita presentar a sus protagonistas y el escenario en que llevarán a cabo su trabajo; para presentarlos, para que cobren relieve ante el lector, necesita mayor amplitud de páginas. Por otro lado, la presentación requiere un predominio de lo estático sobre lo dinámico; por eso el ritmo de la primera parte —así como el de la introducción— es lento, moroso; lentitud que Aldecoa ha conseguido utilizando múltiples recursos técnicos y estilísticos: Abundan las descripciones minuciosas relativas a la presentación de los personajes y del espacio en que se mueven. Sus actos son puntuales, concretos, únicos e irrepetidos:

> El Quinto movió la cabeza, clavó los ojos en Moraña, pasó la vista sobre Amadeo, que se rascaba las manos, consultó con la mirada a San Juan, que liaba un cigarrillo, parsimonioso sin que se le cayera una brizna de tabaco, y por fin miró a Conejo que algo se buscaba en los bolsillos (I, 26).

Y el autor asimismo nos describe de manera puntillista la distribución del pueblo en torno a la plaza, así como ciertos reductos de la casa de Martín a los que los segadores tendrán acceso:

> Dando la vuelta a la iglesia, a la que está pegada la casa, se abre un amplio portegado. El portegado está entre una era y un estercolero, que en las madrugadas tiene flotando un vaho de pantano y que está en perpetuo otoño de colores. Del portegado se sube al pajar. Las maderas brillan pulimentadas. Sólo hay un poco de paja en un rincón. Los trillos, apoyados sobre la pared, con los pedernales amenazantes, parecen fauces de perros guardianes (I, 29).

Ese desgranamiento de frases que se suceden ininterrumpidamente, sin nexos de unión entre ellas; frases en presente de indicativo casi siempre o sin verbo, producen un ritmo lento, pausado, como de salmodia; lentitud que se refuerza, a veces, por medio de las reiteraciones anafóricas:

> Se agrupan. *Alguien* canta. *Alguien* pasa la bota al compañero. *Alguien* reniega de una alpargata o de cualquier cosa pequeña o insignificante (I, 26).
>
> *Con pan y vino se anda camino* (...). *Con pan, vino* y un cinturón ancho de cueras de becerra (...) (I, 26).

Unido esto a los excursos retrospectivos y a la acumulación de sintagmas adjetivales o adverbiales, dispuestos en estructuras ternarias casi siempre: —«el azul se hacía más profundo, más pesado, más metálico» (I, 30); «*mientras* San Juan se suena una y otra vez la nariz distraídamente, *mientras* Conejo se queja en un murmullo de su alpargata rota, *mientras* «El Quinto» va mirando los bordes del camino buscando no sabe qué» (I, 27)—, así como a las comparaciones y las metáforas relativamente numerosas, se logra el estatismo tan característico de esta primera parte.

En cambio, la aparente rapidez de la segunda se debe precisamente a lo contrario. Presentados los personajes, todo excurso ambiental o retrospectivo es innecesario; por ello el autor tiende a eliminar lo superfluo, ateniéndose únicamente a la acción pura. Y en su intento de ofrecer lo esencial, procede de manera selectiva, presentando al lector únicamente aquellos momentos que son funcionales en el logro del efecto único que se propuso al comienzo.

El resumen narrativo por un lado, y los amplios saltos narrativos por otro —doce días en un caso—, señalados deliberadamente por el escritor mediante puntos suspensivos, aceleran el decurso, dotando al relato de un ritmo dinámico y ameno, al soslayar fastidiosas narraciones y descripciones pormenorizadas de hechos, de personas o de cosas que ya habían sido expresados en la primera parte.

En definitiva, al tener en cuenta el ritmo narrativo del cuento «Seguir de pobres», advertimos dos partes bien delimitadas y de hechura diferente: morosa, estática, espacial, la primera; rápida, dinámica, temporal, la segunda.

A modo de conclusión añadiremos unas palabras sobre la personalidad del «Quinto», insistiendo en su semejanza con el apóstol San Pablo. Nuestro protagonista —al final del relato nos enteramos de que se llama Pablo— abatido por «el viento pardo», cae derrotado al suelo, al igual que Saulo, «cegado por una luz divina, cae del caballo» [10]. Ambos permanecen varios días sin comer ni beber, y reciben una visita durante su enfermedad. «El Quinto», la de Zito Moraña, que le muestra su afecto profundo y le aporta consuelo; San Pablo la de Ananías, discípulo enviado por el Señor para que recobre la vista. El Señor ha escogido al pecador Saulo como instrumento para llevar su nombre a los gentiles y reyes y a los hijos de Israel, diciendo: «Yo le mostraré cuánto debe padecer por mi nombre». Igual que él, «El Quinto» ha sido golpeado por el poder divino, por el viento pardo, y después de sufrir una convalecencia que parece injusta e inmerecida, máxime si se tiene en cuenta su vida pasada, zarandeada por la arbitrariedad, se le ve de nuevo solo, desorientado y perdido, sin poder entender cómo la vida, el azar, el destino juega absurdamente con los hombres y los maneja como marionetas. Pero quizás, sin estos hechos, que a primera vista nos parecen inaceptables, «El Quinto» no habría tenido la posibilidad de ser el objeto del amor y de la ternura que harán inolvidables esos momentos, haciendo pasar a segundo término el dolor físico, e infundiéndole al mismo tiempo el valor necesario para seguir luchando en un mundo arbitrario y de difícil comprensión.

---

[10] *Hechos de los Apóstoles,* 9, 3-19.

EL TRABAJO

A fuerza de golpes, fuerte,
y a fuerza de sol, bruñido,
con una ambición de muerte
despedaza un pan reñido.

MIGUEL HERNÁNDEZ

«EL CORAZÓN Y OTROS FRUTOS AMARGOS» (1959)

Este sugestivo título designa un conjunto de cuentos magistrales agrupados en una sola colección por el mismo Aldecoa. Gaspar Gómez de la Serna ha querido ver en este epígrafe la clave para la interpretación de los frutos cosechados por el propio escritor en el transcurso de su vida [1]. Nosotros creemos, más bien, que dicho título simboliza los frutos anhelados en toda existencia humana y particularmente en las existencias concretas reflejadas en dichos relatos: la búsqueda de un espacio vital propio, el amor, la amistad, un trabajo digno y liberador, y el derecho a la libertad de expresión. Frutos que, por hechos y circunstancias personales y muchas veces ajenos al hombre, no siempre serán cosechados; de ahí que aparezcan bajo el calificativo de «amargos».

De acuerdo con este criterio, examinamos el contenido y significado de estos puntos, comenzando por el más entrañable y cercano en la obra de Aldecoa: el corazón.

---

[1] Gaspar Gómez de la Serna, *Ensayos sobre literatura social*, Madrid, Ed. Guadarrama, 1977, págs. 200-10.

El corazón es el órgano central del individuo. Si recordamos a los egipcios, era la única víscera que dejaban en el interior de la momia como centro necesario al cuerpo para lograr integrarse en la eternidad. Según los alquimistas, el corazón es la imagen del sol en el hombre, como el oro es la imagen del sol en la tierra. En la tradición bíblica, el corazón simboliza el hombre interior, su vida afectiva, y el reino de la inteligencia y de la sabiduría.

Pero, centrándonos en nuestros relatos —«El corazón y otros frutos amargos»—, es necesario tomar el término 'corazón' en sentido metafórico y, a través de él, desvelar su sentido profundo y los diferentes matices que contiene. Encarna aquí la idea de ese espacio vital interior al que todo ser humano tiende en la búsqueda de su propia identidad, y se traduce en el deseo de dirigir desde dentro la propia vida, el propio destino, que a todo ser despierto acompaña.

> El corazón es el lugar de recogimiento y no de encierro —dice la filósofa María Zambrano— y todo organismo vivo persigue poseer un vacío, un hueco dentro de sí, verdadero espacio vital (...) y que es sólo el ensayo de tener luego cada ser viviente un espacio propio, pura cualidad: ese hueco, ese vacío que sella, allí donde aparece, la conquista suprema de la vida, el aparecer de un ser viviente. Un ser viviente que resulta tanto más ser cuanto más amplio y cualificado sea el vacío que contiene [2].

Y continúa un poco más adelante:

> Centro también el corazón porque es lo único que de nuestro ser da sonido (...) y sólo por él los privilegiados organismos que lo tienen se oyen a sí mismos (...). Y así los pasos del hombre sobre la tierra parecen ser la huella del sonido de su corazón que le manda marchar, ir en una especie de procesión [3].

Así parece sucederle a Juan Montilla —protagonista principal del cuento «El corazón y otros frutos amargos»—, que si-

---

[2] María Zambrano, *Claros del bosque*, Barcelona, Ed. Seix Barral, 1977, página 64.

[3] *Ibidem*, págs. 64-65.

guiendo su propio sonido, libre e inalienable, se marcha voluntariamente del pueblo, que le resulta hostil. Llega a darse cuenta de que su existencia en aquel espacio cerrado transcurre en el vacío y de que su corazón nunca podrá latir al unísono con el de María porque su vida interior, la del uno y la de la otra, no laten al unísono. Juan ha amado a María —criada de la alquería—, pero no podrá llegar a un intercambio de valores sensibles y espirituales, ni tan siquiera materiales, con ella. María no es capaz de descubrir la importancia del amor y sí sólo de buscar la satisfacción física. Mientras que para Juan el amor es una fuente ontológica de progreso en la medida que significa unión y no apropiación. Por eso, libremente, rechaza sus proposiciones y, solo, se aleja del pueblo intentando olvidar su amargo fruto.

Amargo es también el fruto del amor para otros personajes que viven en condiciones míseras, y ahora es la excesiva miseria la que puede terminar ahogando hasta los más profundos sentimientos. Y los seres se llenan de amargura y desesperación cuando no poseen la suficiente resignación o fuerza moral. Así, la madre de Pedro —«Entre el cielo y el mar»— intenta olvidar su destrucción refugiándose en la bebida, y trata a su familia bruscamente, como queriendo separarse de ella.

Estas imágenes son, sin embargo, poco frecuentes en la literatura de nuestro escritor. Con frecuencia, la mujer, en la primera etapa de su producción, es el personaje más fuerte y mejor trazado, por su capacidad de trabajo y sacrificio, por la ternura y cariño con que dibuja un carácter. Son mujeres, por otra parte, ajadas, envejecidas prematuramente a causa del trabajo excesivo y del sufrimiento, pero que siempre viven para los suyos y para los otros. Encontramos que Berta es la única que se preocupa por el estado de salud de su hijo Valentín; ante la indiferencia de los demás, es ella «la única que le anima, que le habla desde su enfermedad, metida en su enfermedad, que le observa detenidamente, que le hace tomar a las horas preceptuadas las medicinas, los reconstituyentes» (I, 270).

Y María, la mujer de Pío —«Es demasiado poca cosa, tan pequeña y gastada, tan dulce y a un mismo tiempo tan amarga como un fruto silvestre, da la impresión de haber sufrido mucho. Es una mujer sin características personales. Existen millones igual que ella. Es una mujer que no debiera tener ni nombre para ser del todo anónima» (II, 232)—, posee, pese a su apocada apariencia, una fuerza moral invencible, que se traduce en ese aliento que es capaz de sostener a toda una familia cuando sobreviene la adversidad.

La apariencia ruda e incluso amarga encubre casi siempre una intensa dulzura que fluye del corazón de estas mujeres.

> La madre tenía demasiado cansancio en la mirada para que fuese dulce. (...) La madre tenía la roña metida en los poros de la piel de las manos de tal manera, que aunque se lavase no se iría. Era la porquería de la mujer que hace coladas para cuatro personas, que lava los suelos, que guisa, sube el carbón y trabaja, si le queda tiempo, de asistenta en una casa conocida (II, 35).

Y sin embargo, todavía le queda tiempo para preocuparse por el destino de su hijo Young, y sobresaltarse al ver su ojo herido a consecuencia del último combate. Lo ama profundamente y él lo siente, aunque ella no lo exprese con palabras, y esto es lo que le impulsa a vencer en su primer combate profesional, y a ganar mucho dinero para poder ayudar a su familia a salir de la miseria y aliviar su trabajo: «Tengo que ganar —pensó— para ellos. Tengo que ganar este combate para mi padre y su orgullo, para mi hermana y su esperanza, para mi madre y su tranquilidad» (II, 54).

Los hijos sufren al unísono con los padres, creándose entre ellos lazos afectivos que pocas veces se exteriorizan, pero que son los hilos conductores de todos sus actos. Es un amor preñado de silencio, cuajado en la ternura y la comprensión.

Las relaciones entre los esposos no están menos encubiertas en la discreción del silencio que las existentes entre padres e hijos. Son por lo regular seres parcos en sus expresiones, pero no en hondura de corazón. Los años de vida en común les han enseñado que, cuando la desgracia se abate sobre ellos, es mejor guardar silencio, porque a veces las palabras encendidas encadenan la desunión, la desesperación.

El sufrimiento ha profundizado su sensibilidad, enseñándoles a leer en las miradas y a romper el hielo del silencio en el momento oportuno. Así Pilar, la mujer del pocero —del cuento «Vísperas del silencio»—, tan parca en su expresión que ni siquiera ha dejado salir de sus labios una queja a la muerte de su hijo, es la que provoca con sus palabras el encuentro espiritual con su marido en el tiempo en que éste se encuentra hundido y desesperado.

El amor, el respeto y la admiración que el escritor despliega hacia estas mujeres contrasta con la ironía y el sarcasmo que utiliza al describir las mujeres burguesas, omnipresentes en sus últimos relatos, como veremos al analizar el libro *Los pájaros de Baden-Baden.*

El trabajo. — G. Gómez de la Serna ha dedicado dos capítulos de su libro al estudio de este tema en la cuentística de nuestro escritor [4]; nosotros desearíamos desarrollar algunos aspectos no mencionados en su estudio, insistiendo en el apuntado por la esposa del escritor, Josefina Rodríguez: la identificación del ser humano con su trabajo [5], trabajo que permite contactos vitales a quien lo realiza y, al mismo tiempo, una mayor profundización en los significados del relato.

Nuestro escritor era consciente de que el progreso científico y tecnológico, que se imponía masivamente en el terreno laboral, era negativo para el ser humano, por impedirle una relación inmediata y natural con su trabajo. Sabe que la relación armoniosa, incluso afectiva, existente entre el trabajador y la máquina de vapor —que él describe en cuentos como «Santa Olaja de acero» y «Rol del Ocaso»— está llamada a desaparecer, y por ello quiere rendir homenaje a esos fogoneros y maquinistas que pasarán a formar parte de los archivos arqueológicos juntamente con los atalayeros, los saladores, toneleros, etc., y a aquellos otros trabajos olvidados «a los que, sin embargo, una dedi-

[4] Gaspar Gómez de la Serna, *op. cit.*, págs. 108-139

[5] Josefina Rodríguez de Aldecoa, *op. cit.*, pág. 26.

cación entrañable confiere grandeza»[6], porque «es el amor al oficio, la sabiduría en el oficio, por modesto que sea, lo que ennoblece el trabajo. Es esa exaltación, esta intensa identificación del hombre con el trabajo, lo que ha hecho que se hable de una épica de los oficios en la literatura de Aldecoa»[7].

El narrador podía haber elegido para su cuentística el tema del trabajo industrial a ultranza, y sin embargo no lo ha hecho. Ha dejado estos temas para los escritores cuyo espíritu marxista encauzaba sus obras en el marco estricto de una ideología social. A él no le movió el enarbolamiento de ninguna bandera de reivindicaciones sociales o de sentimentalismos, sino «el convencimiento de que hay una realidad española, cruda y tierna a la vez, que está casi inédita en nuestra novela»[8], y en nuestra cuentística. En su obra, el sentido humanista prevalece sobre los demás sin que por ello se dejen de poner de relieve ciertas injusticias sociales.

Nuestro escritor sabe que uno de los mejores medios que el ser humano posee para realizarse material y espiritualmente es el trabajo individual pero realizado en el espacio de la solidaridad. Los trabajadores que él describe nunca trabajan solos; ya sean marineros, labradores, camioneros, poceros, ferroviarios, etc., necesitan la colaboración de los demás, y a pesar de la dureza del trabajo, siempre queda ese momento íntimo y humano, necesario para hablar de sus preocupaciones y deseos, dirigirse al compañero y escuchar en silencio sus quejas y lamentos. De este modo el trabajo se dignifica y dignifica a quien lo realiza, le concede libertad y entidad propia, además de ese aspecto de humanidad que implica la satisfacción.

No hay monotonía en los trabajos que describe Aldecoa. Las inclemencias del tiempo, la maquinaria defectuosa y vieja —«Santa Olaja de acero» y el barco de vapor «Ispaster»—, el error humano, exigen al hombre entregarse al trabajo con todos sus sentidos. Y, por otra parte, el accidente laboral, que ronda

[6] Josefina Rodríguez de Aldecoa, *op. cit.*, pág. 26.

[7] *Ibidem*, pág. 26.

[8] Declaraciones de Aldecoa en *Destino*, 3 de diciembre de 1955, pág. 37.

en la mayoría de los cuentos que desarrollan el tema, contribuye a despertar aún más su atención y sus reflejos.

Pero es en el campo donde la diversidad de ocupaciones es más rica y atractiva. «Pasa rápidamente el tiempo en el campo. No hay monotonía en el trabajo, porque el trabajo de la tierra se hace con todo el hombre: con los ojos, con las manos, con cuerpo y alma» (I, 268).

Con cuerpo y alma se entregó el escritor al conocimiento del campo, del mar y del aire; sus personajes respiran el olor de la naturaleza, se extasían con sus rumores, con sus sonidos, y gozan intensamente del paisaje que se vislumbra desde su trabajo. Los cazadores de víboras —del cuento «Los hombres del amanecer»—, antes de comenzar su trabajo, se detienen a escuchar los rumores del río en que aquéllas se encuentran, el canto de los pájaros y el rumor de las hojas en la temprana amanecida: «Agua, árboles, pájaros, luz. Dos hombres caminaban muy despacio. En el puente se pararon y quedaron escuchando. Golpeaba el río en los pilares; sonaban sus golpes como una sucesión de palmadas...» (I, 39).

También Higinio y Mendaña contemplan el paisaje que van dejando atrás, desde la locomotora «Olaja», al igual que los trabajadores del mar en «Rol del ocaso». Su sensibilidad frente a la belleza que les rodea discurre hacia una relación armoniosa entre el hombre y la naturaleza.

El escritor ama el campo, pero también la máquina: ésta no se vislumbra con hostilidad en su narrativa; bien al contrario, Higinio y Mendaña consideran a «Santa Olaja de acero» como «una compañera de trabajo»; e Higinio «todos los días fijaba la mirada por un momento en el nombre de la locomotora de una placa atornillada al costado: Santa Olaja-1. Letras doradas sobre fondo rojo». Esa mirada es como un saludo que se lanzan mutuamente antes de comenzar la jornada laboral. «Olaja» es un personaje más en el cuento, y por momentos el único; en efecto, cuando sobreviene el peligro de accidente, Higinio y Mendaña quedan relegados a un segundo plano, mientras que la locomotora aparece con toda su fuerza motriz, como un toro que domeñará todos los vagones que, por un momento, habían amenazado con encabritarse saliéndose de la vía. Los protagonistas se sienten impotentes y ponen toda su esperanza en la fuerza de «Olaja», y cuando ésta «se hizo definitivamente con el resto del tren» Higinio y Mendaña la miraron en prueba de reconocimiento. «La máquina era para los dos, en la compañía del trabajo, Olaja, Olaja y nada más. A veces la llamaban la señora; pero lo decían irónicamente, porque ellos no eran señores y *una compañera de trabajo* tampoco podía ser señora» (II, 11).

Y es que la relación de estos hombres con su trabajo es directa; en su actividad se cumple la condición tan deseada por E. Zola de que la máquina estuviera al servicio del hombre y no a la inversa. Cuando el trabajo se da en estas condiciones, desarrolla la capacidad creativa, incluso artística, del ser humano. El lector se siente absorto ante estos trabajadores de apariencia ruda que expresan con tosca claridad, por falta de desarrollo cultural, sus cotidianos pensamientos y sentimientos, y que, sin embargo, crean las más bellas metáforas e inventan nombres de bello colorido para mencionar el sentimiento que les inspiran los utensilios de su trabajo.

José María, el fogonero del barco de vapor «Ispaster», lleva veintitrés años en la mar alimentando el horno, y en ningún momento se advierte la rutina en su trabajo. Las llamas le inspiran imágenes de gran lirismo:

> Distinguía los colores de las llamas, sus fuerzas, sus titubeos, tiemblos y serpenteos; distinguía crepúsculos de verano y de invierno, de rumbo y de atraque; los chisporroteos de las grandes paladas como una lluvia de estrellas; los bramidos torrenciales de las llamas creciendo como una galerna entre el carbón (...). Inventaba un santoral para sus crepúsculos. Amanecer del Carmen, atardecer de la Virgen de agosto, romería de San Miguel, con vino, filetes empanados, moras y una moza; ja podía significar muchas cosas. En los atraques: Atardecer de difuntos. Cargados de mineral para los Altos Hornos, avante toda: San Juan de las Hogueras. Y el chistu para José María era la sirena con sus largos pitidos. Decía a Ignacio cuando el patrón la hacía sonar: «Cómo sopla, Bautista, cómo sopla de bien, da gusto, dan ganas de bailar» (I, 62).

Lino —el cazador de víboras y ratas— había puesto nombres raros a los canales en los que se dividía el río: «Si nos metemos por el canal de los Tres Colores saldremos antes de la Novia del Martín Pescador; de allá podemos tirar hacia los ribazos...» («Los hombres del amanecer»).

Pero si con estas notas hemos pretendido resaltar los aspectos humanos positivos que encierra el contacto directo del hombre con su trabajo, a continuación trataremos de ver la otra faz del problema, igualmente presente en otros muchos relatos del libro que examinamos.

Fruto amargo es el trabajo, ya que, siendo un derecho fundamental de la persona, encaminado al logro de su realización, de hecho no todo el mundo lo disfruta, lo que engendra verdaderos dramas a nivel individual y colectivo.

Los años difíciles de la España de postguerra están plasmados magistralmente en los primeros libros de cuentos del narrador. «Aquella España vencida, abrumada por el trauma histórico que acaba de sufrir. La España del miedo y la miseria, del temor y la desesperanza». «La pobre gente de España», la piel en carne viva, que apenas puede ser rozada sin dolor, «el corazón humilde y fatigado». La gente que emigra del campo inhóspito y empobrecido a la ciudad hostil, durísima. «No hay alternativa para las gentes de España» [9].

Las oportunidades ofrecidas por la industria y fundamentalmente por la construcción engendraron en España, desde mediados de la década de 1950, el comienzo de un éxodo importante que se hizo masivo a finales del decenio [10]. Las víctimas de estos movimientos migratorios son seres que han venido a la capital con la esperanza de alcanzar en ella lo que el pueblo

---

[9] Josefina Rodríguez de Aldecoa, *op. cit.*, pág. 25.

[10] Según Tamames, durante el período 1951-1960, un millón de personas se trasladó a los suburbios de Madrid y a las ciudades industriales del País Vasco y de Cataluña. Esa vasta emigración agudizó el problema de la vivienda hasta límites casi irresistibles, y por otra parte se tradujo en el despoblamiento de dieciocho provincias del interior, que perdieron población entre 1951 y 1960 (Ramón Tamames, *La República. La Era de Franco*, Madrid, Ed. Alfaguara, 1977, pág. 383).

les había negado. Muchos pensaban como Valentín —uno de los personajes del relato «A ti no te enterramos»— que la ciudad era una especie de paraíso donde se trabajaba poco y se ganaban buenos sueldos; pero pronto estos sueños se verán duramente desmentidos por la realidad.

Martín, pintor de brocha gorda, se marcha igualmente de su pueblo, espoleado por el hambre, y se instala en las afueras de la ciudad en una mísera chabola esperando lograr un trabajo.

> Pero en la entrada de las grandes ciudades y en el corazón de las grandes ciudades las oportunidades para el forastero pobre se escapan con grotescos saltos de langosta. Al ir a ser cogidas brincan, se van, y detrás no queda nada, o queda desesperación, un poco de desesperación (I, 280)
>
> Martín Jurado hizo alto con su familia a la orilla del río, frente a la ciudad, en un pueblo como un pájaro negro, pronto a levantar el vuelo hacia cualquier región o provincia donde se pudiera trabajar. *Martín sonreía al llegar, pero sus labios están ya demasiado apretados para la sonrisa, y ahora...*
>
> Ahora Martín Jurado sigue dando vueltas por la ciudad. Es un forastero del otro lado del río, hombre que inspira alguna desconfianza. Sabe que primero son los de casa, los de la ciudad, y después él y sus vecinos. *Martín se siente extranjero: ellos están fuera de la ciudad, la ciudad tiene fronteras con ellos* (I, 280).

Perdida ya toda esperanza de lograr un trabajo, Martín ve a uno de sus vecinos extender la mano en señal de petición, y la humillación y la rabia le invaden, acuciándole a volver a su pueblo antes de verse reducido a la misma suerte. Por la noche se lo comunica a su mujer. «—Bien, Martín, lo que tú digas —contesta ella—, pero ya sabes que allá...» (I, 281). Esa frase elíptica nos revela toda la dimensión de la tragedia [11].

El éxodo se da también de pueblo a pueblo. Los protagonistas de los relatos «Seguir de pobres» y «El corazón y otros frutos amargos» son labradores que aman profundamente su tra-

[11] José María de Quinto refleja igualmente en algunos de sus cuentos los problemas de los pobres que viven en los suburbios de las grandes ciudades (*«Las migajas», «Arroyo abroñigal»*). Pero en este autor lo social está supervalorado en detrimento de lo humano, lo que le resta hondura e interés.

bajo, pero tienen que alejarse de su tierra para ganar el sustento en la ajena, desgarrándose su espacio y sus vidas: «Precisamente están los tiempos malos. No se marcha la gente de su tierra porque estén buenos, ni porque los hijos tengan todo el pan que quieran» —comenta Zito Moraña— (I, 29). También Juan oye decir a un compañero: «...si tuviera dinero me iba a estar aquí. Con un pequeño apaño que tuviera en mi pueblo me largaba» (I, 100).

Es en su tierra donde el labrador tiene sus raíces físicas y afectivas, y allí es donde debería trabajar, piensa Valentín: «*El lugar de trabajo de un labrador debe ser su tierra. Hay que vivir y morir en la tierra de uno*» (I, 276).

Pero, aun siendo propietario de la tierra, para trabajar en el campo hay que tener salud, porque «un hombre enfermo de trabajar en el campo no tiene seguros ni retiros ni nada que le proteja. En el campo no hay más que trabajo. Quien trabaja vale. Quien no trabaja es mejor que se muera», piensa Valentín («A ti no te enterramos»).

Abandonan sus tierras sin destino determinado y sin protección. Ni siquiera de la ley. Y, en efecto, la extensión de la seguridad social al agro, a través de la Mutualidad Sindical de Previsión Agraria, no se creó en España hasta 1964, y aunque en la industria existía desde veintidós años atrás [12], era insuficiente, como se refleja en el relato «Santa Olaja de acero». Mendaña comenta que tiene mal «el caño de respirar», y se queja de «una cosa aquí que me tiene doblado», y sin embargo, no recurre a la medicina, acude al remedio casero de la «friega con alcohol de romero» y al agua que le recomienda Higinio porque una curandera «la receta para todo».

En caso de accidente, el desvalimiento de la viuda es notorio, como se deduce de las palabras que Higinio pronuncia irónicamente en la taberna, de regreso de una dura jornada laboral:

> —Sí; esa es la ventaja que tenemos, ¿no te parece?, que la viudedad es muy buena y la mujer de uno se puede comprar no un chalet, sino un tren para andar ella solita por la estación (II, 22).

[12] Ramón Tamames, *op. cit.*, pág. 357.

También Paquito, el hijo de César el pocero, del cuento «Vísperas del silencio», muere por falta de buenos seguros médicos.

Es fruto amargo el del trabajo para estos hombres por la poca remuneración que obtienen de él, ya que pocas veces les da para subvenir a las necesidades más perentorias de su familia. Tres veces en la mañana habían arrojado la red al mar los pescadores de «Rol del ocaso» y no habían sacado «ni siquiera para comprar pan» (I, 35). «Veintisiete horas y media sin comer y doce y tres cuartos, no contando la noche, sin retratar son muchas horas hasta para Omicrón. El escorpión le pica una y otra vez en el estómago» (I, 292).

Escasez y miseria se perciben en la buhardilla de César el pocero y en casi todos los hogares que pueblan los primeros cuentos del escritor.

Se denuncia asimismo la dureza del trabajo en esas jornadas interminables que privan a los protagonistas del reposo necesario y de la mínima vida familiar. Los camioneros hacen su ruta durante la noche. Empiezan su trabajo a las seis de la tarde y llegan a su destino al amanecer. Sueñan con irse a la cama, pero temen que ni siquiera les concedan el derecho al reposo tan merecido:

> —No me muevo de la cama hasta las seis.
> —Ya nos amolarán con alguna llamada.
> —Pues no me muevo.
> —Ya estará Sebastián preparándonos faena.
> —Pues la higa a Sebastián. Me quedo hasta las seis (I, 86).

Y el sacrificio queda resaltado análogamente en «Santa Olaja de acero». La narración se abre y se cierra en el dormitorio del maquinista Higinio. Éste sale de su casa al amanecer dejando a su mujer dormida y, cuando vuelve a medianoche, se repite la misma escena; ella, soñolienta, apenas tiene ánimo para preguntarle cómo le ha ido en el trabajo. Y esa no es una situación excepcional; se repetirá invariablemente un día, otro y otro.

Las condiciones en las que los personajes de estos relatos llevan a cabo su trabajo son de una extrema dureza; ellos son conscientes de lo injusto de su situación, pero en cierta manera son seres estoicos y, aunque no lo fueran, como apunta Josefina Rodríguez, sería igual porque la situación en que se encuentran es un callejón sin salida, no tienen otra alternativa.

> Creo que si recordamos aquellos años de modo vivo y real, admitiremos que la clase obrera vivía y sentía —salvo excepciones de los entonces pequeños grupos políticos clandestinos— como Ignacio los retrata: con un gran sentimiento de injusticia y a la vez con resignación y fatalismo. Se vivía en España una situación demasiado opresiva y de la que parecía imposible salir (...). No hay esperanza. La postguerra ha machacado, ha triturado la capacidad de lucha, ha hundido al pueblo español en la desesperación y la impotencia[13].

La vida para estos hombres es difícil y agotadora; pero, por encima de sus problemas comunes, brota la solidaridad; el compañero está ahí al lado, formando con los otros el fuerte puño de trabajo, volviéndolo entrañable y hasta cierto punto alegre.

Podríamos resumir el contenido de los relatos de este libro diciendo que el tema central de todos ellos es

> el heroísmo del humilde en el trabajo cotidiano, soportado con silencioso e íntimo sacrificio. Conviene matizar; 'lo heroico' se entiende en dos direcciones o subtemas (...): el heroísmo intrahistórico del trabajo realizado a diario con fidelidad pero con escasísima recompensa, y el excepcional, provocado por el incidental peligro que corre la vida en el cumplimiento del deber; todo ello proyectado sustantivamente hacia sus repercusiones en la vida afectiva del hombre[14].

Estas palabras que Esteban Soler aplica al relato «Santa Olaja de acero» pueden hacerse extensivas al resto de los cuentos cuyo estudio se desarrolla en esta parte.

Imposibilidad de la palabra. — Para los filósofos griegos la palabra no sólo significó el discurso propiamente dicho, sino la

---

[13] Josefina Rodríguez de Aldecoa, *op. cit.*, págs. 25-26.

[14] H. Esteban Soler, «Estructura y sentido de 'Santa Olaja de acero'». En Varios, *Ignacio Aldecoa*, A Collection of Critical Essays, University of Wyoming, 1977, pág. 70.

razón, la inteligencia, el sentido profundo del ser, ya que la verdadera palabra surge del interior del hombre. No es la palabra aprendida en el mundo exterior, sino la que surge de manera activa, a través de la reflexión propia; esa palabra que se produce de la simbiosis de vivencias propias y ajenas. Todo ser busca un espacio vital interior, y cuanto más rico sea ese espacio propio más rica será la palabra que brotará de él. En un primer estadio, la palabra madura en el interior del ser, permanece encerrada cierto tiempo para brotar después en fuente ininterrumpida, porque el hombre vive en sociedad, es un ente que necesita la comunicación con los otros, exteriorizar sus propios sentimientos y pensamientos. Y cuando presiones externas ahogan la palabra, se produce en el corazón del hombre el malestar, la frustración, la rebeldía.

La rebeldía está presente en la cuentística de nuestro escritor. Los trabajadores descritos en el libro *El corazón y otros frutos amargos* son conscientes, como ya dijimos, de que sufren una situación injusta, pero la falta de instrucción, por una parte, y la opresión y el miedo que les domina, por otra, imposibilitan la comunicación de la palabra, o que ésta logre formular soluciones válidas para sus problemas.

La palabra es un fruto amargo para Juan —uno de los protagonistas del relato «El corazón y otros frutos amargos»— porque se ahoga antes de salir de sus labios, dejándole un sabor agrio en la boca, sabor que refleja el estado de rebeldía y de impotencia que siente durante esos dos días que pasa en tierra ajena, trabajando para otro en condiciones injustas. «Tenía la boca agria, demasiado agria; le sabía a tocino rancio y a pepitas de frutos» (I, 98); y cuando el tren que iba a alejarlo del lugar emprendió la marcha «volvió a escupir su saliva amarga» (I, 104) como queriendo liberarse de un sentimiento que le oprimía. Pero aquí, por pimera vez en la cuentística aldecoana, los personajes que sufren la injusticia social y humana reaccionan y actúan. Juan se da cuenta de que es un ser libre capaz de dirigir desde dentro su propia vida, y por ello se marcha, a los dos días de su llegada, del pueblo que le es hostil:

> Hacía dos días que había bajado de allí de un tren de mercancías con un vagón de viajeros. Ahora... Juan silbó. Miró por última vez hacia atrás. La abubilla volaba en dirección del pueblo. De pronto se posó, borró una huella y levantó el vuelo (I, 104).

La huella de la experiencia vivida en ese pueblo nunca será totalmente borrada del corazón de Juan, pero al menos espera comenzar a vivir de nuevo, respirar libre de todo peso del pasado y, aunque no está seguro del éxito, su acto le ha liberado de la inmediata esclavitud convirtiéndolo en un ser libre, capaz de soñar en apropiarse de su propio destino.

También los personajes del cuento «La urraca cruza la carretera» denuncian la injusticia que padecen. No obstante, sus palabras son una simple queja, verdaderos lamentos remedados por una urraca que vuela por encima de sus cabezas recordándoles la ineficacia de su queja y el deber de reanudar el trabajo tras una breve pausa.

Resentimiento y amargor en la boca; furor y cólera en la mirada, revelan de forma sumamente sugestiva lo que sienten los trabajadores. Piensa el muchacho Pedro que

> desde pequeño (...) había comido poco, a veces nada, mas siempre había tenido el derecho a llorar, a protestar por la escasez. El que no lloraba ni protestaba era su padre, que lo miraba todo con unos ojos muy pequeños, como queriendo llorar y protestar con odio («Entre el cielo y el mar», págs. 34-35).

Fruto amargo es la palabra para estos seres porque ni siquiera les está permitido gritar a viva voz la injusticia que padecen, y sienten la impotencia de encontrarse en un túnel que no deja vislumbrar la luz. Pero no es siempre la resignación la característica de su comportamiento —«Estaban acostumbrados, aunque no resignados, como creían otras gentes del pueblo» (I, 34).

Los personajes de estos cuentos son agonistas que sufren desmesuradamente, pero están lejos de la destrucción. La pureza de sus almas les eleva por encima de toda miseria humana.

«LA URRACA CRUZA LA CARRETERA» [15]

Este cuento desarrolla el tema de la injusticia social que sienten y sufren un grupo de trabajadores de Obras Públicas, en este caso concreto.

La irrupción de un lujoso coche y de la «gente rica» que transporta en el tramo de la carretera que están reparando, basta para hacer patente y visible el tema de la desigualdad social, y poner de relieve la rebeldía que nace en el corazón de estos hombres al contemplar el paso de unos semejantes pertenecientes al mundo inalcanzable de los fuertes, de los poderosos, de los que ignoran o desprecian, con su indiferencia, los problemas de los más débiles e indefensos.

Observamos en la composición del relato una estructura unitaria en la que distinguimos dos núcleos narrativos de ritmo muy desigual, separados por la llegada del coche y por la impresión que éste produce en el ánimo de los trabajadores.

El primer núcleo está caracterizado por la lentitud con que transcurre la hora de reposo de los obreros; lentitud que va a desvanecerse ante la visión del automóvil, que rompe el descanso apacible de los hombres del camino. A partir de ese momento, el sosiego y la tranquilidad van a dejar paso a la desazón y a la rabia, rabia sugerida ya por la aliteración en el título del cuento —mediante la acumulación de sonidos vibrantes y oclusivos sordos—, y en la segunda parte del mismo por el desagradable sonido del canto de la chicharra y de la urraca.

En nuestro análisis trataremos de ver cómo consigue Aldecoa transmitirnos esa impresión de serenidad característica del comienzo, y cómo gradúa luego los diferentes elementos narrativos que coadyuvan al logro de la impresión de rabia que marca el resto de la narración.

Se inicia el relato hacia el mediodía, cuando los protagonistas han abandonado el sol tórrido del trabajo por las sombras «húmedas e íntimas» que producen los grandes árboles situados

---

[15] Publicado por primera vez en «*Arriba*» el 9 de diciembre de 1956 e incorporado posteriormente al libro *El corazón y otros frutos amargos* (1959).

a la orilla de la carretera, para comer y descansar durante unos breves instantes. Para resaltar en toda su plenitud la dimensión de esos momentos de descanso, irá presentando los actos y los pensamientos de uno de los componentes de la brigadilla, en el primer plano de la narración, por medio de la tercera persona gramatical del pretérito indefinido: «bebió», «miró», «tuvo la sensación», «bebió de nuevo», «dejó», «vió», etcétera (I, 69-70).

Este personaje aparece en primer término, alejado del grupo, inmediatamente después de haber terminado su frugal comida. Sus escasos movimientos están teñidos de lentitud, advirtiéndose cierta complacencia en cada una de las operaciones que efectúa:

> Lio su cigarrillo deleitándose en la morosidad de la operación. Encendió el gran mechero de ascua. Tomó candela. Se apoyó de espaldas contra el árbol y deslizó la boina sobre los ojos (I, 70).

Pero la cachaza de sus ademanes no es sólo el fruto de la pereza de la hora y del calor asfixiante que pesa como una losa, sino igualmente consecuencia del cansancio infinito que siente por la dureza del trabajo, que llega a inmovilizarle todos los miembros.

> De la caldera de brea llegaba un aliento ardoroso. Tenía demasiada pereza para alejarse. Vio un lagarto, en un hito de grava, penduleando la cabeza. *Sentía tanto cansancio*, que no tuvo ánimo para arrojarle una piedra y poder ver el fogonazo verde de su desaparición (I, 70).

Y pese a sentir la boca agria por el vino que acababa de beber, y pese a que desea apaciguar su sed con un buen chorro de agua fresca, le faltan hasta los ánimos de dar los cinco pasos que le separan del botijo.

La presentación puntual y minuciosa de este personaje, que permanece anónimo hasta la segunda parte del relato, refuerza su carácter representativo del grupo y de la dureza de las vidas de quienes lo componen.

El resto de la brigadilla no tendrá relieve alguno hasta el segundo nucleo narrativo. Los vislumbramos sentados al borde de la cuneta, ocupados en alisar con los pies los relieves del cauce seco y en arrancar y mordisquear las pajillas que están al alcance de sus manos, mientras hablan de «cosas vagas». Sus siluetas y sus voces forman, conjuntamente con el paisaje, la visión de fondo que sirve al desarrollo de la mínima acción de esta primera parte. El escritor utiliza en su descripción el imperfecto de indicativo, tiempo que presenta los hechos en un segundo plano narrativo, y el gerundio, que nos los muestra en su suceder progresivo:

> Estaba el sol alto dando unas sombras breves y profundas en la corta de la pedrera abandonada, húmedas e íntimas en las bases de los grandes árboles, a ambas orillas de la carretera. Estaba el sol alto, rompiendo contra el azul del cielo, hacia el sur, los perfiles de las colinas anaranjadas. (...) Fumaban ya los compañeros (...). Los compañeros se ocupaban, hablando de cosas vagas,... (I, 69).

El sosiego, el calor aplastante y el cansancio de esos momentos casi se paladean. Todos los personajes están sentados, y sus voces son casi un murmullo en la desgana. Incluso el perro de la brigadilla ha buscado «el sombrajo de una zarza, y yacía despatarrado, con la barriga pegada al polvo, arrastrándose a veces, buscando un poco de frescura» (I, 70).

Dicha lentitud se refuerza análogamente mediante la utilización de estructuras sintácticas ternarias: —«Los compañeros se ocupaban (...), en alisar con los pies..., en arrancar pajillas..., en escupir...» (I, 69)—, y de ciertos recursos de orden semántico: empleo de sustantivos, verbos, adverbios, etc., que se sitúan en torno al contenido de 'quietud' —«pereza», «morosidad», «descansar», «contemplar», «deleitar», «pausadamente»—, que contribuyen a acrecentar esa impresión de estatismo a la que hemos aludido.

Pero esta paz se verá alterada repentinamente por la irrupción de ese coche, insólito en los años 50, que impulsará a los personajes a ponerse de pie como movidos por un resorte y a subir el tono de su voz. Es el personaje anónimo, el único que había permanecido callado hasta ese instante, el primero que exteriorizará sus pensamientos: «—Es extranjero— dijo en voz alta». Y cuando el más joven —el hijo de Casimiro Huertas— les hace observar que no son turistas, sino «gente rica», les hará sentir la sangre agolpándose en sus cabezas, revolviéndolos por dentro.

La tranquilidad se ha esfumado y, al observar en uno tras otro las reacciones de cada uno de los cinco personajes que componen la brigadilla, percibimos cómo la tensión se va acrecentando progresivamente. Desde ese momento cada uno de ellos cobrará entidad propia y expresará lo que siente, ya sea con palabras, ya con hechos.

El hijo de Casimiro Huertas asocia la alteración causada por el paso del coche con la que crearon unas extranjeras «con máquinas de retratar y pantalones» en un pueblo cercano el día de la fiesta, y la proyección de su sentir se expresa mejor que en sus palabras en el hecho de derrochar el agua del botijo. Esa agua que vierte sobre su cabeza es un lujo en la sequía del lugar, y el refrescarse con ella es un desafío a sus compañeros y, metafóricamente, a la sociedad. «Es el agua que me corresponde, que me tenía que beber», contesta cuando le recriminan su acto, y, al decirlo él así, sentimos las razones de quien, al efectuar el trabajo en condiciones tan penosas, merece un mínimo desahogo. Pero otro aspecto de la realidad está muy lejos de aceptar la comprensión de ese deseo; su comportamiento es interpretado por sus compañeros como un acto de irresponsabilidad y de injusticia, comparable a la de los ricos que acaban de pasar; de ahí que el calderero Buenaventura Sánchez le llame «señorito» irónicamente, y descargue su rabia con el joven:

> —Chaval, tira el agua, gasta lo que queda en el botijo y luego no vayas, no eches ni un viaje —dijo con rabia el calderero (I, 71).

Pero al darse cuenta de que «había puesto demasiada fuerza en sus palabras» y de que había sido injusto con el muchacho, se refugia en la búsqueda del sueño. Se recuesta en el ribazo y deja volar su imaginación hacia un bello paraíso con tierras de regadío y abundantes árboles frutales bajo los cuales poder sestear después de comer oyendo el rumor del agua al discurrir entre los canalillos de la tierra.

Justo Moreno —otro de los personajes— apenas es capaz de explicar con claridad lo que siente, a causa de su falta de instrucción. Su rebeldía es tan profunda que ni siquiera llega a expresarse en oraciones completas: «Uno —añadió una barbaridad—, uno —repitió— es una porquería sin remedio. Está uno aquí peor que una piedra para que esa gente...» Y añade, cuando el señor Antonio le incita a calmarse: «No es sólo eso, señor Antonio. El dinero de los demás, cuando uno... No sé, no lo puedo explicar... Estamos bien fastidiados para que todavía...».

Mientras, el señor Antonio cierra los ojos con fuerza como para intentar alejar de su mente una imagen que le repugna y desazona. Pero como es un hombre sereno y ecuánime, aunque de sus labios brota valientemente la denuncia, ésta no va teñida de excesiva agresividad: «No hay derecho —dijo suavemente el señor Antonio—. Son cosas a las que no hay derecho. Tanto dinero es un pecado» (I, 73).

Todos estos hechos despiertan en la mente de Casimiro Huertas una visión colectiva, el fantasma de la guerra. El calor asfixiante y la falta de agua —su hijo se ha lavado con ella— suscitan en su memoria un tiempo caracterizado por el dolor, «las penalidades en los blocaos de Marruecos»:

> Repartían un litro por barba; bueno, pues llegaron a dar medio cuartillo. Tomaban el agua a cucharadas como si fuera medicina..., a veces se acababa, y entonces... (I, 72).

Alusión a la guerra de África, vivida en su juventud, y que no es fortuita, ya que «forma parte de la misma desazón, de la misma sensación de indefinible rebeldía ante el sufrimiento desmesurado de un inmenso grupo de hombres en beneficio de unos pocos» [16]. Hay un paralelismo entre el monólogo del señor An-

[16] Josefina Rodríguez de Aldecoa, *op. cit.*, pág. 27.

tonio, que piensa en el automóvil: «son cosas a las que no hay derecho», y la queja de Casimiro, que sigue hablando de la falta de agua en la guerra africana: «como comer brea ardiendo o aún peor».

La perturbación que produce el paso del coche lujoso es tan profunda que destruye la paz del campo y afecta al comportamiento de los animales. El perro de la brigadilla se levantó con el rabo entre las piernas y trotó hasta la cuneta, y la chicharra emprendió su agudo canto «produciendo un ruido como de limadura en hierro» (I, 71), canto que reproduce miméticamente la rabia que sienten los protagonistas del relato, y evoca a un mismo tiempo el calor achicharrante de la hora, ya que es el calor lo que hace elevar el canto de este insecto.

Cada uno de los tiempos del relato ha ido expresando la rabia y la rebeldía que brota en el corazón de los personajes frente a una situación que saben tremendamente injusta. De sus labios brota la denuncia. Pero tras sus palabras vislumbramos un terrible sentimiento de impotencia que les abruma, y su incapacidad para cambiar de suerte tiene un paralelismo con la impotencia de Buenaventura Sánchez para impedir que se rompa el botijo que le lanza el hijo de Casimiro Huertas: «lo intentó inútilmente. La grava se humedeció y los cascos del botijo se esparcieron» (I, 73).

La ineficacia de su denuncia está sugerida análogamente de manera simbólica por la presencia de la urraca, ave vocinglera que remeda palabras y encarna la idea de presagios malignos y nefastos. El señor Antonio sabe mejor que nadie que no hay remedio para sus males. Por eso, «cuando la urraca parada en un espino alto levantó el vuelo y cruzó la carretera, el señor Antonio dijo: —«Ya es hora»—, y la brigadilla abandonó las sombras de la cuneta por el sol del trabajo».

Un hecho aparentemente tan insignificante como es el paso de este coche deslumbrante ha sido el motor o agente para que se adelante hacia un primer plano todo el trasfondo de desazón, de malestar y descontento que reinaba en la mayoría de los corazones de los españoles de los años 50, y al mismo tiempo para revelarnos su hundimiento moral, sus terrores, su incapacidad para salir de la situación opresiva en que se encontraban, y liberarse del peso abrumador del fantasma de la guerra.

Aldecoa ha dedicado este cuento al dramaturgo A. Buero Vallejo, que, como él, supo dar metafóricamente una visión de justicia no dudando en denunciar todo lo que se oponía a ella o la oscurecía.

LA SOLEDAD

> Y cuánto exilio en la presencia cabe.
>
> ANTONIO MACHADO.

«CABALLO DE PICA» (1961)

Los cuentos que componen el libro *Caballo de pica* «constituyen una exégesis del hombre olvidado, dañado y sufriente», según se nos dice en la contraportada, y la característica unificadora de todos ellos es el dolor rodeado por el miedo y la desgarradora soledad, como asoladoras circunstancias que ahogan al ser humano. El libro nos va desvelando con transparente sensibilidad el intrínseco fondo de ese hombre

> que pasa por la vida oscuramente, cumpliendo bien o mal su modesto tercio sin gloria, como el pobre caballo en la plaza. Generalmente ese amargo oficio del tercer protagonista es desempeñado en todas partes por el sufrido pueblo bajo, al que siempre toca bailar con la más fea y con cara de hambre las más veces, a pesar de lo cual conserva a ratos la alegría y el buen humor [1].

Aldecoa, hombre esencialmente vital, fue muy sensible a los problemas y abismos que aparecen en la vejez: la degradación biológica y consecuente pérdida de las facultades físicas y mentales, pero sobre todo la pérdida de los soportes emocionales

---

[1] José Luis Cano, «Caballo de pica», en *Ínsula*, núms. 176-77, julio-agosto de 1961, pág. 13.

y afectivos que hunden a los ancianos en una soledad y un aislamiento que precipitan el avance hacia su última morada.

La mayoría de los personajes que pueblan estos cuentos son ya viejos —«La despedida», «Aunque no haya visto el sol», «Las piedras del páramo», «La espada encendida», «Caballo de pica»— que acaban de perder, o han perdido desde hace mucho tiempo, los seres más íntimos y queridos: sus esposas; y que, como perdidos en la vida, no pueden soportar el terrible vacío que ha venido a instalarse allí donde reinaba su presencia alentadora. Seres desorientados, como niños indefensos, son incapaces de dar una nueva orientación a su existencia, y se dejan llevar a la deriva como barco que ha perdido el timón, o bien se repliegan en lo más profundo de sí mismos, aislándose deliberadamente del mundo exterior, «destilado en su desinterés» como con acertada significación nos describe el relato «Las piedras del páramo».

Solo se ha quedado el ciego anónimo, que pertenece a la «ciudad», de «Aunque no haya visto el sol»; y aunque «la ciudad» le había dicho que Teresa era mala, él se había casado con ella y estaba contento. Y cuando ella falta y «la ciudad» le dice «de buena te has librado» y «es mejor que haya sido así», él sabrá mejor de lo que cualquier hombre pudiera saber que «la soledad nunca compensa... Y en su casa acariciaba cosas que no eran ella, pero que le acompañaban desde ella un poco, nada más un poco, como sus propios ojos» (I, 412).

El mismo sentimiento de vértigo y temor se apodera del alcalde —descrito en «La espada encendida»— cuando su esposa muere; su lucha feroz por acabar con las «cochinadas» y atentados a la moral de la población en el parque del pueblo encierra y es interior testimonio de un pretexto que esconde el hondo drama de su vida personal: el miedo a penetrar en el vacío de su casa.

Desprovistos de todo arraigo afectivo y emocional, estos seres se van a refugiar en una última y desconsoladora soledad, tan sólo salvada a veces por ese universo que tan íntima y celosamente protegen: el mundo del recuerdo. Y aunque este universo terminará perdiendo, con el tiempo, sustantividad hasta convertirse en un simple rumor, en eco de la vida y de las cosas —como le sucede al abuelo de «Las piedras del páramo»—, no obstante será el único aliciente en su vida, el único incentivo que les ayudará a seguir respirando.

No se percibe en estos seres el temor a la muerte; bien al contrario, la vislumbran como un bello sueño que les permitirá reunirse con los suyos de nuevo, liberándolos de unos sufrimientos que se les revelan insoportables. El anciano de «Las piedras del páramo» siente el prolongamiento de su vida como una condena, como un castigo a un pecado que no logra explicarse. Sabe que los dos cabos de su existencia ya se han unido; y por ello se siente abandonado en un punto muerto, exiliado de su familia —su hija, su yerno y nietos—, de la comunidad y hasta de su propia vida.

En el relato titulado «La despedida», la soledad de la separación temporal se acentúa con el peso angustiante que supone la espera de la separación definitiva; todo ello representado en el temor de la posible muerte del anciano que va al hospital a operarse, quedando su esposa transida de dolor en la estación ante la incertidumbre de su vuelta. Las breves palabras que intercambian en la despedida están impregnadas de ternura, de cariño y de aliento, pero en los quiebros de la voz se vislumbra la congoja, el miedo y la inseguridad futura.

Tampoco faltan en este libro los relatos situados en las grandes ciudades con todos los problemas de incomunicación, de soledad y desvalimiento que éstas generan. «La tierra de nadie» es un bello cuento que ejemplifica crudamente lo inhóspita que puede resultar una tierra ajena, en la que el ser humano no halla el lazo afectivo necesario y unitivo.

Las dos solteronas del relato «Dos corazones y una sombra» han abandonado su ciudad provinciana porque en ella se les hace insoportable el peso de su soltería. Piensan que a su edad será más propicia la gran ciudad en cuanto espacio para establecer relaciones amorosas. Pero pronto tendrán la certeza del inútil, igualmente inútil, transcurrir de sus vidas encerradas en su piso solitario, hundidas por el miedo y la incomunicación:

—Muchas veces pienso que hemos hecho mal en venir a Madrid. Nos deberíamos haber quedado allí (I, 184).

—Allí nunca tuve miedo, pero aquí en Madrid..., como una no conoce a nadie... (I, 183).

El mismo desvalimiento e indefensión humana conducen a una muchacha engañada por su novio a recurrir a la charlatanería de la espiritista —«La hermana Candelas»— en busca de protección y de una palabra de aliento:

—Yo no soy de Madrid (...) tenía miedo.

—Esto es un castigo —continuó—, un castigo del cielo... He sufrido mucho... Desde pequeña... Usted sabe... No importarle a nadie... (I, 331).

El cuento se abre y se termina con puntos suspensivos —que sugieren una llamada de teléfono—, acompañados de una brevísima conversación telefónica entre la «hermana Candelas» y la telefonista, que le recuerda que al día siguiente finaliza el plazo de su factura pendiente. Este breve diálogo revela otro aspecto de la trama, el drama oculto de la espiritista —sus problemas económicos—, y resalta otra perspectiva: la ingenuidad y abandono de la muchacha que se confía a ella.

Dolor, tristeza y desgarramiento han producido la falta de voluntad y las reflexiones internas del joven Rafael —«La piel del verano»—, sinónimo todo ello del cansancio que siente en la flor de la juventud: el absurdo y el vacío de su vida, su existencia enajenada. Incapaz de orientar y dirigir su destino, se deja arrastrar por los falsos amigos y por diversiones superficiales, que terminarán hundiéndole en el mayor vacío moral.

Percibimos análogamente el dolor profundo de ese muchacho descrito en «Fuera de juego», que se siente totalmente desplazado del seno de su familia, exiliado por la incomprensión y la miopía de los suyos. Viejos o jóvenes, todos los personajes de este libro llevan el sello del sufrimiento; el dolor, más moral que físico, se hunde en ellos como la pica en el toro, como la garrocha. Pero su propio desgarro les impulsará algunas veces a encontrarse a sí mismos, incluso a conocer mejor al «otro», a comprenderlo. Y este dolor común llega a unirlos, haciéndolos solidarios de la miseria humana, porque, habiendo conocido el dolor, éste actúa sobre ellos como un especial catalizador de sus sentimientos, desarrollando su sensibilidad y ahondando en sus vías de conocimiento.

«LAS PIEDRAS DEL PÁRAMO»

Varias son las razones que nos han movido a la elección de este relato y a su ulterior análisis. Por una parte, consideramos que es uno de los cuentos del volumen *Caballo de pica* que encierra mayor fondo existencial y un contenido ideológico más denso, ya que engloba las tres dimensiones de la soledad: la soledad en función de sí mismo, la soledad en función de la familia y la soledad en función de la multitud. Y, por otra, porque el personaje central de este cuento —contrariamente a los de otros relatos entre los que componen el libro, que huyen de la soledad— busca refugio en ella en un intento de eludir un presente que le resulta hostil y falto de interés. Desprovisto de soporte emocional y afectivo —los seres que le ofrecían contactos vitales han muerto—, se retira dentro de sí para hundirse en una soledad irremediable. Para él, el mundo es «inodoro e insípido, definitivamente destilado en su desinterés», y el recuerdo es lo único que le impulsa a seguir en la vida.

La honda belleza de este relato, así como sus equilibradas proporciones compositivas, contiene los móviles suficientes para proceder a un detallado estudio del mismo.

Su estructura es unitaria, pero podrían distinguirse, para facilitar su análisis, dos partes, separadas por el hito divisorio de la guerra; a su vez, en la primera cabe distinguir dos núcleos narrativos, a los que llamaremos *a* y *b*.

I. *a)* Comienza el relato con la descripción de un abuelo anónimo —uno de tantos que pueblan nuestro universo— en la fase final de su existencia, en ese momento de transición entre la vida y la muerte.

En ese estadio de la vida, los cinco sentidos corporales pierden consistencia; todo se difumina, se apaga, se extingue. El sonido se transforma en rumor, en apagado eco; los ojos acuosos apenas divisan «una borrosa película», un vago recuerdo de la realidad, y el tacto «endurecido, sólo percibe lisura»: «Todo era rumor, todo era indistinto y sonoro. Movimiento, color, volumen, palabra, se confundían en algo cálido y amigo que él llamaba rumor» (I, 399).

Difuminado lo externo, lo que procede del exterior, nuestro personaje puede refugiarse en su profunda e inconmensurable soledad; y, a través de la introspección, sumergirse en el mundo de sus recuerdos, en sus reflexiones y cavilaciones. El tiempo le ha proporcionado la perspectiva necesaria y los suficientes elementos para el «obsesionante examen de sí mismo» (I, 399) y de la vida: arduo camino, «recto como una vara de aguijada, blanco candeal, infinito en su soledad» (I, 400).

Ha desvelado que su entronque íntimo, su familia, no cuenta con él. Para ellos es un ser ya inútil, una especie de mineral insensible y, sin embargo, desea profundamente que no cuenten con él, porque en su espacio vital no querría dar cabida al medio conturbador que le rodea: «No debía ser interrumpida *su calma lagunar*. Quería ser dejado solo hasta su evaporación total, hasta que él se sumase con su última onda de vida al rumor absoluto» (I, 399).

Anciano y ser ajeno a la vida, sus días transcurren inútilmente, y el transfondo narrativo por el que se desliza su íntimo caminar nos transmite la monotonía de su existencia en un tiempo expresado a través de la vivencia de sensaciones que marcan tres jalones temporales en las diversas jornadas que sin variación se suceden:

> Vivía con dos sensaciones únicas: el calor y el frío. *En las primeras horas de la mañana* salía a la puerta de su casa y se sentaba en el poyo. El calor del *mediodía* lo echaba a la sombría cocina. Allí dormitaba su obsesionante examen de sí mismo. Cuando el sol caía, iba a sumergirse en la incierta luz de la *atardecida*, en la incierta emanación de la tierra, en la colmenera zumba de las conversaciones vecinales (...). *El fresco nocturno* acababa por entumirle y hablaba

para pedir ayuda. Alguien le ayudaba —vecino o familiar— y entraba en casa. Y en la casa desaparecía en su alcoba (I, 399-400).

Aparecen, así, resumidos todos los actos de su actual existencia —«salía», «se sentaba», «dormitaba», «iba a sumergirse», «hablaba», «entraba», «desaparecía»—, existencia que no tiene ningún relieve para los suyos y ningún interés para él. Espera su hora con tranquilidad, y vislumbra la muerte como un bello sueño liberador. Desea insistentemente fundirse, anegarse con la tierra, con su aroma y con la mansedumbre de los rumores conocidos. Sus vivencias presentes tienen sentido en función del pasado, del mundo de los recuerdos en el que se sume. Por ello, cuando contempla el campo desde el poyo de su casa, en su retina no aparece el paisaje, sino una borrosa imagen cargada de problemas relativos a su pasado de labrador; para su mente aparece como una memorización insistente de parcelas de tierra, subarriendos, herencias, tratos de compra y venta... Y si en algún momento se fija en sus verdaderos relieves, vislumbra un campo amarillo como su propia piel, seco y descarnado como sus propios huesos.

I. *b)* Aldecoa nos ha ofrecido en el primer núcleo narrativo lo habitual en la vida del abuelo, el transcurrir intrascendente y monótono de sus días; pero, de improviso, su existencia trasciende a un primer plano, y lo vislumbramos al anochecer de un sábado sentado como de costumbre en el poyo de su casa, pero de una manera más sólida, más próxima. Sus actos y sus pensamientos estarán subrayados por la aparición —hasta el final del relato— del pretérito indefinido: «pensó», «oyó», «preguntó», «sintió», «buscó», etc. Ya no pretende pensar, sino dejarse arrullar por el rumor de la vida y de las cosas, y en su interior se irán agolpando y entrecruzando los *ecos* de seres queridos, de sucesos y de cosas entroncados en su pasado y que ya no son más que recuerdo:

«Cuandoeldifuntojuansemarchódelpueblo...»,
«Cuandonacióelhijoprimerodemaría...»,
«...cuandoelcrimendelafuentecilla...»,
«Cuandocuandocuando...»,
«...cuandoelviejosánchezquehabíaestadoenlaguerradecuba...» (I, 400).

Pero los ruidos externos, habituales en aquella hora del mes de julio, las palabras de los vecinos en tertulias a las puertas de sus casas, los ruidos de las bestias y de las llantas de los carros, el canto de los pájaros y de las cigarras, etc., se hacen una sola onda muy abierta, que, semejante a una extraña llamada, se extiende hacia su interior y se funde con sus gratos rumores internos, perturbándole, sacándole de su ensimismamiento y volviéndole al presente, a la dura realidad. Cuando, más tarde, alguien le recuerda que al día siguiente es domingo, decide acostarse pronto para asistir a la misa temprana, único aliciente en su vida, único vínculo con la vida comunitaria. Entra en su casa y, sin cenar, se dirige a su alcoba. Allí, en el más íntimo espacio, el patetismo de su soledad e indefensión humana resalta todavía más. El olor de humedad de su habitación recién pintada suscita en su memoria el olor de la tierra del cementerio —«La única tierra húmeda en el trozo de páramo que le había tocado vivir» (I, 401)— y siente, a la vez que nosotros lo sentimos con una fuerza desgarradora, el deseo profundo de fundirse con esa tierra húmeda, «blanda y sin piedras»; aquella que ya había acogido a su esposa en su seno. Tendido en la cama piensa en ella, en la posibilidad de fabricar a su lado el estigma, la marca de su cuerpo, con una simple presión de su mano, pero hacerlo sería corporeizar un recuerdo, «recordar cuarenta años de un cuerpo durmiendo a su lado, dándole hijos, en una huella que solamente él podía reconocer. María había estado allí y allí quedaba su eco y su rumor. Pero era inútil recordar: María hacía muchos años que tenía su sitio en la tierra húmeda» (I, 401).

Privado de afecto y de cariño y de sus facultades físicas, se siente abandonado en un punto muerto de la existencia, hundido en un estado de abrumadora soledad que le arrastra irremisiblemente hacia un desolador abatimiento. La vida, para este ser indefenso, es semejante a un páramo de piedras, tal como sugiere poéticamente el título del cuento: un terreno árido y yermo, frío y desamparado. Él piensa «que como de José se decía en la Biblia, había sido arrojado a una cisterna. Allí estaba abandonado en la penumbra, en el eco de su voz, en su tacto temeroso, en el aroma de la humedad, en el sabor de su saliva» (I, 404).

II) Su desvalimiento irá «in crescendo»; y un acontecimiento imprevisto y maléfico abrirá hasta lo más profundo las fuentes de dolor, de soledad y de sufrimiento en que vive el protagonista, impidiéndole acabar sus días con tranquilidad y extinguirse plácidamente hasta su fusión total con la tierra.

Al día siguiente, domingo, al alborear la mañana, oye unos disparos que interpreta inicialmente como disparos de caza, pero a su pensamiento llegan ciertos recuerdos que presentimos premonitorios —«...cuandoelviejosánchezquehabíaestadoenlaguerradecuba...»— y la mansedumbre de los rumores conocidos, cálidos y amigos, va a convertirse en ruidos hostiles, en llantos, golpes, descargas y gritos, en ira desbordada. La voz ha perdido sus acentos personales y es lo mismo que «un grito desvelado en su sueño».

La irrupción de un camión en el pueblo con gente que dispara contra las casas y se lleva al cura —clara alusión al estallido de la guerra civil— remueve su calma lagunar, transformándola en un pozo de angustia desesperanzadoramente cerrada; y cuando su yerno Benito le anuncia que los del camión se han llevado al párroco y que no habrá misa, su rebeldía y su impotencia recrudecen su sentimiento y lo sumergen en un sufrimiento abismático. «No merezco esto —pensó— y es demasiado para mí» (I, 406).

El desgarramiento interior de este anciano queda plasmado en una imagen semejante al «pasmo de un fotograma», lograda mediante el uso reiterativo de ciertos elementos morfológicos distribuidos en estructuras ternarias y cuyo contenido semántico se intensifica progresivamente:

> Las palabras de Benito volvían una y otra vez a sus oídos y le penetraban y le caían en el corazón. Un ruido creciente le envolvía y le llevaba. *Las palabras se entrechocaban y gemían y se quebraban.* Sobre su cabeza se derrumbaban *piedras furiosas, gigantescas tronadas, olas retumbantes.* (...). Y una vez y otra las *palabras llegaban, hendían e impactaban* en su corazón (I, 405-06).

En este bellísimo relato, Aldecoa nos ofrece de manera plástica la conmovedora y tierna imagen de aquellos ancianos que tantas y tantas veces hemos visto sentados a la puerta de alguna casa rural, al abrigo del viento y al calor de los suaves y templados rayos solares, durante horas interminables. Seres inmóviles y estáticos como minerales, y cuya mirada perdida nos desvela un hondo interior que se abre a la tragedia de aquellas vidas sumidas en la más oscura soledad.

LA TEMPORALIDAD PROBLEMÁTICA.

Brinda, poeta, un canto de frontera
a la muerte, al silencio y al olvido.
ANTONIO MACHADO.

«ARQUEOLOGÍA» (1961)

Respondiendo a la pregunta formulada por Julio Trenas en octubre de 1957: «¿Qué número de cuentos o relatos cortos habrás escrito?», Aldecoa contestaba:

> Unos setenta. Recogí algunos en mis libros *Vísperas del silencio* y *Espera de tercera clase.* Eduardo Aunós tiene, para darlo, otro volumen que titulo *Pájaros y espantapájaros.* Asimismo, hay un principio de libro recogiendo relatos donde el protagonista soy yo, que están fabricados a base de recuerdos de la infancia y adolescencia [1].

El libro de relatos al que el escritor hace alusión es, a nuestro parecer, el titulado *Arqueología,* volumen que recoge diez narraciones, de las cuales nueve ya se habían publicado con anterioridad en diferentes revistas y periódicos. Dichos cuentos constituyen en su mayoría un homenaje a seres, oficios y objetos pertenecientes al pasado del escritor, y en cierta manera adquieren así el carácter de monumentos arqueológicos. Pero hay que decir que nuestro escritor no se limita a la exteriorización de recuerdos o a la simple contemplación nostálgica del

---

[1] Julio Trenas, «Así trabaja Ignacio Aldecoa», en *Pueblo,* 5 de octubre de 1957, pág. 11.

pasado; va mucho más allá, puesto que se preocupa de que sus personajes exploren su individualidad, ahondamiento que los lleva a enfrentarse con problemas relativos a su realidad existencial. En este contexto, la problemática del tiempo es el eje ordenador de casi todos los relatos del libro. Como todos sabemos, los escritores de la generación de Aldecoa vivieron su época de infancia cuando estalló la guerra civil española, y ello actuó sobre su personalidad de manera decisiva. Les cortó el cordón umbilical con el pasado, con las raíces del tiempo, lo que generará una problemática que explica su comportamiento ante la vida y frente a la literatura, como bien lo ha expresado Josefina Rodríguez de Aldecoa:

> Quiero insistir en que nosotros, los niños de la guerra, llegamos a la Universidad sin otra experiencia detrás que la derivada de un país en guerra y en postguerra. Nosotros «nunca» habíamos vivido nada diferente de lo que estábamos viviendo. Con nuestros padres no era lo mismo. Ellos, cada uno en su ambiente y en su profesión, habían vivido otras experiencias más libres y más ricas. Habían viajado, habían pertenecido a un partido, habían votado, habían leído y escuchado a los maestros liberales. Nosotros estábamos sumergidos en una etapa durísima de la vida nacional sin nada detrás para recordar por nosotros mismos, nada a lo que poder aferrarnos. No era una situación a la que habíamos caído después de otra más brillante. Nosotros habíamos vivido siempre así. Esto es importante para entender el valor que tenían las cosas para nosotros y el valor que teníamos nosotros al enfrentarnos con las cosas [2].

En el cuento «...y aquí un poco de humo», el personaje central, doña Ricarda, cuenta al niño Andrés interminables historias, reales unas e inventadas otras, a través de las cuales el niño conseguirá romper el muro del pasado inmediato para sumergirse en el pasado remoto que le proporcionará sus raíces vitales como ser humano y como escritor. No es difícil reconocer al propio escritor en el personaje del niño Andrés, y a María Pedruzo, abuela del escritor, en la figura de doña Ricarda. Aldecoa, en varias ocasiones, reconoció el preponderante papel que

[2] Josefina Rodríguez de Aldecoa, *op. cit.*, pág. 18.

su abuela materna había desempeñado en su vida de narrador, y que posiblemente fue aún mayor en su propia vida. El niño Aldecoa, como todos los niños, posee su mundo mágico, fantástico, pero al mismo tiempo vive en el de los adultos y padece su choque permanente. El juego y la literatura infantil poseen la capacidad de evasión de la vida diaria y de liberación de ciertas frustraciones. Las historias que doña Ricarda-María Pedruzo cuenta al niño Andrés-Aldecoa desempeñarán un papel triple en la vida de este último. Por una parte, el poder evocativo y sensorial de sus palabras desarrollará en el niño una gran capacidad imaginativa ahondando o afianzando su capacidad de soñar. El niño, al construir su mundo, tiene algo de poeta. Así lo ha expresado claramente Freud, para quien la relación juego-fantasía se proyecta en fantasía-sueño. Sueño que, siendo la expresión más o menos velada de deseos reprimidos, es a su vez materia y sustancia que permite la elaboración o rememoración de mitos y fábulas.

En segundo lugar, el mundo que narra doña Ricarda está muy cerca de las vivencias reales del niño Aldecoa: la guerra, la inseguridad, la pesadilla. Al llevar las vivencias reales al plano de la fantasía, transformándolas en un mundo imaginativo, el niño consigue liberarse del peso que le ocasionan, ya que «el niño —también el poeta— cambia y combina la realidad para adaptarla a las necesidades de su alma» [3]. Y, por último, al ser historias relacionadas con el pasado, lejano para el escritor, el mundo del presente y del pasado inmediato —la guerra civil— se derrumbará para dejar paso al pasado remoto, el más íntimamente relacionado con sus abuelos.

Su abuela ejerce, pues, en su vida un poder benéfico, como el del humo —no hay que olvidar el título del relato: «...y aquí un poco de humo». Recuérdese que al humo algunas culturas populares lo suponen «poseedor de una cualidad mágica para remover y ahuyentar las desgracias de hombres, animales y plan-

---

[3] Dora Pastoriza de Etchebarne, *El cuento en la literatura infantil,* Buenos Aires, Ed. Kapelusz, 1962, pág. 5.

tas» [4]. Por otro lado, la columna de humo simboliza el camino de la hoguera hacia la sublimación.

En esa misma dirección se inscriben los barrios viejos con su sabor a «antiguo». Su visión e integración permite también al escritor remontar el tiempo. Estos barrios son una especie de reductos arqueológicos llamados a desaparecer y que Aldecoa recuerda con ternura emocionada sin caer por ello en el costumbrismo: «En los barrios viejos, las calles están en cuesta y tienen nombres de santos antiguos: San Simón, San Prudencio, San Manahén, o de oficios: de los atalayeros, de los toneleros, o de explicación necesaria y erudita: de la invocación y el proel, del contramaestre Mendiola, de la tripulación, del «Ana Begoña Koa» (I, 395). De estos barrios viejos le atraen de manera especial sus tabernas, «en las que se venden alpargatas, cuerdas, anzuelos, estropajos, botijos, escobas y alimentos» (I, 395).

El presente que el destino había deparado a Aldecoa era demasiado duro. El marco de la guerra alentó todas sus vivencias infantiles en busca de un espacio vital propio. Los adultos vivían atemorizados y no podían ofrecer la seguridad que el niño necesita. Tampoco el colegio supuso una liberación de la pesadilla que anidaba en el mundo de los adultos; por el contrario, en el relato «Aldecoa se burla», recogido en el libro que analizamos, quedan plasmadas las experiencias escolares del escritor como alumno en el colegio de los marianistas. La «rebeldía, la desbordante imaginación y falta de sumisa adaptación de Aldecoa eran difíciles de tolerar para los frailes, que le consideraban como un enemigo» [5].

La ironía del escritor es mordaz cuando enjuicia la enseñanza primaria que le ha tocado vivir, dentro de unos moldes anticuados y muertos. Pronto se da cuenta de que una institución como ésta, con maestros acartonados, carentes de vida y de imaginación, que imparten castigos draconianos para imponer la disciplina y el orden, poco bueno puede aportarle:

[4] Eduardo Cirlot, *Diccionario de símbolos...* pág. 245.
[5] Josefina Rodríguez de Aldecoa, *op. cit.*, pág. 13.

> Durante siete domingos vendrá por las tardes castigado de cuatro a ocho. Durante cuatro semanas saldrá del colegio una hora después que sus compañeros y me copiará mil quinientas veces con una hermosa caligrafía lo siguiente... Tome nota: Me gusta burlarme y no soy un caballero, punto. Los que no son caballeros pertenecen al arroyo, punto. El arroyo es, por tanto, el lugar mas adecuado para mí, punto final (I, 364).

Consciente de todo esto, el niño Aldecoa recurre siempre que puede a las experiencias extraescolares, en contacto directo con un espacio abierto que se le oponga y lo supere: el campo, los animales, el mar, el paisaje, los montes y los ríos de su tierra, que le proporcionan otro tipo de vivencias mucho más favorables y emocionantes y que con profunda delicadeza y colorido plasmará más tarde en su obra de narrador. Estas experiencias, junto a las vividas al lado de su abuela, van a ser el revulsivo que generará el milagro de la metamorfosis, permitiendo transformar la derrota en una victoria sin fin.

A los diecisiete años, con el bachillerato terminado, Aldecoa se traslada a Salamanca, como ya dijimos al bosquejar su biografía, para iniciar sus estudios universitarios. Allí se matricula en la facultad de Filosofía y Letras, pero su verdadero mundo estaba fuera de las aulas. Carmen Martín Gaite, en un conmovedor artículo que escribió a la muerte del escritor, nos dice que, durante aquellos años, cuando Aldecoa aparecía por clase —hecho que sucedía muy esporádicamente—, y sus compañeros le preguntaban dónde se había metido,

> el se reía y hacía la comedia de hombre disipado y misterioso: había estado por ahí de crápula con gente fascinante y viciosa, con marqueses venidos a menos, con meretrices, con bufones, con ladrones de guante blanco perseguidos por la justicia, con tahúres, ralea que se oculta, animales de noche. Y sólo de tarde en tarde acababa hablándonos un poco de verdad de sus amigos no universitarios: una colección de gente que a nosotros apenas nos interesaba entonces, embebidos como estábamos en el descubrimiento de la cultura escrita; gente de carne y hueso en cuya compañía se formaba y de la que sacaba la savia para sus historias [6].

---

[6] Carmen Martín Gaite, art. cit., pág. 5.

De esos asiduos contactos con gente marginada y extraña tenemos numerosas muestras en el presente libro. Son los vagos y desclasados, descritos en el cuento «Los bienaventurados», los que despiertan todo su amor y respeto. «Tenía Ignacio un sentimiento clarísimo de la brevedad de la existencia y una constante obsesión con la muerte, una extraña lucidez en este sentido» [7]. Y precisamente porque a lo largo de su limitada existencia ha tenido presente la brevedad de ésta, puede comprender a esos vagos que sólo son egoístas de sombra y de sol. Se siente solidario con ellos y se burla de los seres que luchan por una posición social aventajada:

> Bienaventurados los vagos porque tienen un alma sensible y se duelen de las desgracias del prójimo, de que el prójimo trabaje demasiado, de que el prójimo luche por una posición en la vida, de que el prójimo sea tonto... (I, 233).

Los escritores de la generación de Aldecoa saben perfectamente que el viejo mito del porvenir seguro, al que se aferra la generación precedente y aun parte de la venidera, ya no es viable: «éramos libres de previsiones y futuros, pero también desengañados antes de empezar. Creo que en la literatura de este grupo se refleja ese desaliento y esa ternura» [8].

En 1945 Ignacio Aldecoa siente la necesidad de espacios nuevos, y abandona Salamanca para trasladarse a Madrid. Allí se instala en una pensión bohemia de estudiantes, pintores y escritores, la pensión Garde, que con finísimo humor plasma en otro de los cuentos de este libro: «Maese Zarogosí y Aldecoa su huésped».

Aunque se matricula en la Universidad, en la especialidad de historia de América, tampoco frecuenta las clases. Su vocación de escritor está ya claramente definida, y a partir de ese momento su vida bohemia se intensificará poniéndose al mismo tiempo en contacto con otros jóvenes que comparten sus mismas inquietudes vitales y literarias.

---

[7] Josefina Rodríguez de Aldecoa, *op. cit.*, pág. 22.
[8] *Ibidem*, pág. 20.

El problema del tiempo es una de sus principales preocupaciones, y ello se refleja en muchos de los relatos del libro que analizamos: «El caballero de la anécdota», «El libelista Benito», «El asesino», «La vuelta al mundo».

Casi todos los protagonistas de estos cuentos son seres extraños, representativos de otro tiempo, y en su mayoría se encuentran en el umbral de la vida. Viven un presente enajenado y se refugian en el calor de los recuerdos. El escritor presenta situaciones cuyo propósito central es el de actualizar un pasado que fluye y se abre en la mente de los personajes. Dentro de este contexto, cualquier acontecimiento de la vida real sirve como punto de partida para renovar esquemas vivenciales que desalojen lo «presente» y conduzcan a los protagonistas a revivir experiencias del pasado. El presente aparece como algo aparente que sólo el pasado puede concretizar, porque, como dice Borges, sólo el pasado es verdadero.

El tiempo consume todas las cosas, y lo que queda es el recuerdo de lo hecho y de lo deshecho. El hombre lucha con el tiempo para evitar que desaparezcan o se deshagan sus experiencias. El tiempo que se va ya no vuelve, y el único modo de recuperarlo un poco proustianamente es a través del recuerdo; pero los recuerdos quedan o se desvanecen sin que podamos evitarlo. Es difícil admitirlo, pero el olvido no podemos ni forzarlo ni detenerlo.

Las limitaciones impuestas por la temporalidad devalúan la vida de las cosas y de los seres, y Aldecoa percibe este sentido del tiempo como instrumento inexorable de destrucción. Así, «La vuelta al mundo» presenta a un viejo matrimonio que rememora los años de vida en común y el papel que en ella ha desempeñado su amiga Berta, y se da cuenta de lo insignificante que resulta todo con el paso del tiempo. El tiempo todo lo consume. Los seres humanos envejecen y pierden su belleza, los objetos acusan también su paso:

> Clara le parecía cada día más pequeña. Ya no recordaba a Clara ni cuando miraba las fotografías de la juventud. Ya no recordaba a Alberta ni toda su historia mágica, porque hacía mucho tiempo, y su rostro había cambiado y era otra mujer. Una mujer con un gato

> eunuco y viejo como su propio perro que vivía sola e iba al café o llegaba tiritando en los anocheceres de invierno (I, 158).

Según Anderson Imbert,

> el cuentista es el verdadero protagonista de su cuento, ni más ni menos que el poeta es el protagonista de su poema lírico. El cuentista no se canta a sí mismo como el poeta; pero, como poeta, expresa lo que le está sucediendo a él justo cuando, con trucos de ilusionista, finge que algo les está sucediendo a sus personajes. El cuento da forma rigurosa a efusiones líricas, igual que un soneto [9].

Sea como fuere, lo cierto es que tras los cuentos de este libro sentimos latir al escritor, a un escritor que nos transmite sus vivencias, sus problemas, sus angustias. Por una parte, la lucha por ampliar el tiempo de sus primigenias experiencias, tratando de derrumbar ese dique —generado por la guerra civil— que le separa del pasado de sus antepasados; y, por otra, su deseo de agotar cada instante de su existencia, consciente de que ésta será muy breve. Así, pues, son Aldecoa y su personal concepción del tiempo y de la vida los verdaderos protagonistas de estos relatos. Veámoslo a través de dos de los mejores del libro.

«... Y AQUÍ UN POCO DE HUMO»

Quien más quien menos, todos hemos tenido la suerte de encontrar alguna vez en nuestro camino a «ese o esa» narrador/narradora genial capaz de borrar de un plumazo la rutina cotidiana y de sumergirnos en un universo nuevo, estremecedor, fascinante. En efecto, existen ciertos seres privilegiados que, bien sea por el magnetismo de su mirada, por los matices de su voz o por otras razones indefinibles y misteriosas, consiguen secuestrarnos momentáneamente y poner en marcha el mecanismo de

---

[9] Enrique Anderson Imbert, *Teoría y técnica del cuento,* Buenos Aires, Ed. Marymar, 1979, pág. 49.

nuestra imaginación, transportándonos hacia un mundo del que saldremos renovados, vivificados.

De nada sirve que el cuento o sucedido sea bello o emocionante si el que lo cuenta no sabe envolverlo en esa aura misteriosa, en ese ambiente mágico y apasionante que ningún análisis estilístico lograría explicar. Esta cualidad es indispensable en el narrador de cuentos, y nada mejor que fijarse en la figura de doña Ricarda para evidenciar lo dicho y para calibrar el grado de interés, la emoción y el espanto que su persona y sus historias generan en el ánimo del niño Andrés.

I. El cuento se abre con la presentación somera, pero extremadamente sugestiva de los dos personajes centrales —doña Ricarda, «anciana culta, ordenada y generosa», «de modales decimonónicos», y Andresito, «a punto de hacer el ingreso en el bachillerato»— en el momento de compartir ceremoniosamente su ya habitual merienda: «manzana asada, sobrante de la comida», para la anciana; «pan con miel y nueces», para el niño. Merienda inmersa en delirante expectativa para el último, dado que «en casa de doña Ricarda las cosas tienen que suceder por riguroso turno: merienda, bisbiseo de rezos, por fin historias». Esas historias que interesan más que nada en el mundo a Andresito y que espera con delectación, con «la boca abierta», mientras se deja invadir por el misterioso ambiente ritual que las precede y envuelve; ambiente preñado de sensaciones auditivas, gustativas, táctiles, etc.: «El pan con miel y las nueces, acompañados de brasero, de agua con azúcar y del bisbiseo de doña Ricarda, en trance de oración antes de las historias, sabe a antiguo con un sabor de desvalimiento y ternura, con un calor de regazo. Andrés se acurruca en sí mismo» y deja vía libre a su imaginación. «Doña Ricarda hablaba de las guerras carlistas, de las de África, Cuba y Filipinas; de la de los alemanotes y los soldados del Tigre. Hablaba de la muerte; de cómo la muerte llama a las casas cuando quiere entrar o deslizarse tal que un gato o que el viento...». Esta anciana es la memoria viviente del pueblo, y sus historias constituyen el acervo de las costumbres y del pasado de España. Sabe cosas, incluso, de más allá de sus linderos. El dejo suave de su voz torna apacible el horror, lo mete en la sangre. Ecos de otros ecos, sombras de otras sombras, reflejos de reflejos. Quizá no cuenta la verdad total de los hechos, pero sí transmite todo su encantamiento. Andresito no la entiende muy bien, pero la figura de la muerte se recorta imponente ante sus ojos, vigilando a los seres con el rigor implacable de su voluntad y un poder omnímodo contra el destino. Andrés imagina que «la muerte es una señora muy alta, muy alta, y muy delgada, muy delgada, vestida de negro y apoyada en un bastón con puño de muletilla, que le sirve para llamar a las puertas. A la muerte dedicaba cada sesión doña Ricarda cosa de un cuarto de hora». La muerte constituye, pues, la parte principal de las historias de doña Ricarda, y éstas provocan en el niño el temor, la tristeza y el desasosiego. No ignoramos que los niños suelen gozar con los cuentos tristes, y sabemos perfectamente que el goce estético no es ajeno, en ocasiones, al miedo o la pena, con los cuales suele correr parejo. Pero aquí como en todo hay diversidad de matices. Es muy distinto el miedo que siente Andresito ante el hecho de que la muerte haga sus estragos en las guerras lejanas de Cuba y Filipinas, por ejemplo, del que experimenta cuando tiene que enfrentar lo que es capaz de hacer en el plano de su realidad cotidiana:

> la muerte —seguía doña Ricarda— llega a la puerta de esta casa, mira si hay signos pintados en la pared. ¿Tú no pintarás en el portal, verdad, Andresito? /Andresito se escalofriaba./ —No, doña Ricarda./ —Bueno, la muerte ve si hay signos; si los hay sube por las escaleras. Se para en el primer piso. Nada. Sigue subiendo. Se para en el segundo. Nada. Sigue subiendo. Se para en el tercero.../ El niño imploraba aterrado/ —En el tercero no, doña Ricarda, que vivimos nosotros.

Los recursos que utiliza la narradora para cautivar, subyugar, envolver irremisiblemente con sus tentáculos misteriosos al niño son múltiples, recursos que Aldecoa transmite magistralmente: la lentitud en el decurso de la anciana; las pausas y los silencios que cargan la expresión de ansiedad y maravilla; la repetición que facilita el acomodo de las imágenes visuales y auditivas dando tiempo a Andrés para que reproduzca lo que oye; el empleo del diminutivo que despierta en él vivencias afectivas y favorece la fantasía; la cifra que contribuye a crear el «suspense» cuando el relato lo requiere:

> Si hay signos en un piso, llama a la puerta con su bastón. Si da un golpe es que pasado un día a la una de la mañana morirá alguien en aquel cuarto. Si da dos golpes es que visitará la casa dos veces ese año: una por el otoño y otra a finales de invierno (I, 369), etc.

II. En ese estadio de la narración, el niño Andrés traslada el contenido de las historias que oye al plano de su propia realidad —no olvidemos que este relato es en buena medida autobiográfico y que para los niños de la generación de Aldecoa la muerte intervenía con excesiva frecuencia en su vida cotidiana—, lo que fraguará en él un temor y desasosiego exacerbado. El impacto emocional que causan en él las narraciones de doña Ricarda es tan intenso que en la segunda secuencia lo vemos postrado en su lecho, febril, oyendo «las pisadas del reloj de la mesilla de noche: Tic, uno, tac, dos, tic, tres, tac, cuatro...». El sueño pesado, delirante se alterna con la vigilia desasosegada en toda la secuencia. Entre sueños el niño reclama la presencia de doña Ricarda, y cuando ella llega a visitarle, Andresito despierta sobresaltado y descubre maravillado la similitud tan perfecta que existe entre la figura de doña Ricarda y la imagen que él se había forjado de la muerte a través de las narraciones de la primera:

> «En la puerta había sonado un golpe. La madre salió de la habitación. Andrés gritó. Andrés se tapó la cara con el embozo de la sábana». «En su habitación, Andrés observaba por un huequecito de las sábanas. Vio entrar a doña Ricarda, alta, erguida, vestida de negro, apoyada en su bastón con puño de muletilla (...). No era la muerte. No podía ser la muerte. Nunca pudo imaginar que doña Ricarda se pareciese tanto a la muerte» (I, 371).

A partir de ese momento el conjuro, la magia, se destruye. Sin darse cuenta, doña Ricarda ha facilitado con sus historias la acomodación del niño al ambiente de los adultos, lo ha introducido en el medio social que le reservaba el destino. Sus historias estaban preñadas de la amarga belleza de la vida. Todo lo que ella le contaba estaba condicionado a su mundo, a su verdad; por eso ha podido producirse la metamorfosis, el milagro de la transformación.

III. En la tecera secuencia vemos a Andresito emerger de la enfermedad con paso vacilente. Ha crecido mucho, y sus piernas débiles se niegan a sustentarlo. Físicamente ha cambiado, mas la transformación interior es todavía mucho más evidente. Ahora contempla el mundo y los seres que le rodean con una mirada nueva. La enfermedad representa, pues, aquí el período de margen, el umbral ideal y material a un mismo tiempo, la puerta que separa en todo rito de «pasaje» una etapa de otra. Andresito se ha desagregado de la primera infancia para agregarse a una nueva época. Época en la que la expresión escrita reemplazará a la oral con gran pesar de doña Ricarda. Los libros de aventuras, juntamente con «una pistola de corcho explosivo y una navaja de explorador», van a suplantar a las peripecias aventureras que la anciana había inventado para él. Historias que, como ya dijimos, han sido el detonador del «pasaje», las que han facilitado, sin que doña Ricarda sea totalmente consciente de ello, la acomodación del niño a su nueva etapa. Cuando la anciana descubre la evidencia de los hechos y se da cuenta de que nada podrá retener a Andresito a su lado, «anonadada, triste, lacrimosa», se refugia ella también en la lectura: un libro de rezos. «Sobre la cómoda chisporroteaba a punto de apagarse una mariposa encendida a una imagen. Vaciló unos momentos. Luego naufragó. Una columnita de humo surgió de la lamparilla. Whiskey Dick soplaba frente a Andrés, medio tumbado en un sillón, el cañón de uno de sus revólveres humeantes». El humo que se desprende de la lamparilla extinguida y el que se escapa del cañón del revólver del niño se elevan conjuntamente al cielo en señal de liberación, como prueba irrefutable de purificación ritual.

Valgan estas palabras como homenaje a la abuela del escritor, por el papel tan maravilloso que ha desempeñado en la vida de éste, y a través de ella a todas las abuelas o seres que poseen esa rara habilidad de contar cuentos, transformando o resucitando siempre algo en quienes les escuchan. La fascinación que despiertan en el oyente sólo es parangonable a la conseguida por la música.

«PARA LOS RESTOS»

Este relato está estructurado en cuatro partes, separadas mediante espacios en blanco, cuya extensión se reduce progresivamente. En la primera nosotros distinguimos, para su mejor estudio, dos núcleos narrativos: el primero, correspondiente al párrafo introductorio (expresivo de la concomitancia paisaje ⇄ estado de espíritu del protagonista), y el segundo, que nos desvela la escena de interior entre los dos hermanos que viven juntos (falsa convivencia / real incomunicación).

I. *a)* Es el primer núcleo un reflejo magnífico del empeño de Ignacio Aldecoa en conexionar simbólicamente el estado anímico del personaje con la violencia del paisaje y de los fenómenos atmosféricos. En efecto, el relato se inicia con un extenso párrafo descriptivo, en el que las imágenes poéticas y las metáforas se acumulan para ofrecernos una imagen plástica de un momento muy preciso: el oscurecer tormentoso de una tarde de domingo en sintonía con el estado anímico de don Francisco José. Desde la frase inicial, de connotaciones olfativas negativas —«El campo de los alrededores de la ciudad huele a leche agria»—, asistimos a un proceso de deterioro que nada perdona. Se refleja la violencia en el colorido: «Sangran, en el recorte de las lejanas montañas, viñas de uva negra», «crecen en los linderos de las tierras las amapolas». Tampoco faltan las frases que sugieren sonoridades miméticas anunciadoras de la tormenta: el canto insistente de los grillos, el eructo de un sapo, el toque de las campanas «enfundadas en el almohadillado presagio de la tronada», el ronzar de la letanía de las abuelas y tías solteras, el ruido de los automóviles, «el sonido faldero de las hojas movidas por el viento». Pero no por un viento cualquiera, sino por el viento solano, mareante, «que ruboriza las mejillas y dicen que apresura estados críticos femeninos».

Don Francisco José Daimiel, desde el balcón de su casa, percibe estos fenómenos y siente en su propia piel, de forma exacerbada, su influencia opresiva. A pesar de ser domingo y aburrirle terriblemente la Arqueología, ha trabajado hasta muy tarde con objeto de matar el tiempo; pero todo tiene sus límites, y al fin, exangüe, decide concluir su actividad para reposar un poco en el salón antes de la cena.

I. *b)* Una vez allí, se sienta en un sillón, y el estado de hastío, aburrimiento e incomodidad que experimenta se nos transmite lingüísticamente mediante los verbos «se sienta», «se aburre», «sopla», y se refuerza con la reiteración de la frase «el sillón tiene un muelle roto», repetida tres veces, que nos comunica, al hundirse en él, la imposibilidad del reposo. Pero, por si esto fuera poco, su hermana doña Engracia irrumpe brutalmente en la sala y con voz «cortante, mandona, de látigo» le insta a pasar al comedor. Él no ofrece resistencia; dócilmente se levanta y «zanquilargo, inclinado, despacio» entra en el comedor «como un fantasma» dispuesto a ingerir silenciosamente su invariable colación: «Don Francisco José toma todas las noches sopa de ajo, que le arregla el vientre y le hace andar como un reloj». Acto seguido, «un café con leche y algunos comentarios hechos desmadejadamente» vienen a clausurar el ya inquebrantable ritual nocturno. La especificación temporal definida de forma absoluta, «todas las noches», no nos deja ya ningún resquicio de duda en cuanto a la monotonía que envuelve los actos de este anciano. En realidad, todo el interés narrativo de este núcleo estriba esencialmente en el contraste de los dos hermanos —sencillo e indefenso él, perversa y opresiva ella— y en la falta de comunicación existente entre ambos. Son seres que viven juntos, por las circunstancias de la vida —ella se ha quedado viuda y no tiene hijos, y él es solterón—, pero que no tienen nada que decirse. Don Francisco José vive la más absoluta soledad en compañía, que es la peor de las soledades, inmerso en una atmósfera de tedio y de tensión constante, tensión que se incrementa considerablemente en los momentos ineludiblemente compartidos como éste y, particularmente, en los prolongados silencios existentes entre ambos. Durante la cena «hay un silencio en que se oye el vuelo de un mosquito que, insistentemente, busca las manos, largas y anchas como peinetas de fiesta, de doña Engracia» (I, 205). Pero la tirantez aquí manifiesta es insignificante comparada con la que se genera en el breve intervalo de tiempo que abarca la sobremesa: «Doña Engracia ha esperado a estar sentada, con las gafas en la punta de la nariz, bajo la lámpara zancuda, tejiendo un jersey con destino a la Sociedad de Damas en pro de la Caridad, para empañar de horrores el alma sencilla de su hermano» (I, 206). ¡Oh cruel paradoja!

La desazón que producen a don José los monólogos chismorreriles de su hermana sólo puede parangonarse con la felicidad que en ésta provoca el mal ajeno. Y este contraste se irá reforzando a medida que avanza la narración como en un movimiento de «crescendo» que abocará en el estallido. De una manera esquemática podríamos explicar así esta oposición:

Doña Engracia, con siniestra alegría, *comienza su retahíla de cuenticos y calamidades.*	Don Francisco José *siente una araña* en la boca del estómago.

La felicidad e inmovilismo de doña Engracia aumenta en la misma proporción que la amargura y desasosiego de su hermano:

Su señora hermana *se repantiga feliz.*	Don Francisco José *siente que la araña le corre por el estómago.*

La oposición llega a su cúspide cuando don Francisco José siente que le falta la respiración mientras su hermana cuenta los puntos del jersey de una manera mecánica. El sordo sonido que se desprende de su acto pauta, como el mecánico tictac de un péndulo, la desesperación del personaje masculino, mostrándonos al mismo tiempo que la distancia moral entre los hermanos es ya insalvable:

Doña Engracia *cuenta los puntos:* «Cincuenta y cinco y treinta y dos al bies».

Don Francisco José *sufre el subir y bajar de la araña desde la garganta hasta el fondo de su estómago.*

Don Francisco José ya no puede más. Los horrores que su hermana le cuenta terminan produciéndole náuseas, y huye despavorido a refugiarse en su cuarto. En ese mismo instante se produce también el estallido en la naturaleza: «Una náusea espantosa le invade. Don Francisco José se escapa del comedor. En el campo, los grillos afilan la noche. El sapo, en la acequia seca, hincha los papos de trombón mayor. Se oye el claxon de un automóvil fantasma. Se derrumba como una piedra por un terraplén el primer trueno. En la ciudad hay silencio» (I, 20). Este desgranamiento de frases, cortas en su mayoría, estructuradas según un modelo uniforme, en presente de indicativo, contribuyen a hacernos sentir con más fuerza el carácter inmediato de la tormenta, por una parte, y, por otra, la tragedia íntima del personaje.

II. Tras esta escena cruel y despiadada, el escritor va a desplazar la cámara hacia un nuevo espacio, el más íntimo de todos, el dormitorio del personaje central, para hacernos partícipes de otro incidente que consolidará definitivamente la imagen del desvalimiento en que vive. Son las cinco de la tarde y don Francisco José, febril, yace en su lecho «lleno el cerebro de piedras antiguas, llena la piel de piedras». Doña Segunda, otra de sus hermanas, ha venido a visitarle en compañía de sus tres odiosos e indisciplinados hijos y, a sabiendas de que el estado del enfermo es alarmante, deja que éstos le martiricen mientras ella riñe escandalosamente en la habitación contigua con doña Engracia. Ya no necesita Aldecoa recurrir a la descripción directa para evidenciar lo que ocurre. Los diálogos, sencillos pero contundentes, permiten sobradamente al lector captar la situación en toda su crudeza.

III. Ese mismo día, por la noche, el enfermo empeora y el médico anuncia a doña Engracia el final inminente; y, cosa curiosa, ella, lejos de pensar en permanecer a su lado para auxiliarle en los últimos instantes, sale alocada a la calle en busca de un sacerdote. Don Francisco José se queda solo, solo ante y frente a la muerte, porque el ser humano vive con los otros pero se muere irremediablemente solo, y en ello encontramos la forma más elevada y radical de desvalimiento y soledad humanas.

La muerte crea una atmósfera tenebrosa, que envuelve la casa del moribundo e impregna los objetos. Momento trágico, de alta tensión que el escritor transmite con cruda serenidad valiéndose de un juego de luces y de sombras, de manchas de color blanco, negro y rojo y de la imagen tenebrosa de la luna:

> Salen. La cocina queda sola, a oscuras. El hornillo arroja un espectro de llamas sobre el suelo de baldosas. El puchero del café tamborilea. Una cucaracha corretea alocada por la mesa blanca. Después, una tras otra, va apareciendo el ejército negro. Suben y bajan por las patas de la mesa, por la cocina, por los vasares. Un rayo de luz eléctrica se cuela, fisgón, por la rendija de la puerta. En la ventana que da al patio hay claridad de luna, de la última luna de julio. En la habitación de don Francisco José, la lámpara, velada con un pañuelo rojo, entenebrece los rincones (I, 209-210).

Paradójicamente, la muerte es liberadora para el personaje de este relato, porque le arranca de la opresión y soledad en que vivía, pero, al mismo tiempo, es el factor decisivo de la temporalización de la existencia, «donde todas las formas de la humana contingencia se engloban en esa radical y decisiva dialéctica del miedo, en que se expresa existencialmente el desequilibrio entre el ser y el dejar de ser» [10].

IV. Es interesante resaltar que Aldecoa, contrariamente a lo que habría hecho un cuentista del siglo XIX, elude la descripción del momento fatal así como los trámites del entierro. Un espacio en blanco viene a llenar este vacío, lo que constituye un acierto constructivo. En cambio, nos va a mostrar, con rela-

---

[10] Jesús M. Lasagabáster, *op. cit.*, pág. 432.

tiva minuciosidad, la actitud de doña Engracia después de la desaparición del hermano. Ya concluyeron las misas gregorianas. Se acabó todo. Es domingo y doña Engracia organiza nuevamente —así lo había hecho el domingo anterior cuando todavía estaba en vida don Francisco José— «un aquelarre dominguero» con sus amigas, y hablan de aquél. ¿Qué ha quedado de don Francisco José después de su muerte?: «doce piedras como doce campanadas, que sirven en este aquelarre dominguero para principiar conversaciones de brujas» (I, 210). «Las piedrecillas, grises, llenaban un tubo de aspirinas. Se lo pasaban de mano en mano. Se enseñaban el alma de don F. José. Un alma arqueológica. Un alma sencilla. Un alma prisionera en un tubo de vidrio, entre las manos terribles, largas, como de bieldo infernal, de doña Engracia» (I, 210). Después de la muerte, parece decirnos el escritor, sólo queda la derrota concretizada en esa docena de piedras. La piedra es símbolo «del ser, de la cohesión y conformidad consigo mismo», pero la piedra fragmentada, rota, es símbolo del «desmembramiento, la disgregación psíquica, la enfermedad, la muerte y la derrota» [11]. Aldecoa, como Sartre, piensa que la vida es una pasión inútil, porque siempre acaba en la derrota, en la aniquilación del ser. Según su mujer, Josefina, esta idea la repetía el escritor constantemente en el seno de la vida familiar. La vida es como ese tubo de aspirinas que tiene doña Engracia en las manos y que nos aprisiona inexorablemente.

No quisiéramos concluir el análisis de este relato sin hablar de su diseño espacio-temporal, que, a nuestro juicio, responde a una evidente voluntad constructiva. Si nos fijamos en el itinerario que sigue don Francisco José a lo largo de todo el cuento, veremos que queda jalonado por los núcleos locativos siguientes: cuarto de trabajo → comedor → dormitorio. El hecho de presentarnos al personaje en un mundo interior, cerrado, subraya la dureza de su soledad e incomunicación con los otros, máxime si tenemos en cuenta que la relación que tiene con su hermana doña Engracia —y con el resto de su familia— es su-

---

[11] Eduardo Cirlot, *Diccionario de símbolos...*, pág. 362.

mamente negativa y no se ve compensada por ninguna otra visita del exterior. De este modo el espacio se convierte en un símbolo más, orientado hacia ese efecto único del que ya hemos hablado.

Por otra parte, al espacio le prestan apoyo las sucesivas atmósferas temporales. Recordemos que el relato se inicia al anochecer de un domingo —el tiempo de la narración abarca una semana, de domingo a domingo— tormentoso, asfixiante, opresivo. La pesadez de la tormenta está tan bien lograda que el lector siente casi en su carne lo que el narrador le dice. Asimismo la visita de doña Segunda tiene lugar a una hora avanzada —las cinco de la tarde—, cuando la fiebre empieza a fustigar al enfermo, arrastrándolo a la muerte unas horas más tarde en las tinieblas de su dormitorio.

Vemos, pues, que en su conjunto, los datos de este diseño espacio-temporal contribuyen a subrayar la dureza de la vida del personaje, su soledad y desvalimiento, la angustia existencial de encontrarse viviendo sin asidero en un mundo hostil.

LOS CONDENADOS

> Tu cabeza, Apolófanes, ha llegado a ser un cedazo, o las páginas de un libro carcomido, exactamente igual que un hormiguero, o como las notas musicales lidias o frigias. Pero sigue boxeando sin miedo, porque, aunque te hagan papilla la cabeza, tendrás las mismas marcas que tienes; no puedes tener más.
>
> LUCILIO.

«NEUTRAL CORNER» (1962)

Ha llamado nuestra atención, a la hora de estudiar este libro de cuentos, el poco interés que ha suscitado en la crítica literaria. Con excepción de J. R. Marra López, que escribió una bella pero breve reseña con motivo de su publicación [1], casi ningún otro crítico se ha ocupado de él. Tampoco fue incluido en la colección de *Cuentos Completos* reunida por Alicia Bleiberg, considerando que no se ajusta, «por su condición de relatos y comentarios con ilustraciones fotográficas, al contenido de dicha edición» [2].

Efectivamente, el libro no responde a la idea que convencionalmente se tiene del cuento literario. Pero no hay que olvidar que el cuento contemporáneo responde a una concepción de la vida y de la literatura diferente de la tradicional. En nuestro

---

[1] J. R. Marra López, «Neutral Corner», en *Ínsula,* núm. 204, noviembre, 1963, pág. 4.

[2] *Ignacio Aldecoa: Cuentos completos,* Madrid, Alianza Editorial, 1971. Recopilación y notas de Alicia Bleiberg, pág. 9.

siglo xx, éste logra una ruptura respecto de formas anteriores del género, donde el desenlace articulaba el resto de la trama. Lo que le interesa al cuentista contemporáneo es plasmar, cristalizar literariamente, un instante fugaz, un hecho insignificante del que no se nos da ni el «antes» ni el «después». Ese «antes» y ese «después» deberán ser «escritos» por el lector, como ya dijimos anteriormente. El desenlace deja, pues, de tener operatividad constructiva. Al mismo tiempo, con el relativismo contemporáneo —tanto científico como filosófico—, han empezado a ponerse en duda los valores sobre los que se asentaba la sociedad de nuestros predecesores, e incluso el hombre ha dejado de ser tomado en serio;

> es entonces cuando el escritor, el intelectual, el artista, de vuelta de los grandes sentimientos y la gran problemática, se vuelve hacia las pequeñas cosas de que realmente está hecha la vida. La literatura deja de ser ponderativa, trascendente, (...). Está claro que en este estado de desencanto por lo mayúsculo y valoración de lo minúsculo, el cuento debe presentársenos como el género más adecuado para recoger momentos, matices, resoles de lo cotidiano [3].

Sabido es que una constante de la narrativa aldecoana es su gusto por lo pequeño, por los seres insignificantes y sin relieve, que en su pluma adquieren una importancia y hondura excepcionales. En *Neutral Corner*, análogamente, se ocupa de unos seres casi olvidados por la literatura: en este caso, los que pueblan el mundo del boxeo. Pero a Aldecoa no le interesa mostrar al lector lo que un combate de boxeo puede tener de espectacular, ni la ganancia o fama de los campeones, sino ciertos aspectos aparentemente irrelevantes de ese mundo. Así, es capaz, por ejemplo, de escribir un cuento magistral sobre los sentimientos de un boxeador al contemplar al público durante el breve tiempo de reposo entre round y round («Un minuto de paz»). Ese minuto aparece ante nuestros ojos con una dimensión excepcional, como contemplado a través de una lupa gigantesca. Aldecoa ha captado aquí una de las más profundas dimensiones de la

[3] Francisco Umbral, *op. cit.*, pág. 10.

realidad; la que adquieren ciertos momentos límites de nuestra existencia. En un combate de boxeo, cada minuto es relevante, porque de él puede depender el triunfo o la derrota e incluso la muerte.

El cuento actual tiende a llenar vacíos, paréntesis; a captar impresiones, sensaciones aparentemente insignificantes que cobran verdadero sentido en la pluma del escritor. Es en esta línea donde se inscriben los relatos del libro *Neutral Corner.* En su mayoría no tienen ni principio ni fin; en ellos no interesa lo que ha sucedido antes, ni lo que sucederá después; lo que importa es el momento que se describe. Así, «Neutral Corner» [4] presenta la disposición de los boxeadores y del árbitro, en el instante anterior al combate, en once líneas. Once líneas cuyo poder sugeridor es muy superior al propiamente descriptivo. Podemos afirmar que este libro está compuesto de un entramado de impresiones fugaces pero intensísimas, de emociones y efusiones líricas, de deseos vehementes. Una especie de «flashs» que impresionan nuestra mente por un instante breve pero suficiente para marcarse en ella de manera ostensible y definitiva.

Los diferentes relatos que forman *Neutral Corner* tienen, a su vez, una dimensión y contextura muy variada. Algunos, como «El pensador» o «El boxeador fanfarrón», podrían tener vida propia independiente del conjunto en que están inscritos; pero, en cuanto a otros —como «Jaculatorias» o «Neutral Corner», por ejemplo—, si los abstrajésemos del contexto en que aparecen, difícilmente podrían volar con alas propias. Por eso es necesario concebir este libro de una manera unitaria, porque cada relato o impresión cobra vida y valor propio en combinación con todos los demás, y porque por encima del entramado externo se revela un orden interior perfectamente coherente y coordinado, que nos revela un mundo estremecedor: el del boxeo, mejor dicho, de los boxeadores, ese «complejo mundo del músculo hecho impulso ciego o meditado, esperanzado futuro y sangrante realidad. Un mundo que, en el mejor de los casos condu-

[4] Aquí nos referimos al relato «Neutral Corner» que encabeza el libro, y no al volumen que también lleva dicho título.

ce a una cierta y efímera gloria, convertida luego, ya para siempre, en recuerdo, y en el peor, a una caída irremediable» [5]. Pero en ambos posee una indudable grandeza, y el mérito de Aldecoa consiste en presentarnos las diferentes situaciones desde dentro, desde el interior del boxeador, desde la perspectiva de sus propios sentimientos. Es muy ilustrativa a este respecto la actitud del boxeador devoto, que pide a Dios su ayuda para «partir el alma», «rematar», o «tumbar patas arriba» a su adversario («Jaculatorias»).

Otra de las grandes innovaciones que presenta este libro es la de concebir el cuento literario como un arte en el que la complementación, e incluso fusión con otras artes plásticas no sólo es posible sino necesaria. En este sentido, el aporte de la pintura a la literatura ha sido ampliamente reconocido y comentado. También se ha teorizado acerca de la influencia de las técnicas cinematográficas en las estructuras narrativas. El alto concepto que Aldecoa tenía de la fotografía artística se refleja en su cuento «Los pájaros de Baden-Baden», donde Pablo, el joven fotógrafo que va a ilustrar los textos de Elisa, se rebela contra sus fotografías por considerar que están muertas. Él quiere dotarlas de vida, porque «las cosas concretas están muertas. Todo tiene que ser más informe, profundamente informe» (II, 310). Y frente a la posición de Elisa, que declara que le gustan, nuestro protagonista exclama: «A mí no me gustan. No me gustan nada. Ya le dije que son cadáveres. Muertos sin enterrar. Prefiero un mutilado a un muerto. Ahora hago mutilados, pero haré vivos. Esté segura. Hay que alcanzar con la fotografía el primer día de la creación, cuando todo estaba vivo y no había todavía muertos, ¿se da cuenta?» (II, 316-17). En «Neutral Corner» la palabra y la imagen se fusionan y complementan maravillosamente ofreciendo al lector la visión y el sentimiento de un mundo vivo y encarnado en toda su crudeza y ternura. Para lograrlo, Aldecoa no ha reparado en las trabas convencionales y, dueño de una amplia visión de su arte, se ha situado mas allá de convencionalismos. Hay que hacer constar que el nivel artístico

[5] J. R. Marra López, art. cit., pág. 4.

alcanzado por R. Massat con sus fotos se puede parangonar sin desdoro con el conseguido por I. Aldecoa con sus palabras.

Otro gran logro del libro es el ajuste obtenido entre la cita que precede a los diferentes relatos y el contenido de los mismos. Hallamos aquí una verdadera intertextualidad o interrelación a nivel semiológico. Dichas citas son originarias del campo de la poesía y determinan el significado profundo de los relatos que componen el libro. Así, «El boxeador que perdió su sombra» va precedido de una cita de Antonio Machado: «Camorrista, boxeador, zúrratelas con el viento». Y esta misma frase la encontramos en el texto de Aldecoa, con pequeñas modificaciones y con el mismo contenido semántico: «—Ring de viento, el boxeador que ha perdido su sombra golpea frenéticamente el aire, el viento,...» [6]. Pero además, y esto es aún mucho más importante, estas citas poéticas condicionan de manera explícita la forma de los diferentes relatos, dado que en ellos la prosa llega a la frontera misma de lo lírico, estando en muchos momentos medida, rimada incluso, como se verá más adelante.

Todos los relatos que componen el libro —salvo el primero y el último—, van precedidos de un verso o de un texto breve de poetas griegos y romanos que igualmente cantaron este deporte: Simónides, Píndaro, Hiponacte, Lucilio. A ellos se une la cita de Antonio Machado reproducida arriba y otra de la Biblia. Parece como si el escritor quisiera recordarnos que, antes de él, desde la antigüedad remota, otros escritores se preocuparon de inmortalizar este mundo al que la literatura sigue debiendo hoy su tributo o reconocimiento.

Símbolos. Las fuerzas centrales que bandean y asolan el alma de los boxeadores que pueblan el universo de *Neutral Corner* son el miedo y el dolor, y ambos sentimientos están poética y hondamente metaforizados.

---

[6] Queremos advertir que, siempre que hacemos referencia a los textos de *Neutral Corner,* no se citan las páginas por ser la enumeración de éstas inexistente en el libro.

Aldecoa utiliza «la sombra» como símbolo del miedo y el zumbido de «avispas y hormigas» como elemento sugeridor del dolor y del aturdimiento físico y moral del boxeador.

La sombra es, en unos cuantos testimonios, la mancha movible y oscura que proyecta el cuerpo del boxeador durante los entrenamientos o combates, pero posee además otras muchas significaciones en los numerosos casos en que aparece, dado que el signo poético trasciende la simple soldadura de significante y significado y está enriquecido con una carga considerable de valores connotativos, a menudo de índole emocional.

Estaremos así en condiciones de comprender el mundo emocional y poético de Aldecoa cuando hayamos sido capaces de profundizar y entender correctamente lo que él quiere transmitirnos, y para ello debemos desvelar la clave de los símbolos que utiliza, ya que en este libro ha optado por la comunicación indirecta.

Según Risley, el recurso al símbolo tanto en la prosa como en la poesía consiste «en utilizar el lenguaje para sugerir y producir sentimientos y emociones en vez de describirlos: es decir, para recrear experiencias interiores, dejando que la reconstrucción de ellas se produzca en la imaginación del lector»[7].

En el cuento «Young Sánchez» —publicado por primera vez en *Arriba* en julio de 1957 e incluido en el libro *El corazón y otros frutos amargos* (1959)— encontramos una descripción magistral del miedo que siente el boxeador al ir acercándose el momento del combate:

> Y de repente sintió que el miedo le trepaba por las piernas, debilitándoselas, le ascendía por el vientre y se le asentaba en el estómago. Una bola, eso era el miedo que obligaba a respirar fuerte porque ahogaba —pensó—, hacía daño y fijaba en ella toda la atención de uno. Se llegaba a sentir las dimensiones de la bola y su peso. Su miedo pesaba exactamente un kilo y no era mayor de tamaño que la pesa de un kilo de ultramarinos (II, 52).

Sin embargo en 1962 —fecha en que aparece *Neutral Corner*— Aldecoa, al haber llegado a su madurez estilística y a la cima

---

[7] Varios, *El simbolismo,* Madrid, Ed. Taurus, 1979, pág. 298.

de su evolución literaria, ha elegido la comunicación indirecta por parecerle más sugeridora. Mediante una prosa musical y muy cuidadosamente elaborada evoca complejos estados de ánimo y motivaciones psicológicas, cobrando sus imagénes una gran fuerza sugeridora que otorga mayor trascendencia a la intensidad dramática.

En el relato «El boxeador que perdió su sombra», la sombra adquiere varios significados. En su estrato más superficial se refiere a 'la sombra del cuerpo' de los boxeadores, que se mueve y agita al mismo ritmo que ellos durante los entrenamientos, creando una atmósfera mágica:

> Quince muchachos persiguen a las sombras, que se encogen, se alargan, esquivan, retroceden, avanzan, las sombras son acorraladas contra las paredes, huyen por el friso, se defienden. A veces desaparecen bajo las plantas de los pies evaporadas por el foco central; a veces se confunden, se ayuntan fugazmente.

Pero en su estrato más hondo percibimos una mayor complejidad y variedad en las significaciones. Las sombras crean un ambiente en el que la realidad se hace cambiante, llena de misterio y de sentidos ocultos:

> Las sombras de los boxeadores son sombras de callejón sin salida, de cuento infantil que da miedo, de desván con objetos viejos y amputados a los que guardan en duermevela, de parque solitario al atardecer; grotescas sombras devoradoras de pájaros («El boxeador que perdió su sombra»).

La emoción y gravedad que experimentamos ante estas páginas reside en la concentración de imágenes tenebrosas a las que se asocian las sombras, imágenes que son a su vez simbólicas. La frase final de la cita, claramente separada de las anteriores, sintetiza los contenidos precedentes: el miedo devora las almas de los boxeadores, como las de los seres humanos en general, y el hombre no logrará vivir en armonía consigo mismo y con los demás mientras no venza al miedo, esa parte negativa del individuo que domina a la sociedad actual.

Aldecoa admira el mundo del boxeo «porque el hombre pone a contribución sus facultades máximas y (...) el triunfo del protagonista se halla unido al riesgo» [8]; riesgo de sufrir e incluso de morir. Comprende y vive las experiencias del boxeador desde las suyas propias. Él, igual que el boxeador, sabe lo que es tener miedo: miedo del dolor y miedo de la muerte [9], y lo que supone la lucha consigo mismo para vencerlo. Comprende así los sentimientos de esos seres que no llegan al triunfo, y admira a quienes sí lo consiguen, consciente, al hacerlo, de que para llegar a la gloria hay que vencer al adversario, pero antes es necesario vencerse a sí mismo física y moralmente en un acto de absoluta voluntad y vencer el propio miedo. Y, como todos sabemos, es más difícil combatir nuestras propias debilidades que luchar contra las del prójimo.

«El boxeador que perdió su sombra... se entrena con su implacable enemigo y señor: la tormenta de sus derechazos, el huracán de su izquierda. *Es su propio enemigo y señor,* se busca camorra». Para lograr el dominio de sí mismo y la consiguiente pérdida del miedo, es necesario recorrer un largo, arduo y desgarrador camino. «Para un solo boxeador, para el que ha perdido su sombra, para el que ha sido más duro con su sombra, dicta el cómitre su orden, el poeta sus versos» («El boxeador que perdió...»)

Pero lo esencialmente simbólico del cuento aparece en el desenlace. El boxeador que ha perdido su sombra —el miedo— «acaso sea el único que no sufra la venganza de las sombras, el día, ese día, en que las sombras toman su revancha para siem-

[8] Eusebio García Luengo, «Una tarde con Ignacio Aldecoa», en *El Urogallo,* núm. cero, 1969, pág. 21.

[9] Dice Jesús Fernández Santos en un artículo escrito a la muerte de Aldecoa: «Íbamos, (...) por ese valle de Lozoya que se hace gris, frío y opaco al atardecer, ... A esa hora precisamente Ignacio empezó a ponerse taciturno (...). Le pregunté qué le pasaba, y él, como siempre, respondió: «Nada, nada». Pero el coche seguía su paso (...) y a él aquella preocupación le seguía rondando. Le volví a preguntar y entonces me respondió que tenía miedo. ¿«Miedo de qué?» «De la muerte, me dijo» (Jesús Fernández Santos, «Ignacio y yo», en *Ínsula,* núm. 280, marzo de 1970, pág. 11).

pre». La sombra continúa simbolizando el miedo, pero el significado se intensifica logrando un final de elevado contenido filosófico. La sombra adquiere el contenido de 'noche eterna', de 'muerte'. Ese boxeador que ha ganado la batalla al miedo, tal vez —no es seguro— afronte la muerte con serenidad, como el ser que haya vivido en armonía con sus principios y creencias profundas, sin dejarse influenciar por las fuerzas dominantes que le rodean. La gravedad que percibíamos al comienzo del relato, y que se iba acentuando progresivamente, se condensa así en esa frase última, que cierra la narración con un impacto emotivo superior al de las anteriores.

La cuentística de Aldecoa está poblada de sombras, lo mismo que la vida lo está de incógnitas. La incertidumbre, la inseguridad ante el futuro provoca el temor, la angustia existencial de los personajes, y el escritor ha logrado transmitirnos poéticamente estos temores.

LENGUAJE. Los poetas griegos y romanos inmortalizaron en sus himnos a varios héroes del pugilismo. Aldecoa canta también a los de su tiempo, pero sus himnos van especialmente dirigidos a los que no son «figuras» aún, o a los que ya han dejado de serlo. Y lo hará con su mejor prosa. Con una prosa teñida de los más bellos tintes poéticos. Los relatos de *Neutral Corner* no tienen argumento propiamente dicho; todos ellos recogen y cristalizan literariamente instantes fugaces, sensaciones profundas, impresiones intensas, todo lo cual está centrado en el lenguaje, soporte esencial que sostiene todo el entramado, porque como dice F. Umbral: «Cuando se ha prescindido de la osatura argumental, del documento coloquial, de la estructura conceptual, lo único que le queda al escritor es el lenguaje, el idioma, la palabra, el estilo, para ir creando con esa materia olores, colores, sensaciones, equivalencias, un mundo que valga en sí mismo y no como documento de la realidad» [10].

Este libro constituye la cúspide de la madurez artística de Aldecoa tanto en el plano estructural como en el lingüístico. Si

---

[10] Francisco Umbral, *op. cit.*, págs. 20-21.

toda su obra está teñida de lirismo, y la crítica literaria ha considerado unánimemente su prosa como poética, en ningún otro libro se concentran tantos recursos propios de la poesía como en el que ahora nos ocupa.

La breve extensión de los diferentes relatos se presta muy bien a este tratamiento, llegando a percibirse en algunos de ellos verdaderos metricismos. En «El pensador», por ejemplo, encontramos cinco pentasílabos que cierran y separan los cinco primeros fragmentos narrativos:

> Un fulgor tramontano decoraba sus rodillas, y por la vaguada de los muslos saltaban los torrentes, coléricos y roncadores. *Era en la cama.* El agua azogada de las mangas de riego esquivaba las presas, (...) *Allí, en la calle.* El vino derramado buscaba cauces por el hule (...). *Era en la mesa.* La livorosa tinta necesitaba ayuda para alcanzar la pendiente (...). *Iba a la escuela.* Jugó con su orina y con su saliva. Hizo barro e hizo del barro montañas (...). *Fue un creador.*

No hay que olvidar que Aldecoa empezó su carrera literaria con dos libros de poemas y que tenía una gran admiración por el género poético, al que consideraba como el más noble de todos.

Sabemos que los temas utilizados por un escritor cabal no son nunca caprichosos, como no lo son el vocabulario, los procedimientos poéticos, la sintaxis, o el dinamismo de la frase. «Todos ellos son las consecuencias, hacia dentro (hacia la visión del mundo) y hacia afuera (hacia la forma) de la escondida fuente interna» [11]. Aldecoa ha captado maravillosamente el alma de los boxeadores. Convivió con ellos y, como ellos, tenía un sentimiento de arrojo ante la vida; por eso puede comprenderlos, porque para él «el hombre se hace hombre en lucha con el obstáculo» [12]. No nos sorprende, pues, que haya concentrado en estas páginas sus mejores dotes de poeta:

> La cuidada, estupenda prosa de Aldecoa viene como anillo al dedo a temas como éste, con tratamientos como éstos, que casi resultan elegías (...). Una poesía en prosa hecha de realidades y de sueños [13].

---

[11] Carlos Bousoño, *La poesía de Vicente Aleixandre,* 2.ª ed., Madrid, Ed. Gredos, 1968, págs. 23-24.

[12] Josefina Rodríguez de Aldecoa, *op. cit.,* pág. 26.

[13] J. R. Marra López. art. cit., pág. 4.

Uno de los recursos técnicos de la poesía que más relieve adquiere en *Neutral Corner* es *el dinamismo expresivo de su lenguaje*. Según la teoría de C. Bousoño, «el dinamismo positivo (acelerador del período) está encomendado a las partes de la oración que transportan nociones nuevas (verbos principales y sustantivos), y (...) el dinamismo negativo (retardatario de la expresión) se abandona a aquellas palabras que sirven únicamente para matizar, de un modo u otro, a las nociones mismas (adjetivos, adverbios, etc.)» [14].

En *Neutral Corner* encontramos reunidas las dos direcciones del dinamismo expresivo y cada una de ellas encierra una connotación muy precisa. Advertimos el dinamismo expresivo negativo en ciertos pasajes que nos trasmiten el dolor intenso de los pugilistas. Es un dolor prolongado, que se extiende y penetra en sus tejidos más recónditos y que el lector percibe en toda su profundidad. En otras ocasiones percibimos un dinamismo positivo, frenético, que pone de relieve la violencia del boxeo.

Las técnicas utilizadas por Aldecoa para lograr *el dinamismo negativo*, retardatario, son múltiples. En el cuento «Avispas y hormigas», el dolor del boxeador llega al paroxismo; no es posible concebir mayor desesperación y aturdimiento. Aldecoa nos transmite este sufrimiento de una manera plástica, utilizando diversos recursos lingüísticos: Por una parte, la ausencia de verbos principales sugiere el inmovilismo del dolor que se aferra al boxeador y, por otra, la falta de elementos de conexión entre las proposiciones acentúa el relieve de los enunciados parciales que se suceden. Además, ha acumulado una cadena de gerundios, cuya acción durativa confiere especial intensificación y prolongación a la visión del sufrimiento:

> Un enjambre de avispas alrededor de la cabeza. Un turbante de pequeñas llamas. Un incendio en los oídos, *crepitando, devorando* la voz humana. Chispas en lo ojos, dentro de los ojos, *cauterizando* el iris, *royendo* el nervio óptico. Y ahora una lengua bífida hasta el oscuro pensamiento *iluminándolo* y *quemándolo*. Fuego en el vientre y en el corazón. Otra vez chispas; en los pulmones, en las celdillas

[14] Carlos Bousoño, *op. cit.*, págs. 303-304.

de los pulmones y dentro de los guantes y en los huesos destrozados de las manos.

Análogamente ha reunido una serie de sustantivos simbólicos en gradación ascendente que concretizan ese dolor —«enjambre de avispas», «llamas», «incendio», «chispas», «lengua bífida»—, y que se extiende progresivamente a los diferentes elementos del organismo y del alma del boxeador: —«oídos» → «ojos» → «pensamiento» → «vientre» → «corazón» → «pulmones». Todo ello se complementa con la utilización de adverbios y de preposiciones cuya connotación semántica es igualmente ascendente. El enjambre pasa de estar «*alrededor de*» (la cabeza) a «*en*» (la cabeza) y «*dentro de*» (la cabeza). Por otra parte, la angustia del pugilista tiene su traslado a la lengua poética en la repetición insistente de formas verbales negativas: «no puedo más», «no», «no puede ser», acumulaciones negativas que cargan la expresión de lenta, de pesada melancolía. Múltiples fuerzas se han combinado y fusionado, pues, para lograr un resultado único, que se nos aparece relevante, iluminador.

Siendo el boxeo un deporte violento, su violencia se pone de manifiesto a lo largo de los catorce cuentos —si es que se les puede llamar así— que componen el libro *Neutral Corner*. Veámoslo:

Casi todos los verbos se inscriben en dos núcleos semánticos: 'dar' y 'recibir' con sus respectivas implicaciones. Como variantes de 'dar' aparecen «golpearse» (recíprocamente), «devastar», «arruinar», «matar», «partir», «tumbar», «reventar los ojos», «volar los dientes», «empujar la sangre», «abrir cauces para el sudor», «buscar el corazón». Como sinónimos de 'recibir' hemos registrado: «ser dañado», «estar molido», «sufrir», «padecer», «doler».

También aparecen muchos sustantivos de connotación negativa aplicados al mundo del pugilismo, sustantivos que nos transmiten análogamente la dureza de dicho deporte y el ambiente de pesadilla que lo envuelve: «celda», «sombra», «campo de batalla» (para el ring), «ruido», «avispa», «hormiga» (ambos con sentido colectivo), «grito», «silbido», «golpe», «amargor», «llama», «chispa», «incendio», etc. El escritor nos comunica el dinamismo frenético del boxeo mediante la acumulación de verbos y de sustantivos. El ring durante los entrenamientos y combates está como electrizado: «Tiempo»... Al saco... Al puching... Hacer guantes... Comba... Ejercicios respiratorios... Flexiones...» («El boxeador que perdió su sombra»). Y la agitación del boxeador durante el entrenamiento raya en la locura: «El boxeador que perdió su sombra golpea frenéticamente el aire, el viento, la tarde, el ocaso, las nubes». Quince muchachos «persiguen a las sombras, que se encogen, se alargan, esquivan, retroceden, avanzan». Especialmente dinámico es análogamente el ritmo conseguido mediante la enumeración del nombre propio «Juan» en diferentes idiomas:

> —Debes practicar el cross de derecha.
>
> —Bien, llama a John, Jean, Johann, Giovanni, Jan, Juan; llama a mis enemigos, a todos mis enemigos. Debo practicar el cross de derecha («The King»).

Otro recurso poético ampliamente representado en la narración de Aldecoa, y que en *Neutral Corner* adquiere especial belleza, es la utilización de ciertas frases cortas al final de un fragmento narrativo o de un relato. Dichas frases crean un impacto emocional intensísimo en el lector y, a menudo, encierran un contenido filosófico o invitan a la reflexión. Los matices semánticos de estas frases son muy variados, pero en este libro de cuentos tienden a destacar la dureza del oficio: el boxeo.

Es una frase de este tipo la que pone de relieve el contraste existente entre los deseos del boxeador de abandonar su oficio y la dura realidad que terminará imponiéndose:

> —Quiero volverme niño y dejar todo esto, porque no puedo más, porque ya te he dicho que no puedo más, porque tengo un enjambre en la cabeza y dentro de la cabeza, porque estoy en un incendio. Porque no puedo más. ¿Lo entiendes?
>
> —*Tienes que seguir si quieres continuar comiendo de esto* («Avispas y hormigas»).

Vemos que el personaje está cogido en la trampa, el oficio se ha convertido para él en un callejón sin salida.

Es muy difícil llegar a la cima, pero lo es aún más mantenerse en ella, porque la gloria del boxeador es efímera, y más tarde o más temprano deberá afrontar la derrota: «Puede que alguien le cante y que quede memoria de su canto. Se hablará del campeón. *Hasta su noche*» («El pensador»).

En el relato «Un minuto de paz» es igualmente la frase final del mismo la que resalta la falta de interés y la incomprensión del público hacia el esfuerzo del boxeador. A Aldecoa no le interesa describir la reacción del público ante el espectáculo pugilístico y, cosa curiosa, aquí es el boxeador el que contempla y enjuicia el espectáculo que ofrece el público durante un minuto de descanso:

> El espectáculo del público tenía la monotonía de siempre. Gente haciendo ademanes. Gente sonriéndole. La rubia seguía arregazada en su acompañante. Los cronistas fumaban y charlaban. Nada que mereciese la pena. Tenía que acabar cuanto antes. *Sonó la campana y volvió a sus asuntos* («Un minuto de paz»).

El automatismo de los cronistas al redactar las crónicas se denuncia análogamente, con la misma técnica. El reportero escribe su artículo con un lenguaje vacío, convencional, mientras bebe con su amigo y hablan de cosas banales. Al final «se acercó al redactor jefe y le dijo: *Esto ya está. Buenas noches*» («Crónica de un combate»). Además de los recursos estilísticos ya citados utiliza Aldecoa en este libro la reiteración como medio para expresar los pensamientos y sentimientos de los pugilistas. Así, en el cuento «Avispas y hormigas» hallamos la repetición agónica de ciertas frases —«no puedo», «no puedo más»— cuyo sentido imposibilitador nos transmite la desconsoladora visión de un hombre en el límite de sus fuerzas físicas y morales. Desea abandonar el boxeo, y ese deseo adquiere un relieve especial mediante la reiteración de la estructura sintáctica: verbo *querer* + infinitivo: «Quiero cantar, marcharme (...). Quiero oírme, llegar... tumbarme... y cantar y oír. Quiero encontrar... Quiero volverme niño...» Igualmente el boxeador protagonista de «The King» repite con insistencia abrasadora las palabras de su entrenador, como queriendo grabarlas con fuego en su memoria para que dicten todos los actos de su vida:

> —Debes practicar el cross de derecha.
> —Bien, (...). Debo practicar el cross de derecha.
> —Debes coger fondo y hacer footing.
> —Bien, prepara los caminos. Saldré a los caminos, recorreré el mundo haciendo footing. No pararé jamás. Debo coger fondo.
> —Debes disciplinarte. La noche es mala y peligrosa.

En otras ocasiones es una sola palabra la que se reitera logrando un buscado efecto rítmico y emotivo. La sombra está tan omnipresente en el relato «El boxeador que perdió su sombra» que terminará convirtiéndose en un verdadero personaje con entidad propia.

Podríamos concluir el estudio lingüístico de *Neutral Corner* diciendo que Aldecoa ha logrado aquí su tan ansiado deseo de precisión verbal. En 1968 revelaba a J. J. Perlado: «Para mí el estilo es un anhelo o deseo de precisión verbal; cuando no logro esa precisión por medio del vocabulario, me atengo a lo poemático» [15]. Ha trabajado el lenguaje a fondo, extrayendo de él todas las posibilidades expresivas y dotándolo de eficacia funcional, poemática y musical. La palabra adquiere de este modo un intenso valor en sí misma.

PERSPECTIVA DEL NARRADOR. En el primer relato del libro —titulado «Neutral Corner» como el conjunto— Aldecoa nos presenta de una manera plástica a dos boxeadores en el momento que precede al combate:

> La esquina derecha es la del campeón. La esquina de enfrente es la del árbitro. La esquina izquierda es la del futuro campeón. Están esperando. El campeón descansa sus puños entreabiertos, bostezantes, sobre las rodillas. El futuro campeón apoya sus puños, como dos águilas, sobre las alcándaras de las cuerdas. El árbitro llama a la batalla.

---

[15] José Julio Perlado, «Ignacio Aldecoa escribe *Parte de una historia*», en «*El Alcázar*», 5 de marzo de 1967, pág. 21.

> Se golpearán fiera, deportivamente. Sangrarán, sufrirán, serán dañados, padecerán la larga noche del ring tras de la gloria. Volverán cada tres minutos al regazo de sus esquinas. Sesenta segundos para descansar, para recuperarse, para poder continuar...
> —Lo veré, lo veré. *Evidentemente esta esquina es nuestro sitio.*

¿A qué esquina se refiere el narrador? Pensamos que se trata de la neutra —«Neutral Corner»— que da título al libro y en cuyo lugar se sitúa el narrador para mostrarnos su creación visionaria.

El término «neutral corner» está lexicalizado en el boxeo y es el lugar al que se dirige el boxeador que permanece en pie mientras el árbitro cuenta los puntos al que está en tierra en situación técnica de «Knock-down» [16].

Aldecoa se sitúa, como decíamos, en esa esquina neutra, ubicada en el lugar más alejado de la caída, pero dentro del ring. Por una parte, desea transmitirnos los acontecimientos de una manera objetiva, distanciándose de ellos; pero, por otra, participa emotivamente de estos sucesos por estar muy cerca del mundo de los boxeadores, por haber vivido desde dentro sus experiencias. El adjetivo posesivo «nuestro» (sitio) es encubridor del «yo» y sintetizador de la posición que debe adoptar el escritor ante los acontecimientos que se describen.

---

[16] «Le knock-down, c'est le fait d'être envoyé à terre et d'y rester moins de 10 secondes. L'expression à terre est ici entendue au sens large, c'est-à-dire qu'une autre partie du corps que les pieds touche le tapis ou encore qu'un boxeur se trouve dans les cordes.

L'arbitre doit obligatoirement compter le boxeur à terre —knock-down— jusqu'à 8 et vérifier qu'alors il s'est remis en garde. Si ce n'est pas le cas, l'arbitre continue à égrener les seconds jusqu'à 10 quand bien même le boxeur serait debout. Celui-ci est alors déclaré knock-out.

Avant de commencer le compte de l'homme à terre, l'arbitre désigne au boxeur debout *le coin du ring le plus éloigné du point de chute: le coin neutre.* Celui-ci dois s'y rendre et attendre que son adversaire se relève. En toute hypothèse, le combat ne peut reprendre qu'après que l'arbitre a ordonné: boxez.

La règle du compte de 8 obligatoire vise à permettre au boxeur touché de reprendre ses sens. Avant son application on assistait parfois à une véritable exécution du boxeur relevé immédiatement par reflexe mais encore inconscient» (Maurice Rudetzki, *La boxe,* París, Presses Universitaires de France, 1974, pág. 53).

Aldecoa se convierte así en una especie de narrador-testigo, porque se sitúa dentro del cuento y en mayor o menor grado participa de la acción, si bien el papel que desempeña es marginal y no central. Ahora bien, como el acceso de un narrador testigo a los estados de ánimo de otros seres es muy limitado, Aldecoa no se centra tan sólo en las acciones externas de los protagonistas, sino que nos da a conocer el interior de sus almas —sentimientos, sufrimientos, temores— y nos los muestra por dentro, desnudando su interior.

En lo que se refiere al tratamiento del tiempo son esos momentos, insignificantes desde el punto de vista de la influencia lineal pero trascendentes para el que los vive, los que adquieren plenitud en la pluma de nuestro escritor.

LOS SUEÑOS Y LOS FANTASMAS DE LA PSIQUE

> Tras el vivir y el soñar
> está lo que más importa:
> despertar.
>
> Antonio Machado.

Desde la Antigüedad se prestó a los sueños gran atención, distinguiéndose entre sueños ordinarios y extraordinarios (según la persona soñante, el valor de las imágenes oníricas y las circunstancias en las que el sueño se producía). Nuestros antepasados creyeron en la existencia de sueños premonitorios, proféticos, a través de cuya interpretación se podía llegar a adivinar hechos generales y lejanos, o hechos concretos e inmediatos. Los sueños de José, recogidos y descritos en la *Biblia* [1], son un claro exponente de esta creencia. Para los egipcios los sueños eran un instrumento utilizado por Dios para indicar a los hombres el camino que debían seguir, y de ahí que existieran en los templos escribas y sacerdotes encargados de interpretarlos en virtud de unos conocimientos que se transmitían celosamente entre ellos de generación en generación.

Desde Freud, la interpretación simbólica de los sueños ha constituido una de las mayores vías del psicoanálisis, pero fue Jung quien descubrió la función específica de los mismos y su intrínseco valor. Según su teoría, los sueños son uno de los agentes principales de información que el hombre posee para llegar al conocimiento de su verdadera identidad, de su «yo» profundo, así como de sus deseos, frustraciones y alienaciones.

---

[1] Gén. 37, 5-11.

Todo sueño contiene un mensaje que procede del «subconsciente» del soñador y se encamina a comunicar algo a su universo «consciente», pero esta comunicación se efectúa a través de un lenguaje simbólico, de unas imágenes que no siempren son de fácil interpretación. Para desentrañarlas y desvelar con ello el mensaje es necesario tener en cuenta que ciertos símbolos son individuales y guardan una estrecha relación con la experiencia personal del soñador, pero otros son herencia colectiva del género humano y patrimonio común de todas las naciones, razas, épocas, culturas y religiones.

El sueño así concebido se convierte en vía de conocimiento, y en este marco se inscriben los sueños de los protagonistas del relato «Pájaros y espantapájaros». Los juglares que en él aparecen son seres que desean y buscan la totalidad que no han podido lograr en «la experiencia vivida», pero los fantasmas elaborados por la psique les revelarán la quimera de sus deseos, la imposibilidad de lograr su realización en una vida que sólo da cabida a la parcialidad. Y al mismo tiempo su sueño es creador poque su contenido se transforma en canto, en balada, en poema, y «realizarse poéticamente es entrar en el reino de la libertad y del tiempo donde sin violencia el ser humano se reconoce a sí mismo y se rescata, dejando al transformarse la oscuridad de las entrañas y conservando su secreto sentido ya en la claridad» [2]. Todo ser puede llegar análogamente —aunque nunca de una manera tan completa como a través del sueño— a descubrir su propia faz, su «yo» íntimo, durante la vigilia, en virtud de ciertos instantes que en el vivir intervienen incitando a despojarse de su máscara y a dejar ver su verdadero rostro, su verdadera identidad; para ello es necesario distanciarse de sí mismo y contemplarse con mirada crudamente analítica como si de otro ser se tratase; y para lograrlo, a menudo, es necesario que se produzca un choque, un incidente que haga al hombre adquirir conciencia de lo que es y de lo que hace.

La sensación que produjo en Miguel —personaje del relato «Camino del limbo»— el abandono de la ciudad por su amigo

---

[2] María Zambrano, *El sueño creador*, en *Obras Reunidas*, Madrid, Ed. Aguilar, 1971, pág. 51.

Canal, ha sido suficiente para sacudir su conciencia adormecida y ver como proyectada en un espejo la sordidez de su vida, ahogada por un trabajo que odia, e inmersa en la mediocridad y el absurdo de unas costumbres provincianas que le abruman. «Yo no estoy acostumbrado a esto. Debía haberme marchado», piensa en un momento de lucidez, y ese momento de clarividencia podría haberlo salvado si hubiera tenido la valentía de romper con las ataduras afectivas creadas con su madre y su novia, ataduras que reflejan la dependencia y la usura de la vida. Pero le falta energía para romper los muros que le apresan y terminará sumergiéndose en un lago espeso del que nunca podrá salir. Miguel piensa que pronto llegará el invierno; pero qué importa, si en realidad el invierno está ya en su interior helándole el corazón: «El invierno está aquí. Estoy empezando a serlo» (I, 132). «Las calles son cortas y empiezan a parecerle largas. La circulación es escasa y Miguel cree que es importante. Las casas son bajas y Miguel las ve altas, enormes, rotundas» (I, 132). La desesperación adquiere igualmente tonos patéticos en otro de los cuentos del mismo libro, «Los bisoñés de don Ramón». La angustia de Cuchín —fantoche destruido por la falsa abnegación de una madre tiránica que ha depositado sus ilusiones en el triunfo profesional de su hijo, pero en un triunfo concebido por y para ella— aboca en una mueca esperpéntica al despertarse de su sueño-ilusión, sueño mantenido durante años, con objeto de posponer el enfrentamiento con una realidad monstruosa y degradante. El tiempo perdido es irrecuperable y Cuchín se ha despertado demasiado tarde. Su ficción le ha arrastrado fatalmente a la destrucción.

Ignacio Aldecoa, hombre dotado de aguda capacidad de observación y de honda penetración psicológica, supo captar en este libro la enorme complejidad del ser humano, los vericuetos inextricables de su psiquismo, y la causa de ciertas reacciones ilógicas y de difícil comprensión desde el ámbito del espíritu racional. Sabe que el fenómeno primitivo de la obsesión, la creencia en los espíritus malignos, las supersticiones, están profundamente enraizadas en el corazón del hombre de nuestros días, como con honda significación plasma en otro de los relatos que componen este libro: «El diablo en el cuerpo». Don Eladio atribuye su hado favorable a la influencia del diablo: «estaba asustado de su buena suerte. Tenía miedo, ese miedo que al hombre le entra tras una racha de suerte» (I, 192). Y, al repetirse insistentemente la situación, su obsesión se vuelve patológica para terminar hundiéndole en un completo desequilibrio mental y fisiológico.

El espíritu humano continúa empujado, dominado por fuerzas interiores que no provienen del universo de su «consciencia» y que escapan a su control. Fuerzas que la mitología antigua llamaba «mana», «espíritus», «demonios» o «dioses» y que siguen existiendo en el espíritu del hombre aunque éste se niegue a admitirlo. Los dioses y los demonios no han desaparecido para el hombre moderno, simplemente han cambiado de nombre y le torturan y le hacen vivir en continuo sobresalto, causándole disturbios psicológicos y abundantes neurosis.

A través de los relatos que componen el libro, el escritor nos desvela, pues, una mínima parcela de los laberintos del cerebro humano, revelándonos al mismo tiempo la enorme dificultad para conocernos y conocer a los «otros».

«PÁJAROS Y ESPANTAPÁJAROS» [3]

Basta echar una rápida ojeada a la composición de este relato para percibir una estructura bimembre, que opone «la experiencia vivida» y «la experiencia soñada» de los protagonistas y que nos revela, a través de ambas, la complejidad y, tendencialmente, la totalidad del ser humano.

La primera parte del relato (correspondiente a la «experiencia vivida») se anuda en torno a cuatro núcleos narrativos, cuatro momentos descritos con gran minuciosidad:

a) La llegada de los personajes a la venta.
b) La comida compartida.

---

[3] Relato publicado por primera vez con el título de «Las cuatro baladas extrañas», en *Correo literario,* 1 de diciembre, 1950.

c) La narración somera de sus vidas.
d) La siesta (modo de dormir).

En esta parte se concede gran importancia al comportamiento externo de los personajes, que aparecen como juglares. Conocemos su procedencia, su oficio, sus hábitos —lo que comen, cómo hablan, y de qué hablan—, pero muy poco de su carácter y verdaderas inquietudes, de su «yo» profundo. Estas incógnitas serán desveladas en la segunda parte del relato mediante un proceso de interiorización sucesiva y total, logrado a través del sueño.

El «sueño» en «Pájaros y espantapájaros» posee, pues, una importancia capital, dado que es el momento cúspide de la creación artística. Junto a elementos de la «experiencia vivida» por los protagonistas, aparecen otros pertenecientes a la «experiencia soñada»; fantasmas, elaborados por la psique, que son parte integrante del ser humano y que nos darán la clave de los problemas profundos que acucian a nuestros personajes. Los cuatro «sueños», con sus respectivas «baladas», nos revelan la tragedia existencial de estos seres en búsqueda constante del verdadero sentido de sus vidas: el amor, la comunicación con los otros, la espiritualidad, el deseo de pasar a la acción. Aspiraciones que, como veremos más adelante, parece que no pueden ser colmadas en esta vida, dominada por la miseria y flaqueza humanas.

Asimismo distinguimos en el desarrollo de la segunda parte (correspondiente a la experiencia soñada) cuatro momentos sucesivos:

a) El sueño (modo de soñar).
b) Los movimientos externos durante el sueño.
c) Las baladas correspondientes a los sueños.
d) El despertar de los juglares.

Ambas partes tienen, pues, una estructura tetramembre, y esta estructura se manifiesta igualmente en la forma externa del relato, tanto en el plano sintáctico como en el morfológico.

El equilibrio de la narración se manifiesta análogamente a través del orden enumerativo invariable de los personajes: el gallego, el baztanés, el levantino y el andaluz. Se trata, pues, de una estructura en su conjunto casi geométrica.

Dice Todorov al referirse a la estructura del relato:

> Tout récit est mouvement entre deux équilibres semblables mais non identiques. Au début du récit il y a toujours une situation stable (...). Par la suite, survient quelque chose (...) qui introduit un déséquilibre (...). A la fin de l'histoire (...) l'équilibre se rétablit.

Y añade un poco más adelante:

> Tout récit comporte ce schéma fondamental, bien qu'il soit souvent difficile de le reconnaître [4].

En «Pájaros y espantapájaros» encontramos una ilustración perfecta de esta definición. La llegada de los juglares a la venta, la comida y las narraciones respectivas representarían el momento inicial de equilibrio; el sueño y la ambigüedad entre éste y la realidad introducen un movimiento de desequilibrio, pero el equilibrio se restablece con el despertar de los juglares.

El cuento, por otra parte, acaba como había comenzado. La frase que lo inicia y la que lo cierra son idénticas; sólo cambia el orden de sus elementos. El «así fue» final remite al «fue así» del principio, imprimiendo al relato un movimiento de eterno retorno. Nada ha cambiado en la vida de estos cuatro juglares:

> Se sabe que allí tropezaron sus vidas, que allí comieron y soñaron, se sabe que no harán fortuna, que el juglar nunca la tuvo ni la necesitó; que osciló entre mago e insecto, entre murciélago y luna (que son cosas unidas por el tiempo), se sabe que a la vejez le vendrá el mal, porque el refrán lo dice, y porque así será como así fue (I, 134).

Aldecoa nos describe unas horas de la vida de estos seres y nos los muestra como en un escaparate cerrado, con un relie-

---

[4] Tzvetan Todorov, *Introduction à la littérature fantastique*, Paris, Ed. Seuil, 1970, págs. 171-72.

ve excepcional. Lo que importa es lo que ha pasado en ese mínimo fragmento de tiempo. El resto no tiene ninguna importancia. La vida continúa.

Pero veamos con más detalle cómo se presenta y cómo funciona la estructura tetramembre mencionada.

1. Experiencia vivida.

Como ya dijimos, el escritor ha presentado a sus personajes en cuatro momentos sucesivos:

a) *La llegada de los personajes a la venta* adquiere su importancia dado que el relato se inicia precisamente con la presentación en estilo directo de los protagonistas de la acción y del lugar en que se encuentran: «La Venta de Paja, vinos y comidas... en el cogollo de la Bureba» (I, 336). Cuatro son los juglares y cuatro también los adjetivos explicativos: «venturosos, andarines, cardinales y locos».

A continuación conocemos su origen plasmado en cuatro frases de arquitectura casi idéntica. En primera posición aparece el sujeto, en segunda su país de origen, en tercer lugar algunos detalles sobre su personalidad y por último los instrumentos de sus respectivos oficios. El esquema sería:

Sujeto. Verbo común: «Venían»
1. «el uno»
2. «otro»
3. «el tercero»
4. «el último»

País de origen.
1. Adjetivo («temblorosa») + lugar geográfico («Galicia»)
2. Sustantivo («rincón») + adjetivo geográfico («baztanés»)
3. Sustantivo («aventura») + adjetivo geográfico («levantina»)
4. Sustantivo («chozos») + de + nombre propio («Carmona») + paréntesis explicativo («en la baja Andalucía»)

Detalles sobre su personalidad u oficio.
1. Participio («disfrazado») + de + sustantivo («afilador»)
2. Adjetivo («romántico») + y + adjetivo («esquivo»)
3. Gerundio («fingiéndose») + sustantivo («mago»)
4. Adjetivo («trinero») + y + adjetivo («jaculator»)

Instrumentos de sus oficios respectivos.

1. «Con una araña gigante disimulada en la rueda del oficio»
2. «Con cinco medias lunas de hoces...»
3. «Con un alto costal...»
4. «Con la caja de limpiabotas...»

A pesar de esta arquitectura compositiva casi geométrica, conviene resaltar que Aldecoa logra introducir sutilmente cierta variedad dentro de estas frases tan similares para evitar la monotonía y dar mayor agilidad y soltura a la expresión. No hay que olvidar que la variedad del léxico es una nota dominante en su narrativa y que su prosa está elaborada con maestría.

b) El segundo momento relevante en el cuento y, sin duda, uno de los más solemnes es *la comida*, por estar investido de caracteres bíblicos: «Los cuatro juglares eligieron una mesa sacramental... los cuatro pidieron, sacerdotales en su pobreza, pan y vino. Después, de sus zurrones camineros sacaron la compaña» (I, 336).

Estamos de nuevo en presencia de cuatro frases de armazón casi idéntica y con un verbo común: «sacar»

1. Objeto («lardo») + verbo + sujeto («el gallego»)
2. Objeto («queso») + verbo elidido + sujeto («el baztanés»)
3. Objeto («palabras») + verbo elidido + sujeto («el mago»)
4. Objeto («cebollas») + verbo elidido + sujeto («el andaluz»)

Los personajes están representados en tres ocasiones por su región y los productos típicos de ella, y en una, por su oficio (el mago), introduciéndose así una pequeña variante en la narración. Por su parte los objetos van acompañados invariablemente de su adjetivo:

1. Participio («tocado») + de + sustantivo («acidez»)
2. Adjetivo («reseco») + de + sustantivo («ahorros»)
3. Adjetivo («floridas») + de + sustantivo («gorronerías»)
4. «por» + sustantivo («frugalidad») + adjetivo («explicable»)

c) Un tercer momento importante lo constituye el consagrado a la *narración somera de sus vidas*. Aldecoa también utiliza la estructura tetramembre para describir la manera de hablar de los juglares y el contenido de sus palabras.

1. «Hablaba, como un trasiego de buen vino, el afilador».
2. «Se distendía en conjunciones el bilingüe segador». Cuenta cosas «apenas entendido y apenas lógico».
3. «El buhonero hablaba de todo, conocía todo».
4. «El limpiabotas le miraba fijamente». Desea «echar su parrafillo».

Observamos que en las dos primeras frases, el sujeto está colocado al final y en las dos últimas al comienzo, pero en todas ellas el personaje está caracterizado por su modo de hablar o por el tema de su charla, aunque hay que precisar que para el limpiabotas no pasa de deseo o conato.

Pero es indudablemente *la siesta* el instante más importante de esta primera parte por las consecuencias que engendra: «hacía calor y el tocino pesaba y el vino era dormilón y las palabras pirotécnicas no encontraban su lugar», por ello no nos sorprende que los juglares terminen durmiéndose. Lógicamente el narrador va a respetar aquí la estructura tetramembre preconcebida al iniciar el cuento, eligiendo, al mismo tiempo, para cada una de las frases el esquema siguiente: sujeto + verbo + modo (gerundio).

1. Sujeto («el juglar gallego») + verbo reflexivo («se quedó dormido») + modo («abrazándose la cabeza»).
2. Sujeto («el juglar baztanés») + verbo («se echó hacia atrás...») + modo («absorbiendo el aire...»).
3. Sujeto («el mago») + verbo («se tumbó») + modo («liándose el cuerpo...»).
4. Sujeto («el limpiabotas») + verbo («se salió») + modo («importándole poco...»).

Hasta aquí I. Aldecoa ha dado prioridad a la imagen exterior de los juglares, pero, consciente de que con estos datos nunca lograríamos conocerlos profundamente, va a añadir una nueva dimensión:

2. La experiencia soñada, experiencia alucinante por su capacidad de revelación.

a) Si antes Aldecoa nos describía el modo de dormir de los juglares, ahora la narración se interioriza y se nos trasmite su *modo de soñar.*

«Los cuatro juglares soñaban»

1. Sujeto («el afilador») + adverbio («abigarradamente») + objeto de su sueño [5].
2. Verbo («soñaba») + sujeto («el baztanés») + adverbio («lunáticamente»).
3. Adjetivo sustantivado («rapiñador») + verbo («se le iba») + sustantivo («la siesta») + objeto indirecto («al buhonero»).
4. Sujeto («el insecto») [6] + dos adjetivos («despreocupado, dormido») + dos verbos («charlaba y alborotaba»).

b) *Los movimientos externos durante el sueño* adquieren análogamente su interés. Aldecoa, en calidad de copista, de escribano, no quiere dejar de lado ningún detalle, y en ese afán de transmitirnos una imagen fiel de lo que ocurre no olvida los movimientos externos de sus personajes mientras sueñan: «de aquellos cuatro sueños se despegaron cuatro cosas».

1. Sustantivo («un sobresalto»).
2. Adjetivo («mínimo») + sustantivo («frunce») + complemento determinativo («de las comisuras labiales»).
3. Sustantivo («la contracción») + complemento determinativo («de una mano»).
4. Sustantivo («el tecleo») + adjetivo («instantáneo») + complemento determinativo («de unos dedos»).

c) *Las baladas* [7]. De improviso, el silencio irrumpe en la narración y es utilizado como inicio de la creación poética. El tiempo se detiene, todo queda encantado, y de este hechizo surgen

---

[5] Por su mayor extensión no especificamos el objeto de los sueños. Hay que suponer que para el cuarto personaje son charlas y alborotos.

[6] Aldecoa llama al andaluz «libélula sucia» (I, 337).

[7] Dada la importancia que revisten en este cuento las cuatro baladas, serán objeto de un estudio más detallado en las páginas que siguen.

cuatro extrañas baladas narradas en estilo directo y en primera persona del pretérito indefinido, tiempo reservado para las acciones principales —según Weinrich [8]—, y que concede mayor relieve y resonancia a lo narrado.

A través del sueño el escritor nos trasmite, como ya dijimos, el «yo» profundo de los personajes. Por ello las baladas aparecen en primera persona.

Las baladas se suceden por este orden:

1. «El murciélago azul».
2. «La flor en la luna».
3. «Viaje a una esmeralda».
4. «El hombre que dialogaba con sus dedos».

Su ordenación corresponde exactamente a la constante disposición enumerativa de los personajes en el relato: gallego, baztanés, levantino y andaluz.

Cada balada va precedida de un comentario previo del que la ha escrito —Amanuense, Copista, Mandado y Escribano— y el tiempo verbal utilizado es la tercera persona del presente de indicativo:

1. «Llama el amanuense, más por orden literario que por necesidad, «El murciélago azul» a la primera y es así:» (I, 338).
2. «El copista afirma que tal vez se deba nombrar la segunda balada... «La flor en la luna». La balada es así:» (I, 340).
3. «El mandado titula a esta otra balada «Viaje a una esmeralda»... Y es así:» (I, 340).

---

[8] Harald Weinrich, *Estructura y función de los tiempos en el lenguaje*, Madrid, Ed. Gredos, 1974, pág. 236.

Según este crítico, los tiempos verbales que llamamos pretérito, presente y futuro no concuerdan con acontecimientos que ocurrieron, ocurren u ocurrirán, sino con actitudes mentales del hablante. Pero los tiempos verbales, si bien no se identifican con el tiempo, por lo menos indican dos géneros diferentes de temporalidad: una situación lingüística discursiva y una situación lingüística narrativa. Weinrich distingue en el cuento acciones principales y acciones secundarias. Las principales se expresan en un primer plano por medio del pretérito indefinido, y las secundarias, relegadas a un plano de fondo, son formuladas en pretérito imperfecto.

4. «Ya se sonríe el escribano con el anuncio de la balada andaluza. (...). La denomina... «El hombre que dialogaba con sus dedos». Y comienza la risa» (I, 441).

El hecho de situarse en el presente y en tercera persona permite al escritor alejarse de lo narrado, erigiéndose en portavoz de lo que ha ocurrido, y esta distancia se refuerza al adoptar la actitud de un simple escribano, copista, etc.

d) *Despertar de los juglares.* La magia y el encantamiento del sueño se rompe cuando los juglares vuelven a la realidad. Sus respectivas reacciones prolongan durante un instante el sueño de cada uno.

«Se fueron despertando los juglares»

1. «El primero, el gallego, se quitó su turbante de brazos y repasó sus cosas. Se entristeció».
2. «Después, el baztanés; volvió a la realidad con centuplicada cara de payaso y se sonrió, tontolín».
3. «Sobresaltado, el mago, recobrando su calma y su donaire presto, se arregló su blusón con aire de emperador».
4. «Luego entró el andaluz con cara de haber pasado un buen rato».

El momento casi imperceptible que separa el sueño de la vigilia ha transcurrido, y es necesario asumir de nuevo la dolorosa realidad. Pagan la cuenta por lo consumido, y cada uno sigue su camino. Aunque se separan, quedan unidos en la persona del romántico baztanés, que hace suyas por un instante las imágenes poéticas de sus compañeros: «Se quedó solo contemplando el vuelo del primer murciélago, el asomo humorístico de la luna, la raya verde sobre las montañas, del último reflejo solar, moviendo torpemente los dedos sobre las rodillas». (I, 343).

El azar, el destino, ha unido a estos cuatro seres durante unas pocas horas —desde el mediodía hasta el anochecer— en una «Venta» al lado del camino. Allí sus vidas, como las de sus antecesores medievales, coincidieron en el espacio, y en el rechazo de la realidad, sustituida por la ficción mágica de cuatro baladas extrañas. Así aparecen los juglares siempre unidos en sus desdichas y paradójicamene siempre separados por la peculiar aventura individual.

Podríamos representar mediante el siguiente diagrama la estructura o construcción del relato «Pájaros y espantapájaros»:

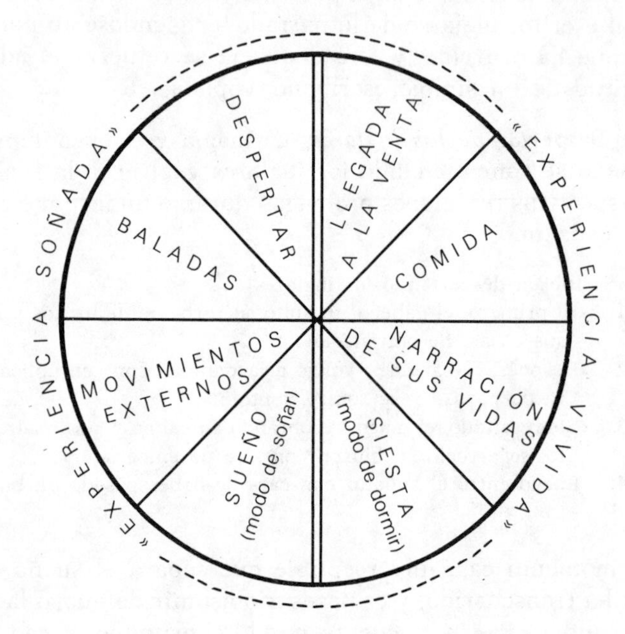

Vemos que de este diseño se desprenden tres tipos de estructura:

a) una estructura bimembre;
b) otra estructura tetramembre;
c) otra estructura circular, cíclica, que engloba las anteriores.

La primera, la bimembre o de oposición («experiencia vivida / experiencia soñada»), está sugerida en el mismo título del cuento: Pájaros (=de cuenta, o juglares) / espantapájaros (= fantasmas de la psique que ahuyentan sus deseos de riqueza, realización, calor humano, etc.). Pero, además, en ambas partes se advierten, a su vez, cuatro momentos sucesivos que generan una segunda estructura tetramembre subyacente a lo largo de todo el cuento tanto en el plano de la forma como en el del contenido.

Para Jung el número cuatro reviste una importancia capital: es uno de los «arquetipos» [9] de la psique humana. Pero, además, toda la teoría junguiana reposa en el estudio de las cuatro funciones de la conciencia: el pensamiento, el sentimiento, la intuición y la sensación, que proporcionan al hombre la posibilidad de interpretar las impresiones procedentes del exterior y de su interior. Para él, el cuadrado representa el estado pluralista del hombre.

Volviendo al relato que nos ocupa, vemos que en él Aldecoa nos ofrece el estado pluralista de los cuatro juglares, pero también su totalidad al transmitirnos su «consciente» y su «subconsciente», su «experiencia vivida» y su «experiencia soñada», totalidad que se manifiesta por medio del círculo que engloba las demás estructuras —bimembre y tetramembre— erigiéndose así en el símbolo de la totalidad de la psique de los protagonistas, porque, según la teoría de Jung,

> que ce symbole apparaisse dans le culte primitif du soleil ou dans la religion moderne, dans les mythes ou les rêves, qu'il prenne la forme des mandalas dessinés par de moines tibétains, qu'il inspire le plan de villes, ou qu'il s'exprime dans les sphères des premiers astronomes, il souligne toujours l'aspect le plus important de la vie: son unité et sa totalité [10].

Concluimos el estudio estructural de este relato con las palabras de la esposa del escritor, que nos recuerda cómo Aldecoa, antes de ponerse a escribir alguna de sus obras, había elaborado cuidadosamente su armazón:

> Ignacio Aldecoa se ponía a escribir cuando el libro lo tenía hecho dentro, completamente visto y madurado durante años en su cabeza.

---

[9] Jung define de este modo los «arquetipos»: son «des formes psychiques qu'aucun incident de la vie de l'individu ne peut expliquer, et qui semblent être innées, originelles, et constituer un héritage de l'esprit humain» (C. G. Jung, *L'homme et ses symboles,* Paris, Ed. Robert Laffont, 1964, pág. 67).

[10] C. G. Jung, *op. cit.,* pág. 240.

> Antes de empezar a escribir tenía incluso pensado hasta los diferentes capítulos. Luego, claro, cambiaba algunas cosas, pero pocas, por lo general [11].

La esposa del escritor subraya así con su testimonio cómo lo que aquí se ha querido mostrar va mucho más allá de una coincidencia fortuita.

EL SUEÑO Y LAS BALADAS

Al estudiar la estructura de este relato advertíamos el carácter casi geométrico de su urdimbre y señalábamos que la primera parte atendía a la «experiencia vivida» por los personajes, y la segunda, a la «experiencia soñada», teniendo siempre en cuenta que una y otra «experiencia» son parte integrante de la realidad del individuo. Pues bien, es la segunda parte la que va a retener más hondamente nuestra atención, primeramente por su gran complejidad, y en segundo lugar porque el sueño es el mejor medio para conocer a los juglares en su totalidad.

Como ya se dijo anteriormente, los juglares, después de una sobria comida compartida, se quedan dormidos, sueñan, y de sus respectivos sueños van a surgir cuatro baladas *extrañas.* Una narración es extraña —dice Todorov— cuando «on relate des événements qui peuvent s'expliquer par les lois de la raison, mais qui sont, d'une manière ou d'une autre, incroyables, extraordinaires, choquants, singulières, inquiétants, insolites...» [12].

Lo «extraño» en «Pájaros y espantapájaros» no radica en el hecho de relatar acontecimientos extraordinarios o insólitos sino en la atmósfera que Aldecoa ha sabido crear y que, como un líquido denso, envuelve a los personajes y sucesos. Ni en la primera ni en la segunda parte del cuento encontramos un vocabulario típico de lo «extraño»; por el contrario, el mismo Aldecoa irrumpe en la narración para advertirnos: «No había

---

[11] Entrevista hecha por Blanca Berasátegui a Josefina Rodríguez y publicada en *ABC* el 22 de noviembre de 1979, pág. 21.

[12] Tzvetan Todorov, *op. cit.*, pág. 51.

ningún misterio; no hubo ningún cambio que presagiase algo nuevo, aunque remoto» (I, 338). Sólo hay un momento, casi imperceptible, de ruptura entre realidad y sueño, pero este instante es suficiente para crear la atmósfera mágica propia de este último. De improviso, el escritor nos sitúa en un mundo fuera del tiempo y del espacio convencionales, y asistimos a un momento único e irrepetible: el de la creación artística. El tiempo se detiene para dejar surgir la palabra, para que ésta brote en fuente ininterrumpida. Es el momento sagrado: «*Todo quedó encantado... Todo quedó fijado por un soplo (...) en un solo momento.* Y así surgieron cuatro baladas extrañas» (I, 338). El hecho de presentar los sueños envueltos en la atemporalidad muestra un conocimiento profundo de los mecanismos de la psique y de la psicología moderna. Según la teoría de Jung, «une histoire racontée par notre esprit conscient a un début, un développement et une conclusion. Il n'en va pas de même du rêve. Ses dimensions dans le temps et l'espace sont tout à fait différentes» [13]. Por su parte, la gran filósofa española María Zambrano, que ha desarrollado esta misma idea, afirma:

> El primer aspecto del tiempo es el de su fluir; privados de él los sueños, envueltos en la atemporalidad, han aparecido al hombre como algo insólito, como algo proveniente de otra región de la vida, infernal o supraterrenal, y no como el lugar de aparición, el despertar primero de su argumento. En cierto modo, como la no vida [14].

En la actualidad sabemos que ese mundo misterioso que llamamos subconsciente está poblado de innumerables fantasmas que se nos revelan en el sueño por medio de un lenguaje simbólico. Algunos de esos símbolos que fluyen espontáneamente de nuestro sueño son individuales, pero otros son colectivos y no proceden de la experiencia personal e individual del soñador, sino que son herencia común del género humano y se elevan por encima de fronteras y civilizaciones. Son estos últimos los que han merecido nuestra mayor atención al analizar las baladas y, basándonos en su significado tradicional, hemos intenta-

[13] C. G. Jung, *op. cit.*, pág. 28.
[14] María Zambrano, *op. cit.*, pág. 33.

do descubrir la clave profunda de los conflictos íntimos que asolan a nuestros protagonistas.

La primera balada, la del afilador, se titula *El murciélago azul.* Contiene gran cantidad de elementos relacionados con la «experiencia vivida» por el gallego en su más tierna infancia, infancia hambrienta y apaleada, y constituye un medio de proyección del pasado en el presente. El frío y el hambre explican el deseo vehemente que siente el niño de enriquecerse, y este deseo se concretiza en un murciélago azul, animal cuyo colorido insólito evoca lo milagroso e irrealizable. El hecho de que en el mundo sólo haya un murciélago azul contribuye a darnos una visión de algo todavía más extraordinario e inasequible. Según Cirlot, el murciélago «por su carácter ambiguo presenta significaciones contradictorias. En China, por ejemplo, es animal emblemático de felicidad y larga vida» [15], y el color azul es símbolo del imposible como la misma rosa azul [16].

El niño descubre este murciélago en el granero de su casa —no hay que olvidar el símbolo de riqueza que encierra el granero—, y, consciente de lo que representa, va a intentar poseerlo; pero el murciélago se le escapa por la ventana haciéndole un guiño de burla. Este murciélago fascinante e inasible representa indiscutiblemente la visión creada por el deseo del niño de cambiar su suerte adquiriendo bienes materiales; y esta visión es como un «espejismo» que uno vive una sola vez, cuando desea actuar y tiene miedo de perder sus ilusiones. El gesto exterior que acompaña el sueño del gallego es un preludio de éste y explica el temor que él siente de que su ilusión sea destruida: «El juglar gallego se quedó dormido, abrazando su cabeza, temeroso de que se la robasen» (I, 337).

De su sueño se despega «un sobresalto», un movimiento incompleto que subraya la imposibilidad de hacer fortuna. El resto de su vida lo pasará el gallego deambulando por los caminos con «la araña gigante» de su oficio, con su rueda infernal, porque comprende que la vida es un sacrificio continuo, constante

[15] Eduardo Cirlot, *Diccionario de símbolos...*, pág. 316.
[16] *Ibidem*, pág. 138.

movimiento mediante el cual el hombre teje y desteje eternamente el velo de las ilusiones.

La balada del segador, *La flor en la luna,* se convierte en la expresión de ese carácter «romántico y esquivo» del baztanés. Siendo la más corta de todas, está más cerca de la alegoría que las otras tres. Si a primera vista parece una simple historia de amor, de repente asistimos a un diálogo de un personaje real —el baztanés—, con una flor en la luna.

También está enunciada esta balada por elementos anteriores: «el juglar baztanés se echó hacia atrás, la gorra sobre los ojos... Soñaba el baztanés *lunáticamente,* con cara de bobo, algo dulce y bravío de chistu y de danza» (I, 337-38). De su sueño se desprende «un mínimo frunce de las comisuras labiales», que hace alusión al diálogo.

Es el sueño del romántico expresión de su afán de amor y al mismo tiempo de la imposibilidad de concretizarlo y de vivirlo realmente. La imagen de su amor queda encerrada en una flor que por «su naturaleza es símbolo de la fugacidad de las cosas, de la primavera y de la belleza» [17], y el hecho de que esta flor esté en la luna —astro que no permanece siempre idéntico a sí mismo, sino que experimenta modificaciones en forma clara y continuamente observable—, hace aún más patente el carácter mudable y transitorio de este sentimiento. Aldecoa parece sugerirnos que el amor, lo mismo que el ser humano, está sometido a mutaciones, y de ahí su transitoriedad y carácter perecedero [18]. Pero, además, esta escena expone la fuerza y los peligros del mundo de las apariencias y de lo imaginativo, ya que el visionario ve las cosas a una luz lunar.

La tercera balada, la más extraña de todas por tratarse de un sueño en el sueño, es la llamada *Viaje a una esmeralda.* No es una casualidad que sea el mago el personaje al que se le atribuye. El mago de «la aventura levantina» —no podemos

---

17 Eduardo Cirlot, *Diccionario de símbolos...,* pág. 205.

18 «El amor es la enfermedad más breve y curadera de cuantas padece el género humano», dice F. García Pavón en *La guerra de los dos mil años,* Barcelona, Ed. Destino, 1971, pág. 197.

olvidar la alusión bíblica a los magos de Oriente que vienen a venerar y reconocer a Cristo— se pregunta en el sueño: «¿Soñé que soñaba o simplemente soñé? Ahora me pregunto si sueño» (I, 341). Su incertidumbre nos conduce por un instante al corazón de lo fantástico. Lo fantástico, según la teoría de Todorov, es la vacilación experimentada por una persona que sólo conoce las leyes naturales ante un suceso aparentemente sobrenatural. Tal duda —sea en el ánimo del narrador, de uno de sus personajes o de un lector identificado con ellos—, es el rasgo esencial del cuento fantástico. Cuando la duda se disipa, el cuento deja de ser fantástico y cambia de género [19]. Pues bien, ésta es precisamente la posición que adopta el mago al decidir por sí mismo que todo aquello fue un sueño: «Acabó aquello a la mañana siguiente, cuando me desperté» (I, 341). Con esta explicación destruye lo fantástico.

El sueño está centrado en un trato de venta de piedras preciosas procedentes de un robo, y el sueño dentro del sueño corresponde a la entrada del personaje en una habitación de esmeralda donde sueña su propia muerte:

> Estaba solo. La habitación era una esmeralda antigua, se alargaba, se curvaba un poco, parecía una hoja de juncia; el Cristo se había transformado en un pájaro verde, maravilloso; se arrancó de la cruz y se echó a volar... ¿Soñé que soñaba o simplemente soñé? Ahora me pregunto si sueño. Dentro de la esmeralda todo era *fantástico*; yo me repartía por todas partes, yo me asomaba a la ventana luminosa de una cara, de un tinglado de caras, de un día verde, de una noche verde, de un sueño, de otro, de otro. Soñé que estaba muerto y que el pájaro verde se me había posado en el esternón, extendía las alas y me penetraba en las tinieblas interiores (I, 341).

Su sueño en el sueño podría corresponder a un deseo de elevación moral. A este deseo corresponde la entrada en la habitación de esmeralda, la visión de Cristo transformado en un pájaro maravilloso y la penetración del pájaro divino en su alma.

Síntesis de vida y muerte, el sueño del buhonero se convierte en el eco de la imposibilidad de llegar a la unión completa del

---

[19] Tzvetan Todorov, *op. cit.*, págs. 36-37.

cuerpo con el alma. Nos revela la tragedia del ser humano que sólo puede soñar la espiritualidad sin poder vivirla plenamente en armonía con su corporeidad; y que la frontera entre la vida y la muerte es un hilo muy frágil que puede romperse con facilidad, como muy bien lo sentía Aldecoa.

Mas, a pesar de este sueño, el buhonero continuará en lo sucesivo con todas las miserias y flaquezas humanas: «Rapiñador envuelto, ocultando, se le iba la siesta al buhonero por los paquetes de mercachiflerías, por las columnas de monedas, por los billetes nuevos, falsos, poderosos y amigos del recelo» (I, 338). Por otra parte, «la contracción de una mano», signo de rapacidad y de avaricia, único gesto exterior que se desprende de su sueño, así lo atestigua.

La última balada, la del andaluz, muestra una gran ternura y simpatía hacia *El hombre que dialogaba con sus dedos.* Es como un juego de niños en el que el hombre —es la única vez que el narrador utiliza este vocablo en todo el cuento— busca el calor de la relación humana, de la amistad. Este deseo insistente le lleva a bautizar sus dedos con «el nombre de los amigos que hubiera querido tener» (I, 342). De los cuatro juglares él es el más feliz; la posición que adopta cuando sueña nos lo demuestra: «El insecto despreocupado, dormido a pierna suelta, charlaba y alborotaba» (I, 338); sólo se percibía «el tecleo instantáneo de unos dedos».

Es el único juglar que tiene cierto equilibrio en la vida. Ya vimos cómo el gallego se había refugiado en la ilusión de una mejora material; el segador era «romántico y apenas lógico»; el mago vive preocupado por su negocio de buhonerías; en cambio, de la boca del andaluz salen estas palabras: «Yo soy feliz». No aspira a vivir por encima de su condición, sino que asume su propia vida con todo realismo; su única preocupación consistirá en la búsqueda de la comunicación con los demás y, aunque su realización es un fracaso —quizás también el de toda la sociedad—, el andaluz conservará cierta alegría vital.

Dice Pablo Borau al referirse a este cuento: «Por boca de estos personajes va a entonar Aldecoa un canto a España, representada ésta en cuatro regiones (...). Las cosas más sencillas (son) las que acaparan el cariño, las cosas más olvidadas. Es el «lardo gallego tocado de acidez», el «queso baztanés reseco de ahorros», las «cebollas del andaluz, por frugalidad explicable». Y así va cantando lo que otros tuvieron como defectos de cada región. «Él los tomaba como virtudes, y así suenan en su canto tierno, amoroso, enamorado, dejando volar como pájaros, en alas de su imaginación a cuatro soñadores de su tierra» [20].

Es cierto que Aldecoa reacciona con gran sensibilidad ante las peculiaridades regionales españolas; pero, sobre todo, este relato es un canto al hombre, cualquiera que sea su procedencia —no hay que olvidar que el escritor eligió cuatro personajes procedentes de los cuatro puntos cardinales de España—, y un homenaje al poder creador existente en todo ser humano.

El sueño ayuda a los juglares a lograr un conocimiento más vasto y más profundo de sí mismos, porque «la acción verdadera que los sueños de la persona proponen es un despertar del íntimo fondo de la persona, ese fondo inasible desde el cual la persona es, si no una máscara, sí una figura que puede deshacerse y rehacerse; un despertar trascendente. Una acción poética, creadora, de una obra, y aun de la persona misma, que puede ir así dejando ver su verdadero rostro» [21].

Es sueño creador el de los juglares porque anuncia su despertar metafísico y se transforma en una obra poética: las baladas, que ayudarán al lector a un mayor conocimiento de las personas que las han generado y, a través de él, al suyo propio. Nuestros juglares son seres que desean volar, elevarse por encima de las miserias humanas para lograr la totalidad que no han podido obtener en su «experiencia vivida»: el amor, la comunicación, la espiritualidad, etc. En los sueños surgen los fantasmas de la psique, los espantapájaros que les revelan la frustración de sus deseos, rechazándolos hacia la realidad. Pero, aun conociendo esta verdad, el hombre está condenado a vivir, tiene que continuar su «vía crucis» en soledad; por eso los juglares

---

[20] Pablo Borau, *El existencialismo en la novela de Ignacio Aldecoa*, Zaragoza, «La Editorial», 1974, pág. 164.

[21] María Zambrano, *op. cit.*, págs. 40-41.

se separan y suben de nuevo al tren de la vida: «Pasó el tren y se fue con ellos» (I, 343). La realidad, trágicamente, termina imponiéndose, pero el encuentro de estos seres en «La Venta de Paja...» ha quedado inmortalizado.

Añadiremos que el tema de las ventas, como escenario de la ficción literaria, cuenta con una larga tradición en Europa, tanto en novela como en teatro, como en cuento [22]. Unas veces se presentaba como el lugar propicio para una serie de aventuras más o menos picarescas, y otras como punto de reunión para gentes viajeras de la más variada condición, las cuales trataban de ahuyentar el tedio del viaje contando una serie de aventuras. Esta última visión la encontramos en los *Cuentos de Canterbury* del poeta medieval inglés Geoffroy Chaucer; la primera se remonta al escritor italiano Franco Sachetti, sucesor de Boccaccio en el cultivo del cuento. Más tarde, Cervantes recoge en *El Quijote* ambas perspectivas y les añade profundidad aportando un sentido existencial a la venta, «como lugar de cruce de vidas viajeras y con él toda la belleza y maravilla que hay en el entrecruce de vidas tan distintas» [23].

En nuestro cuento, la «Venta de Paja, vinos y comidas» de Pascual Millán, en el cogollo de la Bureba, sirve de lugar de reunión a cuatro viajeros de procedencia diversa. En ella comparten una frugal comida, se cuentan sus vidas a la manera de los viajeros de Canterbury, y duermen. De su sueño surgirán cuatro baladas que nos desvelarán la tragedia existencial de sus vidas respectivas y el carácter individual e intrasferible de cada una.

En esta venta «tropezaron sus vidas» (I, 336); en ella se han demostrado ciertos signos de la más profunda amistad, amistad que sólo les exige unos momentos que se eternizarán en su ausencia en la persona del baztanés. Los juglares no son capaces de

---

[22] *El sí de las niñas* de Moratín tiene como escenario una venta. «La venta» es el título de uno de los cuentos que componen el libro *Vidas sombrías* de Pío Baroja.

[23] Emilio González López, «La evolución del arte cervantino y las ventas de El Quijote», en *Revista Hispánica Moderna,* núm. 34, 1968, pág. 303.

anquilosarse en situaciones estables; la soledad les ha llevado a conocerse a sí mismos, y a través de ella han descubierto el valor de los otros; por eso su encuentro será trascendente. Saben que cada uno tiene que asumir su propio destino, ese destino que se ha elegido libremente, y por ello sus vidas se separan libremente también.

LA CLASE MEDIA ACOMODADA

Repitiendo sin urgencia interior los gestos aprendidos.

LUIS CERNUDA.

«LOS PÁJAROS DE BADEN-BADEN» (1965)

El libro *Los pájaros de Baden-Baden* está constituido por cuatro relatos agrupados de un modo explícito por el escritor [1], sin que ninguno de ellos hubiera sido publicado con anterioridad en revistas o periódicos, como había sido el caso en otras ocasiones. Si desde el punto de vista de la estructura externa guardan entre sí ciertas relaciones de similitud, éstas son mucho más patentes y significativas si atendemos a su estructura dinámica interna (temas, escenarios, etc.). Veámoslo.

Atendiendo a *la estructura externa*, observamos las semejanzas siguientes:

a) Tres de estos relatos («El silbo de la lechuza», «Un buitre ha hecho su nido en el café» y «Ave del Paraíso») tienen una composición muy similar. Se inician con una especie de introducción, bastante extensa, que lleva un título muy significativo, sintetizador de su contenido: «Panorámica caprichosa» para «El silbo de la lechuza», «Apertura» para «Un buitre ha hecho su nido en el café», y «Un poco de letanía» para «Ave del Paraíso». Estas entradas lentas y suntuarias, tan gratas y características

[1] La agrupación se manifiesta en este orden: «Un buitre ha hecho su nido en el café»; «El silbo de la lechuza»; «Ave del Paraíso» y «Los pájaros de Baden-Baden».

de nuestro escritor, presentan con gran minuciosidad el marco en el que se desarrollará posteriormente la acción, creando, al mismo tiempo, el clímax propicio al desarrollo de la anécdota.

b) En «El silbo de la lechuza» y en «Ave del Paraíso» aparece la letanía que, según Charles Carlisle[2], consiste en la reiteración de una palabra o de una frase con el fin de crear un patrón rítmico que sirva de compás fuerte en la cadencia del decurso narrativo; dicha repetición, debido a la calidad casi como de oración que posee, produce además un impacto emotivo o intelectual en el lector. En ambos relatos goza la letanía de la misma intención rítmica, aunque sus connotaciones no son exactamente las mismas, como se verá más adelante.

c) La parte segunda de estos tres relatos está dividida en varios capítulos dedicados al desarrollo de la trama propiamente dicha advirtiéndose aquí el predominio casi absoluto del lenguaje coloquial. Sin embargo, se observa al mismo tiempo una notable diferencia entre estos tres relatos y el cuarto de los que integran el volumen —«Los pájaros de Baden-Baden»—, que en su forma externa tiene poco parecido con los demás, dado que en su composición no se pueden establecer divisiones tan netas. El lenguaje literario y el conversacional se entremezclan en él desde el comienzo. Está dividido en once capítulos sin título, contrariamente a los otros tres, cuyas partes respectivas van precedidas de una significativa etiqueta.

En lo que atañe a *la extructura dinámica interna,* todos estos cuentos contienen la visión de la España de los años sesenta, una España en la que las condiciones de vida han mejorado notablemente a consecuencia de múltiples factores —factores ya mencionados en el inicio del libro—, entre otros la incorporación de nuestra sociedad a la civilización industrial creciente. Como era de esperar, las nuevas condiciones económicas, políticas y sociales motivaron la solución de ciertos problemas graves y acuciantes, pero acarrearon el nacimiento de otros, desconocidos hasta entonces y no por ello menos conflictivos.

---

[2] R. Charles Carlisle, *Ecos del viento, silencios del mar: La novelística de Ignacio Aldecoa,* Madrid, Ed. Playor, 1976, págs. 75-76.

I. Aldecoa tuvo una clara visión de lo que iba a significar para el hombre moderno dicha transformación. Se dio cuenta de que los españoles estaban asistiendo al paso de una sociedad rural a una sociedad urbana con todos los problemas que ello implica, como reflejan sus propias palabras: «Testificación de lo que es la vida del campo y de provincias a la novela española le sobra. En cambio, lo que le falta es la novela de la gran ciudad. Ahora Madrid empieza a ser una gran ciudad» [3].

Todos los cuentos del libro que analizamos, así como los dos póstumos —«Party» y «Amadís»— tienen como escenarios paisajes urbanos más o menos amplios, y los seres que los pueblan ya no son pobres miserables que luchan por la subsistencia, sino que pertenecen a una clase media acomodada y disfrutan del consumo generalizado. Con el cambio los españoles han salido ganando materialmente pero han perdido en el plano humano. Las conmovedoras muestras de solidaridad que hemos presenciado en los primeros cuentos de nuestro escritor ya no tienen cabida en un mundo insolidario y deshumanizado como el que aquí se nos ofrece. A lo largo de estas páginas, Aldecoa nos revela con aguda visión crítica la realidad socio-cultural española de esos años. Utiliza la crítica mordaz con los seres aburguesados, cuya escala de valores es arbitraria e hipócrita; seres que llevan una vida frívola, artificiosa y vacía —«Los pájaros de Baden-Baden», relato que da título al libro—, o que pasan el tiempo en ocupaciones banales y perniciosas: «El silbo de la lechuza».

Sabemos que, para Aldecoa, burguesía era sinónimo de mezquindad, de crueldad con los débiles y de agresividad con los que pretenden ser libres. La sequedad de corazón, el fanatismo religioso y político, la actitud insolidaria con los indefensos provocan su indignación [4]; por ello no nos sorprende el tratamiento que depara a la mayoría de estos «pájaros» del materialismo moderno, insensibles al sufrimiento de sus semejantes. El mundo de estos relatos es no sólo problemático sino desorbitado,

---

[3] Entrevista en *Griffith,* diciembre, 1965.

[4] Josefina Rodríguez de Aldecoa, *op. cit.,* pág. 29.

esperpéntico, sometido a la distorsión deformante de los espejos cóncavos.

Gaspar Gómez de la Serna califica los relatos de este libro de *jácara pura,* dejando el título de *jácara compasiva* para otros relatos como «Caballo de pica», y afirma que aun en la primera «el tono festivo predomina sobre el satírico», ya que

> la remoción satírica de la realidad que con ella (=la jácara pura) provoca tiene la misma raíz ética que en Valle-Inclán, pero es de menos amarga y doliente intención generalizadora. Es más desenfadadamente jocunda; en primer lugar por referirse casi siempre (...) a un fragmento de la realidad de bulto menos trágico y trascendente conectado con una determinada significación histórica, como son las encuadradas por Valle (...). Y en segundo lugar, porque I. Aldecoa suele empalmar su jácara con una concepción hedonista del mundo [5].

Es cierto que, en los relatos de este libro, predomina el humor desenfadado y la sátira festiva, pero en ciertos momentos el escritor deja surgir el látigo de la sátira mordaz, destructora e hiriente contra unos seres apegados a la seguridad material; seres incapaces de la más mínima aventura por temor de que se desmoronen el orden y la seguridad en que viven. En efecto, Barón Samedi —personaje del cuento «Ave del Paraíso»—, burgués por excelencia, es uno de los personajes más zarandeados y peor tratados del libro:

> Bebió lenta y golosamente contemplando a los «beatniks», que le atraían como suelen atraer los artistas a los burgueses, infundiendo un poco de regocijada libertad y mucho de miedo a que el orden interior se descabale a su contacto. Pensó, desde sus seguridades materiales, que pasarían frío en sus casas, que no comían bien y que apenas tenían el dinero necesario para supervivir. Barón Samedi, reconfortado, engalló su feble figura (II, 334).

Este personaje, si bien se siente atraído por el mundo anárquico de los «beatniks», nunca podrá romper los diques de las convenciones sociales para seguir el camino de la libertad, camino elegido por el «Maestro», el «Rey» y sus «gentilhombres». Tiene

[5] G. Gómez de la Serna, *op. cit.*, pág. 99.

miedo de perder sus privilegios de clase, y por eso el terror y la cobardía terminarán imponiéndosele: «El hombre necesita seguridades. El hombre necesita un mínimo de orden y respeto —comenzó su discurso Barón Samedi— y estamos viviendo una anarquía» (II, 344). Es un ser mezquino y despreciable; tiene especial cuidado en guardar las apariencias, apariencias que reflejan unos valores que se incumplen en la realidad.

Si bien es verdad que todos los personajes del cuento «Ave del Paraíso» están descritos con la técnica de deformación esperpéntica, no obstante advertimos un gran amor y respeto, por parte del escritor, hacia el «Rey» y sus «gentilhombres». En cierta manera son fantoches, pero fantoches que representan la juventud española de los años sesenta, una juventud apolítica, frívola, cínica, divertida, que está empezando a descubrir la independencia, la rebeldía. Son jóvenes que tratan de destruir las barreras de las convenciones sociales, políticas, religiosas y morales, que les han sido impuestas con fuego en la mente y en el corazón. Su rebeldía se manifiesta exteriormente en su atuendo y en la actitud anárquica, verdadera provocación a las normas sociales, pero su protesta es fugaz, «como rabotazo al destino y desarticulación momentánea de un mundo burgués, de una sociedad desalmada de ideales» [6]. Faltos de ilusión, pues, ordenan su vida hacia la búsqueda de un placer inmediato; y esa vida, si bien no les proporcionará soluciones verdaderas, al menos les ayudará a seguir viviendo.

El amor y respeto que I. Aldecoa despliega con estos jóvenes contrasta fuertemente con las diatribas sarcásticas y corrosivas que lanza contra ciertos personajes del género femenino, pertenecientes igualmente a la clase privilegiada. Mujeres que dejan transcurrir sus días en ocupaciones fútiles y estériles, destruyendo todo anhelo de libertad en sus hijos o seres allegados. Bajo un proteccionismo mal entendido esconden un egoísmo acerbo, no dudando en ahogar o destruir la personalidad de sus hijos con el fin de retenerlos a su lado.

[6] G. Gómez de la Serna, *op. cit.*, pág. 105.

La indignación del escritor no tiene límites al enjuiciar a estas mujeres u otros seres afines, cuyo egoísmo y fanatismo han ahogado todo rastro de buenos sentimientos. Despliega contra ellos todo el abanico de posibilidades que le ofrece la técnica de deformación esperpéntica, acudiendo a medios expresivos tales como la animalización: doña Lucía y doña Matildita, ambas personajes del cuento «El silbo de la lechuza», son llamadas «lechuzas» y «damas corvinas». A Barón Samedi —«jefe de la legión de los muertos»— se le identifica con el alacrán y la serpiente; «sigue un horario de murciélago» y «sin gafas parecía un gorrión frito». Tiene además «cabeza de mosca a miles de aumentos». Si bien los ejemplos podrían acumularse casi indefinidamente, creemos que tiene mayor interés resaltar la presencia preponderante en este libro de una especie particular de animales: *las aves*, y ello por dos razones: primeramente por el magnetismo que ejercen en el escritor y, en segundo lugar, por el hondo simbolismo que encierran, simbolismo que contribuye a reforzar la visión de por sí ya bastante negativa de la mayoría de los personajes que discurren por el libro.

Basta fijarse en los títulos de los cuatro relatos que componen el libro para darse cuenta de esta recurrencia: «El silbo de la lechuza», «Un buitre ha hecho su nido en el café», «Ave del Paraíso» y el relato que da nombre al libro: «Los pájaros de Baden-Baden». Si en todos ellos la aparición de los pájaros es constante, no podemos pensar que se trata de una pura coincidencia, máxime si recordamos el título de su libro anterior: *Pájaros y espantapájaros.* El párrafo final del relato «Los pájaros de Baden-Baden» nos da la clave simbólica de esta presencia: «Idiotas de Baden-Baden. Gentes de Baden-Baden. Veranos de Baden-Baden. Porquerías de Baden-Baden».

Baden-Baden es un balneario alemán del estilo del de La Toja en España, frecuentado por la clase burguesa, donde la gente lleva una vida anodina, muy similar a la de la mayoría de los personajes de estos relatos. Al nombre Baden-Baden va unido el sustantivo plural «pájaros» y no hay que olvidar que «lo múltiple es siempre de signo negativo» [7]. El mismo sentido negati-

[7] Juan Eduardo Cirlot, *Diccionario de símbolos...*, pág. 352.

vo tienen los pájaros en la leyenda de Heracles y en otros mitos griegos y romanos.

Según Cirlot, desde el antiguo Egipto, las aves simbolizan con frecuencia las almas humanas.

> En el Mirach puede leerse que, al ascender Mahoma al cielo, se encuentra en una gran plaza el árbol de la vida, cuyos frutos rejuvenecen a quien los come. A sus lados hay avenidas de árboles frondosos, en cuyas ramas se posan aves de brillantes colores y canto melodioso: son las almas de los fieles, mientras las de los perversos encarnan en aves de rapiña (...). Las aves de vuelo bajo simbolizan la actitud terrena; las de alto vuelo, la pasión espiritual [8].

Por su parte, los augures romanos, considerados como intérpretes de los dioses, que predecían el porvenir, sacaban sus respuestas de cuatro fuentes, entre las que se encontraban el vuelo y el canto de los pájaros.

Al enfrentarnos con los relatos de Aldecoa vemos que la mayoría de las aves que pueblan estos cuentos poseen una predominante significación negativa: el buitre, la lechuza, los pájaros vistos en sentido colectivo. Sólo el ave del Paraíso escapa a esta clasificación. Su bello colorido la sitúa en las «ramas» de los fieles, de los elegidos.

Como ya dijimos, el escritor siente repulsa ante la sequedad y pobreza espiritual de la mayoría de los seres humanos que dan vida a estos relatos, y ello fundamenta su transformación en aves rapaces, así como la crítica de fondo social bastante acerba, que él pone de relieve a través de numerosos símbolos mitológicos, bíblicos u otros. En relación con lo dicho, «El silbo de la lechuza» está centrado en la crítica que ejercen, en una ciudad provinciana, tres mujeres de cierta edad. Su lengua (silbo) es un azote sin reposo lleno de mortífero veneno. Las reuniones de estas mujeres son «aquelarres», y ellas mismas son llamadas «brujas», «lechuzas». Es bien conocida la asociación tradicional de esta ave de rapiña con la maledicencia y su correspondiente connotación peyorativa. «En el sistema jeroglífi-

[8] Juan Eduardo Cirlot, *Diccionario de símbolos...*, pág. 91.

co egipcio, la lechuza simboliza la muerte, la noche, el frío y la pasividad» [9]. Eminentemente pasiva es la vida de estos seres insensibles al sufrimiento de los demás y siempre dispuestos a la crítica fría y despiadada.

Más rico en símbolos es aún «Un buitre ha hecho su nido en el café», relato estructurado a la manera de un juego de ajedrez con sus correspondientes piezas: la torre, el caballo, la dama, etc. La misma acción se desarrolla en un «damero», diseño de complejo y hondo simbolismo, como se verá más adelante. También asistimos a la presencia de un ave: «el buitre», que en este contexto es símbolo de la lujuria, de la lascivia, si bien encarna al mismo tiempo la idea de cierta protección.

Esto no es nada sorprendente si tenemos en cuenta que el buitre ocupa en la tradición mitológica un lugar preponderante como portador de augurios favorables o siniestros. Entre los animales consagrados a Apolo aparece el buitre, cuyo vuelo era transmisor de presagios. Rómulo y Remo, para conocer la ubicación exacta de la futura Roma, deciden por consejo de Númitor interrogar los presagios. Para ello Rómulo se instala sobre el Palatino y Remo sobre el Aventino. La ciudad será fundada allí donde los presagios resulten favorables. Remo vio seis buitres y Rómulo doce. El cielo se había decidido en favor de Rómulo, y éste se puso acto seguido a trazar el recinto de la ciudad. En la India, en cambio, el buitre tiene, más bien, un sentido mítico; aparece como símbolo de las fuerzas espirituales protectoras que sustituyen a los padres. Pues bien, en el cuento que nos ocupa aparecen reunidas ambas concepciones. Varias son las citas textuales que vienen a avalar el sentido lascivo y rapaz del personaje metamorfoseado en buitre. Se alude a la «mirada rapaz» que alguien lanza a la dama codiciada, y el percherón —personaje animalizado— declara: «Son como buitres... En cuanto ven a una mujer, buitres» (II, 102). Pero, al mismo tiempo, representa la protección y seguridad, al menos económica, para el personaje femenino. Esta ave designa a un hombre mucho mayor que ella, que la deja entrever un futuro más halagüeño, pero sin prever la posibilidad de regeneración.

---

[9] J. E. Cirlot, *Diccionario de símbolos...*, pág. 270.

El personaje central de «Ave del Paraíso» es, como su título indica, un ave del Paraíso de aspecto mucho más bello que las aves que hemos visto hasta ahora, porque la belleza y grandeza de su alma son también muy superiores. Es un ave destinada al paraíso, mas lo ha perdido porque ha perdido el sosiego, la serenidad. Recuerda con nostalgia el pasado al que no podrá volver: «ahora estaba anclado en una isla del Mediterráneo, pero el Paraíso estaba fuera y el Paraíso, ¡oh gran desterrado!, no podía volver, porque un tipo como él no debía volver a parte alguna. Tenía que descubrir nuevos paraísos...» (II, 338).

Cada jalón franqueado en la existencia concede al hombre cierto reposo, pero éste es poco duradero, ya que el ser humano está condenado a caminar y a no detenerse jamás porque «el Paraíso está muy lejos», como explica el Rey a sus cortesanos. Sabe que para llegar al hondón de la existencia humana tiene que desgarrarse interiormente y por ello vive la vida con desenfreno, hasta el paroxismo. Igual que Dioniso, arrastra a todo su cortejo a una especie de bacanal, de delirio orgiástico, con el fin de llegar a la liberación de toda inhibición o represión y al verdadero sentido de la vida. No desea destruirlos, porque ama a los seres y desea su salvación. Sólo después de haber conocido los mundos de lo infinitamente pequeño y lo infinitamente grande podía vibrar en concomitancia con las armonías cósmicas y confundirse en inefable comunión con todos los seres y cosas de la tierra.

Al final del relato se va de la isla, no sabemos a dónde. Desaparece en las aguas del mar para renacer, quizás, espiritualmente, porque «las aguas son el principio y el fin de todas las cosas de la tierra» [10], y «el mar simboliza la inmensidad misteriosa de la que todo surge y a la que todo torna: «volver al mar» es como «retornar a la madre, morir», [11].

Además de los pájaros, otros animales u objetos —el caballo, la torre, la dama— vienen a enriquecer con su simbolismo los cuatro relatos mencionados.

---

[10] Juan Eduardo Cirlot, *Diccionario de símbolos...*, pág. 54.

[11] *Ibidem*, pág. 298.

El caballo es otro de los personajes del cuento «Un buitre ha hecho su nido en el café». Representante-tipo del machismo, se mueve con ostentación: «cloc, cloc, cloc...». Su comportamiento es teatral, camina «arrastrando las herraduras, al desgaire de los señoritos de otro tiempo». Ha elegido su pareja en función de su presunción personal y no tiene en cuenta las cualidades de ella; no le importa como individuo sino como reflejo de su «yo»: «Pero qué mujer me llevo —piensa orgulloso—. Y a mi edad. Y conmigo siempre pastueña». Simboliza «los deseos exaltados, los instintos, de acuerdo con el simbolismo general de la cabalgadura y del vehículo» [12]. Jung ha señalado también la significación del caballo como referencia a las fuerzas inferiores del hombre.

En lo que respecta a *la torre*, ésta encarna un personaje femenino. Aldecoa la define de este modo: «Doña Francisquita era la virtud; la achaparrada e inasequible torre de la virtud (...). Doña Francisquita era una viciosa de la virtud como otras gentes son virtuosas del vicio y se las saben todas» (II, 102). Como es bien sabido, en la Edad Media, torres y campanarios «podían servir como atalayas, y tenían un significado de escala entre la tierra y el cielo por simple aplicación del simbolismo del nivel para el cual altura material equivale a elevación espiritual» [13]. En nuestro cuento, en cambio, la torre es achaparrada, goza de poca elevación moral. Desprecia a Encarnita, «mujer de la vida», y la critica implacablemente; se erige en defensora de la castidad, y sin embargo devora con los ojos al buitre, en quien encuentra las cualidades que no posee su marido. Está muy lejos, pues, de representar el emblema de la virginidad de pinturas y grabados alegóricos cristianos.

A los símbolos mencionados hay que añadir algún otro de carácter religioso, como *la letanía* y *el número siete*. Al leer el cuento «Ave del Paraíso», por ejemplo, descubrimos con sorpresa y maravilla que es la letanía «Hora exacta de Barón Samedi en el invierno» la que marca la apertura del mismo, letanía que

---

12 Juan Eduardo Cirlot, *Diccionario de símbolos...*, pág. 110.

13 *Ibidem*, pág. 446.

va reduciendo progresivamente su extensión hasta convertirse en «Samedi» (sábado = símbolo de dolor) y que, indirecta y sutilmente, nos da la clave del contenido del cuento. A pesar de que asistimos a un desenfreno orgiástico, como ya se dijo anteriormente, vemos que el dolor aguijonea a estos seres y se aferra a ellos como una ventosa, impidiéndoles el reposo y la serenidad.

Símbolo religioso es igualmente el número siete, que otorga a multitud de cuentos un clímax inquietante. Pablo Borau señala la presencia constante de este número en la novela del mismo escritor *Con el viento solano* [14]. De acuerdo con ello, «El silbo de la lechuza» se inicia con una «Panorámica caprichosa», situada «a las siete de la tarde», letanía que se repite machaconamente, generando una atmósfera inquietante y opresora a la vez como un ritmo de salmodia que lo invade todo. Descubrimos análogamente el número siete en la estructura del cuento «Un buitre ha hecho su nido en el café», estructura que, como veremos al analizar el relato, posee cierto carácter laberíntico, lo que contribuye a reforzar su sentido mágico y esotérico. Este número, para Cirlot, representa «el orden completo, período, ciclo, (...). Número de los planetas y de sus deidades, de los pecados capitales y de sus oponentes. Corresponde a la cruz tridimensional y es símbolo del dolor» [15].

Vemos, pues, que, en su conjunto, todos estos símbolos, además de conferir una belleza inestimable a los cuatro relatos que componen el libro, les otorgan una dimensión mágica y secreta porque tras ellos se esconde el misterio de la imagen poética.

«EL SILBO DE LA LECHUZA»

Este relato se compone de tres partes bien delimitadas. La primera nos ofrece una visión panorámica de la vida de la ciudad donde se sitúa la acción; la segunda está dedicada a la ac-

---

[14] Pablo Borau, *op. cit.*, págs. 27-28.

[15] Juan Eduardo Cirlot, *Diccionario de símbolos...*, pág. 330.

ción misma, que es mínima; y la tercera es una especie de epílogo que ofrece, más que una moraleja, un mensaje: la vida de esta ciudad provinciana es una sórdida peregrinación que termina irremisiblemente en «el Círculo, Casino y Club de los Santos Apóstoles, cementerio de la ciudad».

I. La primera parte coincide con la introducción o apertura, titulada «Panorámica caprichosa». Como es propio del estilo de Aldecoa, este relato se inicia con la presentación minuciosa, hasta en sus mínimos detalles, del conjunto escénico que servirá de telón de fondo al desarrollo de la trama propiamente dicha.

El narrador sitúa este retablo en una aburrida y mortecina ciudad española de provincias, que se presta muy bien a la maledicencia, tema central de este cuento, como indica su mismo título; y para ponernos en contacto con ese ambiente de ocupaciones alienantes y de crítica acerba, que pesa como una losa sobre la población, ha elegido un momento temporal muy propicio: las siete de la tarde, cuando todo el mundo interrumpe sus ocupaciones para dar paso al asueto y, además, se ha valido de un recurso estilístico muy eficaz para sensibilizar emotivamente al lector: la letanía.

El empleo anafórico de la letanía —«a las siete de la tarde»—, pauta el ritmo fónico de cada fragmento narrativo e individualiza y aísla su descripción agigantando con ello su contenido. Ante nuestros ojos van pasando como en un «travelling» cinematográfico: *a)* los comercios a la hora del cierre; *b)* los pregones de los periodistas; *c)* las iglesias con sus novenas habituales; *d)* las tabernas; *e)* las tertulias con sus respectivos juegos; *f)* los cines; *g)* la calle principal; y por último, *h)* «el lugar estratégico» —la Calle de la Libertad, número 4, piso primero izquierda—, donde tendrá lugar el aquelarre chismoso y donde habitan los actores centrales de la comedia esperpéntica que va a seguir.

Como en otras muchas ocasiones llama la atención en esta introducción la similitud estructural y lingüística de cada fragmento narrativo. Sabemos que ésta es una peculiaridad característica del estilo de Aldecoa; así lo han señalado varios críticos, entre ellos J. L. Suárez Granda:

> Llaman la atención en la prosa de Aldecoa esos párrafos de estructura trabajadísima, donde hay toda una «arquitectura» de palabras dispuestas en paralelismos, repeticiones, contraposiciones, reiteraciones onomásticas, etc.; todo un bagaje de recursos que denotan un culto por la palabra y que hacen pensar en muchos de los poemas que hoy se escriben [16].

Evidentemente todo esto es cierto pero aquí nuestro escritor va más lejos al conseguir por medio de esta técnica que las frases que se suceden ininterrumpidamente, gracias a su ritmo unifome y reiterativo, se graben ostensiblemente en la mente del lector, predisponiéndole así emotivamente para lo que vendrá después. Pero veamos la disposición concreta de estas proposiciones para evidenciar lo dicho.

A la letanía ya mencionada se añade el sujeto de cada frase, acompañado casi siempre de un adjetivo de carácter descriptivo, antepuesto o pospuesto al verbo, y seguido de un verbo de acción que nos trasmite la actuación y dinámica de los grupos de personas que se mueven sin cesar.

A) SUJETO + ACCIÓN

b) Letanía (A las siete de la tarde) + verbo (comenzaban) + sujeto (los pregones) + complemento determinativo (de los periodistas).

c) Letanía (A las siete de la tarde) + verbo (comenzaban) + adjetivo (deliciosas) + sujeto (novenas).

d) Letanía (A las siete...) + sujeto (las tabernas) + verbo (se atoraban) + complemento (de consumidores).

e) Letanía (A las siete...) + sujeto (las damas) + adjetivo (maduras) + verbo (tertuliaban).

f) Letanía (A las siete...) + sujeto (novios) + adjetivo (nictálopes) + verbo (encontraban) + compl. directo (acomodo) + compl. circunstancial (en las últimas filas).

g) Letanía (A las siete...) + verbo (paseaban) + sujeto (mocitas y mocitos) + compl. circunstancial (por la calle principal).

---

[16] J. L. Suárez Granda: «Ignacio Aldecoa: de la misericordia al esperpento», en *Estudios ofrecidos a Emilio Alarcos Llorach*, Universidad de Oviedo, 1978, V. 3, pág. 485.

h) Letanía (A las siete...) + verbo (daba) + compl. directo (comienzo) + sujeto (el aquelarre) + compl. determinativo (de la calle de la Libertad).

B) Localización y naturaleza de las acciones

A continuación conocemos sus respectivas distracciones u ocupaciones habituales, que convergen casi siempre en la maledicencia, con diferentes matices y modalidades:

b) «la controversia [de los periodistas] discurría por los barrocos y deshonestos cauces del trapo sucio flamante y la zancadilla de tercera división...»
c) [refiriéndose a las novenas] «en la penumbra y en bisbiseo se fraguaban calumnias de alcance contra las honras aparentemente más firmes».
d) [en las tabernas] los temas de conversación son los siguientes: «... dislates de ediles, cuernos de magnates, quiebras de negocios, emigración de jienenses, mariconerías de retoños de próceres,...»
e) [en las tertulias] las damas «se jugaban las pestañas al naipe»; los caballeros «se sacaban los hígados a la baraja»
f) [en los cines] «tosían y expectoraban sólidos burgueses en companía de sus elefantas»
g) [en la calle principal] «el voy y vengo y el empujón y la persecución cinegética sin éxito y el hago el asno como nadie, eran una institución prudente y un exutorio necesario».

A través de estas técnicas, manejadas sabiamente, Aldecoa consigue plasmar en la mente del lector toda la gama de pecados capitales enraizados en la ciudad y que minan y corroen a sus habitantes.

Ninguno de los personajes que aparecen en esta primera parte tienen entidad propia, salvo los del último fragmento narrativo, doña Lucía Martínez, doña Matildita, y el hijo y sobrino de éstas Cayetano Rodríguez y Martínez, así como Angustias Ruiz de Arana, la criada, protagonistas principales de la intriga desarrollada en los trece capítulos siguientes. Son los únicos nombres propios de esta «Panorámica caprichosa» y el puente de unión con la segunda parte.

II. La segunda parte está constituida por un ensamblaje de trece secuencias o capítulos en que, si bien hay por fuerza alguna indicación complementaria —obra del autor, que aparece en tercera persona—, predominan los diálogos en estilo directo. El lector conoce a los personajes sobre todo por lo que ellos dicen, o lo que de ellos dicen o piensan los demás. Así se nos aparecen vivos y en su medio natural una intuitiva serie de retratos conseguidos con sobriedad de pincelada y hondura en la selección de los rasgos característicos, sobre todo en la captación de las peculiaridades del habla de cada uno.

En este cuento no se puede hablar de asunto, no hay Anécdota, sino una serie de anécdotas menores donde se plasman los hechos, las palabras, los movimientos, los gestos... de los personajes, con el fin de poder observarlos de cerca y verlos desenvolverse en su ambiente con la extensión adecuada.

Los títulos son muy significativos y las trece secuencias que componen esta segunda parte parecen adaptarse a su habitual realización cinematográfica:

1. «Aquelarre con merengues». Presentación de dos de los personajes centrales: doña Matildita y doña Lucía. Ambas conocen la vida y milagros de todos sus conciudadanos. Mientras meriendan les espían a través del mirador de su casa.
2. «Aquelarre con cinta magnetofónica». El trío de «las lechuzas» se completa con la llegada de doña Úrsula Villangómez, tan chismosa como sus amigas, que viene de una novena.
3. «Aquelarre con lelo resignado». Cayetano, hijo de doña Lucía y sobrino de doña Matildita, presenta el informe sobre las novedades chismorreriles que pueden tener algún valor para madre y tía.
4. «El anónimo». Presentación de la tertulia del Casino, donde un grupo de amigos —entre ellos el jefe de la policía municipal— tratan de matar el aburrimiento enviando un anónimo a la madre y tía de Cayetano con el fin de revelarles las relaciones amorosas de éste con Isabelita.
5. «Un paseo romántico accidentado». Cayetano e Isabelita pasean su amor por las afueras de la ciudad y descubren los soliloquios de don Juan Alegre, viudo reciente, sospechoso de haber asesinado a su mujer.
6. «Alta finanza». Doña Úrsula abre una cuenta corriente en el Banco donde don Marcelino Ayalde es director, a fin de facilitar el desenmascaramiento de su estafa.

7. «El método deductivo». El anónimo llega a su destino y las viejas hacen cábalas sobre su procedencia.

8. «Los efectos producen la causa». Cayetano se rebela contra «sus mujeres» y se niega a dar el informe del día, mas ante las promesas de ambas decide seguir colaborando.

9. «El virus bajo el microscopio». Las tres «brujas» montan una «mise en scène» con el fin de desvelar y aclarar el «affaire» de Ayalde.

10. «Los muertos hablan». Cayetano e Isabelita siguen a don Juan Alegre hasta el cementerio y son testigos de la «conversación» o monólogo desatinado que éste tiene ante la tumba de su mujer.

11. «El mentidero del salón de billares». Los contertulios del Casino se alegran del mal ocurrido a Ayalde.

12. «Los sótanos del concejo». Dos guardias municipales, Matacán y Escachapobres, distraen «sus guardias de retén comiendo, bebiendo, eructando, fumando, golpeando...». Llegada de don Juan Alegre para entregarse, convencido de haber matado a su esposa.

13. «La torre de las lechuzas». Perspectivas de invierno aburridas para las tres «lechuzas». Terminan cerrando el telón del escenario: «Corriendo las cortinas del mirador para que no entrara luz alguna de la calle».

Las tres viejas chismosas, desde su «torre-comisariado», con los medios técnicos más modernos y sofisticados (espejo retrovisor atornillado a la barandilla del balcón, magnetofón, prismáticos de campaña), hacen la vivisección de la ciudad. A través de ellas se nos van presentando los diferentes ambientes de ésta, así como sus personajes variopintos: el ambiente financiero («affaire» Ayalde); el de las tertulias (Casino); el policíaco (Perico Valle, Matacán y Escachapobres), etc... Los fragmentos dedicados al viudo don Juan Alegre son un pretexto para ponernos en contacto con la policía local y desvelar sus vulgares actividades.

Todos los seres de esta ciudad llevan un tipo de vida anodino, sin sentido, pasan la mayor parte del tiempo en «vanas ocupaciones». Don Luis Arrilucea, jefe de Cayetano, «contemplaba la partida de chapó con estudiada impasibilidad, mientras calculaba las tardes que había perdido a lo largo de su existencia entregado a tan deliciosa prueba de habilidad y fortuna. Treinta años a doscientas setenta tardes por año, eran un cifra con posibilidades de récord» (II, 141).

Lo mismo sucede con la policía municipal: «distraían sus guardias de retén comiendo, bebiendo, eructando, fumando, golpeando a los borrachos y soñando con grandes venganzas contra la gente chunga de la plaza» (II, 143). Aldecoa expresa su actividad utilizando varios gerundios que prolongan el decurso temporal e intensifican la impresión de que éstas son sus únicas actividades. Similar amorfismo e insulsez envuelven y aniquilan a los demás personajes del relato.

Por otra parte, este cuento presenta y desarrolla una oposición conflictiva mujer/hombre, en la que los últimos son verdaderos peleles que viven atemorizados ante la idea de ser el flanco de las críticas femeninas; temor que se extiende y contagia a las autoridades locales. Pero el personaje masculino más tiranizado en el presente relato es Cayetano Rodríguez y Martínez, hijo de doña Lucía y sobrino de doña Matildita. A este tipo de personajes Aldecoa les rindió gran tributo, según testimonia otro de sus cuentos, «Los bisoñés de don Ramón», incluido en el libro *Pájaros y espantapájaros,* donde el personaje central vive igualmente oprimido por la tiranía materna [17].

Cayetano es una pieza más en el engranaje de los medios técnicos informativos de que disponen las viejas. Se dedica a espiar a las personas respetables de la ciudad y anota en su «cuaderno de bitácora» los indicios que pueden tener algún valor en las «faenas cotilleriles» de su madre y de su tía. Diariamente tiene que comunicarles su correspondiente parte informativo, parte que pronuncia y lee de manera mecánica, como si fuera un robot. Este personaje está situado en la misma escala de valores que el magnetofón o los prismáticos utilizados por las «lechuzas».

La impresión de automatismo queda reforzada lingüísticamente por *a)* la ausencia casi total en su discurso de verbos dicendi; cuando los hay están en presente, como corresponde al estilo directo; *b)* por la estructuración del informe en frases

---

[17] Esto tal vez sea de inspiración unamuniana: el hombre *michino* (apocado, sumiso) frente a la *virago* (devoradora, enérgica).

cortas sin subordinación de ningún tipo (se trata de una comunicación montada sobre una serie de relámpagos expresivos); y *c)* por la minuciosidad descriptiva: «—Día catorce de octubre. Sábado. Nueve de la mañana. Me incorporo a la oficina. Sin novedad hasta las dos. Dos y cinco, vermut en la barra del Casino. Conversación intrascendente con don Carlos, el médico. Dos y media...». «—Dos y media, comida. Tres y diez, vuelta al Casino, café y copa con soberano» (II, 121).

Su discurso es interrumpido constantemente por la madre, que le recrimina imperativamente tratándole de usted: «reproduzca», «rememore»... Le acosan y escarnecen: «Inquirió doña Matildita»; «recriminó doña Lucía». En una ocasión Cayetano se subleva por razones amorosas contra dicha tiranía provocando un drama familiar, drama que el escritor transmite sabiamente echando mano de recursos paralingüísticos: «Hicieron un grave silencio. Doña Lucía meditaba. Doña Matildita se secaba una lágrima furtiva. Cayetano se retorcía las manos nerviosamente» (II, 134). El escritor nos ofrece aquí tres «tomas» de una misma secuencia que reflejan muy bien la tensión del momento; son como tres «flashs» que tratan de reproducir la simultaneidad con que en la realidad se presentan las acciones respectivas.

Después de este altercado, madre y tía ceden terreno para seguir contando con las informaciones de Cayetano y éste, aunque consigue ciertas mejoras, no llegará nunca a liberarse de la opresiva tutela femenina.

III. La tercera parte del cuento tiene una disposición circular y rotativa. Está dividida en tres núcleos:

a) Enumera los centros recreativos y culturales de la ciudad: «Del Círculo de la Amistad, (...) al Casino Militar y Mercantil (...); del Casino Militar y Mercantil al Tennis Club, (...); del Tennis Club al Nuevo Club...»

Aunque la ausencia de verbos es total en este núcleo narrativo, el movimiento se consigue mediante las preposiciones: *de...a*, que marcan la dirección de un lugar a otro.

b) Enumera, a su vez, los personajes que frecuentan los respectivos Clubs:

> Los empleadillos, las criadas, los obreros especializados y algunas momias del tiempo de la fundación van al Círculo. Los militares y los burgueses al Casino que apelan. Algunos tránsfugas del Casino y los snobs, al Tennis Club. Y la crema, la nata, la flor, la sangre gótica y algunos títulos desvaídos, al Nuevo Club.

El movimiento circular y la comunicación entre las diferentes clases se establecen de nuevo al final del fragmento por medio del verbo «regresar»: «Y del Nuevo Club se segregan los calaverones nihilistas y dandys que *regresan* al Círculo para alternar con la marmota y el chupatintas...» (II, 146).

Y a estos elementos viene a añadirse la frase última: «siempre vuelta a empezar» que, con la especificación temporal absoluta «siempre», nos sumerge en un círculo vicioso, sin posibilidad de salida.

c) Unifica y borra las pequeñas diferencias de estas vidas sórdidas dedicadas a ocupaciones sin sentido, vidas degradadas, aburridas, que acaban «en el Círculo, Casino y Club de los Santos Apóstoles, cementerio de la ciudad».

El esquema de la tercera parte del relato sería, pues, el siguiente:

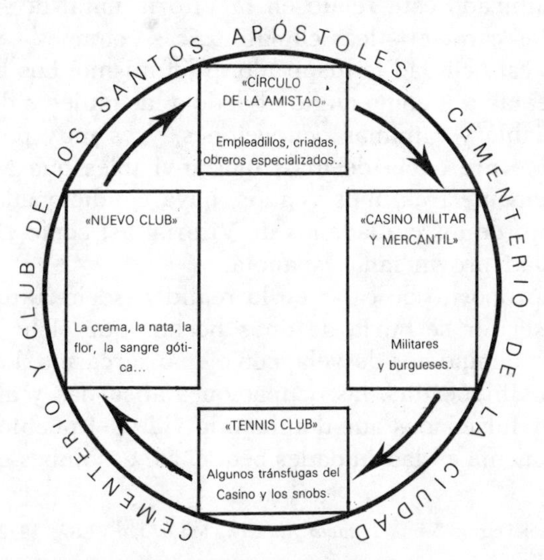

La construcción global del cuento es a su vez también circular; acaba como había comenzado, creando una impresión de imposibilidad, de atmósfera asfixiante. La frase final del relato —«Y las nubes pasando por las agujas de las torres, pastoreadas del cierzo»— recoge o reproduce dislocándola la inicial del mismo: —«Por las agujas de las torres desfilaban oscuras nubes pastoreadas del cierzo» (II, 113). En la frase inicial hay un verbo en forma personal, en imperfecto, tiempo narrativo por excelencia y enmarcador de los sucesivos momentos del fluir temporal (del relato que va a seguir); en la frase final, un verbo en forma no personal, en gerundio, lleva el relato a un nivel sobretemporal, o «ucrónico», sin tiempo concreto. Normalmente el gerundio expresa una acción que coincide en el tiempo con el verbo principal y aquí, al no haber verbo principal, se queda sin asidero. Los hechos que se narran bien podían haber ocurrido unos años antes o unos años después, serían igualmente irrelevantes. El relato ha concluido, pero no ha habido desenlace. La vida de la ciudad y de sus habitantes sigue y seguirá igual: «siempre vuelta a empezar», «así un invierno y otro y otro...» (II, 146).

Se ha ubicado este relato en la Vitoria natal de Aldecoa a causa de las características climatológicas comunes [18] y posiblemente fue esta ciudad la inspiradora del mismo. Los bellos miradores venían allí como anillo al dedo a las mujeres de curiosidad insaciable y mínimas ocupaciones, y es muy posible que la constante presencia de unos ojos invisibles que acechaban infatigablemente tras unos visillos, haya condicionado el comportamiento de los ciudadanos de Vitoria, así como el de cualquier ciudad provinciana española.

En su propósito de calar en la realidad socio-cultural española, el escritor se burla de unos hechos que él ha conocido y al mismo tiempo nos desvela, con cierto sarcasmo, los convencionalismos hipócritas, las ocupaciones absurdas y alienantes, los mitos y falsedades que dominan la vida del pueblo español, particularmente en las ciudades pequeñas. Las nubes que pasan

---

[18] Manuel García Viñó, *Ignacio Aldecoa,* Madrid, EPESA, 1972.

por encima de las torres son las mensajeras que invitan al lector a tomar conciencia y a actuar para salir de ese ostracismo, de ese letargo vital [19].

«UN BUITRE HA HECHO SU NIDO EN EL CAFÉ»

Este cuento, insertado en el libro *Los pájaros de Baden-Baden*, constituye otro excelente ejemplo de la madurez de Ignacio Aldecoa en el ámbito del relato breve. El narrador nos ofrece aquí un retablo de la lujuria desarrollado con una estructura cubista perfecta ya que su planteamiento tiene la exactitud matemática de un juego de ajedrez, lo que se hace patente en la distribución del material narrativo. Consta de dos partes bien delimitadas:

I. «Apertura» (título del primer capítulo).
II. Siete secuencias de breve extensión con sus correspondientes títulos, dedicados al desarrollo del «juego de ajedrez».

Como es obvio, cada parte posee su peculiar entramado interno, pero a la vez cada una está construida en función de la otra, y las dos en función del efecto único final. Es esta estructura la que adjudica a cada parte su misión: la 1.ª, sirve para presentar el marco de la acción y para poner de relieve el sistema de vida en lo relativo a la cotidianidad; la 2.ª, nos pone en contacto con la peripecia misma otorgando sentido al conjunto.

I. APERTURA.

El contenido semántico de este vocablo es muy significativo, ya que evoca el elevarse de un telón, y no sólo lo evoca sino que todo aquí nos hace pensar en un escenario teatral:

a) *Los efectos de la luz*: «Las cristaleras del café siempre estaban sucias y la luz de la glorieta, agria y escenográfica, se filtraba a través de ellas con matices de recuelo» (II, 99).

[19] No hay que olvidar que las nubes, eternamente cambiantes y sin embargo expresivas de lo eternamente repetido, tienen mucha tradición en la literatura, como lo muestra el famoso escrito de Azorín titulado «Las nubes», escrito que sin duda Aldecoa conocía.

b) *Las numerosas acotaciones que explican las diversas acciones de los personajes*: «El viejo camarero arterioesclerótico arrastraba la pierna mala como cosa ajena a su persona e iba de mesa en mesa, frágil, doméstico, temblante y arácnido (...). Esputaban en sus pañuelos y por turno, los cinco viejos del friso de la tertulia del fondo...» (II, 99).

c) *La dinámica de los movimientos de los personajes*: gestos desmesurados, movimientos bruscos.

d) *El diseño espacial*: Toda la acción del cuento se desarrolla en el interior de un viejo café muy similar al café de doña Rosa descrito en *La Colmena* de Camilo J. Cela, en el que quizás Aldecoa se inspiró.

Se descorre el telón del escenario y de improviso percibimos la instantánea del friso donde se va a desarrollar la trama del relato. Para introducirnos en el ambiente del viejo café, el escritor ha efectuado tres calas en sus movimientos, deslindadas en el texto como fragmentos narrativos que podríamos llamar α, β, γ. Dichas calas recogen con minuciosidad la actividad del local.

α) Nos da la impresión visual y fónica del conjunto. El narrador ha logrado su objetivo utilizando la técnica de filmación conocida con el nombre de «close-up» (gran plano), en la cual la descripción se concentra en un aspecto o parte del objeto literario, y a través de ese detalle elegido se nos va revelando su totalidad:

> ...Bufaba la máquina exprés; cantiñeaba el aburrido cerillero; la señora de los servicios cultivaba sus emociones leyendo una novela de amor; el chicharreo de la llamada de teléfono no era atendido; esputaban en sus pañuelos, y por turno, los cinco viejos del friso de la tertulia del fondo; bajaba el cura jugador las escaleras de la timba; componía un melindre la pájara pinta timándose con un señor solitario y de mirada huidiza; el renegrido limpia tenía un vivaz sátiro bajo la roña, el betún y la piel, y no se perdía detalle, desde su ras, sacando lustre a los zapatos de una vedette del «Maravillas». En los grandes y mágicos espejos había salones hasta la angostura del infinito y la perspectiva de las lámparas era una pesadilla surreal (II, 99).

El carácter teatral antes evocado se verá fuertemente recalcado por las técnicas esperpéntica e impresionista, especialmente la primera. La máquina exprés, el cerillero, el teléfono, los cinco viejos del friso, etc., aparecen en un mismo plano contribuyendo así a la visión de un mundo caótico donde se perciben conversaciones fragmentadas. Además dicho fragmento está estructurado en frases cortas, de disposición similar, en las que cada sujeto va acompañado de uno o de varios adjetivos y de un verbo que posee un ritmo fónico muy preciso y que expresa sabiamente la actuación de cada uno de ellos.

β) El fragmento narrativo segundo describe la disposición del «damero» en el que se efectuará ulteriormente el juego de ajedrez.

> Los veladores de mármol blanco y las mesas de marmol negro formaban *un tablero de ajedrez* desbaratado, en el que los *escaques* hubieran obedecido a la anarquía de un seísmo. A los veladores se posaban las gentes de paso; a las mesas se sentaban los residentes en el café (...). En los veladores se negociaba, en las mesas se hacía filosofía de la Historia. En la esfera de los veladores las agujas marcaban, más o menos, la hora de la ciudad, de la nación y acaso la del mundo; en las mesas retrasaban lustros, décadas, «antes de la guerra» y a veces hasta siglos (II, 100).

Es evidente que todos los elementos que surgen en esta primera parte —cosas, circunstancias, personajes— están inteligentemente sopesados para que cobren el oportuno realce a lo largo del relato de la segunda parte. Pero además asistimos aquí a una oposición conflictiva simbolizada en los colores blanco y negro. Veladores y mesas se oponen como los personajes que tienen acceso a ellos y sus respectivas posiciones, conversaciones y preocupaciones. La disposición de los escaques es importante, ya que en la segunda parte cada pieza del juego tratará de ocupar un lugar estratégico en el «damero» con el fin de dar «jaque mate» a la dama, o, dicho con otras palabras, de ganar el juego erótico entablado.

γ) Por último, el fragmento final se ocupa de la descripción de la barra del café, que, según el propio autor, «sostenía a la minoría del pendoneo nocturno». Todos los personajes que aparecen en este fragmento narrativo son de relleno, están reducidos a meras voces. Percibimos únicamente sus conversaciones fragmentadas y superficiales, que contribuyen a la transmisión del murmullo y al ambiente de conjunto.

El narrador no ha subestimado ningún componente a la hora de presentarnos la imagen completa del «damero». Ha concedido gran importancia al colorido, al sonido e incluso al olfato: «El egiptano gato del café (...) entreveraba el ojo con los párpados caídos (...). La oreja la tenía hecha al coro de la salmodia, y sólo el olfato se le resentía y le avisaba de tal cual ventosidad de la clientela...» (II, 100).

Otro factor que interesa destacar en esta primera parte es la visión de la cotidianidad, como ya habíamos señalado antes. El autor la refleja utilizando varios recursos de orden lingüístico: *a)* El tiempo verbal que aparece en la descripción de los fragmentos narrativos α y β es el *imperfecto de indicativo* que nos «presenta los hechos pasados como sucedidos, o mejor, como prolongados, sostenidos en su duración hasta que los estamos leyendo» [20]. La acción es durativa, habitual, iterativa, manifiesta en el aspecto imperfectivo del tiempo verbal utilizado (arrastraba, iba, bufaba, cantiñeaba, cultivaba, esputaban, bajaba, componía, se posaban, se sentaban, etc. (II, 99-100). *b)* Apoyando a estos verbos aparece al comienzo del relato una *especificación temporal* definida en forma absoluta —siempre—: «Las cristaleras del café siempre estaban sucias». *c)* Un tercer elemento que viene a completarnos esta impresión de duración o continuidad es la inclusión de *fragmentos monodialogales*, compuestos por yuxtaposición y pronunciados en el mismo momento o en momentos yuxtapuestos, sobre asuntos de preocupación diaria: fútbol, copas, mujeres, etc. *d)* La «apertura» se cierra con la frase harto expresiva: «Casi todo era ayer». Lo descrito en el cuento no está, pues, «preterizado» totalmente. El escritor no dice «todo era ayer» sino «casi todo era ayer». Al disminuir el valor absoluto del adverbio de cantidad «todo» por medio de otro adverbio de cantidad «casi» parece decirnos que una parte del «ayer» forma parte del «hoy» y que posiblemente se repetirá

---

[20] H. Esteban Soler, «Estructura y sentido de «Santa Olaja de Acero»», en Varios, *Ignacio Aldecoa*, University of Wyoming, pág. 73.

con pequeñas modificaciones «mañana». Pero, por otra parte, nos sugiere que esos viejos cafés —con su particular ambiente— que él conocía y amaba entrañablemente son una «especie» en vías de extinción. El ritmo de esta frase crea un fuerte impacto en la mente del lector y sirve así de broche a la primera parte.

II. Desarrollo del «juego del ajedrez»

De siete secuencias se compone la parte segunda. Todos los elementos están dispuestos sobre el «damero» y en cada capítulo del cuento aparecen las piezas necesarias para la explicación de los movimientos ulteriores. Los personajes se destacan ahora uno tras otro en un primer plano, contrariamente a lo que sucedía en la Apertura, donde Aldecoa los presentaba en grupos. Pero su individualización no es total, puesto que son seres despersonalizados, reducidos a «piezas» de ajedrez, designados casi siempre por el nombre de la pieza que representan —el caballo, la dama, la torre, el alfil, los peones— y pocas veces por el suyo propio.

El juego gira en torno a una prostituta (dama) que llega al café acompañada de un hombre mucho mayor que ella. Este la abandona por una partida de póker y entre tanto otros hombres tratan de acaparar su atención para ganar después sus favores. Si bien el asunto es anodino, la maestría del cuento radica en la presentación y desarrollo de la intriga y en la manera de resolverlo.

En «Salto de caballo», título que da comienzo a la segunda parte, aparecen las primeras piezas del juego: el caballo y la dama, piezas centrales. En el mismo campo hay dos peones, el cerillero y uno de los camareros, vistos ambos en la «Apertura», que tendrán como misión la protección de la dama. En el campo opuesto, por el momento, sólo hay una pieza, el alfil, que acecha la «presa» deseada con mirada rapaz. El caballo abandona su escaque por la partida de póker y el alfil inicia sus movimientos para acercarse a la dama, pero su acción no surtirá efecto porque en la secuencia siguiente, «*Juega el alfil*», una nueva pieza se insertará en el juego: la torre —«la ebúrnea, la achaparrada e inasequible torre de la virtud»— que protegerá a la dama, y el alfil tiene que replegarse. Mas éste, como buen jugador, no se da por vencido y vuelve al ataque en «*Peón de enlace*». Esta vez va a intentar utilizar al cerillero —amigo de la dama— para lograr su objetivo, pero sin resultado satisfactorio, ya que él no se presta a su juego.

«*Piafa el palafrén*» anuncia el final de la intriga. Una nueva pieza se integra en el «damero» incrementándose sensiblemente con ella el «suspense» del juego: «Al fondo del café, junto al friso de los dos viejos, un hombre de edad mediana, con el pelo blanco y algo melenudo, el porte elegante, observa a Encarna con mirada rapaz» (II, 106).

A partir de este momento los movimientos de los personajes son cada vez más bruscos, y paralelamente el ritmo de la narración se acelera. El alfil vuelve por tercera vez al ataque en la secuencia «*Se aventura la dama*», pero ella se mantiene firme y se protege de nuevo moviéndose «dos mesas a la derecha junto a la torre» [21]. El final se precipita en la secuencia «*Un buitre ha hecho su nido en el café*». El caballo deja de nuevo su escaque para dirigirse a la timba y el hombre interesante aprovecha ese momento para dar «jaque mate» a la dama. Juntos salen del «damero» y el alfil, eliminado definitivamente del juego, recoge sus periódicos y abandona el café.

El desenlace —«*Pura sangre*»— se realiza con un abandono total del tablero de ajedrez; queda en el café una sola pieza, el caballo, que al volver triunfador de la timba, deberá afrontar la dura realidad: Encarna le ha abandonado por otro. A su mente vienen las frases tantas veces repetidas por ella: «Corazón, cariñito, chatito... No tardes... No me dejes tanto tiempo sola, que me aburro... Y ese joven sinvergüenza, y ese joven indecente...» (II, 111).

---

[21] Advertimos que los movimientos que efectúan los personajes guardan un estrecho paralelismo con el de la pieza de ajedrez que representan; es decir, la torre camina en línea recta en todas las direcciones. El alfil se desplaza diagonalmente. El caballo oblicuamente, etc.

El desenlace del cuento es abierto como abierta es la vida. Los posibles desenlaces son infinitos, y al lector le queda la tarea de completarlo y concretizarlo, porque, como dice E. Serra, el cuento es «un sistema semiológico cuyos rasgos específicos surgen de la situación comunicativa creadora (imagianaria) del remitente, verdadero hacedor de un objeto cultural de arte, y de la situación receptiva del destinatario en quien termina de tener constructividad y vida propia el mensaje del tiempo y del espacio» [22].

A lo largo del desarrollo del cuento se van poniendo de relieve ciertos indicios que nos adelantan su desenlace y que van tejiendo la intriga:

> El propio café con sus malas frecuentaciones (cfr. Apertura, fragmentos de conversaciones, las palabras de la torre).
>
> La pareja central, compuesta de un viejo gordo y calvo —el percherón— y de una chica atractiva y vulgar, así como la arrogancia y machismo del primero.
>
> El percherón jugador, que abandona a la joven a pesar del peligro que representa la presencia del alfil.
>
> La aparición en escena del hombre interesante y distinguido, etc.

El tiempo que ha transcurrido coincide con el que el percherón ha necesitado para ganar en el juego de póker, días, semanas, tal vez meses, y su destino coincide con la expresión popular: «afortunado en el juego desfortunado en amores». El día en que el caballo ha ganado la partida de póker ha perdido la partida amorosa. Encarna, cansada de esperarle, se va con otro. Todos los personajes han jugado sus bazas, pero en el juego interviene el azar, lo mismo que en la vida o, más bien, la vida tiene mucho de azar, como el juego, parece decirnos Aldecoa. Por ello sitúa la acción del cuento en un «damero», lo que tiene una relación simbólica con el destino. «Toda superficie con recuadros, losanges o rectángulos alternantes, en positivo negativo (blanco, negro) o colores distintos tiene relación simbólica con la dualidad de elementos que presenta una extensión (tiempo) y por ello con

---

[22] Edelweis Serra, *Tipología del cuento literario*, Madrid, Cupsa Editorial, 1978, pág. 13.

el destino (...). La significación del damero concierne a las ideas de combinación, demostración, azar y posibilidad y al esfuerzo por dominar lo irracional sojuzgándolo en una estructura dada» [23].

Si intentásemos examinar cómo los sucesos han sido convertidos por el autor en texto literario narrativo podríamos partir de este esquema de sustancias de contenido:

«PURA SANGRE»

Abandono del caballo	Fracaso del alfil	Triunfo del rey (= buitre)

Pero a estas sustancias sólo llega el lector al final del cuento, en la última secuencia denominada «*Pura sangre*». Entre tanto, su conocimiento y configuración literarios de los hechos se produce según este otro esquema sucesivo:

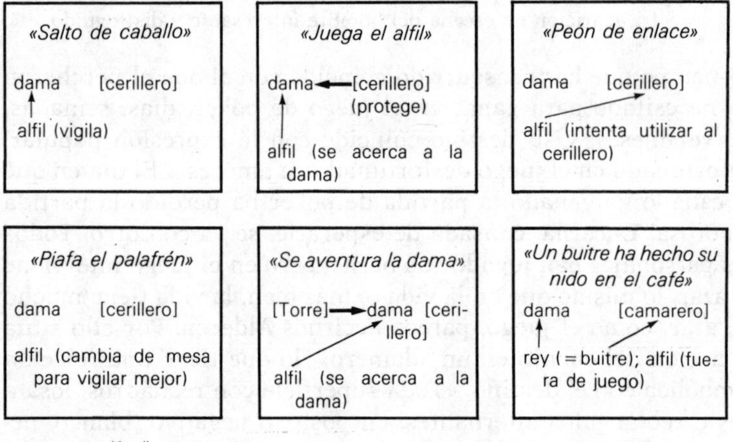

→ = protección directa con actos
→ = relación
[ ] = piezas que protegen a la dama con su presencia.

---

[23] J. E. Cirlot, *Diccionario de símbolos...*, pág. 163.

Estas notas ponen de manifiesto la capacidad que posee Ignacio Aldecoa en el manejo sutil y en la disposición graduada de los elementos que constituyen el decurso narrativo. Partiendo de un incidente aparentemente insignificante logra sumergirnos en un terreno mucho más amplio y complejo, «terra incognita», donde hay que moverse entre intuiciones y conjeturas, donde se hallan los elementos profundos que dan a la mayoría de sus relatos su inconfundible tonalidad, su resonancia y su prestigio. Pocos escritores han sabido sacar tanto partido de unos hechos irrelevantes, anodinos, y pocos también nos han ofrecido tal diversidad compositiva.

«PARTY» (CUENTO PÓSTUMO)

Este cuento, publicado después de la muerte del escritor, constituye una lenta y deliberada disección psicológica sobre el fracaso de dos existencias en un mundo regido por falsos valores; disección efectuada conscientemente por uno de los protagonistas del relato en la soledad angustiosa de su bello y lujoso apartamento mientras aguarda el regreso de su cónyuge de una fiesta mundana.

«Party» es, a nuestro modo de ver, una especulación éticofilosófica de tendencia existencialista, un testimonio acongojado, sangriento, cruel de un auténtico drama interior, vivido en la gran trampa de la gran ciudad moderna, en el aire viciado de las estancias ciudadanas donde el hombre se encierra para destruirse. Aldecoa maneja con autenticidad en este relato los elementos de una decadencia moral colectiva, el resquebrajamiento de valores que asola la sociedad actual y que él supo captar en toda su dimensión trágica, poniendo en escena el aislamiento fatal que se dibuja bajo la capa espléndida y engañosa del progreso materialista, progreso que, como vemos en el cuento, conduce al individuo a la pérdida de su fe trascendentalista, a la aceptación instintiva de un simulacro de bienestar sacrificando sus impulsos de autenticidad. Cuento de carácter profundamente dialéctico y construido sobre una crisis emotiva individual, contiene, sin embargo, la fuerza que le convierte en símbolo de una angustia más universal.

Desde el punto de vista compositivo podemos distinguir dos núcleos. El primero centrado en la presentación del personaje masculino en combate con los monstruos de su alma mientras espera la llegada de su mujer, y el segundo que resalta, tras la llegada de ésta, el vacío, la abulia y la incomunicación entre ellos.

I. Se abre el cuento con la puesta en escena del protagonista central, anónimo, sin características personales de ningún tipo, definido únicamente por las de su clase privilegiada, burguesa, a juzgar por el lujo que le rodea: bebidas, discos, «saloncito melificado por luces empantalladas». La cámara nos lo muestra bebiendo «a pequeños tragos su cuarto coñac», al calor de la chimenea, mientras se deja invadir por un fuego interior abrasador, especie de delirio estimulado por el alcohol al tiempo que imagina las posibles reacciones, gestos, ademanes y réplicas de su esposa al recriminarle él su alejamiento y abandono.

Vemos a este personaje especulando ávidamente sobre su desamparo, buscando el ritmo de una serenidad ya inalcanzable, exponiéndose al sufrimiento sin poder llegar a ninguna solución definitiva. «Cuando ella volviera pondrían las cosas en claro de una vez y para siempre, con lo que quería significarse que iba a hablar de sufrimientos en la soledad y la desesperación». Mas ¿cuál sería la reacción de ella ante la eterna, «la enorme queja de su matrimonio»? —«Cabía la resignación de momento» o «un cierto humor hiriente» o «la indiferencia absoluta» o «la odiosa tutela ambigua», o «el desprecio, tantas veces manejado con eficacia» o «la reflexiva, ponderada y amarga respuesta: —Tienes razón, tu razón. Pero yo tengo, también, razón, mi razón, y lo sabes de sobra» (I, 440).

A medida que la noche avanza y las copas de coñac se suceden sin interrupción, el hombre que espera inventa, recrea nuevas formas de abordar a su mujer, múltiples maneras de entablar la conversación: hablar, discutir, pelearse, todo mejor que esa indiferencia que les atenaza y aísla inexorablemente. En el fondo desea el estallido. «Nunca llegaron tan lejos, aunque a lo largo de su matrimonio habían menudeado las peleas y los insultos» (I, 443). Los efectos del alcohol van incrementándose y consecuentemente sus pensamientos se exteriorizan; se levanta, se mueve, ríe, hace gestos, ademanes teatrales, formula posibles frases, réplicas, en alta voz; las llamas de la chimenea le desencajan el rostro «partiéndoselo con cuchilladas de sombras, resaltándoselo en protuberancias de máscara» (I, 444).

En este estadio de la narración todo deja presagiar el estallido entre la pareja, y el lector espera ávidamente el momento crucial, mas en vano porque, si bien es verdad que el relato ha estado preparándonos para dicho acontecimiento, al final, se nos priva de él, lo que supone un acierto constructivo insuperable. Nada mejor para hacernos sentir el carácter irreversible del alejamiento e incomunicación entre la pareja.

II. En efecto, cuando la mujer llega, al fin, ni siquiera advierte el movimiento nervioso de su marido al intentar recomponer su figura; extenuada, se quita los zapatos derrumbándose en un sillón y ante la pregunta anodina de él —¿qué tal te lo has pasado?— de forma desganada contesta: «Como siempre. Allí estaba todo el mundo. Estoy estragada de fumar» y añade: «Dame una coca, chatito, que me muero de sed».

El, que tanto ha deseado, anhelado su llegada, ensayado miles de representaciones teatrales, miles de frases, ahora, mudo, impotente, sólo alberga un deseo: que la mujer se vaya de nuevo. Como un autómata se incorpora, encaminando sus pasos hacia el refrigerador. «Por el pasillo tanteaba las paredes buscando apoyo. En la cocina respiró profundamente el aire fresco. «Ahora me mareará con los vestidos de las amigas. Me mareará con las gracias y los chismes de todos los íntimos. Me mareará con su éxito. Podía haberse quedado en su fiesta». Es precisamente el contraste o incongruencia existente entre la angustia, la desesperación y la rebeldía desplegados por él en la primera parte del cuento y la abulia y sumisión que muestra en la segunda lo que nos da la verdadera dimensión de la tragedia. Sentimos que son seres condenados, corrompidos, maleados por el exceso de civilización. En sus rostros se perfilan los signos de su avanzada decadencia. Sólo nos resta, pues, la posibilidad de hacer conjeturas sobre los probables términos de la segura condena.

Esta degradación de valores se pone de relieve análogamente en otro de los cuentos póstumos, «Amadís», que, como su nombre indica ya, constituye una parodia del héroe medieval y de los ideales caballerescos. Tanto el personaje central Amadís como su dama Genoveva y el amigo de ambos, un joven vestido con «blue-jeans» y cazadora de cuero, son la imagen perfecta del anti-héroe medieval. En Amadís se dibujan todas las muestras de la decrepitud y de la indolencia, y la finalidad esencial de su vida parasitaria y muelle ya no se centra en la adquisición del señorío sobre la Ínsula Firme, como competía a Amadís de Gaula, con su consecuente liberación del encantamiento mágico, sino en el enriquecimiento rápido y sin esfuerzo a expensas de ciertas damas pertenecientes a la clase burguesa y deseosas de emociones fuertes. Sus enemigos no son dragones —irónicamente pintados en el papel mural del bar donde espera a sus acreedores— ni endriagos, ni monstruos de otro tipo. Son hombres de negocios, «peces gordos» dispuestos a librar batalla encarnizada en busca del máximo provecho.

Por su parte, el comportamiento hipócrita de Genoveva, amante de Amadís, encarna la destrucción de los valores representados por Oriana. No es ni mediadora de la vida psíquica del caballero, ni guía espiritual, ni partícipe de ningún tipo de empresa de alto vuelo. Se limita a disfrutar descaradamente de los bienes de Amadís no dudando en engañarle con el amigo de éste, el joven de los «blue-jeans» y la chaqueta de cuero. El honor y la fidelidad, fundamento y esencia del ideal caballeresco, están lejos de alimentar las aspiraciones éticas de estos jóvenes. Su único móvil se centra en la ambición personal y en el placer, esencia y fundamento del materialismo moderno.

II

RECURSOS DE ESTILO

Pour moi, le style —qui n'exclut pas la simplicité, au contraire— est d'abord une manière de dire trois ou quatre choses en une. Il y a la phrase simple, avec sens immédiat, et puis, dessous, simultanément, des sens différents qui s'ordonnent en profondeur. Si l'on n'est pas capable de faire rendre au langage cette pluralité de sens, ce n'est pas la peine d'écrire.

JEAN-PAUL SARTRE.

RECURSOS Y CARACTERÍSTICAS DE ESTILO

Creemos que si algo caracteriza profundamente la obra de Aldecoa es su unidad, y que ésta no es impresión o producto más o menos ficticio de nuestro análisis global, ya que no sólo se manifiesta en la recurrencia de algunos temas predilectos, como ya vimos, sino que se traduce, sobre todo, en determinados rasgos estilísticos que son, a la vez, definición y expresión del contenido, estructura y vehículo del mensaje. Los cuentos de I. Aldecoa lucen un estilo donde se amalgaman elementos propios del estilo descriptivo-narrativo con otros de la lengua coloquial, revitalizados a su vez por creaciones idiomáticas individuales del autor, por innovaciones a veces fuera de la normatividad, pero dentro del marco de la libertad vivificadora latente en el sistema del español.

Nuestro escritor introduce en sus relatos la vivacidad y la intensidad del hablar en su fluencia natural. Selecciona y combina con rigor los elementos propios del discurso oral y los eleva a la categoría artística confiriendo así a su prosa una feliz simbiosis entre los elementos culto y popular, tanto en la expresión como en los temas. Por otra parte, sus cuentos se enriquecen según veremos, con una matizada gama de niveles y de registros cuyo despliegue se orienta hacia la adquisición de una expresión literaria adecuada a la cosmovisión del autor. En todo momento llama la atención cómo Aldecoa, además de escoger cuidadosamente los temas de sus relatos, busca con afán la forma más adecuada para transmitir al lector todo el fermento que éstos contienen, toda su proyección en profundidad y trascendencia.

LENGUAJE DESCRIPTIVO-NARRATIVO

En el capítulo que dedicamos a las cuestiones teóricas del cuento hacíamos alusión a la especificidad del lenguaje cuentístico. Quisiéramos ahora clarificar y desarrollar más ampliamente nuestro pensamiento.

No es difícil imaginar que todo cuento surge de una vivencia profunda, de un suceso que, por una u otra razón, ha conmovido, conmocionado incluso al escritor pero, para que estos hechos puedan conmover a su vez a los lectores no basta, como podría pensar algún escritor inexperto, la buena voluntad; es necesario poseer los instrumentos expresivos, estilísticos que hacen posible dicha comunicación; es necesario, en suma, un oficio de escritor consistente, entre otras muchas cosas, en ser capaz de crear esa aura propia de todo buen cuento, esa atmósfera que nos envuelve con sus misteriosos tentáculos arrastrándonos hacia una experiencia nueva, intensa, vivificadora. Y, como dice Julio Cortázar, la única forma en que puede conseguirse este secuestro momentáneo del lector es

> mediante un estilo basado en la intensidad y en la tensión, un estilo en que los elementos formales y expresivos se ajusten, sin la menor concesión, a la índole del tema, le den su forma visual y auditiva más penetrante y original, lo vuelvan único, inolvidable, lo fijen para siempre en su tiempo y en su ambiente y en su sentido más primordial [1].

Intensidad, tensión, he aquí dos vocablos que es necesario retener, subrayar porque constituyen la clave del lenguaje cuentístico moderno; y es aquí también donde se produce precisamente el deslinde entre el buen y el mal cuento. Un cuento no es bueno o malo por desarrollar un buen o mal tema. Cualquier tema, por anodino que parezca, puede lograr la supremacía cuen-

---

[1] Julio Cortázar, *op. cit.,* pág. 145.

tística en manos de un buen escritor. De ello tenemos muestras más que suficientes en los anales del cuento literario. Pensemos en algunos relatos de Antón Chejov, Virginia Woolf, Henry James, Juan Rulfo, por ejemplo, cuyo éxito universal no depende de la importancia del tema —centrado casi siempre en hechos insignificantes de la vida cotidiana— sino precisamente de la forma a la que éstos han sido sometidos, y de la potenciación expresiva de su lenguaje.

El cuentista sabe muy bien que, al no tener por aliado el tiempo, tiene que trabajar en profundidad; por ello después de haber seleccionado cuidadosamente su tema lo va a someter a una forma expresiva capaz de transmitir todo su fermento, todos sus valores, prescindiendo de aquello que no sea necesario para la finalidad esencial; de ahí que en un cuento logrado todo sea importante, desde la primera frase hasta la última, y de que nada pueda ser eliminado o modificado sin provocar una mutilación profunda.

Ya dijimos que una de las propiedades más importantes del lenguaje cuentístico era su poder evocativo, su capacidad de sugerir mucho más de lo que expresa y esto es lo que explica que cuentos que no exceden las dos o tres páginas —«Continuidad de los parques» de J. Cortázar, «Mari Belcha» de Pío Baroja, «Cabeza rapada» de J. Fernández Santos, etc.— sean capaces de crear en nosotros tal impacto, tal cúmulo de sensaciones, a la vez que comunicarnos, con tan pocas palabras, tantas cosas sobre un hecho, una situación o un personaje. Y es que el lenguaje cuentístico es como la lava de un volcán que se desborda y se extiende sin poder prever a priori ni sus límites ni sus efectos.

En la primera parte de este trabajo decíamos también que en los buenos cuentos había un «antes» y un «después» que no estaban explicitados en lo que se narraba y que el lector tenía que reconstruir, «escribir», por su propia cuenta. Pero esto sólo es posible si el germen de ese «antes» y ese «después» están contenidos virtualmente en el cuento; es decir, el lector sólo será capaz de reconstruir esa parte del «puzzle» que falta si se le dan los medios necesarios para ello. Dicho de otro modo, el lector sólo podrá recrear lo que falta si el lenguaje del cuento es lo suficientemente sugestivo, evocativo para producir en su mente la dilatación imaginativa.

Pues bien, volviendo a nuestro escritor, estas cualidades las posee ampliamente el lenguaje que él utiliza y nada mejor que fijarse en esas introducciones lentas y suntuarias tan características de sus relatos para evidenciar lo dicho.

Algún lector poco avisado podría verse inclinado a calificarlas de digresivas a causa de su considerable extensión; nada más lejos de la verdad porque es aquí precisamente donde el escritor va a condensar con más fuerza la potenciación expresiva de sus vocablos, de las diferentes frases que utiliza con el fin de abrir de par en par la ventana de su imaginación y de crear, sin recurrir a la descripción directa, la atmósfera, el clímax propicio al desarrollo de los hechos que vendrán después. Hay que decir que I. Aldecoa posee una gran maestría en la consecución de ambientes. Su aptitud para meternos en un cuento como se entra en una casa, sintiendo los múltiples influjos de sus formas, olores, colores, sonidos, etc., nos hace pensar instintivamente en Poe, Chejov, Kipling, Kafka, etc., maestros consagrados en la consecución de clímax, de atmósferas. Es más, en la mayoría de sus cuentos el ambiente forma cuerpo con el suceso mismo y, a veces, se convierte en el suceso, como ocurre en cuentos como «...y aquí un poco de humo» o «Las piedras del páramo», por citar algún ejemplo, donde lo esencial no es el suceso, mínimo en los dos casos, sino el ambiente, el aura que los envuelve.

Las extensas y bellísimas introducciones de los relatos de Aldecoa son verdaderos estímulos que despiertan nuestros sentidos y nos transmiten sensaciones visuales, auditivas, olfativas, etc.; aprehenden, arrebatan nuestra atención y proyectan nuestra inteligencia y sensibilidad hacia algo que va mucho más allá de la realidad literaria en ellas contenida. Dichos cuadros introductorios hay que leerlos, pues, no tanto por lo que dicen como por lo que sugieren y, a menudo, observamos en ellos una coincidencia de lo externo y de los íntimo, lográndose así la potenciación simbólica que deja vía libre a la imaginación del lector.

En el cuento «Lluvia de domingo», por ejemplo, vemos que el sentimiento de melancolía y de tristeza que se apodera del niño Enrique, encerrado, recluido contra su voluntad, una tarde lluviosa de domingo, está en concomitancia con el paisaje gris y plomizo de la calle, cuya imagen va a acentuar aún más su aburrimiento.

Del mismo modo, la exaltación sexual que desasosiega a los enamorados del cuento «Balada del Manzanares» se corresponde con el ambiente mágico e inquietante generado conjuntamente por la luz de la luna y por la tormenta al anochecer.

La riqueza de sus símbolos, la multiplicidad de sus medios pictóricos, sus imágenes tienen tal fuerza que logran que el lector reproduzca de forma visual, auditiva, olfativa, etc., lo que lee.

Para reforzar todos estos efectos Aldecoa acumula en las aberturas de sus relatos multitud de detalles que acentúan, a la vez que completan, la atmósfera deseada. Veamos un ejemplo:

> Desde el interior, por el hueco de la puerta, lanzaron un cubo de agua sucia a la calle. (...). En el interior de la chabola, oscuridad; oscuridad cargada de modorra. Una mujer friega los platos metálicos en un cubo. Un hombre duerme, al fondo, tendido en el suelo, la cabeza invisible bajo un periódico abierto a doble plana. Medio cuerpo cubierto con una servilleta agujereada, medio sin tapujos, un chiquillo panzudo se mueve con torpeza de cachorro de un lado a otro. Se atusa el pelo la mujer con el dorso de la mano, hinchada y roja, que saca del agua, grasa, ocre, espumeante. Vuelve la cabeza hacia el cajón sobre el que blanquea un trapo, alegran flores en un bote y pica el tiempo un reloj despertador (I, 277-78).

Observamos que esta introducción está compuesta de escenas independientes y que todas ellas tienden a ofrecernos una imagen plástica del ambiente mísero y desolador en el que viven los protagonistas. Aldecoa no se limita a «contar» sino que nos «muestra» las escenas; de ahí el carácter de acotación, en un sentido próximo al teatral, que adquieren sus concisas descripciones [2]. De este modo los cuadros introductorios de sus re-

---

[2] Dicha característica es puesta magistralmente de relieve en la entrada del cuento «Un buitre ha hecho su nido en el café», cita que no reproducimos por haber sido utilizada ya al analizar con detalle el cuento.

latos se gravan de forma indeleble en la mente del lector proporcionándole la atmósfera propicia al desarrollo de la trama pero, sobre todo, debido a su considerable extensión, captan con mayor fuerza su interés predisponiéndole emotivamente para lo que vendrá después.

Otra característica muy importante de estos cuadros introductorios es la lentitud, la morosidad que contribuye sin duda a estrechar cada vez más la red en la que se ve envuelto paulatinamente el lector. Ahora bien ¿de qué medios se sirve Aldecoa para conseguirla? Lo primero que salta a la vista es ese enhebramiento de frases nominales, sin verbo, sin marca de tiempo ni acción; o de frases en presente de indicativo que detienen igualmente la acción predicativa, subrayando la inmovilidad, el estatismo. Dicha paralización se acentúa, por otra parte, mediante el engarzamiento de frases cortas, estructuradas la mayoría de las veces según un modelo uniforme, sin nexo de unión entre ellas, resaltándose así cada uno de los enunciados parciales que se suceden y remansándose el ritmo de la narración [3]. Así por ejemplo, el relato «Balada del Manzanares» se abre con un pasaje descriptivo en el que no aparece ni un solo verbo en forma personal:

> Del oeste al sur, largas agujas de nubes de dulzón color corinto. Del oeste al norte, el templado azul del atardecer. Al este las facha-

[3] «La cenicienta luz de la mañana enturbia, emborrona el paisaje. El tren de mercancías, con un último vagón de viajeros, recorre los campos lenta, ceremoniosamente. En una ventanilla el rostro de un hombre sufre los cambios, la perplejidad de lo desconocido... Tierra desconocida para sus ojos; aire no respirado jamás. El hombre baja el cristal con tiritantes gotas de condensación. Respira la mezcla de humo de la locomotora y del aire frío, duro, metálico del campo. Está respirando tristeza y libertad.

La estación es como un vagón de tercera clase de las líneas perdidas, de los trenes formados de corrales para hombres. El tren ha frenado su marcha. Escapan los chorros de vapor de la máquina. Luego la locomotora se desinfla en un soplo largo. Soplo final del que queda como un hilo de silbido, apagado y constante; que abolla, hunde e inutiliza su caparazón de coleóptero enorme. El hombre salta del vagón. Por la ventanilla abierta le alcanzan la maleta de madera...» (Entrada del cuento «El corazón y otros frutos amargos»).

> das pálidas, los cavernosos espacios, la fosfórica negrura de la tormenta y de la noche avanzando.
> Alta, lejana, como una blanca playa, la media luna (I, 218).

Al leer estas páginas nos imaginamos en una sala cinematográfica, viendo desfilar ante nuestros ojos bellísimas imágenes que se inmovilizan en la pantalla durante un breve fragmento de tiempo pero suficiente para desencadenar en nosotros multitud de asociaciones.

Mas hay que decir que la utilización de estas frases nominales, sin verbo, adquiere en ciertos momentos climáticos —no coincidentes necesariamente con las introducciones— un hondo dramatismo en sus relatos. La acción se detiene y los sucesos quedan fijados de una manera plástica, como si los estuviéramos contemplando en un retablo pictórico. Así, la juerga del colmado castizo, descrita en «Caballo de pica», se graba con fuego en la mente del lector mediante un enhebramiento de frases nominales: «*Botellas vacías. Noche alta.* De vez en vez, alguno salía un rato; volvía pálido y pasándose el pañuelo por los labios. *Calor y humo. Alegrías de Cádiz. Fuentes con jamón. Más botellas*». A medida que la noche avanza, los actos de los juerguistas se repiten con pocas variantes: «*Nuevas botellas. Botellas con trozos de jamón*». Hasta que, completamente borrachos, deciden por divertirse, jugarle una mala pasada al ex-torero Pepe el Trepa poniéndole un embudo en la boca para obligarle a beber. Y cuando éste cae muerto, por haberse extralimitado los juerguistas en la broma, son suficientes tres vocablos para plasmar la trágica reacción de los concurrentes: «Cayó al suelo. La manzanilla dorada se confundía con la sangre del Trepa. *Silencio.* Algo como un ruido de fuelle. *Asombro y miedo*» (I, 123-24).

Es evidente que Aldecoa agudiza aquí la tirantez de la escena valiéndose del silencio, que introduce ecos, matices especiales al inmovilizar casi totalmente la acción. Estos silencios tan elocuentes y tan gratos a nuestro escritor expresan contenidos mucho más hondos que las palabras, agrandan las cosas y los sentimientos pesando extrañamente en esa calma inundada en este caso concreto por el espanto. Del mismo modo, el dolor angustiante que ahoga a los dos viejos esposos del cuento «La despedida», al tener que separarse por primera vez en su vida sin tener la certeza de volverse a reunir de nuevo, alcanza su máxima expresión a través del silencio que los paraliza impidiéndoles articular una sola palabra de cariño o de consuelo; y se refuerza mediante la vuelta brusca a la movilidad, manifestada a través de varios verbos que reproducen miméticamente el estallido que se produce en el interior de sus almas:

> Se miraron en *silencio.* La mujer se cubrió el rostro con las manos. Pitó la locomotora. Sonó la campana de la estación. El ruido de los frenos al aflojarse pareció extender el tren, desperezarlo antes de emprender la marcha (I, 417).

El eco de estas frases aparece en un primer plano y tras él se advierte la necesidad intrínseca de un corte de la acción, de un éxtasis momentáneo que acapare y concentre todo el interés del lector. Los ejemplos podrían acumularse casi indefinidamente pero sólo queremos resaltar la importancia de dicho recurso en la cuentística de I. Aldecoa, y señalar que otros elementos se unen a los citados para remansar el ritmo de la narración, como la acumulación de adjetivos —dispuestos con frecuencia en estructuras ternarias—, de adverbios, de sustantivos más o menos sinónimos, de comparaciones y de reiteraciones que retardan igualmente la expresión. Múltiples procedimientos se combinan, pues, para lograr el «dinamismo negativo», retardatario, tan elocuente y característico del lenguaje descriptivo de nuestro autor. De todo lo dicho hasta aquí se infiere que Aldecoa es un escritor que a la hora de elaborar sus cuentos no deja ni un solo elemento al azar porque es muy consciente de que cada detalle del entramado posee su propia importancia pero, por encima de todo, cuida el lenguaje seleccionando las palabras susceptibles de dilatar al máximo nuestra imaginación haciéndonos así partícipes de las mismas o de similares sensaciones que experimentan sus personajes.

Y a propósito de sensaciones hay que decir que, contrariamente a los modernistas, para quienes las formas, los colores, los sonidos estaban destinados a producir un mundo brillante y musical que se agotaba en sí mismo, en Aldecoa toda sensación genera un sistema simbólico que tiende a trascenderla; es decir, lo que interesa principalmente al escritor vasco es añadir una nueva dimensión a lo narrado proyectando el tema y a los personajes más allá de lo literal. Pensamos que, dada la importancia que el tratamiento artístico de las sensaciones posee en sus relatos, un estudio más pormenorizado de éstas no sólo se justifica sino que puede reforzar los criterios anteriormente expuestos.

Sensaciones visuales. — Las descripciones aldecoanas son siempre sugestivas y coloristas, no sólo en lo que respecta a los personajes —descritos casi siempre de golpe, con breves trazos sabiamente buscados y fuertemente visuales [4]— sino particularmente en los paisajes. En su obra hallamos descripciones en las que todo color será precisado hasta su más insignificante matiz, y al ser la gama básica de los colores admitida en nuestra lengua más bien pobre, nuestro escritor acude ciertas veces a asociaciones inusuales para enriquecerla. Nos da siempre sutilísimos matices conseguidos mediante la asociación con algún objeto o sustancia conocidos por todos, y sus tonalidades son de especial finura cuando describe los colores del cielo, de las nubes y del campo: «El cielo estaba del color de las uvas que tenía en un cesto el frutero de junto al bar. El sol tenía barbas por el sureste. Las uvas tenían avispas. Las rayas amarillas del sol entre las nubes» (I, 52). «Está amaneciendo. El cielo a medida que el sol crece, cambia sus tonos: azul grisáceo, azul blanco de pescado marino, azul con reflejos dorados en las nubecillas que, en rebaño, amodorradas, marchan de oriente a occidente» (II, 251).

[4] «Don Francisco José es alto, orejudo, afilado de cara. Tiene algo de esquina. Viste de negro tirando a verde, como del color de las aceitunas a punto de madurar. El poco pelo que le queda le hace un remolino, de un blanco grisáceo de cal mojada, sobre la frente en martillo» (I, 204). «Roque y «Cartucho» no son como amo y perro, son casi como hermanos. Se parecen. Roque es pardo, feo, sin edad. Roque tiene una mirada perruna, triste... Pocas barbas, largas y canas. Y un catarro de moquillo. «Cartucho» es de un color de podredumbre frutal. Tiene unos ojos pitañosos, bobos, temerosos. El pelo híspido en el cuello. Los dientecillos ratoneros» (I, 390).

Los crepúsculos no encierran menos encanto y embriaguez de colores:

> Le sorprendió el sol ocultándose y recortando una nubecilla de color latón, al principio; rojo de teja, después; cárdeno, más tarde, cuando la inundación de sombras iba subiendo de nivel en el paisaje (I, 284).

Pero la cosa no se detiene aquí dado que, llevado de su fértil imaginación, Aldecoa adopta para las descripciones cromáticas del campo todo un baremo tomado de los metales o de las piedras preciosas:

> El campo, segado, podía ser medido en su color por quilates. Veinticuatro en las cercanías de la carretera, dieciocho más lejos, catorce a dos carreras de liebre. Y en la lejanía ya no era oro, era latón de un pálido amarillo (I, 71).

En otras ocasiones nos transmite la sensación cromática por medio de la unión de los nombres de varios de ellos:

> El cielo azul apresaba en su campana la ciudad blanca, el agua negra-azul-verde-negra y el relámpago dorado, a veces violeta, de los mondos montes, cicatrizados de torrenteras (I, 425).

La composición o la simple colocación de dos colores, uno al lado del otro, contribuye a la matización de sensaciones cromáticas de carácter impresionista que nos recuerdan los semitonos empleados por Azorín o por Juan Ramón Jiménez: «verdiazulado» (I, 242), «verdinegro» (II, 227), «cielo azul gris» (I, 129), «cielo azul negro» (II, 62), «el crepúsculo era azul gris verde» (II, 61). Son especialmente bellos los matices que adquieren, a través de la adjetivación, los colores verde y blanco: «verde hortícola» (II, 263), «verde submarino» (I, 284), «verde acuoso» (II, 275); «blancor esclerótico» (I, 181), «blanco color, apagado, claustral, incitante» (I, 428). Pero mucho más insólitos son los efectos plásticos que el escritor utiliza para describir el frío que se solidifica tintándose de colorido:

> Los dos hombres se paseaban desafiando el frío (...). Frío de noviembre, frío de color negro humo, como el de octubre gris y el de

> finales de septiembre tinto; frío volteado por el arado, como el de diciembre asfáltico y el de enero tuno (II, 157).

La calentura, por su parte, también «madura en colores: amarillo, naranja, rusiente, blanco» (II, 59).

Estas descripciones impresionistas llenas de plasticidad y de colorido afinan y excitan considerablemente nuestros sentidos haciéndonos gozar de la fruición estética que se desprende de la simple lectura pero, ante todo, predisponiéndonos para captar en toda su plenitud lo que sucede en el relato, pues no hay que olvidar que a menudo estas descripciones se estructuran, dentro del tono general del cuento, en concordancia con el sentir de los personajes, según vimos al analizar ciertos cuentos, entre ellos «Para los restos», donde el paisaje que contempla Don Francisco José desde el balcón de su cuarto, paisaje impregnado de tonos violentos —«la avena mala, los cardos, las amapolas», «las viñas de uva negra» que «sangran en el recorte de las lejanas montañas»—, armoniza perfectamente con el estado atormentado de su alma.

Otro bellísimo ejemplo de esta técnica la encontramos en el cuento «La vida de Sebastián Zafra» protagonizado por uno de esos personajes, tan cerca de los afectos de Aldecoa, que viven a salto de mata en plena naturaleza, tomando sus mismos tonos cromáticos, vivos o apagados según las estaciones, fundiéndose, anegándose con ella. He aquí un ejemplo del despertar unánime de la naturaleza y del niño:

> Con el Martín pescador recorriendo, investigando, reconociendo el río, el primer chaparrón de la primavera hizo nacer el arco iris. Con el Martín pescador revoloteando sobre el agua ocre, violenta y arremolinada de los deshielos en las montañas, la orilla tornó su verde apagado y triste del invierno por un verde vivo y hortícola. Al humilde Sebastián Zafra le ocurría lo que al Martín pescador, al arco iris, a la tierra y al río: recorría, investigaba, reconocía, sentía un chaparrón de alegría y un arco de colores en el pecho, titubeaba como el agua de los regatos, (...) y había cambiado el tono apagado y triste del verde de sus ojos por un verde nuevo y afilado (II, 263).

Echando mano de estas descripciones visuales hondamente efectistas consigue Aldecoa despertar ciertos resortes, acaso adormecidos en algún rincón de nuestra conciencia, y poner en marcha todo un mecanismo de asociaciones inusitadas y de alcance imprevisible.

Sensaciones lumínicas. — La importancia que Aldecoa concede a la luz y particularmente a los efectos de luz y sombra —no hay que olvidar que el vocablo «lucisombra» es uno de sus neologismos— es preponderante. Estos efectos generan, a menudo, en su obra una atmósfera misteriosa y mágica; pero es en los anocheceres cuando la luz teñida de sombras se vuelve más zozobrante, ya que la noche permite una serie de efectos luminosos que adquieren mayor relieve al emerger de la oscuridad:

> Llegaba la noche, que era como una iglesia sin luces, donde no se hablaba más que en voz baja (I, 94).
>
> La luz cenital de Santiago era una mugiente colada de alto horno, fluyendo por el laberinto de callejas, sobrándose en los umbrales de las casas. En las horas siguientes, tras de repuntar la anegación, irían creciendo hacia la noche sombras cárdenas, melancólicas escorias (I, 379).
>
> Se asomó al balcón. Los patizuelos y las corralizas de las casas ya eran nocturnos pozos. El enjalbegado de las fachadas tomaba color de hiel (I, 139).

El oscurecimiento creciente que se produce en la ciudad, en el ejemplo último, guarda un estrecho paralelismo con el sentimiento de soledad y de negrura abismática que se apodera brutalmente del alcalde, viudo reciente, al tener que «penetrar en el vacío de su casa» una vez terminada la aburrida jornada laboral. El narrador se vale aquí de imágenes basadas en el mayor o menor grado de intensidad de la luz para comunicarnos una vez más el proceso anímico del personaje. Proceso que llegará a la cima de la desolación cuando la villa «enlucida por la luna» proyecta «soledad» y «blancura de panteón». Soledad y desolación como las que anidan en su alma.

Hemos observado que las referencias a la luz de la luna son muy numerosas en sus cuentos y que ésta adquiere con frecuencia connotaciones románticas de temor contribuyendo a crear una atmósfera especial, propicia al desarrollo de determinados sucesos. En efecto, es la luz de la luna la que despierta deseos exaltados en los enamorados acarreando las más de las veces consecuencias amargas y prematuras responsabilidades:

> Subieron la cuesta del pueblo y se perdieron en el monte. Las estrellas surgían de golpe de las entrañas del cielo (...). Eran colmenas de las primeras noches de otoño con sus dulces, melancólicos, rumores. (...). Cuando Virtudes y Sebastián bajaban del monte, una luna grande y roja surgía tras ellos. Al cruzar el pueblo vieron la luz en la casa del cura (II, 276).

El escritor no nos dice lo que sucede durante el paseo, le basta con sugerirlo. El poder evocativo que posee la última frase sobrepasa en mucho su modesta labor enunciadora, haciéndonos comprender mucho más de lo que realmente dice.

Pero la luz de la luna puede, y de hecho así ocurre en algunos relatos, generar un temor casi atávico en los personajes, temor que se acrece espectralmente con la noche despertando fantasmales pensamientos premonitorios de desgracias: «En Pancorbo salió la luna al cielo claro y las peñas se ensangrentaron de su luz de planeta. Una luna que constituía tintados escenarios para la catástrofe» (I, 79-80). Catástrofe que de hecho sobrevendrá en la narración, pero cuyo impacto en el lector es proporcionalmente menor al causado por la tensión que la precede, tensión magistralmente conseguida a lo largo de todo el relato.

También la luz artificial matiza situaciones y ambientes desempeñando a veces un papel similar al que ejerce en el teatro: «Las bombillas están en máquinas, en ranchos y en el puente. También en la cubierta, haciendo de ésta una calleja, un rumbo de pandilla en busca de taberna, un silencioso y solitario pasaje para un humilde trato de amor, para una necesidad, para un recuento de mendigo» (I, 66). Pero es en los últimos cuentos donde el juego de luces y de sombras se intensifica al máximo convirtiéndose en uno de los principales motores de la distorsión de escenarios y personajes: «Las luces de colores corrían como serpientes por la sala, enmascarándolo todo, obsesionándolo todo»

(I, 378). También la luz que se filtra a través de los cristales de un viejo local —escenario del cuento «Un buitre ha hecho su nido en el café»— termina adquiriendo la consistencia de frutos luminosos y podridos introduciéndonos en un mundo irreal de pesadilla envolvente:

> Las cristaleras del café siempre estaban sucias y la luz de la Glorieta, *agria* y *escenográfica*, se filtraba a través de ella con matices de recuelo (...). El egiptano gato del café, (...) entreveraba el ojo con los párpados caídos combinando *luces disparadas, machacadas* y *zumosas* (II, 100).

Sensaciones auditivas. — En un escritor como Aldecoa, tan sensual y sensitivo, no podían faltar las referencias a los sonidos de toda índole, máxime si pensamos que el ambiente, como ya dijimos, adquiere carta de naturaleza en sus cuentos y que su consecución depende en buena medida de la capacidad del escritor para reproducir los sonidos que lo caracterizan.

Las descripciones relativas a los rumores del agua —bajo sus más variadas formas: lluvia, río, mar, etc.—, del viento, de los árboles, pájaros, insectos y todo tipo de animales además de ser numerosísimas son de una belleza incomparable, belleza que él resalta echando mano de vocablos y de frases enteras de un elevado valor acústico, fonético, como veremos con más detalle al hablar de las cualidades rítmicas de su lenguaje. Pero anticipemos ya un ejemplo:

> El andarríos volaba rascando el juncal. Daba su grito: «Ui-er, ui-er, ui-er» (...). Golpeaba el río en los pilares; sonaban sus golpes como una sucesión de palmadas. Glogueaban los remolinos, y en las tollas, donde se fijaba la espuma, el quebrado son del roce de los palos y las ramas arrastradas era vencido por el veloz rumor de la corriente. Lejano ya el grito del andarríos, siseantes las hojas de los árboles, movidas por el vientecillo de la amanecida, la luz, filtrándose a través de las nubes ovilladas, blancas y sucias, también daba en el amanecer su sonido. Un sonido metálico que invadía el campo y lo hacía chirriar (I, 39).

Si bien uno no puede permanecer insensible ante tal derroche de sensualidad y belleza, no obstante hay que resaltar —y ello viene a confirmar lo que intentamos demostrar desde el inicio de nuestro estudio— que lo más importante de estas descripciones es, una vez más, la correlación existente entre el estado de ánimo de los personajes y los sonidos, ya sean gratos o insoportables, que envuelven e inundan su espacio vital [5]; así «el ruido como de limadura en hierro» que produce el canto de la urraca en el cuento «La urraca cruza la carretera» posee una evidente similitud con el grito ahogado de rebeldía que se produce en el interior de los obreros de Obras Públicas al sentirse víctimas de la injusticia social. De forma similar la «náusea espantosa» que «invade» a don Francisco José, personaje central del cuento «Para los restos», al tener que soportar una vez más las atroces calumnias que su hermana «ha empollado» en el ya típico «aquelarre dominguero», adquiere su correspondencia perfecta en el estallido que se produce en la naturaleza:

> En el campo, los grillos afilan la noche. El sapo, en la acequia seca, hincha los papos de trombón mayor. Se oye el claxon de un automóvil fantasma. Se derrumba como una piedra por un terraplén el primer trueno (I, 206).

Por su parte, el sonido de las sirenas de las fábricas «levantándose al cielo puro, transparente del mediodía» anuncia a los ciudadanos del cuento «Hasta que llegan las doce» el final de una mañana laboral, pero para Antonia Puerto y sus hijos esa sirena es el eco de su dolor desgarrado ante la noticia de la pérdida del marido y del padre en el accidente que acaba de producirse en una de esas fábricas.

Aunque hay que reconocer que este tipo de sonidos agudos, estridentes, insoportables a veces, no sólo para los personajes sino también para los lectores, son muy frecuentes en su obra —cosa poco sorprendente dada la elección de sus temas—, no obstante en algunos relatos, ubicados preferentemente en el campo, agrupa los más gratos sonidos para transmitirnos la vida apacible de sus moradores:

[5] El ejemplo arriba aducido tampoco está exento de dicha finalidad.

> El campo se extiende luminoso, cegador, en el juego de humedad y de luz. Los pájaros de la mañana van en bandadas desde los trigales inmaduros a los cables de las líneas telefónicas, en los bordes de la carretera; desde los arbustos del río a los lejanos chopos, con altos en el vuelo llenos de píos por los tejados de las casas del pueblo.
>
> La campana de la iglesia, que anuncia las doce, suena rápida y pascual. Es una campana llena de alegría, nerviosa de son agudo (I, 268).

El sonido en los cuentos de Aldecoa cumple un papel muy similar al de la música en el cine y de la misma forma que ésta, por medio de sus tonos suaves o estridentes, es capaz de predisponernos emotivamente para la llegada de una escena grata y apacible o, por el contrario, brutal e inquietante, así también los sonidos que Aldecoa introduce en sus relatos hacen vibrar nuestras fibras más sensibles haciéndonos vivir la tensión de una escena, el paroxismo de ciertas situaciones, la serenidad implacable de otras, etc., etc.

Sensaciones olfativas. — Cuántas veces, al pasearnos por algún lugar totalmente desconocido, un olor agradable o desagradable llega hasta nuestro olfato desencadenando, de manera casi imperceptible, multitud de sensaciones, de recuerdos relacionados con nuestra vida pasada, con nuestra más tierna infancia incluso; y es que el olfato es uno de esos sentidos cuya facultad de potenciación no es nada despreciable como muy bien sabía Aldecoa; por ello sus cuentos están preñados de olores, de aromas que, en ocasiones, casi se mastican:

> El cuarto olía a cañería de desagüe (...) El cuarto olía a pared mohosa y a toalla siempre empapada y sucia (II, 26).
>
> El café olía a gas y a violetas (I, 314).
>
> El barrio de la cal es blanco y negro. Huele a sacristía de iglesia aldeana y a perro muerto (I, 224).
>
> El campo de los alrededores de la ciudad huele a leche agria (I, 203).

Observamos que en su afán de reforzar la expresividad del lenguaje, no se contenta con matizar el olor mediante la adjetivación sino que recurre a la asociación con objetos, puntualizados a su vez por adjetivos extremadamente sugerentes. Con frecuencia la acumulación de diversos olores produce uno nuevo, amalgama de todos ellos, que resulta especialmente fétido acentuando el ambiente de miseria y de abandono en el que viven ciertos personajes de sus relatos: «En la chabola huele a brea, a recocido de ranchada, a un olor animal, violento de suciedad y miseria» (I, 279). Aldecoa no se limita a describir el interior de la chabola, nos introduce en ella y nos hace percibir sus relieves, sus formas, sus colores, sintiendo, casi paladeando, los olores que pueblan su interior. Las sensaciones terminan confundiéndose, traspasando así las fronteras de los sentidos corporales e invadiendo una zona más trascendente y misteriosa.

Mas donde Aldecoa despliega todas sus facultades de escritor es al describir los olores del campo, no dudando en aplicarles adjetivos de connotación espiritual: «Los olivos tintan el campo de sombras. Hay un *aroma honrado* de cereales, de cardos, de hierba seca» (I, 23). Y son los seres que gozan de su mayor estima los que aparecen impregnados de los sabrosos y excitantes aromas campestres: «La abuela olía a campo y algunos vestidos de la abuela crujían como la paja en los pajares» (I, 285). Amante incondicional de la naturaleza, es particularmente sensible a sus más insignificantes mutaciones; por ello puede transmitirnos con tal fuerza los cambios que se producen en la tierra y en el aire los días tormentosos y, consecuentemente, las modificaciones que éstos operan en el comportamiento de los humanos y de los animales [6]. En sus relatos la tormenta intensifica los olores, agravando el malestar que de por sí ya sienten los personajes:

> La tarde estaba pesada y tormentosa. Olía a cloacas. Olía a humos de locomotoras. La gente que callejeaba olía un poco a sudor, un po-

[6] «Deben ser las siete de la tarde. Por el horizonte adelanta su negro testuz el toro de la tormenta. Se agitan las hojas de los árboles en un afán de huida a impulsos de un aire cocido en el horno de la llanada. En el río alborotan las ranas. Chal está inquieto. Los gatos se han refugiado en el chamizo. (...) Los redondos ruidos de la tronada retumban lejanos. Se desenrolla la alfombra de las sombras, suave, mullidamente. Y de pronto todo es oscuridad. Chal abre sus fauces negras y ladra. Volando en flecha buscan amparo dos urracas en las copas de los árboles. Empieza a llover» (II, 245).

> co a ropas que han tomado el soso olor de la cal en armarios enjalbegados y sombríos como despensas; olía a campesino puesto de domingo en la ciudad (...). Olía a hospital. No olía a hospital pero Paco tenía la sensación de que caminaba por un pasillo de hospital («Young Sánchez»).

Estos olores vienen a incrementar la sensación de temor y de náusea que siente el joven boxeador Young Sánchez, lejos de los suyos, en una ciudad ajena, antes de su primer combate de profesional, y la alusión al hospital deja en suspenso, como la espada de Damocles, la posibilidad de un final fatal. Una vez más vemos que lo que se propone nuestro escritor no es tanto la reproducción gratuita de sensaciones olfativas como la coincidencia de lo externo y de lo íntimo, y que en sus cuentos todo responde a una intencionalidad precisa, deliberada.

Sensaciones táctiles. — Aun cuando su número sea muy inferior al de las visuales o al de las auditivas, no faltan en la cuentística de I. Aldecoa las sensaciones táctiles de todo tipo, pero hay que señalar que las más intensas son sin lugar a dudas las producidas por los diferentes vientos a los que sus personajes suelen temer supersticiosamente por atribuirles poderes maléficos. Sólo el hecho de pensar en su contacto les llena de desasosiego, de desconfianza y aun de espanto:

> Carmen hubiera querido abrir el balcón de par en par, pero tuvo miedo al *viento norte de abril*, un viento como una vieja costumbre: el viento de abril era viento de enfermedades y recordaba cataplasmas de la infancia y lucisombras transeúntes por el techo de su alcaba (I, 181).

Más pernicioso aún es el contacto con *el viento solano*, «mareante, que ruboriza las mejillas y dicen que apresura estados críticos femeninos» (I, 203). O con *el viento pardo:*

> Cuando a un segador le da el aire pardo que mata el cereal y quema la hierba —aire que viene de lejos, lento y a rastras, mefítico como el de las alcantarillas—, el segador se embadurna de miel (I, 26).
>
> Un *viento cabestrero* empujaba la mies, derrotada en la polvada del camino, levantando tolvaneras, y conducía al hedor dulcecillo de la tenería hasta el portal de la ciudad (I, 111).

Otros vientos pueblan y dan vida a sus novelas: «*El viento regañón* es un buen mozo, con mala uva dentro, pero buen mozo», dice un campesino en la novela *Con el viento solano* (p. 232). «Por aquí decimos que el *viento serrano*, buena cosecha y buen verano; que el solano, quema la mies y la mano; que el regañón, regaña y le hace el son» (Cvs. 232).

La sorprendente variedad de vientos nos descubre a un escritor profundo conocedor de la naturaleza y de la sabiduría popular, base originaria de los diversos apelativos que reciben los vientos que él recoge en su obra. Casi todos pesan como una condena sobre el hombre y su entorno, erigiéndose en símbolo del dolor humano y de las penalidades de la vida.

Para concluir nuestro estudio sobre el tratamiento artístico de las sensaciones en la cuentística de I. Aldecoa —estudio sin ninguna pretensión de exhaustividad, porque somos muy conscientes de que ello requeriría un estudio monográfico— queremos insistir en la profunda evolución que se opera en este terreno dentro de su obra cuentística. Observamos que de la contemplación y descripción estética, incluso idealizante algunas veces, del paisaje de sus primeros cuentos, se pasa a la contorsión valle-inclanesca, al abrumador predominio de lo irónico o grotesco y a la contemplación de imágenes deformadas por el espejo cóncavo. Podría decirse incluso que Aldecoa va más allá que el escritor gallego en la utilización de los contrastes, al hallar, al final de su carrera de escritor, un nuevo objeto deformador: el caleidoscopio, tubo ennegrecido interiormente, que encierra dos o tres espejos inclinados y que distorsiona aún más la realidad. Mas si la influencia del maestro del esperpento aparece relativamente pronto en nuestro escritor —«Los bisoñés de don Ramón», publicado por primera vez en 1951, es un cuento marcadamente esperpéntico—, no se revelará con toda su fuerza hasta su último libro de relatos: *Los pájaros de Baden-Baden.*

Ya vimos al estudiar este libro que el interés del escritor se centraba particularmente en la presentación de ciertos personajes de la clase media acomodada, mezquinos e indiferentes al sufrimiento de los otros —clase cada vez más numerosa en las nuevas coordenadas españolas de los años sesenta— y de la burguesía, así como de sus instituciones carentes de vida y plagadas de convencionalismos; por ello no nos sorprende que Aldecoa deforme deliberadamente el marco en el que viven para transmitirnos, de forma sutil e indirecta, el desprecio que estos seres le inspiran. Lo cierto es que ni los paisajes más bellos se resisten a este nuevo tratamiento y la prueba la tenemos en el cuento «Ave del Paraíso», donde Ibiza, ciudad de luz y de belleza incomparables en la realidad, por efecto de esta técnica, se transforma en un lugar fúnebre, con olor a cloaca y sonidos chirriantes:

> La ciudad tenía un *sudario* de casas enjalbegadas con el cíngulo de las ocres murallas, (...). *Olía dulcemente a cloaca y a entrañas de pescado*, la tatarabuela de las ratas del pueblo se rascaba su vientre despeluchado con su pata momificada meditando la estrategia de la «razzia» (...). Meaba el perro el pedestal de la estatua del héroe (II, 330-31).

En uno de los cuentos póstumos —«Amadís»— el descoyuntamiento de imágenes y de formas logrado por Aldecoa supera cualquier distorsión del maestro del esperpento. Así, en «La gruta psicodélica», una de sus secuencias que reproduce el mundo de las discotecas modernas, las imágenes, por efecto de «la luz cambiante y rotadora» y de los diferentes caleidoscopios instalados en el lugar, se mezclan, se superponen, se desarticulan para terminar desapareciendo:

> El mostrador estaba bien abastecido de *caleidoscopios* y la cristalera, tras los anaqueles de las botellas, fulgía cruórica, clorofílica, cítrica. *Una luz cambiante y rotadora llevaba y traía las sombras por los rincones. Los rostros de la clientela se enmascaraban diabólicos, cadavéricos, místicos* (...). Las chirimías y las guitarras electrónicas zumbaban en la melopea. (...) Uno de los jinetes se llevó el cercano caleidoscopio al ojo derecho y lentamente (...) fue componiendo simétricas vidrieras de inmediata destrucción, hasta que se cansó (II, 372).

Para el escritor, penetrar en una discoteca moderna, de las que pululaban en la Ibiza incipientemente turística que él conoció, era como descender a los infiernos —«El caballero desciende a los infiernos» es otro de los capítulos del relato—, lo que le lleva a comparar los procedimientos de aturdimiento que aquéllas utilizan con los empleados por la Gestapo:

> En invierno no funcionaba el aire acondicionado aunque era necesario, y un tufo, acre, espeso, tibio, de establo humano azotó el delicado olfato del caballero (...). En el salón los derviches formaban un solo y total monstruo, uniformemente acelerado, multitudinariamente copulativo (...) ciegamente rítmico como una estampida (II, 378).

Ningún escritor nos ha ofrecido la visión de un club de manera tan plástica y tan preñada de sensaciones. Las imágenes son tan evocadoras que a través de la simple lectura, sin haber penetrado nunca en dichos recintos, podemos sentir, oler, ver, palpar, gustar... lo que en ellos sucede.

En resumen, podemos afirmar que I. Aldecoa, al utilizar las sensaciones, no sólo busca la belleza del lenguaje, objetivo sobradamente conseguido en su caso, sino particularmente su eficacia ahondando en su sentido último y logrando con ello la potenciación simbólica del contenido de sus cuentos. Esa maestría que posee de sugerir por alusión, sin contar directamente, proporciona a sus relatos, además de la pluralidad de sentidos, unas resonancias que son propias del poema.

Si admitimos, como hace J. Cortázar que la génesis de ciertos relatos es la misma que la de la poesía [7], no puede sorprendernos que el lenguaje del cuento en general presente cualidades propias del poema y mucho menos en el caso concreto de los de Aldecoa dado que, como ya se dijo, él inició su carrera de escritor en el ámbito de la poesía. Y aunque es cierto que, al enjuiciar su estilo, todos los críticos coinciden en opinar que

---

[7] «No hay diferencia genética entre este tipo de cuentos (los que transmiten «latencias de una psiquis profunda») y la poesía como la entendemos a partir de Baudelaire. Pero si el acto poético me parece una suerte de magia de segundo grado, tentativa de posesión ontológica y no ya física como en la magia propiamente dicha, el cuento no tiene intenciones esenciales, no indaga ni transmite un conocimiento o un «mensaje». El génesis del cuento y del poema es sin embargo el mismo, nace de un repentino extrañamiento, de un «desplazarse» que altera el régimen «normal» de la conciencia» («Del cuento breve y sus alrededores», en *La casilla de los Morelli,* pág. 113).

su lenguaje es eminentemente lírico [8], en realidad, son pocos los estudiosos que han tratado de demostrar en qué consiste ese lirismo y cuáles son los recursos estilísticos que lo generan. Únicamente Charles Carlisle ha dedicado una obra [9] al análisis de tres estructuras líricas existentes en la narrativa aldecoana, centrando su estudio en las cuatro novelas del escritor. Dichas estructuras —que él denomina letanía, catálogo y «vers manqué»— aparecen análogamente en sus relatos, como veremos. Sin embargo hay otros recursos en su obra que, o no han sido estudiados, o lo han sido sólo de pasada, sin dejar por ello de ser dignos de un análisis más detallado.

---

[8] Dice Lasagabaster: «Sin duda, una de las más claras unanimidades de los críticos que se han ocupado, total o parcialmente, de la obra narrativa de Aldecoa, es la manifestada sobre el esmerado cuidado que nuestro escritor presta a los problemas de la expresión y su dominio excepcional de los recursos estilísticos. Esta perfección formal de la prosa aldecoana resalta aún más si se la contempla en un contexto literario en que la urgencia de una literatura comprometida y crítica y un didactismo muchas veces mal entendido hace a muchos escritores desplazar a un lugar secundario, cuando no menospreciar explícitamente, los problemas de la forma literaria y un trabajo concienzudo sobre la expresión» (*op. cit.*, pág. 382).

Parecidas opiniones sobre el estilo de Aldecoa, aparecen en los siguientes estudios:

Ricardo Senabre, «La obra narrativa de Ignacio Aldecoa», en *Papeles de Son Armadans,* CLXVI, 1978, pág. 22.

Gaspar Gómez de la Serna, *op. cit.*, pág. 192.

Gonzalo Sobejano, «Sobre el arte descriptivo de Ignacio Aldecoa: Con el viento solano», en Varios, *Ignacio Aldecoa,* University of Wyoming, pág. 26.

Ibidem, *Novela española de nuestro tiempo,* Madrid, Prensa Española, 1975, pág. 386.

Drosoula Lytra, *Soledad y convivencia en la obra de Aldecoa,* Madrid, Fundación Universitaria Española, 1979, pág. 160.

Ramón de Garciasol, «Vísperas del silencio», en *Ínsula,* núm. 115, julio 1955, pág. 6.

José Ramón Marra López, «Ignacio Aldecoa: 'El corazón y otros frutos amargos'», en *Ínsula,* núm. 156, noviembre, 1959, pág. 6.

Manuel García Viñó, *Ignacio Aldecoa,* Madrid, EPESA, 1972, pág. 164.

Mariano Tudela, «Reflexión ante dos libros de narraciones», en *Cuadernos Hispanoamericanos,* núm. 70, 1955, pág. 116.

José Domingo, «Santa Olaja de acero y otras historias», en *Ínsula,* núm. 267, febrero, 1969, pág. 5.

[9] Charles Carlisle, *op. cit.* (Ver bibliografía).

Estilista nato, Aldecoa trabaja la palabra desde una actitud intensamente selectiva llegando a poseer ésta las economías severas del lenguaje poético. Su prosa llega a estar medida y rimada, lo que supone ya una muestra de brevedad, de depuración y esencialidad: «Contempló el cielo. Contempló el suelo» (I, 49). «Su vida era tranquila y medieval: comer, dormir, cazar» (I, 352). «Todos dan las gracias. Ramón distraído; Pío agradecido; María en voz baja...» (II, 248), etc. De estas frases se desprende una gran musicalidad que, a través de sus cualidades esencialmente dinámicas, nos transporta hacia un universo nuevo, produciéndose la transición de lo expresivo a lo simbólico.

Los ejemplos aducidos no constituyen un caso aislado en su narración, bien por el contrario. El lenguaje de Aldecoa está preñado de cualidades rítmicas, fonéticas de gran eficacia expresiva; y si este fenómeno se transparenta a través de toda su obra, su desarrollo es intensivo desde los primeros cuentos, en que aparece utilizado con cierta parquedad, hasta lo más avanzado de su producción, en la que hallamos formas de mayor complejidad y elaboración. Formas que se intensifican hasta llegar en algunas páginas a tal rebuscamiento formal, por acumulación de combinaciones fonéticas, que a veces incluso pierden su valor significativo y se reducen a un juego de sonidos, a una demostración de virtuosismo idiomático. Entre los recursos fonéticos más frecuentemente utilizados en sus últimos cuentos merecen ser destacados: la letanía, la jitanjáfora y la aliteración.

La letanía, debido a la calidad casi como de oración que posee, introduce, como ya se dijo en otro momento, un patrón rítmico que sirve de compás fuerte en la cadencia del decurso narrativo. Así, en el cuento «El silbo de la lechuza», la letanía «A las siete de la tarde» —además de traernos ecos lorquianos: «A las cinco de la tarde» se repite en el «Llanto por Ignacio Sánchez Mejías»—, crea un efecto de tristeza y de aburrimiento, marcado ya por el aspecto grisáceo y lluvioso de la ciudad, donde el sonido de las campanas de la torre se funde con los ruidos habituales de esa misma hora (las siete): cierre de los comercios, pregones de los periodistas, novenas, murmullos de críticas, etc.

También en «Ave del Paraíso», la frase «Hora exacta de Barón Samedi en el invierno» refuerza el cuadro mortecino de la ciudad, cercano al fin de la jornada, y al quedar esta frase reducida a «Samedi» nos recuerda las procesiones de rogativas tan frecuentes en la España católica, en las que se cantaban interminables letanías con ritmo de salmodia. La respuesta «ora pro nobis» de los fieles, al ser repetida machaconamente, terminaba reduciéndose a «...nobis», e incluso a un simple murmullo. Las palabras a fuerza de ser repetidas pierden su sentido y terminan siendo una emanación de la voz que apunta sólo a estimular la imaginación.

Los efectos a los que venimos aludiendo se acentúan considerablemente con el uso de *la jitanjáfora* [10] que, según Rosa Valdés, consiste en el uso de «vocablos carentes de sentido lógico, pero que transmiten sensaciones, son vocablos creados por el poeta que, al usarlos, no piensa en su significación, sino en el «sabor»; son palabras frescas, olorosas, misteriosas, que van a nuestros sentidos (...). El fin primordial que persigue el poeta negroide al usar las jitanjáforas es buscar la calidad sonora de las palabras, la musicalidad (...). Se emplean constantemente onomatopeyas que reproducen los sonidos de instrumentos musicales o de pasos rítmicos» [11].

Sabemos, acerca de esto, que la poesía negroide de Nicolás Guillén influyó o al menos sensibilizó a una buena parte de nuestros poetas y prosistas. Unamuno escribía a Guillén en una carta de 1932 la impresión que le habían causado estos sones: «Me penetraron como a poeta y como a lingüista. La lengua es poe-

---

[10] La palabra «jitanjáfora» nació en la casa del poeta cubano Mariano Brull. Antonio Reyes, en su libro *La experiencia literaria*, cuenta así este nacimiento: «En aquella sala de familia (...) era frecuente que hicieran declamar a las preciosas niñas de Brull. Éste resolvió un día renovar los géneros manidos. La sorpresa fue enorme y el efecto soberano. La mayorcita había aprendido el poema que su padre le preparó al caso y (...) se puso a gorjear este verdadero trino de ave: (palabras sin significado), entre las que se encuentra: «jitanjáfora». Alfonso Reyes escogió la palabra jitanjáfora para llamar a las niñas de Brull y luego se le ocurrió extender el término a toda esa clase de fórmula verbal.

[11] Rosa E. Valdés Cruz, *La poesía negroide en América*, Madrid, Las Américas Publishing Company, 1970, págs. 26-27.

sía, y más que vengo siguiendo el sentido del ritmo y la música de los negros y mulatos (...). Es toda una filosofía y toda una religión» [12].

También Lorca se sintió influido por Nicolás Guillén y le rindió tributo con su «Son de negros en Cuba». Ignacio Aldecoa, por su parte, conocía y admiraba la poesía guilleniana, como lo demuestra su relato «Ave del Paraíso», cuyo personaje central, el «Rey», viene de las Antillas, paraíso perdido, a Ibiza, acompañado de los sones del «Canto negro» del poeta cubano» [13]. Guillén, en su «Canto negro», usa las jitanjáforas para tratar de transmitir al lector las sensaciones experimentadas por el negro al embriagarse con el tambor, la danza y el ron. Estas sensaciones son difíciles de expresar con palabras lógicas y para evocarlas se vale de vocablos sin sentido. También Aldecoa desea transmitir al lector el mundo dionisíaco de sus personajes, mundo de alegría alborotada, de sexualidad y de ritmo, de sones contagiosos que hacen danzar y reír.

El «Rey» llega así a la isla inmerso en una atmósfera musical de sones cubanos y de rumba y se marcha de ella a los compases de una canción marinera: «Iza, iza, marinero, trinca la escota, caza la vela. Alòha, aloha, aloha».

Nos parece interesante destacar este fragmento del relato de I. Aldecoa, contraponiéndolo al «Canto negro» de N. Guillén, a fin de apreciar la influencia ejercida por el segundo sobre el primero. Helos aquí:

«AVE DEL PARAÍSO»

Fue un poderoso rey criollo, a finales del siglo XVIII, en las grandes Antillas. *Cuserembá.* Compadreó con filibusteros, mercó esclavas, achicharró gentes. *Cuserembá.* Se pavoneó engreído por cinemascópicas playas con una hermosa cola y corte de danzantes calipsonianos refulgiendo de sudor y dientes al sol tropical. Mayé. Dio esplendor a la industria del ron, a la caña del ron. *Songo:* a la risa del ron, a las niñas del ron, al turismo francés y a la Ilustración. Rumba, chico, ye. Tuvo talante violento y cortesano, adusto y alegre, justo y caprichoso. Según: *yambó, yambó.* Gustó de aros de oro

[12] Rosa E. Valdés, *op. cit.*, págs. 69-70.

[13] Poema del libro *Sóngoro Cosóngoro,* publicado en el año 1931.

en los lóbulos de las orejas y de pañuelos teñidos de la cochinilla y de pantalones con los colores de los crepúsculos. *Yamba.* Y anduvo siempre descalzo hecho el pie a la selva y a la arena, al bote velero y a la destartalada carroza, a la hamaca y al agua. *Yambambé.* Ahora, en su última encarnación, de toda su corte, de toda su magnificencia y de aquellos soles... Amén. Solamente tres gentilhombres, fieles sí, decorativos sí, pero desdichados... Stop» (II, 336).

«CANTO NEGRO»

¡Yambambó, *yambambé!*
Repica el congo solongo
repica el negro bien negro:
congo solongo del *songo*
baila *yambó* sobre un pie.
....
Mamatomba
Serembe *cuserembá*
....
El negro canta y se ajuma,
El negro se ajuma y canta,
el negro canta y se va.
Acuememe serambó
aé
yambó
aé
Tamba, tamba, tamba, tamba,
Tamba el negro que tumba,
Tumba el negro, caramba,
caramba, que el negro tumba:
Yamba, yambó, yambambé [14].

Observamos que las jitanjáforas del «Canto negro» de N. Guillén marcan el ritmo musical del «Paraíso perdido» del «Rey»: su pasado. En cambio abandona estos ritmos en su última encarnación mítica, mucho menos gloriosa: «Ahora, en su última encarnación, de toda su corte, de toda su magnificencia y de aquellos soles... Amén. Solamente tres gentilhombres, fieles sí, decorativos sí, pero desdichados... Stop». La ausencia de verbos

[14] Hemos subrayado las jitanjáforas comunes a ambos textos.

de este párrafo final contribuye a remansar el ritmo, ya decadente, marcado por «Amén» y «Stop», y a poner de relieve la decadencia del personaje.

Otro recurso que alcanza gran expresividad fónica, incluso semántica, en los cuentos de Aldecoa, trayéndonos ecos del maestro del esperpento [15], es *la aliteración:*

> Volvió su cabeza hasta el punto en que su perfil fosco, tosco, morrosco, quedó recortado en el chorro de luz (I, 146).
>
> El era rubito, gordito, culoncito (I, 195).
>
> Parecía un viejo hidalgo, tan sereno en su desgracia, con un ojo morado, torcido, perniquebrado (II, 134), etc.

Vemos, en suma, que la fuerza evocadora que exhiben las palabras que Aldecoa utiliza, el ritmo y la sonoridad que se desprenden a veces de sus frases, elevan sus cuentos a la categoría poemática, haciendo vibrar al lector, trasladándolo hacia esferas irreales donde no reina ni la lógica ni la razón y donde los mecanismos asociativos de la normalidad quedan abolidos.

En la consecución de los efectos expuestos, emplea además *la reiteración* deliberada de ciertos vocablos o de frases, o de encabezamientos de frases. Es bien sabido que toda repetición es de por sí alargamiento, pérdida de tiempo; matiz que trasladado a un plano psíquico, comporta un demorarse, un compás de espera y de suspenso que permite al lector posesionarse, impregnarse de lo que lee, pero además agrega la musicalidad de su monotonía.

La reiteración puede ser léxica o sintáctica y en los cuentos de nuestro escritor se dan ambas copiosamente. No hay que olvidar que la repetición de estructuras similares es una constante en toda su producción, como reflejan los ejemplos siguientes extraídos, en su mayoría, de los cuentos de la primera época:

> El cielo, al norte, estaba petrificado y amurallaba el horizonte. El cielo, al oeste, era pastoso y movedizo. El cielo, al sur, se confun-

[15] Recuérdense algunos de los innumerables textos de Valle-Inclán: «Don Celestino Galindo, orondo, redondo, pedante». «La Majestad Isabel II, pomposa, frondosa, bombona, campaneando sobre los erguidos chapines».

> día con la oscuridad costeña. El cielo, a puerto, solamente era agua (I, 66).
>
> Buenaventura Sánchez, desde la desgana, mirando la tierra de la hormiga, de la hierba seca y rala, de la araña rubia y el bichito que la madre dice, que la abuela dice, que la tía soltera no se atreve a decir... (I, 72).

En sus últimos relatos la reiteración sintáctica se hace desbordante hasta el punto de transformarse en verdaderas letanías que encabezan ininterrumpidamente numerosos fragmentos narrativos de hechura similar, como demostramos al estudiar «El silbo de la lechuza», por ejemplo.

En otras ocasiones, es un solo vocablo el que logra una atmósfera especial, al ser repetido insistentemente. Así, en el cuento «El diablo en el cuerpo», la reiteración anafórica de la palabra «tapia» levanta un clima de pesadilla agobiante, de mundo cerrado, hermético, terriblemente triste; clima que prepara sutilmente la reclusión en el manicomio del burgués don Eladio Castaños. El escritor no nos habla directamente de ella; le basta con sugerirla:

> Las tapias son altas, arriba hay cristaleras para que no se puedan saltar. Las tapias tienen musguillos y plantas sin flores. Las tapias están desconchadas en la parte que da a la calle. Las tapias tienen una tristeza de tarde de domingo provinciano. Las tapias parecen infinitas. Tras las tapias está el húmedo, misterioso jardín del manicomio (I, 194).

El silencio logra asimismo matices insospechados a través de la reiteración, llega incluso a solidificarse adquiriendo las mismas formas geométricas que la ciudad, produciendo la zozobra, la incertidumbre y la magia:

> Antes del amanecer, solamente un instante, como de rayo, se abrirá el silencio en la ciudad. Callejas de turbio silencio. Callejas de silencio compacto. Glorietas de transparente silencio. Plazas de silencio geométrico. Parques donde el silencio se trenza sobre las copas de los árboles y deja caer sus grandes colas hasta el suelo (II, 96).

Como vemos, nuestro escritor lucha insistentemente por lograr en sus cuentos la potenciación de la función poética que sitúa el sentido de la obra literaria más allá de lo representativo, apuntando sin nombrarlo al mundo de las significaciones connotadas. Con este fin utiliza también *la enumeración*[16]. El inventario de sustantivos, adjetivos, verbos o de elementos varios que Aldecoa utiliza en sus últimos relatos tiende a la representación de un mundo roto, especie de torbellino; o a la creación de la imagen del hombre acosado por múltiples fuerzas que desencadenan en él este tipo de visión desintegradora[17]. Así, la impresión de caos que nos proporciona la enumeración en el cuento «Ave del Paraíso» armoniza perfectamente con el mundo desordenado y anárquico de los «beatniks»:

---

[16] Carlisle en el libro citado llama a este recurso «catálogo».

[17] La enumeración caótica es un rasgo estilístico muy frecuente en los poetas contemporáneos. Ofrecemos a continuación dos ejemplos poéticos. El primero es una representación del mundo pictórico del Bosco y el segundo una imagen negativa de Roma:

> Barrigas, narices,
> lagartos, lombrices,
> delfines, volantes
> orejas rodantes
> ojos boquiabiertos,
> escobas perdidas,
> barcas aturdidas,
> vómitos, heridas,
> muertos.
>
> (R. Alberti: *A la pintura*).

> Cuando Roma es cloaca,
> mazmorra, calabozo,
> catacumba, cisterna,
> albañal, inmundicias,
> ventanas rotas, grietas,
> cornisas que se caen,
> gente enana, tremendas
> barrigas de ocho meses.
>
> (R. Alberti: *Roma peligro para caminantes*,
> México, Joaquín Mortiz, pág. 71).

> Babel había enmudecido y era una sucesión de lentos ademanes y ceremonias de hormigas mandarinas. El candor de las amapolas entre los trigos hacía que los rotos «blue-jeans» y los largos jerseys de lana basta y las baratas botas de goma y los cestos de pleita vacíos y los bolsillos sin dinero se transformaran en hogares cálidos, confortables, alegremente desordenados hogares, regazos, pechos, labios (II, 332).

Caótica es igualmente la lista de temas de conversación que sostienen los burgueses provincianos en el cuento «El silbo de la lechuza», que nos otorga una visión sugerente de su vida sin sentido, centrada en fútiles y vanas ocupaciones:

> Navegaba en conserva la polémica de la fuente con otros temas de alto bordo referentes al traspaso de jugadores del equipo local y a los enjuagues consiguientes, dislates de ediles, cuernos de magnates, quiebras de negocios, emigración de jienenses, mariconerías de retoños de próceres, analfabetismo de millonarios nacidos del estraperlo pasado, orgías de la gente bien en la ruina, más el siempre lamentable y consabido anecdotario erótico de los presentes (II, 115).

La maldad y vicio de chismorrear de las amigas de doña Engracia se pone de relieve análogamente mediante la acumulación de verbos que otorgan a la expresión un ritmo de pujanza incontenible: «Las amigas se asombran, se escalofrían, se espeluznan. Una alegría interior demoníaca les baila en los ojos. Gozan sufriendo, temiendo» (I, 210). Enumeración, pues, de adjetivos, de sustantivos, de verbos y también de frases enteras que se suceden ininterrumpidamente. Aldecoa ha tocado todas las teclas que le ofrece dicho recurso idiomático.

Aunque hay que reconocer que los recursos hasta aquí aducidos confieren a los cuentos de Aldecoa, en mayor o menor medida, musicalidad y sentido poético, no obstante hay que reconocer que dichos efectos no pueden parangonarse con los conseguidos por los que expondremos a continuación.

Uno de los que más ha llamado nuestra atención, no sólo por su originalidad sino por su eficacia simbólica, es *la repetición* con pequeñas variaciones *de la frase inicial del relato al final del mismo.* Este tipo de enmarque, frecuente en sus cuentos, nos recuerda la figura del rondel tal como la encontramos en poesía [18]. Así, en «El silbo de la lechuza» la frase final —«Y las nubes pasando por las agujas de las torres pastoreadas del cierzo»— remite a la inicial del relato: «Por las agujas de las torres desfilaban oscuras nubes pastoreadas del cierzo», generando un movimiento de eterno retorno y, consecuentemente, la visión de un mundo repetitivo, que se agota en sí mismo, alienando irremisiblemente a los personajes. En «La despedida» la frase terminal —«Sus años se sucedían monótonos como un traqueteo»— repite igualmente una de las iniciales: «Los amarillos de las tierras paniegas, los grises del gredal, y el almagre de los campos lineados, por el verdor acuoso de las viñas, se sucedían monótonos como un traqueteo». Estas frases nos transmiten de forma indirecta la monotonía de la vida de un viejo labriego en concomitancia con la del paisaje que encierra el discurrir de su existencia. Comprendemos que estamos en presencia de un ser integrado a la tierra, en ella tiene sus raíces y con ella acabará fundiéndose muy pronto; su precaria salud así nos lo sugiere. Del mismo modo, el «Fue así» inicial del cuento «Pájaros y espantapájaros» se entronca con el «así fue» terminal, lo que le confiere una estructura circular que se erige en símbolo de la totalidad de la psique de los protagonistas del relato, según vimos al estudiar con detalle el cuento.

A los recursos poéticos citados hay que añadir otro, no menos original, consistente en colocar una *frase muy corta* (o que lo es relativamente) *al final de un fragmento narrativo, de un capítulo o de un relato*, frase que sintetiza, de forma condensada, lo anteriormente expuesto y que con frecuencia encierra además un contenido hondamente filosófico, creándose con ello un impacto emotivo muy fuerte en el lector [19]. Valiéndose de este tipo de frase, Aldecoa pone de relieve en el cuento «Seguir de pobres», por ejemplo, la importancia que él atribuye a la liber-

---

[18] Lo define de este modo el diccionario de la Academia: «Composición poética corta en que se repite al final el primer verso o las primeras palabras.

[19] Ch. Carlisle llama a este recurso «vers manqué», denominación muy poco adecuada a nuestro juicio.

tad moral y despego material de los protagonistas: «No poseen con la brutal terquedad de los afortunados y hasta parece que han olvidado en los rincones de la memoria los posesivos débiles de la vida. *Están libres*» (I, 27). El contenido de esta brevísima frase agiganta el significado de lo anterior y nos hace sentirnos desbordados por su fuerza y su sentido. Son frases que sugieren mucho más de lo que expresan a primera vista y, que situadas al final del relato, dejan su contenido en suspenso, logrando así resonancias imprevisibles. De la misma forma, la indefensión humana y social del ex-torero Pepe el Trepa se prolonga en la mente del lector a través de la última frase del cuento, «*Como los caballos de la pica*», frase que acentúa la calidad de víctima propiciatoria del personaje, respecto de una juerga inútil y descabellada que le costará la vida.

En el relato «Hasta que llegan las doce», la madre amenaza al hijo desobediente con la llegada del padre a mediodía, llegada que no se producirá por sobrevenir antes de esa hora el accidente laboral de este último. La frase final del cuento, «*Han llegado las doce*», a la vez que destaca la ausencia brutal y definitiva del esperado, evoca las consecuencias atroces de este hecho en el seno familiar.

La justeza expresiva, por una parte, y la capacidad para sugerir sin detenerse en minuciosas explicaciones, por otra, son, pues, características esenciales y definitorias del estilo de nuestro escritor. «Nadie como él sabe utilizar tan sabia, tan magistralmente el lenguaje para extraer toda la veta de poesía, tierna y dolorosa y grisácea que la realidad nos depara. Sus palabras son clavos inamovibles fijando una situación, produciendo una atmósfera» [20].

Para concluir quisiéramos hablar de *la metáfora* en la cuentística de I. Aldecoa, insistiendo en que no pretendemos realizar un estudio descriptivo y funcional de dicho recurso en la totalidad de su obra, sino simplemente resaltar su fuerza expresiva y, particularmente, su belleza.

---

[20] J. Ramón Marra López, «Ignacio Aldecoa: *El corazón y otros frutos amargos*», en *Ínsula*, núm. 156, noviembre, 1959, pág. 6.

Notamos que Aldecoa utiliza con mucha frecuencia la metáfora singularizadora, identificadora de un paisaje o de un objeto, destacando siempre lo característico individual, nunca lo genérico; por otra parte, forja metáforas suntuarias, sutiles y artificiosas que dilatan sensiblemente nuestra imaginación:

> El invierno decoraba de tristeza las calles con nubes bajas y gordas, nubes carnosas que a veces parecen hinchar el cielo de elefantiasis y lo vuelven torpe y le hacen arrugas de barrigudo (I, 179);
>
> ...en cuanto llega el buen tiempo y las estrellas hacen del cielo un capitán de alabarderos con hermosas charreteras de largos y brillantes canalones... (I, 227);
>
> Ver caer la nieve significaba un bataneo de los colchones del cielo, ahora raso y helado como un buen acero (I, 129);
>
> La bahía era nácar y el agua apenas se frotaba gatunamente contra los machones (II, 359);
>
> Parpadeaba el campo (I, 264);
>
> La mañana bosteza de felicidad (I, 358);
>
> Las sirenas de las fábricas se clavan en el costado blanco de la mañana (I, 355);
>
> La Glorieta, en la calma noche estival, era una luciérnaga de luz clorofílica (I, 288);
>
> El Manzanares, paralizado y submarino, asomaba el lomo plateado (I, 299);
>
> Andín era un cuenco donde las lluvias, las nieves y las estrellas encontraban su reposo; echaban nata (I, 160).

Las telas de las arañas que contempla «El Quinto», postrado en el pajar, son «telas que de puro sutiles son impactos sobre el cristal de la nada» (I, 26); dos hombres «abren la sábana del silencio, que doblan con lentitud hasta guardarla en uno de sus bolsillos» (I, 391); etc.

Añadamos como corolario que en Aldecoa, como antes en Miró, en Valle-Inclán y Cela, el grado de voluntad estilística es muy marcado, y lógicamente es en los pasajes descriptivo-narrativos donde despliega todas sus facultades expresivas a fin de alcanzar la brillantez, la belleza y la concisión. Los cuadros introductorios de sus relatos están escritos en «tecnicolor» con una paleta rica y luminosa, digna de los grandes pintores coloristas de todos los tiempos. En ellos encontramos sensibilidad, imaginación y plasticidad, en una palabra, poder creador. Todos sabemos que la adecuación de la expresión a lo expresado es ideal del arte literario y que es el poeta lírico quien lo ha conseguido con densidad y rigor máximos. Pues bien, Aldecoa persigue sin tregua este ideal, con un respeto acendrado hacia la potencia artística y creativa del lenguaje. Sabe que el cuento es arte y que, además de la pericia configuradora que exige, requiere un tratamiento artístico de la palabra; por eso el lenguaje que él utiliza está trabajado a fondo haciendo que sus cuentos cobren una dimensión hondamente poética, y consecuentemente que el tema de los mismos gane en hondura y trascendencia.

EL FENÓMENO COLOQUIAL

Otro rasgo típico de los cuentos de I. Aldecoa es la incorporación sistemática y funcional del lenguaje coloquial como procedimiento literario. Nuestro narrador, como otros muchos de los modernos escritores tanto españoles como hispanoamericanos, ha sabido romper con estereotipos impuestos por la «lengua literaria» canónica, que le imponía una tajante separación respecto de la lengua hablada y reivindica la palabra viva, la «viva voz» como materia de expresión y comunicación artística, dando paso en su obra a la naturalidad y a la soltura idiomática, al tiempo que lucha contra academicismos y modelos preestablecidos.

Aldecoa trabaja, pues, con el lenguaje común de la comunidad a la que pertenece y lo transmuta poéticamente en discurso literario, trasladando al papel con aguda sensibilidad idiomática muchos de los rasgos propios del lenguaje coloquial (subjetividad, énfasis, afectividad, etc.) que se manifiestan a través de varias vías. He aquí enumeración, ejemplificada, de algunas de ellas, las más relevantes:

Alteración del orden lógico de las palabras dentro de la oración: «—¿Qué pasa ahora?/ —La vía. La habrán levantado. ¡Quién sabe!» (II, 17).

Fórmulas ponderativas, conseguidas, a veces, con la simple repetición léxica: «Soy un español muy español» (I, 300). «Cantaor, un cante para el señor, señor» (I, 303). «Era una señora, una señora» (I, 175). Otras fórmulas ponderativas que logran gran expresividad son: «ponen los conejos cosa seria» (II, 11). «Debe hacer un frío como para andar a gatos» (I, 84). «Va a caer una buena» (I, 151). «Valen un dineral» (I, 162). Dice el ex-torero Pepe el Trepa recordando sus «faenas en el ruedo»: «Veinte años cada criatura que nos echaron. Todos con barba, bigote, y tricornio. Elefantes antiguos» (I, 120).

Expresiones afectivas con diversos matices y conseguidas con distintos procedimientos, como sustantivos, sufijos, etc. («estafermo solterón», «pilletes», «zarzuelero», «tertuliano», «mariconería»...).

Vocablos y expresiones familiares («estirar el zancajo», «hincar el pico», «quedarse tieso», para 'morir'; «ahuecar el ala», «cambiar de paisaje», «tomar soleta», para 'marcharse, huir'; «armar un catapé», «las grandes polcas», para 'confusión, bullicio'. Abundan igualmente los vocablos familiares: «memo», «mendrugo», «pánfilo», para 'tonto'; «coña», «choteo», «guasa», para, 'burla, broma' etc.).

Comparaciones o sustituciones lingüísticas metafóricas («tener forrado el riñón» 'ser rico'; «ser un palo cargado de bilis»; «sentarse a esperar a que pase el cadáver», 'esperar pacientemente la caída de alguien', etc.).

Refranes de bello sabor popular («al que Dios se la da San Pedro se la bendiga», «donde no anda el palo, malo», «cuenticos a la oreja no valen una lenteja», etc.).

Los diálogos utilizados por Aldecoa son chispeantes, coloristas, espontáneos, dotados de gran expresividad y funcionalidad, ya que son el soporte esencial de la acción de sus cuentos. No hay que olvidar que, si bien en las introducciones de los mismos el narrador prepara, como ya se dijo, minuciosamente el ambiente, la atmósfera en la que se desarrollará posteriormente la trama, una vez que el clima está lo suficientemente conseguido, él se retira de la acción dejando que sus personajes se desenvuelvan solos. El lector conoce a los protagonistas por lo que ellos dicen o por lo que otros dicen de ellos. De vez en cuando el escritor inserta entre los diálogos alguna acotación narrativa o descriptiva, pero sólo lo imprescindible para seguir dejando hablar a los personajes. Es muy extraño hallar entre los diálogos alguna información que vaya más allá de cuanto revelan sus conversaciones, su apariencia o sus acciones, y a veces ni siquiera sabemos cómo se llama una persona hasta que otra la llama o se refiere a ella por su nombre. El fin que se propone el escritor al utilizar estos recursos es la consecución de la objetividad, condición indispensable según Aldecoa, para el lector de su época —«este ocultamiento en la acción, parece por lo menos para el lector de hoy necesario» [21]—, aunque precisa que este ocultamiento debe ser equilibrado «porque por el extremo objetivismo, del peso y medición de los objetos, de la representación de un espasmódico estilo notarial se podría llegar al mayor y más trabajoso subjetivismo» [22].

Conviene resaltar además que Aldecoa, a la hora de plasmar el lenguaje conversacional en sus cuentos, no sólo ha recurrido a la utilización de recursos de orden lingüístico propiamente dichos, sino que ha llevado a cabo una profunda y rigurosa búsqueda a todos los niveles. Por medio de *indicaciones extralingüísticas* consigue paliar las deficiencias del lenguaje escrito y describir los gestos, expresiones, movimientos, etc., de sus personajes. Según E. Lorenzo, «estas indicaciones pueden abarcar no sólo variables relevantes de entonación para los cuales ni la lengua escrita ni los alfabetos fonéticos usuales disponen de notación satisfactoria, (...) sino que contienen también, como las acotaciones escénicas o como los complementos de los verba dicendi, datos valiosísimos de orden extralingüístico que resultan decisivos en la interpretación del mensaje hablado» [23]. En efecto, este tipo de indicaciones es muy abundante en la obra de I. Aldecoa. Como sustitutos de «verba dicendi» podemos citar: *silbó, chifló, pitó, pajareó* (que reflejan los diversos matices de una misma función, función bien definida en el título del cuento «El silbo de la lechuza»). El diccionario académico define *silbo* como 'voz aguda y penetrante de algunos animales', voz

[21] Ignacio Aldecoa, art. cit., pág. 12.

[22] *Ibidem*, pág. 12.

[23] Emilio Lorenzo, «Consideraciones sobre la lengua coloquial» en *Comunicación y lenguaje.* Coord. Rafael Lapesa, Madrid, Karpos, 1977, pág. 170.

que tiene en dicho relato un sentido traslaticio de crítica. Aparecen otros muchos en su última etapa creativa: *titiló, recriminó, inquirió, resopló, tragedió, hipó, latigueó, castañeteó,* etc. El verbo *decir* y sus equivalentes, a menudo, se modifican o aclaran por medio de un adjetivo o de un adverbio: «dijo algo amoscado», «dijo dubitativamente», «dijo concentrándose», «dijo bostezando», «dijo cazurramente», «dijo afrailando el gesto», «dijo en tono conversacional», «dijo dando un bandazo de estribor», «aseguró olímpico», «saludó redicho», «preguntó con cierto retintín», «hablaba ronqueando la voz», etc.

Otro recurso que conviene destacar y que interviene de manera decisiva en sus últimos cuentos es la inclusión de extranjerismos. En ellos van a tener cabida no sólo las palabras de diversos idiomas, sino también un lenguaje nuevo internacional mezcla de lenguas distintas, dando lugar a lo que la crítica moderna ha llamado «babelismo»: «Cheek to cheek... All right... No encuentras...?. Salen juntos... Otro whisky... Ich liebe dir... Canta la high life» (II, 331).

En el último libro de cuentos de Aldecoa, como ya se dijo en la introducción del trabajo, se advierten innovaciones lingüísticas relevantes. El mundo de desenfreno, que caracteriza a la mayoría de los personajes de dicha etapa, nos llega directamente a través de expresiones vivas e hiperbólicas que ellos utilizan en su espontáneo fluir, y de cierta dislocación siempre moderada, de la expresión tradicional. Su lenguaje es a menudo bastante barroco, convirtiéndose a veces en un juego de virtuosismo idiomático, como revelan estas citas:

> Notición. Le han dado la patada charlot. No se sabe la cantidad pero el gachó se ha pringado en bastantes miles —dijo el lebrel en su más expresiva germanía—. Ahora todo por lo fino y por lo bajo. A nosotros ni moste. Lo envían a una sucursal de pueblo rebajado a empleado mondo y lirondo (...). A mí uno de esos gastosos no se me escapa ni a tiros. La mujer con abrigo de astracán, ojo Perico, me digo, y me siento a esperar a que pase el cadáver. Coches, viajes a San Sebas, y semanas grandes por aquí y por allá, tate nene, que se aproxima la debacle (II, 141).

Entre los extranjerismos utilizados por Aldecoa en sus cuentos hay que distinguir dos categorías: los que aparecen en cursiva y son sentidos como palabras «enquistadas» en el sistema del español, y los que se consideran como integrados ya y tienen una ortografía españolizada. En esta última categoría incluimos: buró, chapó, coñac, charlot, chalet, vermut, récord, tennis Club, sport y esport. Observamos una fluctuación en la grafía de la última palabra: en un caso la consonante /s/ inicial ha tomado la vocal /e/, como corresponde al sistema del español, y en el otro no.

En cursiva registramos: *snobs, dandys, partys, barmans, playboy, beatniks, snipes, vedette, haschich, short, jazz, blue-jeans, comic, führer, Renault, cow-boy, gigolo, yachtman, whisky, darling, crooner, gin fizz, show, vernisagge, cointreau, Preservation Hall, tour de force,* (estar) *groggy*. También en estos cuentos encontramos la presencia de alguna sigla: K.O., TV, y 2c. (=dos caballos). En la mayoría de estos ejemplos la adaptación al sistema ortográfico, fonético y fonológico no se cumple o se cumple en parte. Pensamos que la palabra sentida como enquistada (por menos habitual) se pone en cursiva, y que la sentida como adaptada (por más normal) se escribe con tipos normales. El proceso sería: crooner, yachtman (extranjerismo puro) → tennis Club (españolización nula pero corriente) → vermut, récord (españolización parcial) → fútbol, buró (españolización total).

Los personajes de los últimos cuentos utilizan estas palabras con naturalidad, ya que el desarrollo material y la progresiva universalización de la cultura han contribuido, como señala Manuel Seco [24], a una acción unificadora en el terreno del léxico. En la última etapa cuentística Aldecoa ha abandonado a aquellos personajes sencillos, que consecuentemente se expresaban con sencillez. Los de ahora son mas cultos porque, como él mismo dijo, «la cultura se masificará, no hay otra alternativa posible» [25].

---

[24] Manuel Seco, «El léxico de hoy» en *Comunicación y lenguaje...*, pág. 188.
[25] Josefina Rodríguez de Aldecoa, *op. cit.*, pág. 34.

Como vemos, el estilo personalísimo de I. Aldecoa no sólo depende de la selección de la materia narrable, sino de la configuración dada al modo de hablar y de accionar de sus personajes, de la distribución de los elementos dialogales, narrativos y descriptivos; en una palabra: del concepto personalísimo del mundo expresado en su obra.

CONCLUSIÓN

A modo de conclusión vamos a recoger aquí ciertas ideas centrales, desgranadas a lo largo del libro, tratando de resumirlas y sistematizarlas al máximo.

Que Aldecoa era un excelente cuentista, el mejor de su generación es un hecho admitido unánimemente [1] y no vamos a insistir sobre ello; lo que nos interesa ahora es tratar de calibrar, en la medida de lo posible, la influencia que Aldecoa ejerció o fue suceptible de ejercer sobre los demás cuentistas de su generación, idea expuesta ya en otro momento. Pienso en Jesús Fernández Santos, Ana Mª. Matute, Carmen Martín Gaite, Rafael Sánchez Ferlosio, Juan García Hortelano, Medardo Fraile, Juan Benet, etc.

Sabemos que por una u otra razón todos estos escritores coincidieron en una etapa crucial de su vida en la capital española; unos ya vivían allí, otros —entre ellos Aldecoa— vienen a iniciar o continuar sus estudios universitarios. Sea como fuere, lo cierto es que allí coinciden y, como más o menos sus inquietudes y preocupaciones coincidían también, nada más lógico que la aparición espontánea de amistad entre ellos, amistad que se irá reforzando, estrechando, hasta formar ese «bloque» de camaradería, absolutamente ebrio de literatura, del que nos habla Jo-

---

[1] «Si respecto a las novelas de Aldecoa existen discrepancias, en lo referente a los relatos hay unanimidad al proclamarle el mejor cuentista español contemporáneo» (José R. Marra López, «Lirismo y esperpento en la obra de Ignacio Aldecoa», en *Ínsula,* núm. 226, septiembre 1965, pág. 5).

sefina Rodríguez de Aldecoa. Esa avidez literaria, ese fuego inextinguible va a ser alimentado día tras día, noche tras noche —principalmente en el Comercial, su café preferido—, como un rito necesario para salir del ostracismo intelectual y moral en el que España se encuentra, y, como todos sabemos, lo van a conseguir gracias a su fe inquebrantable y a su esfuerzo unánime.

El papel que Aldecoa desempeñó en esta tarea ha sido reconocido y valorado en diferentes momentos de su vida por casi todos los escritores mencionados. Eusebio García Luengo recuerda aquellas tertulias con nostalgia y cariño entrañables, resaltando la fuerte personalidad de Aldecoa, sus gracias, sus dichos que todos repetían. Por su parte, Francisco García Pavón, a la muerte de Aldecoa, hace análogamente mención de aquellas reuniones y lamenta con profundo dolor la pérdida de su pluma, de su gracia de hombre, de sus «tocattas» agrias o bullentes, ingeniosísimas, según el humor y el día, y continúa: «Has sido uno de los pocos que después de nuestra guerra, a pesar de tantas cosas y de la falta de magisterio directo —casi un niño— pusiste las primeras y seguras piedras de una nueva novelística mucho más importante de lo que muchos creen; una novelística que marcará una época rarísima de robinsones» [2].

Pues bien, lo que dice F. G. Pavón a propósito de la novela aún se justifica más al aplicarlo al ámbito cuentístico. Es bien sabido que estos jóvenes, todavía poco seguros de su pluma en los inicios de su carrera literaria, sienten la necesidad imperiosa de leerse mutuamente, de entregar sus escritos al compañero con el fin de arrancarle unas palabras de aliento que les certifique que lo que están haciendo es exactamente lo que hay que hacer, que es ese el buen camino. Como ya dijimos, I. Aldecoa es el que más conoce de corrientes literarias vigentes en el extranjero, uno de los que más y más variadamente lee, gustando de comentar sus lecturas con los compañeros. Por otra parte, es también uno de los escritores más prolíficos de su generación; escribe cuentos sin interrupción y todos reconocen su maes-

[2] F. G. P., «Responso particular por Ignacio Aldecoa», en *ABC*, domingo, 16 de noviembre de 1969, pág. 53.

tría. Si a sus facultades innegables de buen escritor añadimos su fuerte personalidad y su amor profundo por la conversación, no puede sorprendernos un cierto liderazgo por su parte, bien aceptado, posiblemente imperceptible en el grupo. Es evidente que este es un punto delicado y que conviene ser prudentes a la hora de calibrar influencias. Cada cuentista a su manera ha dejado y va dejando con el paso del tiempo su testimonio, valiosísimo en todos los casos; no obstante, y sin menoscabo de nadie, poseemos hoy la suficiente perspectiva temporal para tratar de hacer un balance, nunca definitivo, por supuesto.

Lo que más sobresale en I. Aldecoa no es ya el amplio «corpus» de su cuentística, ni la variedad de temas, de ambientes y de personajes que plasma en sus cuentos, sino la variedad de las técnicas empleadas y la riqueza compositiva, el esqueleto de sus cuentos; aunque hay que decir que éste es tan perfecto que apenas se percibe en una primera lectura. Ello puede explicar la desatención de la crítica en lo que a este punto se refiere. Sin embargo sus relatos están cuidadosamente elaborados, como hemos ido demostrando. Muchos de ellos se nos presentan como un artefacto en el que cada elemento desempeña una calculada función. De este modo, para leerlos adecuadamente es necesario examinar con detenimiento su estructura interna y su técnica narrativa; es decir, «analizarlos». Tal análisis revela cómo los mejores cuentos de nuestro escritor deben su eficacia no sólo a la maravillosa capacidad inventiva de su creador y a la maestría del lenguaje utilizado, sino también al laborioso y lento montaje de los componentes, que suelen estar sabiamente interconectados, de modo que formen una unidad intrincada a la vez que armoniosa.

Pero además Aldecoa comprendió inmediatamente que la eficacia del cuento dependía de su intensidad, siendo el primer español en aplicar sistemáticamente (y no al azar de la intuición) dicho criterio de estructura funcional, de economía. Con el mínimo de elementos es capaz de crear todo un mundo que tiene valor por sí mismo y que encierra en su interior el germen de todo un universo.

Todo lo dicho hasta aquí hace, a mi modo de ver, que sus cuentos, de sutil y plural riqueza, logren un impacto difícil de medir —pero no por ello menos real— sobre los otros cuentistas de su generación. Evidentemente, esta influencia no habría sido tan penetrante sin la diversidad de rumbos que fue propia de su obra. En su producción hallamos cuentos largos, cortos y cortísimos, como los del libro *Neutral Corner,* tan mal conocidos no sólo del público lector sino también de los críticos, en parte a causa de su escasa difusión editorial. Dichos cuentos, como ya vimos al estudiarlos con detalle, son impresiones fugacísimas que están sustentadas únicamente en el poder de la prosa, de la palabra como materia para fijar un instante, una impresión, un estado de ánimo: verdaderos poemas en prosa. Corresponden a lo que hoy se llama «cuento flash» y son sin duda de lo más moderno y original que se ha escrito en este terreno, yendo en ellos Aldecoa, en el campo de la experimentación, más lejos que cuantos cuentistas le han sucedido.

Ahora bien, Aldecoa murió en 1969 y en los inicios de 1984 podemos preguntarnos: ¿qué es lo que ha ocurrido desde entonces?, los resortes expresivos y estructurales consagrados por I. Aldecoa ¿siguen vigentes en el momento actual, o por el contrario, ha surgido un nuevo discurso, una nueva forma para expresar las circunstancias de nuestro tiempo? Contestar con rigor a esta pregunta requeriría un estudio monográfico exhaustivo. No es esta nuestra misión ni tampoco nuestra intención en el trabajo presente; no obstante, vamos a anticipar ya ciertas ideas que nos parecen ir corporeizándose, imponiéndose con el tiempo.

La fantasía —a la manera de los escritores latinoamericanos va ganando adeptos en España y el máximo representante de esta corriente sería a nuestro juicio Ricardo Doménech. Someterse a la lectura de sus relatos equivale a una experiencia que expande los marcos de la realidad convencional y del orden constituido. Dichos relatos nos hacen sentir la angustia de ciertas situaciones no conocidas hasta el momento actual, producen malestar, inquietud, generan el inconformismo y estimulan la reacción.

Conviene recordar que la España en la que vivieron los escritores de la generación de Aldecoa estaba tan en ruinas, que el esfuerzo de su recomposición acaparó toda la atención de estos jóvenes. ¿Cómo volver la vista hacia el exterior en un momento en el que todo, absolutamente todo estaba por hacer en el interior del país? Tarea imposible. En cambio Ricardo Doménech es mucho más joven. Nació en 1938 y, en consecuencia, cuando él llega a la madurez, lo más urgente ya estaba hecho, lo cual le permite volcarse sobre la vida que fluye y late fuera de las fronteras nacionales, y sobre todo tipo de manifestaciones artísticas. Poco a poco los españoles, por su parte, van abriendo su horizonte replegado, reconcentrado en los problemas nacionales. Las fronteras se van desdibujando, borrando, y esto no sólo a nivel español, sino europeo, mundial incluso. Los escritores españoles advierten que, en el mundo que les rodea, las categorías existenciales cambian súbitamente de sentido. Que el sueño sobre el infinito del alma —una de las más bellas ilusiones europeas— perdió su magia en el momento en que la historia, o lo que queda de ella, fuerza sobrehumana de una sociedad omnipotente, se apodera del hombre. Frente al tribunal, frente al castillo de Kafka ¿qué puede hacer el hombre? No mucho. La trampa, la situación es demasiado terrible y absorbe todos sus pensamientos y sentimientos. El infinito del alma, si es que existe, se ha convertido en un apéndice inútil para el hombre actual.

Pero la Edad Moderna ha cultivado análogamente el sueño sobre la unificación de la humanidad: la unidad en la diversidad de civilizaciones, augurando con ello la paz universal. En la actualidad, la historia del planeta es, en efecto, un todo indivisible, pero es la guerra ambulante y perpetua la que realiza y asegura la unidad. Frente a este horror ¿qué puede hacer el ser humano? Poca cosa; nadie puede escapar a ninguna parte.

Los escritores españoles de hoy se hacen eco de estas inquietudes, de esta angustia colectiva, universal, que desborda las fronteras, los países, los continentes. La problemática no es nueva. F. García Pavón la expresa ya en su magistral libro de cuentos *La guerra de los dos mil años*, publicado por primera vez en

1968, libro que no logró en su día el éxito y el impacto que merece, posiblemente porque en aquella época los españoles no podían entender unos problemas de los que no tenían aún consciencia o la tenían demasiado difusa.

Vemos, pues, que en el plano temático la literatura española en general, y la cuentística en particular, ha evolucionado, haciéndose eco de la problemática actual universal, pero en lo que respecta a las formas expresivas, a la estructura —nos referimos ahora únicamente al cuento— no creemos advertir ninguna modificación esencial. Es cierto que en algunos cuentos de R. Doménech, como ocurre en los de J. Cortázar, encontramos un discurso que reflexiona sobre su propia naturaleza, sobre su propio proceso de elaboración y que, a su vez, elucida, con frecuencia, la composición más o menos enigmática del cuento. Esto es sin duda una innovación; no obstante seguimos pensando que, en su conjunto, los cimientos constructivos sentados en su día por Ignacio Aldecoa continúan vigentes en el momento actual. En el futuro, sin su nombre no será posible captar en plenitud el perfil de toda una época literaria. Su significación será, en todo caso, esencial para la historia del cuento literario. Su vida ha sido efímera, pero su huella es ya imborrable.

A lo largo de nuestro trabajo nos hemos esforzado en poner de relieve las particularidades esenciales de los cuentos de Ignacio Aldecoa, centrando nuestro estudio en la composición y estructura de los mismos, así como en los recursos idiomáticos en ellos utilizados. Si lo hemos hecho así, ha sido porque pensamos que estos elementos son inseparables, están apretadamente imbricados, entrelazados y coadyuvan a la consecución de unas unidades textuales cuya pluralidad de sentidos es a todas luces notable.

En el plano temático, sus relatos desempeñan el importante papel de presentar los múltiples conflictos del hombre de su tiempo. Contienen la imagen fiel —«cruda y tierna»— no sólo de la postguerra española sino también de la década de los sesenta. Su agudo sentido crítico y su extraordinaria capacidad de observación le permitieron darse cuenta del cambio profundo que se estaba operando en el seno de la sociedad española, y del mundo, por esos años, como lo demuestran sus últimos cuentos y su última novela. Colocado por azar del nacimiento en una coyuntura de transición cultural, y sensible en extremo a la mudanza de los tiempos, después de haber producido ese señero retrato de la España de postguerra, Aldecoa se dedicó a explorar —insatisfecho siempre— en las nuevas corrientes del pensamiento y del arte literario; tanteó y ensayó, proyectó y emprendió, para dejarnos a su muerte un riquísimo legado, una obra extensa y diversa que rinde testimonio de un alma justa, rebelde, inconformista y de una inteligencia superior.

BIBLIOGRAFÍA

OBRAS DE IGNACIO ALDECOA

1. Poesía.

Todavía la vida, Madrid, Talleres Gráficos Argos, 1947.
Libro de las algas, Madrid, 1949.

2. Novela.

El fulgor y la sangre, Barcelona, Planeta, 1954.
Con el viento solano, Barcelona, Planeta, 1956.
Gran Sol, Barcelona, Noguer, 1957 (Premio de la Crítica 1957).
Parte de una historia, Barcelona, Noguer, 1967.

3. Relatos.

a) *Libros:*

Espera de tercera clase, Madrid, Puerta del Sol, 1955.
Vísperas del silencio, Madrid, Taurus, 1955.
El corazón y otros frutos amargos, Madrid, Arión, 1959.
Caballo de Pica, Madrid, Taurus, 1961.
Arqueología, Barcelona, Rocas, (Col. Leopoldo Alas), 1961.
Neutral Corner, Barcelona, Lumen, 1962.
Pájaros y espantapájaros, Madrid, Bullón, (Col. Generaciones Juntas) 1963.
Los pájaros de Baden-Baden, Madrid, Cid, 1965.
Santa Olaja de Acero y otras historias, Madrid, Alianza, 1968.
La tierra de nadie y otros relatos, Barcelona, Salvat RTV, 1970.
Cuentos Completos, Madrid, Alianza, 1973 (2 vols.).
Cuentos, Madrid, Magisterio Español, (Novelas y Cuentos), 1976.
Cuentos, Madrid, Cátedra, 1977.

b) *Índice cronológico de los relatos* [1]:

«La farándula de la media legua», *La Hora*, 24-XII-1948.
«El hombrecillo que nació para actor», *Juventud*, 8-IX-1949.
«El loro antillano», *La Hora*, 30-IV-1950.
«La fantasma de Treviño», *La Hora*, 4-VI-1950.
«El teatro íntimo de doña Pom», *La Hora*, 1-XI-1950.
«Función de aficionados», *La Hora*, noviembre 1950.
«La sombra del marinero que estuvo en Singapur», *Bengala*, febrero 1951.
«El herbolario y las golondrinas», *Juventud*, 22-II-1951.
«Las miserias de un curandero», *Correo Literario*, 1-III-1951.
«Biografía de un mascarón de proa», *Revista de pedagogía* (censurado, devuelto en pruebas), 9-VII-1951.
«El ahogado», *Revista de pedagogía*, ¿1951?
«Un artista llamado Faisán», *La Hora*, marzo 1950.
«Los novios del ferial» (*Crónica de los novios del ferial*), *La Hora*, 21-V-1950.
«El figón de la Damiana», *La Hora*, septiembre 1950.
«Chico de Madrid», *La Hora*, 22-XI-1950.
«Las cuatro baladas extrañas» («Pájaros y espantapájaros»), *Correo Literario*, 1-XII-1950.
«El libelista Benito», *La Hora*, 10-XII-1950.
«Los atentados del barrio de la Cal», *Guía*, mayo 1951.
«Los bisoñés de don Ramón Martínez, secretario» (*Los bisoñés de don Ramón*), *Juventud*, 7-VI-1951.
«Pedro Lloros y sus amigos» (*Los bienaventurados*), *Correo Literario*, 1-VII-1951.
«La muerte de un ex torero» (*Caballo de pica*), *Juventud*, septiembre 1951.
«Arqueología» (*Para los restos*), *Guía*, octubre 1951.
«Los vecinos del callejón de Andín», *Haz*, noviembre 1951.
«El aprendiz de cobrador», *Correo Literario*, 15-XI-1951.
«Hasta que llegan las doce», *Arriba*, 27-I-1952.
«El diablo en el cuerpo», *Guía*, marzo 1952.
«Ciudad de tarde» (*Camino del Limbo*), *Correo Literario*, 15-V-1952.
«La humilde vida de Sebastián Zafra», *Clavileño*, mayo-junio 1952.
«Quería dormir en paz», *Alcalá*, 10-VIII-1952.

---

[1] Josefina Rodríguez de Aldecoa nos ha declarado oralmente que su marido publicaba los cuentos a medida que los iba escribiendo y que no los fechaba. Dado que es imposible establecer un índice cronológico en función de la fecha de escritura, respetamos el de la publicación establecido por Alicia Bleiberg.

Queremos advertir que los once primeros relatos aquí reproducidos nunca fueron seleccionados por Aldecoa para ulteriores reimpresiones en forma de libro.

«La nostalgia de Lorenza Ríos», *Guía*, octubre 1952.
«... y aquí un poco de humo», *Correo Literario*, 1-I-1953.
«El tercer mago» («Un cuento de Reyes»), *Guía*, enero 1953.
«Al otro lado», *Alcalá*, 25-I-1953.
«Seguir de pobres», *Juventud*, 30-VI-1953. (Premio Juventud de 1953).
«A ti no te enterramos», *Revista Española*, mayo-junio 1953.
«Solar del Paraíso», *El Español*, 14-VIII-1953.
«Tras la última parada», *Alcalá*, agosto-octubre 1953.
«Muy de mañana», *Revista Española*, septiembre-octubre 1953.
«El autobús de las 7,40», *Clavileño*, noviembre-diciembre 1953.
«El mercado», *La novela del sábado*, año II, núm. 48, marzo 1954.
«Los hombres del amanecer», *Ateneo*, 1-XI-1954.
«Santa Olaja de acero», *El Español*, 26-XII-1954.
«Pedro Sánchez entre el cielo y el mar» (*Entre el cielo y el mar*), *Ateneo*, enero 1955.
«Anthony, el inglés dicharachero» («El asesino»), *Atlántida*, enero-febrero 1955.
«El caballero de la anécdota», *Arriba*, 13-III-1955.
«Aldecoa se burla», *Índice*, marzo 1955.
«Maese Zaragosí y Aldecoa su huésped», *Alcalá*, 10-IV-1955.
«La luna en el Manzanares» («Balada del Manzanares»), *Textil*, diciembre 1955.
«En el k. 400 comienza el amanecer» («En el km. 400»), *El Español*, 4-II-1956.
«La urraca cruza la carretera», *Arriba*, 9-XII-1956.
«Lluvia de domingo», *Balalín*, 28-II-1957.
«Rol del crepúsculo» («Rol del ocaso»), *Cuadernos Hispanoamericanos*, junio 1957.
«Young Sánchez», *Arriba*, julio 1957.
«Esperando el otoño», *ABC*, 14-VII-1957.
«Aunque no haya visto el sol», *Despacho Literario*, Zaragoza, 1960.
«La espada encendida», *Acento*, mayo-junio 1960.
«La noche de los grandes peces (1965)», publicado en *La Nación*, (Buenos Aires), 1969.

Cuentos publicados por primera vez como parte de un libro:

En *Vísperas del silencio*, Taurus, 1955:
«Vísperas del silencio».
En *El corazón y otros frutos amargos*, Arión, 1959:
«El corazón y otros frutos amargos».
En *Caballo de pica*, Taurus, 1961:
«Caballo de pica».
«La despedida».

«Patio de armas».
«El porvenir no es tan negro».
«Hermana Candelas».
«Las piedras del páramo».
«Dos corazones y una sombra».
«La tierra de nadie».
«La piel del verano».
«Fuera de juego».

En *Arqueología*, Rocas, 1961:
«La vuelta al mundo».

En *Pájaros y espantapájaros*, Bullón, 1963:
«La chica de la glorieta».
«Los pozos».
«Al margen».

Cuentos póstumos:

«Un corazón humilde y fatigado», *La tierra de nadie*, Biblioteca básica Salvat, RTV, 1970. (Antología de cuentos de Aldecoa con prólogo de Ana María Matute.)

«Horas de crisálida (Party)», 1965 y «Amadís (1968)», publicados en *Cuentos Completos*, Madrid, Alianza, 1973.

Índice de los relatos que componen los libros [2]:

Espera de tercera clase, Madrid, Puerta del Sol, 1955:
«La humilde vida de Sebastián Zafra».
«Chico de Madrid».
«Hasta que llegan las doce».
«El aprendiz de cobrador».
«Los atentados del barrio de la Cal».
*«Seguir de pobres».
«Muy de mañana».
«Solar del Paraíso».
«A ti no te enterramos».
«Quería dormir en paz».

Vísperas del silencio, Madrid, Taurus, 1955:
«Vísperas del silencio».

---

[2] Los cuentos precedidos de un asterisco son los que hemos seleccionado para nuestro análisis.

«Santa Olaja de acero».
«Los vecinos del callejón de Andín».
«El mercado».
«El autobús de las 7,40».

El corazón y otros frutos amargos, Madrid, Arión, 1959:
«En el km. 400».
*«La urraca cruza la carretera».
«Rol del ocaso».
«Young Sánchez».
«Un cuento de Reyes».
«Al otro lado».
«Entre el cielo y el mar».
«Los hombres del amanecer».
«Esperando el otoño».
«Tras la última parada».
«El corazón y otros frutos amargos».

Caballo de pica, Madrid, Taurus, 1961:
«Balada del Manzanares».
«La despedida».
«Patio de armas».
«El porvenir no es tan negro».
«Hermana Candelas».
«Aunque no haya visto el sol».
*«Las piedras del páramo».
«La espada encendida».
«Dos corazones y una sombra».
«La tierra de nadie».
«La piel del verano».
«Fuera de juego».
«Caballo de pica».

Arqueología, Barcelona, Rocas, 1961:
«La vuelta al mundo».
«Los bienaventurados».
*«...y aquí un poco de humo».
«El asesino».
«El caballero de la anécdota».
«Aldecoa se burla».

---

* En todas estas antologías figura alguna nota o estudio, aunque breve, sobre el cuento.

«Maese Zaragosí y Aldecoa su huésped».
«La nostalgia de Lorenza Ríos».
«Crónica de los novios del ferial».
«El libelista Benito».
*«Para los restos».

Neutral Corner, Barcelona, Lumen, 1962:
«Neutral Corner».
«La ley del péndulo».
«The king».
«El boxeador que perdió su sombra».
«Break!!!».
«El pensador».
«El boxeador fanfarrón».
«Jaculatorias».
«Un minuto de paz».
«El estratega».
«Avispas y hormigas».
«Narciso».
«Epitafio de boxeador».
«Crónica de un combate».

Pájaros y espantapájaros, Madrid, Bullón, 1963:
«La chica de la glorieta».
«Los pozos».
«Al margen».
«Camino del Limbo».
«Los bisoñés de don Ramón».
«El figón de la Damiana».
«El diablo en el cuerpo».
«Un artista llamado *Faisán*».
«Lluvia de domingo».
*«Pájaros y espantapájaros».

Los pájaros de Baden-Baden, Madrid, Cid, 1965:
*«Un buitre ha hecho su nido en el café».
*«El silbo de la lechuza».
«Ave del Paraíso».
«Los pájaros de Baden-Baden».

4. Relatos de viajes.

«Álava, provincia en cuarto menguante», *Clavileño*, núm. 19, enero-febrero 1953, págs. 66-69.

«Viaje a Filambres», *Clavileño*, núm. 27, mayo-junio 1954, págs. 63-68.
Cuaderno de Godo, Madrid, Arión, 1961.
El país vasco, Barcelona, Noguer (Col. Andar y ver), 1962.

5. ENSAYOS.

«*Un mar de historias*», Madrid, *Oficina Central Marítima*, Publicación núm. 75, 1961.
«Por el mar de un piloto de altura», *Índice de Artes y Letras*, núms. 70-71, enero-febrero 1954, pág. 28.
«Carta de un estudiante a otro estudiante sobre materia postista» en *El Español*, núm. 183, 1-VI-1946.
«Hablando de *Escuadra hacia la muerte*», en *Revista Española*, núm. 1, mayo-junio 1953.
«Crónica de *El hombre es triste*, libro de poesía de Marcelo Arroita Jáuregui», en *Clavileño*, núm. 15, mayo-junio 1952.
Prólogo a *Escuela de Robinsones* de Julio Verne, Barcelona, Salvat (RTV núm. 19), págs. 9-13.

6. TEXTOS INÉDITOS.

Conferencia sobre «La novela española contemporánea», texto mecanografiado, sin fecha, 17 págs.
«La novela del mar en la narrativa española», texto mecanografiado sin fecha, 14 págs.
Conferencia sobre «El cuento en los Estados Unidos», texto mecanografiado, sin fecha, 12 págs.
Conferencia sobre «La generación BEAT», texto mecanografiado, sin fecha, 9 págs.
Notas de una conferencia sobre «A. Camus», en el Colegio Mayor Universitario Santa María, de Madrid, texto mecanografiado, sin título ni fecha, 2 págs.

SOBRE LA OBRA DE IGNACIO ALDECOA

1. MONOGRAFÍAS.

Borau, Pablo, *El existencialismo en la novela de Ignacio Aldecoa*, Zaragoza, La Editorial, 1974.
Carlisle, Charles Richard, *Ecos del viento, silencios del mar: la novelística de Ignacio Aldecoa*, Madrid, Playor, 1976.

Fiddian, Robín, *Ignacio Aldecoa*, Boston, Twayne Publishers, 1979.
García Viñó, Manuel, *Ignacio Aldecoa*, Madrid, E.P.E.S.A., 1972.
Lasagabaster, Jesús María, *La novela de Ignacio Aldecoa. De la mímesis al símbolo*, Madrid, Sociedad General Española de Librería, S. A., 1978.
Lytra, Drosoula, *Soledad y convivencia en la obra de Aldecoa*, Madrid, Fundación Universitaria Española, 1979.
Martín Nogales, José Luis, *Los relatos de Ignacio Aldecoa*, Madrid, Cátedra, 1984.
Rodríguez Almodóvar, Antonio, *Notas sobre estructuralismo y novela. Teoría y práctica en torno a «Gran Sol»*, Universidad de Sevilla, 1973.
Varios, *Ignacio Aldecoa* (A Collection of Critical Essays, Edited by Ricardo Landeira y Carlos Mellizo), University of Wyoming, 1977.

2. ARTÍCULOS.

Arce Robledo, Carlos de, «Cuentos de Ignacio Aldecoa», *Virtud y Letras*, Bogotá, núm. 17, 1958, págs. 105-113.
Bleiberg, Alicia, Prólogo al tomo I de *Cuentos completos de I. Aldecoa*, Madrid, Alianza Editorial, 1973, págs. 9-12.
Castro, Fernando-Guillermo de, «Ignacio Aldecoa entre el alcohol y el mar», *Índice de Artes y Letras*, núm. 260, diciembre 1969, págs. 28-30.
Espadas, Elisabeth, «Técnica literaria y fondo social del cuento «A ti no te enterramos» de Ignacio Aldecoa», *Papeles de Son Armadans*, núms. 245-246, agosto-septiembre 1967, págs. 163-176.
Fernández Braso, Miguel, «Ignacio Aldecoa levanta acta de los años de crisálida», *Índice de Artes y Letras*, núm. 236, octubre 1968, págs. 41-43.
Fiddian, Robín, «Sobre los múltiples significados de *Gran Sol*, novela española del mar», *Cuadernos Hispanoamericanos*, núms. 367-368, enero-febrero 1981, pág. 287-299.
García Luengo, Eusebio, «Cafés literarios y ...», *La Estafeta Literaria*, núm. 578, 15-XII-1975, págs. 4-6.
García Viñó, Manuel, «Ignacio Aldecoa y la expresión novelística», *Reseña*, núm. 26, febrero 1969, págs. 3-11.
—, «Ignacio Aldecoa al margen del realismo», *Nuestro Tiempo*, Pamplona, núm. 187, enero 1970, págs. 32-46.
Goicochea, María Jesús, «Bibliografía crítica de Ignacio Aldecoa», *Boletín Sancho el Sabio*. Obra Cultural de la Caja de Ahorros de la ciudad de Vitoria, año XVII, tomo XVII, 1973, págs. 333-347.
Gómez de la Serna, Gaspar, «Un estudio sobre la literatura social de Ignacio Aldecoa, *Ensayos sobre literatura social*, Madrid, Guadarrama, 1971, págs. 65-210.

González López, Emilio, «Las novelas de Ignacio Aldecoa», *Revista Hispánica Moderna*, XXVI, 1960, págs. 112-113.

Huertas Vázquez, Eduardo, «Realismo: perspectiva general», *Cuadernos Hispanoamericanos*, núm. 241, enero 1970, págs. 113-126.

Iglesias Laguna, Antonio, «Duelo generacional», *Cuadernos Hispanoamericanos*, núm. 172, abril 1964, págs. 1-18.

—, «El escritor Ignacio Aldecoa», *La Estafeta Literaria*, núm. 433, 1-XII-1969, págs. 8-12.

Lytra, Drosoula, «Soledad en los cuentos de Ignacio Aldecoa», *Cuadernos Hispanoamericanos*, núm. 363, septiembre 1980, págs. 589-595.

Marra López, José Ramón, «Lirismo y esperpento en la obra de Ignacio Aldecoa», *Ínsula*, núm. 226, septiembre 1965, pág. 5.

Martín Gaite, Carmen, «Un aviso: ha muerto Ignacio Aldecoa», *La Estafeta Literaria*, núm. 433, 1-XII-1969, págs. 4-7.

Martínez Cachero, José María, «Ignacio Aldecoa: "Seguir de pobres", *El comentario de textos 2*, Madrid, Castalia, 1974, págs. 179-212.

Matute, Ana María, Prólogo a *La tierra de nadie y otros relatos* de Ignacio Aldecoa, Barcelona, Salvat, 1970.

Montero, Isaac, «La realidad crea formas (o la lección de Ignacio Aldecoa)», *Camp de l'Arpa*, 9, 1974, págs. 26-28.

Pérez Firmat, Gustavo, «The Structure of *El fulgor y la sangre*», *Hispanic Review*, 1, 45 (winter 1977), págs. 1-12.

Pérez Minik, Domingo, «Conversación con Ignacio Aldecoa», *Entrada y salida de viajeros*, Tenerife, Nuestro Arte, 1969, págs. 86-96.

Roberts, Gemma, *Temas existenciales en la novela española de posguerra*, Madrid, Gredos, 1973, págs. 99-128.

Rodríguez de Aldecoa, Josefina, *Ignacio Aldecoa* (Cuentos), Madrid, Cátedra, 1977, págs. 11-53.

Rosa, Julio de la, «Notas para un estudio sobre Ignacio Aldecoa», *Cuadernos Hispanoamericanos*, núm. 241, enero 1970, págs. 188-196.

Santos, Dámaso, «La honradez y riqueza de Ignacio Aldecoa», *Generaciones Juntas*, Madrid, Bullón, 1962, págs. 16-20.

Senabre, Ricardo, «La obra narrativa de Ignacio Aldecoa», *Papeles de Son Armadans*, núm. CLXVI, 1970, págs. 4-24.

Suárez Granda, J. L., «Ignacio Aldecoa de la misericordia al esperpento», *Estudios ofrecidos a Emilio Alarcos Llorach*, Oviedo, 1978, tomo 3, páginas 477-488.

Urrutia, Jorge, «Análisis de un cuento de Ignacio Aldecoa» (búsqueda de su «primera lectura»). «La despedida», *Boletín de la Asociación Europea de Profesores de Español*, Año VIII, núm. 14, marzo 1976, págs. 39-47.

Winecoff Díaz, Janet, «The Novel of Ignacio Aldecoa», *Romance Notes*, XI, number 3, Spring 1970, págs. 475-481.

3. Obras generales.

Alborg, Juan Luis, *Hora actual de la novela española*, Madrid, Taurus, 1958, págs. 261-280.

Alvar, Manuel, *Estudios y ensayos de la literatura contemporánea*, Madrid, Gredos, 1971, pág. 298.

Corrales Egea, José, *La novela española actual*, Madrid, Cuadernos para el diálogo, 1971, págs. 126-132.

Díaz Plaja, Guillermo, *La creación literaria en España*, Madrid, Aguilar, 1968, págs. 331-334.

Marco, Joaquín, «Ignacio Aldecoa y la novela ambiente», *Ejercicios literarios*, Barcelona, Taber, 1969.

Navales, Ana María, *Cuatro novelistas españoles*, Madrid, Fundamentos, 1974, págs. 103-149.

Nora, Eugenio G. de, *La novela española contemporánea* (1939-1967), Madrid, Gredos, 1973, vol. III, págs. 301-308.

Palomo, María del Pilar, *La novela española en lengua castellana (1939-1965)*, *Historia General de las Literaturas Hispánicas*, Barcelona, 1973, vol. VI, pág. 724.

Sanz Villanueva, Santos, *Tendencias de la novela española actual*, Madrid, Cuadernos para el diálogo, 1972, págs. 174-177.

Sobejano, Gonzalo, *Novela española de nuestro tiempo*, Madrid, Prensa Española, 1975, 2.ª ed., págs. 386-397.

Soldevilla Durante, Ignacio, *La novela desde 1936*, Madrid, Alhambra, 1980 (2 vols.) págs. 222-227.

Torrente Ballester, Gonzalo, *Panorama de la literatura española contemporánea*, Madrid, Guadarrama, 1965, 3.ª ed., págs. 527-28.

4. Reseñas y entrevistas.

Abbot, James H., «Review of Santa Olaja de Acero», en *Books Abroad*, XLIII, 1969.

Acosta Montoro, José, «Parte de una historia», en *El Diario Vasco*, San Sebastían, 24 diciembre 1967.

Aguado, Emiliano, *El fulgor y la sangre*, en *El Alcázar*, 19-III-1955.

Albéniz, F. G., «Tres libros del escritor vitoriano. Ignacio Aldecoa», en *Pensamiento Alavés*, 17-VI-1955.

Álvarez, Carlos Luis, «Un mes pescando en el Gran Sol», en *Blanco y Negro*, 1-III-1958.

Anónimo: «Ignacio Aldecoa: programa para largo», en *Destino*, núm. 956, 3-XII-1955.

Arroita Jáuregui, Marcelo, «*El fulgor y la sangre* de Ignacio Aldecoa», en *Alcalá*, 10-II-1955.
B., «Preguntas a Ignacio Aldecoa», en *Índice de Artes y Letras*, núm. 132, diciembre 1959.
Berasategui, Blanca, «Ignacio, en el recuerdo de Josefina Rodríguez», en *ABC*, 22-XI-1979.
B. M., *Caballo de pica*, en *Ya*, 2-XI-1962.
Bonilla, Luis, *Los pájaros de Baden-Baden*, en *La Estafeta Literaria*, números 234-235, 1965.
Borelli, M., *Gran Sol*, en *Books Abroad*, núm. 33, 1959.
B. R. B., *Con el viento solano*, en *Índice de Artes y Letras*, núm. 93, septiembre 1965.
Botello, Fausto, «Ignacio Aldecoa, un novelista triunfador», en *Diario de la tarde*, Sevilla, 12-XI-1960.
Butler, C. W., «Ignacio Aldecoa: *Santa Olaja de acero y otras historias*», en *Hispania*, 52, núm. 4, diciembre 1969.
C., «A propósito de *El fulgor y la sangre*», en *Pueblo*, 26-III-1955.
Cano, José Luis, *Gran Sol*, en *Ínsula*, núm. 136, 15-III-1958.
—, *Caballo de pica*, en *Ínsula*, núms. 176-177, julio-agosto 1961.
Cañedo, Jesús, «*El fulgor y la sangre*: una novela pesimista», en *La Nueva España*, Oviedo, 13-XI-1955.
—, «Primera novela: *El fulgor y la sangre*», en *La Nueva España*, 17-IV-1955.
—, «La segunda novela de Ignacio Aldecoa», en *La Nueva España*, 3-VI-1956.
Castroviejo, Concha, «Libros y Revistas: *Parte de una historia*», en *Hoja del Lunes*, Madrid, 3-X-1967.
Cerdán Tato, E., «Ignacio Aldecoa, una singladura feliz», en *Idealidad*, Alicante, agosto 1957.
Cerezales, Manuel G.: *El fulgor y la sangre*, en *Informaciones*, 15-I-1955.
—, *Con el viento solano*, en *Informaciones*, 24-III-1956.
Clemente, José Carlos, *Con el viento solano*, en *Ya*, 29-IV-1956.
—, «Al habla con Ignacio Aldecoa», *Nuevo Diario*, 16-II-1968.
Conte, Rafael, «El regreso de Aldecoa», en *Informaciones*, 22-VII-1967.
Corbalán, Pablo, «Un poema de los pescadores de altura», en *Informaciones*, 1-III-1958.
C. P. E., «Ignacio Aldecoa en Vitoria», en *La Gaceta del Norte*, 26-IV-1967.
Del Arco: «Entrevista con Ignacio Aldecoa», en *La Vanguardia*, 6-XI-1954.
Díaz Plaja, Guillermo, *Parte de una historia*, en *ABC*, 3-VIII-1967.
Doltra, Esteban, *Parte de una historia*, en *Hoja*, Barcelona, 13-V-1968.
Domingo, José, «*Parte de una historia* de Ignacio Aldecoa», en *Ínsula*, núm. 252, noviembre 1967.
—, *Santa Olaja de acero y otras historias*, en *Ínsula*, núm. 267, febrero 1969.

—, «Del realismo crítico a la nueva novela», en *Ínsula*, núm. 290, enero 1971.
—, «Perennidad del cuento: Ignacio Aldecoa. Cuentos Completos», en *Ínsula*, núm. 319, 1973.
«Entrevista con Ignacio Aldecoa», en *Ateneo*, 1-XI-1954.
«Entrevista con Ignacio Aldecoa», en *El Español*, (20-26)-III-1955.
«Entrevista con Ignacio Aldecoa», en *Diario de la tarde*, Sevilla, 12-XI-1960.
«Entrevista con Ignacio Aldecoa», en *El Día*, Santa Cruz de Tenerife, 4-III-1961.
«Entrevista con Ignacio Aldecoa», en *Nueva Rioja*, Logroño, 30-VI-1968.
«Entrevista con Ignacio Aldecoa», en diario *La Nación*, Buenos Aires, 20-IV-1969.
Fernández Almagro, Melchor, «Esquema de la novela española contemporánea, en *Clavileño*, núm. 5, sept.-octubre 1950.
—, *El fulgor y la sangre*, en *ABC*, 3-IV-1955.
—, *Con el viento solano*, en *ABC*, 9-VII-1956.
—, «*Gran Sol* por Ignacio Aldecoa», en *ABC*, 8-II-1958.
—, «Una novela de la mar y los barcos», en *La Vanguardia*, 11-II-1958.
Fernández Cuenca, Carlos, «Entrevista con Ignacio Aldecoa», en *Ya*, 25-XI-1956.
G., *Pájaros y espantapájaros*, en *Cuadernos Hispanoamericanos*, núms. 175-177, 1964.
—, «Una tarde con Ignacio Aldecoa», en *El Urogallo*, núm. 0, diciembre 1969.
García Pavón, Francisco, «Ignacio Aldecoa: novelista, cuentista», en *Índice de Artes y Letras*, núm. 146, marzo 1961.
—, «Responso particular por Ignacio Aldecoa», en *ABC*, 16-XI-1969.
Garciasol, Ramón de, *Vísperas del silencio*, en *Ínsula*, núm. 115, julio 1955.
García Viñó, Manuel, «Los cuentos de Ignacio Aldecoa», en *Arbor*, núm. 335, 1973.
G. L., *El fulgor y la sangre*, en *Índice de Artes y Letras*, núm. 281, junio 1955.
Gómez de la Serna, Gaspar, *Gran Sol*, en la *Gaceta Literaria*, núm. 70, 8-II-1958.
Gómez Santos, Marino, «Entrevista con Ignacio Aldecoa», en el diario *Madrid*, 18-I-1955.
Gomis, Lorenzo, «Pesca de altura. *Gran Sol* de Ignacio Aldecoa», en *El Ciervo*, núm. 63, marzo 1958.
Gortari, C., *Con el viento solano*, en *Nuestro Tiempo*, núm. 33, marzo 1957.
Gray, «Ignacio Aldecoa quince años sin presentarse a premio», en *Informaciones*, 3-IV-1969.
Hernández, Antonio, «El escritor al día: Ignacio Aldecoa» en *La Estafeta Literaria*, núm. 421, 1969.

Herrero, P. M., «Ignacio Aldecoa», en *La Hora*, 13-VI-1957.

Jiménez, Salvador, «Ha muerto Ignacio Aldecoa», en *ABC*, 16-XI-1969.

Lasagabaster, Jesús María, «Ignacio Aldecoa diez años después. Verdad y validez de una novela», en *Ínsula*, núms. 396-397, noviembre-diciembre 1979.

Linares Rivas, Álvaro, «Ignacio Aldecoa», en *Crítica*, 4-I-1958.

Manegat, Julio, «*Gran Sol* de Ignacio Aldecoa», en *El Noticiario Universal*, 1-IV-1958.

Marra López, José Ramón, *El corazón y otros frutos amargos*, en *Ínsula*, núm. 156, noviembre 1959.

Martínez Garrido, «Ignacio Aldecoa», en *El Alcázar*, 9-II-1968.

Martínez Ruiz, Florencio, «Nueva lectura de Ignacio Aldecoa», en *ABC*, 2-XII-1973.

Molina, A., «Entrevista con Ignacio Aldecoa», en *Diario de Baleares*, 21-I-1986.

Morales, Manuel, «Un novelista de la generación intermedia»: Ignacio Aldecoa», en *Juventud*, 10-VIII-1957.

Muñiz, Mario, *Gran Sol*, en *La Estafeta Literaria*, núm. 51, 1956.

Nieto, Ramón, «*Con el viento solano*. Aldecoa llega al umbral de la madurez novelística», en *La Hora*, 15-XI-1956.

Olstad, Charles, *Parte de una historia*, en *Books Abroad*, núm. 2, 1968.

Pérez Minik, Domingo, «La isla de Ignacio Aldecoa: *Parte de una historia*», en *El Día*, Canarias, 8-XI-1967.

Perlado, José Julio, *El corazón y otros frutos amargos*, en *La Estafeta Literaria*, núm. 172, julio 1959.

—, «Ignacio Aldecoa escribe parte de una historia», en *El Alcázar*, 3-III-1967.

Porcel Pujol, Baltasar, «Una novela del mar», en *Papeles de Son Armadans*, núm. 26, mayo 1958.

Pozo, Raúl del, «Un vasco que escribe mejor que Baroja», en *Informaciones*, 24-X-1967.

Rodríguez, Josefina, «Algunos datos sobre Ignacio Aldecoa», en *El Español* (20-26)-III-1955.

Roig, Rosendo, «Carta abierta a Ignacio Aldecoa», en *La Hora*, 8-II-1958.

—, «Aldecoa en una cárcel de alcohol y mar», en *Ya*, 19-X-1967.

—, «Diálogo con Ignacio Aldecoa sobre novela actual española», en *Las Provincias*, Valencia, 10-XI-1968.

Salcedo, Emilio, «*Parte de una historia*. Carta a Ignacio Aldecoa sobre la soledad del hombre», en *El Norte de Castilla*, 30-VII-1967.

Santiago, Miguel de, «Una historia partida. Entrevista con Josefina Rodríguez», en *La Estafeta Literaria*, núm. 578, 15-XII-1975.

Santos, Dámaso, «Una pasión conducida con inteligencia», en *Índice de Artes y Letras,* núm. 132, enero 1960.
Sastre, L., «La vuelta de Ignacio Aldecoa», en *La Estafeta Literaria,* núm. 169, 15-V-1959.
Suárez, Alberto, «Con Ignacio Aldecoa en Vitoria», en *El Pensamiento Alavés,* 3-VIII-1959.
—, «Ignacio Aldecoa, escritor en primera línea», en *La Gaceta del Norte,* Bilbao, 10-V-1968.
Torres, Raúl, «Ignacio Aldecoa: *Parte de una historia*», en *Cuadernos Hispanoamericanos,* núm. 219, marzo 1968.
Tovar, Antonio, «Ni un día sin línea. *Parte de una historia*», en *La Gaceta Ilustrada,* 8-X-1967.
Trenas, Julio, «Entrevista con Ignacio Aldecoa», en *Pueblo,* 5-X-1956.
—, «Así trabajaba Iganacio Aldecoa, en *Pueblo* 5-X-1957.
Tudela, Mariano, «Reflexión ante dos libros de narraciones», en *Cuadernos Hispanoamericanos,* núm. 70, octubre 1955.
Umbral, Francisco, «En la muerte de Ignacio Aldecoa», en *La Estafeta Literaria,* núm. 433, diciembre 1969.
Val, Venancio del, «Ignacio viaja y escribe», en *Pensamiento Alavés,* 30-VIII-1955.
Valencia, Antonio, «El testimonio de la vista (*Caballo de pica*)», en *Arriba,* 7-VII-1961.
Vázquez, Zamora, Rafael, «La espera angustiosa», *España,* Tánger, 4-XII-1955.
—, «Ahora sabemos quién fue aquel gitano», en *España,* Tánger, 22-IV-1956.
—, «Ignacio Aldecoa está en alta mar», en *España,* Tánger, 15-II-1958.
—, «Novela: *Gran Sol*», en *España,* Tánger, 13-IV-1958.
Vilanova, Antonio: «*Gran Sol,* de Ignacio Aldecoa», en *Destino,* 1-III-1958.
Villa Pastor, J., *Gran Sol,* en *Archivum,* VII, núms. 1, 2 y 3, diciembre-enero 1957.
Vilumara, Martín, «Los cuentos completos de Ignacio Aldecoa», en *Triunfo,* núm. 554, mayo 1973.

SOBRE TEORÍA GENERAL DEL CUENTO

1. Libros.

Alazraki, Jaime, *Versiones, inversiones, reversiones (El espejo como modelo estructural del relato en los cuentos de Borges),* Madrid, Gredos, 1977.
Anderson Imbert, Enrique, *El cuento español,* Buenos Aires, Columba, 1959.
—, *Teoría y técnica del cuento,* Buenos Aires, Marymar, 1979.

Baquero Goyanes, Mariano, *El cuento español en el siglo* XIX, Madrid, Consejo Superior de Investigaciones Científicas, 1949.

Bosch, Juan, *Teoría del cuento,* Mérida, Venezuela, Universidad de los Andes, 1967.

—, *Cuentos escritos en el exilio y apuntes sobre el arte de escribir cuentos,* Santo Domingo, Julio Postigo, 1968.

Brandenberger, Erna, *Estudios sobre el cuento español contemporáneo,* Madrid, Editora Nacional, 1973.

Bratosevich, Nicolás, *El estilo de Horacio Quiroga en sus cuentos,* Madrid, Gredos, 1973.

Castagnino, Raul H., *«Cuento artefacto» y artificios del cuento,* Buenos Aires, Nova, 1975.

Lancelott, Mario A., *Teoría del cuento,* Buenos Aires, Ediciones Culturales Argentinas, 1973.

Leal, Luis, *Historia del cuento Hispanoamericano,* México, Ediciones de Andrea, 1956.

Lida de Malkiel, María Rosa, *El cuento popular y otros ensayos,* Buenos Aires, Losada, 1976.

May, Charles E., *Short Story Theories,* Ohio University Press, 1976.

Meletinski, E., *Estudio estructural y tipológico del cuento,* Buenos Aires, Rodolfo Alonso Editor, 1972.

Pastoriza de Etchebarne, Dora, *El cuento en la literatura infantil,* Argentina, Kapelusz, 1962.

Poe, Edgar Allan, *Twice-Told Tales,* Harmondsworth, Middlesex, England, Penguins Books, 1967.

Propp, Vladimir, *Las raíces históricas del cuento,* Madrid, Fundamentos, 1974.

—, *Morphologie du conte,* París, Seuil, 1970.

Ramos, Elías, A., *El cuento venezolano contemporáneo,* Madrid, Playor, 1979.

Serra, Edelweis, *Tipología del cuento literario,* Madrid, Cupsa Editorial, 1978.

Stith, Thompson, *El cuento folklórico,* Caracas, Editorial de la Biblioteca, 1972.

Tijeras, Eduardo, *Últimos rumbos del cuento español,* Argentina, Columba, 1969. (Introducción teórica en págs. 9-103; el resto es antología.)

Todorov, Tzvetan, *«Las categorías del relato literario». Análisis estructural del relato,* Buenos Aires, Tiempo Contemporáneo, 1970.

Varios, *El cuento hispanoamericano ante la crítica,* Madrid, Castalia, 1980.

2. ARTÍCULOS.

Amorós, Andrés, «Narraciones de F. Ayala», en *Cuadernos Hispanoamericanos,* núm, 209, mayo 1967, págs. 377-380.

—, «Fernández Santos o el arte de narrar», en *Literatura y Filología* (Fundación Juan March), núm. 60, mayo 1978, págs. 6-7.

Bader, A. L., «The Structure of the Modern Short Story», en *Short Story Theories*, Ohio University Press, 1976, págs. 107-116.

Barnatan, Marcos Ricardo, Prólogo a *Jorge Luis Borges. Narraciones*, Madrid, Cátedra, 1980, págs. 11-59.

Bueno, Salvador, «El cuento en Hispanoamérica», en *Cultura*, El Salvador, núm. 7, enero-febrero 1956, págs. 137-144.

Campos, Jorge, «El relato breve en Argentina», en *Ínsula*, núms. 380-381, julio-agosto, 1978, pág. 17.

Cano, José Luis, «Francisco García Pavón nos habla del cuento», en *Ínsula*, núms. 152-153, julio-agosto 1959, pág. 19.

Cortázar, Julio, «Algunos aspectos del cuento», en *Casa de las Américas*, II, núms. 15-16 (1962-63), págs. 3-14.

—, «Del cuento breve y sus alrededores», en *Último round*, México, Siglo XXI, 1969 (textos recogidos en Julio Cortázar, *La casilla de los Morelli*, compilación y prólogo de Julio Ortega, Barcelona, Tuquets Editor, 1973).

D. A., «M. Fraile, el cuento, oficio literario», en *Eidos*, Madrid, núm. 19, 1963, págs. 305-309.

Domingo, José, *La guerra de los dos mil años*, en *Ínsula*, núm. 256, marzo 1968, págs. 5-6.

Fraile, Medardo, «El cuento y su categoría literaria», en *Informaciones*, Madrid, 22-X-1955.

—, «Novela y cuento 1957», en *La Estafeta Literaria*, núms. 110-111, especial fin de año 1957, págs. 7-8.

—, «Panorama del cuento contemporáneo en España» (Extrait des Cahiers du Monde Hispanique et Luso-Brésilien), en *Caravelle*, 17, 1971, págs. 171-185.

—, «Guía del cuento contemporáneo en España», en *Cahiers de Poétique et de Poésie Ibérique et Latino Américaine*, Université de Paris (Nanterre), núm. 2, junio 1976.

Grande, Félix, «F. García Pavón, Cuentos republicanos», en *Cuadernos Hispanoamericanos*, núm. 146, febrero 1962, págs. 291-97.

—, «Instantáneas de Ory» en *Cuadernos Hispanoamericanos*, núm. 178, octubre 1964, págs. 161-167.

Granjel, Luis S., «La novela corta en España (1907-1936). La novela durante los años veinte», en *Cuadernos Hispanoamericanos*, núms. 223-225, septiembre 1968, págs. 14-50.

Hierro, José, «El cuento como género literario», en *Cuadernos Hispanoamericanos*, núm. 61, enero 1955, págs. 60-66.

Lagmanovich, David, «Rasgos distintivos de algunos cuentos de Julio Cortázar», en *Hispamérica*, núm. 1., julio 1972.

Liscano, Juan, «El cuento hispanoamericano», en *Revista Nacional de Cultura*, XX, junio 1958, págs. 7-14.

López Molina, Luis, «Jesús Fenández Santos y «Las catedrales». Notas sobre técnica del cuento», en *Revista de Literatura*, núm. 82, julio-diciembre 1979, págs. 185-191.

Miró, Emilio, «Cuentos de verdad», en *Cuadernos Hispanoamericanos*, número 181, enero 1965, págs. 204-210.

Mora Valcárcel, Carmen de, «La fijación espacial en los relatos de Cortázar», en *Cuadernos Hispanoamericanos*, núms. 364-366, octubre-diciembre 1980, págs. 342-354.

Morello-Frosch, Marta, «La ficción se historifica: Cortázar y Rozenmacher», en *Revista de Crítica Literaria Latinoamericana*, Lima, núm. 5, 1.er semestre 1977, págs. 75-86.

Polo García, Victoriano, «La formalización del cuento hispanoamericano», en *Cuadernos para Investigación de la Literatura Hispánica* (Fundación Universitaria Española. Seminario «Menéndez Pelayo»), Madrid, núm. 1, 1978, págs. 99-119.

Pupo-Walker, Enrique, «Indicios de una nueva plenitud: Notas sobre el cuento español y un libro de Ricardo Doménech», en *Ínsula*, núm. 394, septiembre 1979, pág. 4.

—, «Notas sobre la trayectoria y significación del cuento hispanoamericano» (Prólogo). Varios, *El cuento hispanoamericano ante la crítica*, Madrid, Castalia, 1980, págs. 9-21.

Rodríguez Padrón, Jorge, «Cuentos completos» de Jesús Fernández Santos: una experiencia narrativa», en *Ínsula*, núm. 378, mayo, 1978, pág. 3.

Rohrberger, Mary, «The Short Story: A proposed Definition», *Short Story Theories*, Ohio University Press, 1976, págs. 80-83.

Sabas, Martín, «Julio Cortázar de nuevo anda por ahí», en *Cuadernos Hispanoamericanos*, núm. 333, marzo 1978, págs. 505-511.

Sánchez, José, «El cuento hispanoamericano», en *Revista Iberoamericana*, XVI, núm. 31, febrero-junio, 1950, págs. 102-122.

Santos, Dámaso: «El cuento como tránsito y como logro literario», en *El pueblo gallego*, 16 de mayo 1958, *Diario español*, 8-IV-1958.

Sanz Villanueva, Santos, «Los nuevos relatos de Ricardo Doménech», en *Cuadernos Hispanoamericanos*, núm. 328, octubre 1957, págs. 170-177.

Tijeras, Eduardo: «Noticia sobre la Colección Leopoldo Alas», en *Cuadernos Hispanoamericanos*, núm. 115, julio 1959, págs. 68-72.

—, «Segunda noticia sobre la Colección Leopoldo Alas», *Cuadernos Hispanoamericanos*, núm. 125, mayo 1960, págs. 236-238.

Umbral, Francisco, Prólogo a *Teoría de Lola*, Barcelona, Destino, 1977.

Varios, *Asedios a Carpentier*, Chile, Editorial Universitaria, 1972 (Contiene varios estudios sobre sus cuentos).

Varios, «Homenaje a F. Ayala», en *Ínsula*, núm. 302, enero 1972 (Contiene varios estudios sobre sus cuentos).

Varios, «Homenaje a Julio Cortázar», en *Cuadernos Hispanoamericanos*, núms. 364-366, octubre-diciembre 1980 (Contiene varios estudios sobre sus cuentos).

Varios; «Inquisición sobre Borges», en *Revista Iberoamericana*, núms. 100-101, julio-diciembre 1977 (Contiene varios estudios sobre sus cuentos).

Vilanova, A., «Cabeza rapada» de Jesús Fernández Santos», en *Papeles de Son Armadans*, IV, 1959, XII, págs. 231-233.

3. Antologías *.

Anderson-Imbert, Enrique y Kiddle Laurence, *Veinte Cuentos Españoles del siglo* XX, New York, Appleton-Century-Crofts, Inc. 1961.

Baquero Goyanes, Mariano, *Antología de cuentos contemporáneos*, Barcelona, Labor, 1964.

Conte, Rafael, *Narraciones de la España desterrada*, Barcelona, Edhasa, 1970.

Díez Rodríguez, M., *Antología del cuento literario*, Madrid, Alhambra, 1985.

Ebersole, A. V., *Cinco cuentistas contemporáneos*, Prentice-Hall. Inc. Englewood Cliffs, New Jersey, 1969.

El cuento Hispanoamericano, Buenos Aires, Centro Editor de América Latina, 1977. Selección y notas de Susana Zanetti.

El cuento inglés, Buenos Aires, Centro Editor de América Latina, 1977. Selección y notas de Virginia Erhart.

El cuento norteamericano contemporáneo, Buenos Aires, Centro Editor de América Latina, 1976. Selección: Ricardo Piglia. Notas: Washington Sardi.

García Pavón, Francisco, *Antología de cuentistas españoles contemporáneos*, Madrid, Gredos, 1976 tom. I (3.ª ed.); tom. II, 1984.

Grande, Félix, *Narradores españoles de hoy*, Caracas, Monte Ávila Editores C. A., 1970.

Premios Sésamo. Cuentos. Recopilación y notas de Carlos Arce. Epílogo de Dámaso Santos, Barcelona, Sagitario, S. A. de Ediciones, 1975.

Relatos españoles de hoy, Madrid, Santillana, S. A. Ediciones, 1970, Prólogo de Alfonso Grosso. Notas biográficas de Rafael Conte.

Sáinz de Robles, Carlos, *Cuentistas españoles contemporáneos*, Madrid, Aguilar, 1961.

Seymour Menton, *El cuento hispanoamericano*, México, Fondo de Cultura Económica, 1970 (2 vols.)

* En todas estas antologías figura alguna nota o estudio sobre el cuento.

ÍNDICE GENERAL

TWAYNE'S WORLD AUTHORS SERIES

A Survey of the World's Literature

Sylvia E. Bowman, Indiana University
GENERAL EDITOR

RUSSIA

Nicholas P. Vaslef, U.S. Air Force Academy
EDITOR

Ivan Goncharov

(*TWAS 200*)

TWAYNE'S WORLD AUTHORS SERIES (TWAS)

The purpose of TWAS is to survey the major writers —novelists, dramatists, historians, poets, philosophers, and critics—of the nations of the world. Among the national literatures covered are those of Australia, Canada, China, Eastern Europe, France, Germany, Greece, India, Italy, Japan, Latin America, New Zealand, Poland, Russia, Scandinavia, Spain, and the African nations, as well as Hebrew, Yiddish, and Latin Classical literatures. This survey is complemented by Twayne's United States Authors Series and English Authors Series.

The intent of each volume in these series is to present a critical-analytical study of the works of the writer; to include biographical and historical material that may be necessary for understanding, appreciation, and critical appraisal of the writer; and to present all material in clear, concise English—but not to vitiate the scholarly content of the work by doing so.

Ivan Goncharov

By ALEXANDRA LYNGSTAD
Fordham University
and
SVERRE LYNGSTAD
Newark College of Engineering

Twayne Publishers, Inc. :: New York

Library of Congress Catalog Card Number: 75-169628

MANUFACTURED IN THE UNITED STATES OF AMERICA

To Karin and Janusz

Preface

In the English-speaking world Ivan Alexandrovich Goncharov (1812–91) is generally known as the author of one book, the great novel *Oblomov,* and whatever criticism has been forthcoming deals mainly with this work. Except for Janko Lavrin's brief study, *Goncharov* (1954), no comprehensive treatment of his fiction exists in English. This scanty, one-sided attention may partly be due to the lack of adequate translations. For example, the last of Goncharov's three novels, *The Precipice* (*Obryv,* 1869; also called *The Ravine* and *The Steep*), has never been properly translated into English, since the version put out in 1915 by Alfred A. Knopf was greatly abbreviated, and mutilated beyond recognition. His first novel, *A Common Story* (*Obyknovennaia istoriia,* 1847), has fared somewhat better. The Constance Garnett translation came out in New York in 1894 and was reissued in London in 1917. But forty years were to pass before a new translation (*The Same Old Story,* 1957) was made available by the Russians themselves. The only one of Goncharov's novels to which the English reader has had ready access during the last several decades is *Oblomov.*

In the Soviet Union, on the other hand, all of Goncharov's novels are popular classics. Though no collected edition appeared between 1916 and 1952, each work was frequently published separately. For example, in 1936 as many as five different *Oblomovs* were issued, along with one edition of *The Precipice* and two of *A Common Story;* in 1950 no less than four editions of *The Precipice* appeared. Since 1952 there have been three collected editions, as well as numerous reprintings of the individual novels. Truly surprising is the continued popularity of *The Precipice,* a work with a strong antinihilist bias and religious undertones. Between 1917 and 1964 it was reissued separately

twenty-two times, eight more than *A Common Story,* which is generally considered to be "progressive" in tendency.

While Goncharov's literary reputation was early established and has remained relatively stable, scholarship on him was slow in getting under way, being seriously hampered by the scarcity of personal documents. The responsibility for this quandary, most acutely felt in studying the young Goncharov, rests squarely with the author. Shortly before his death, in an article entitled "Infringement of One's Will" (1889), Goncharov requested everyone in possession of his letters not to permit their publication and eventually to destroy them. Several correspondents, including some near kin, complied with his wish. Shortly afterwards, it is reported, Goncharov burnt his personal papers. Despite these handicaps, scholars have had considerable success in opening up the life of the cagey bachelor. With his *Un maître du roman russe: Ivan Gontcharov* (1914), still an invaluable scholarly resource, the Frenchman André Mazon became the first dean of Goncharov studies. Of comparable importance were the critical-biographical studies of E. A. Lyatsky, who, however, managed to complete only the first volume of his biography, *Roman i zhizn'* (Romance and Life, 1925); it ends with the year 1857. A definitive biography of Goncharov still remains to be written. An important preliminary appeared in 1960, "A Chronicle of I. A. Goncharov's Life and Work" (*Letopis' zhizni i tvorchestva I. A. Goncharova*) by A. D. Alekseev; this document provides a day-to-day record of the author's experience. A collected edition of the letters, hitherto available only in selections, is long overdue.

The criticism of Goncharov covers a wide spectrum of interpretation. During his lifetime he was generally viewed as a "critical realist" in the so-called Gogolian tradition, and his work was judged mostly by sociological criteria. Around the time of the author's death, Dmitry Merezhkovsky presented a counterbalancing view through his reinterpretation of much of Russian literature in the spirit of Symbolism.[1] By their emphasis upon the subjective, autobiographical elements in his novels, Mazon and Lyatsky indirectly justified this new direction. While Soviet scholars still stress the sociological "realism" of Goncharov, one critic, N. I. Prutskov in his "Goncharov's Art of the Novel"

(*Masterstvo Goncharova-romanista,* 1962), discusses symbols as an accepted part of his literary technique. A more balanced view of Goncharov, which does justice to all aspects of his work–psychological, social, and esthetic–seems to be taking form.

The present study will focus exclusively on Goncharov's achievement as a novelist. Therefore, his admirable travelogue, *The Frigate "Pallada"* (1858), will not be discussed, and reference will be made to his memoirs and critical essays only to the extent that they provide sidelights on his major fiction. However, we have offered a background psychological sketch of the author and a discussion of his literary apprenticeship. While our analysis of the individual novels does not conform to a uniform pattern, we have tried throughout to maintain a reasonable balance between the claims of theme and technique, the author's vision of life and its artistic expression. The final chapter, intended as a kind of synthesis, suggests the peculiar quality of Goncharov's talent and achievement.

Contents

Chronology

1812 Ivan Alexandrovich Goncharov, son of a prosperous grain merchant, born June 18th*, in Simbirsk (now Ulyanovsk) on the Volga.

1819 After father's death September 22nd, N. N. Tregubov, a retired naval officer, helps Mrs. Goncharov raise the children.

1820–1822 Attends boarding school near Simbirsk.

1822 On July 20 sets out for Moscow to join elder brother, Nicholas, at School of Commerce.

1826–1827 Becomes seriously interested in literature; begins to write.

1830 Leaves the School of Commerce without graduating.

1830–1831 Moscow University being closed because of cholera, Goncharov spends year in Simbirsk.

1831–1834 Attends Moscow University as student of philology.

1832 Excerpt of Goncharov's translation of Eugene Sue's romantic novel *Atar-Gull* appears in *The Telescope,* journal edited by N. I. Nadezhdin, one of Goncharov's professors.

1834–1835 Serves as secretary to governor of Simbirsk.

1835 In May leaves for St. Petersburg and goes to work as translator in Foreign Trade Department of Ministry of Finance. In the summer begins to frequent the literary circle of Nikolay and Eugenia Maykov and to tutor two of their sons, Apollon and Valerian.

---

* The dates are indicated according to the New Style, conforming to the Western calendar. In the nineteenth century, the Julian calendar used in Russia ran twelve days behind its Western counterpart.

1836 Several poems by Goncharov appear in the Maykovs' private handwritten journal, "The Snowdrop" (*Podsnezhnik*).
1838 Story, "The Evil Sickness" ("Likhaia bolest'"), first printed in 1936, appears in "The Snowdrop."
1839 Story, "A Lucky Error" ("Schastlivaia oshibka"), appears in "Moonlit Nights" (*Lunnye nochi*), private miscellany of the Maykov circle.
1842 Writes physiological sketch, "Ivan Savich Podzhabrin."
1843 Begins novel, "The Old People" (*Stariki*). Later discontinued because of Goncharov's diffidence in his talent.
1846 In April meets the influential critic V. G. Belinsky; reads first part of *A Common Story* (*Obyknovennaia istoriia*) before his circle.
1847 *A Common Story*, written mainly in 1845, appears in the March and April issues of *The Contemporary*.
1848 "Ivan Savich Podzhabrin" appears in the January issue of *The Contemporary*. *A Common Story* comes out in book form.
1849 "Oblomov's Dream" (written in 1848) appears in illustrated collection of writings brought out by *The Contemporary*.
1851 Goncharov's mother dies April 23.
1852–1854 Serves as secretary to Admiral E. V. Putyatin on a worldwide sailing expedition undertaken chiefly to initiate trade relations with Japan. Expedition cut short because of outbreak of Crimean War.
1856–1860 Serves as censor in Ministry of the Interior.
1858 Travel sketches, *The Frigate "Pallada,"* published in book form.
1859 *Oblomov* appears in the January to April issues of *Notes of the Fatherland*. Published separately October 12. Goncharov accuses Turgenev of plagiarism (letter of April 9).
1860 In early April a group of mutual friends arbitrate in dispute between Turgenev and Goncharov, finding the coincidences between Goncharov's "program" for *The Precipice* and Turgenev's novels quite natural, since all had sprung from "one and the same Russian soil."
1862 From October 1862 to July of following year is editor-

in-chief of the official newspaper, *The Northern Mail.*

1863–1868 Serves as member of Board of the Press (from September 1865 Board of the Chief Directorate of the Press) in Ministry of Interior.

1864 Reconciles with Turgenev at funeral of critic A. V. Druzhinin (February 2).

1867 Receives Order of Vladimir (Third Class) for "outstanding and diligent" performance as a public servant.

1868 Retires January 10, evidently for reasons of health (impaired vision), with annual pension of 1750 rubles.

1869 From January to May *The Precipice* (*Obryv*) appears in *The Messenger of Europe* (*Vestnik Europy*).

1870 On February 3 *The Precipice* comes out in book form.

1872 On March 3 his critical essay on Griboedov's comedy *Woe from Wit,* "A Million Torments," appears in *The Messenger of Europe.*

1875–1878 Writes *An Uncommon Story* (*Neobyknovennaia istoriia*), a secret memoir devoted mainly to proving his charge of plagiarism against Turgenev. Printed posthumously in 1924.

1879 Goncharov's article "Better Late Than Never," an extensive explanation of his literary intentions, appears in *Russian Speech.*

1880 Sketch, "A Literary Evening," appears in *Russian Speech.* In December, volume entitled *Four Sketches,* containing "A Literary Evening," "A Million Torments," "Notes on the Personality of Belinsky" and "Better Late Than Never," is published.

1883 In December his eye condition worsens; complete loss of sight in right eye. In same month his *Collected Works* published in eight volumes.

1886 Second edition of *Collected Works* appears.

1887 Reminiscence, "From My University Recollections," appears in *The Messenger of Europe.*

1888 Four character sketches, collectively entitled *Old-time Servants,* are published in the journal *The Field* (*Nivá*). *The Messenger of Europe* prints another recollection piece, "At Home" ("Na rodine").

1891 Dies September 27.

CHAPTER 1

The Man and the Mask

IVAN GONCHAROV was a man of many contradictions, concealing deep tensions under an impassive exterior. His "veiled" look and the nonchalantly-held cigar, both notable features of I. N. Kramskoy's well-known portrait of 1874, convey his dominant persona, which is also reflected in some of his writings. At the end of *Oblomov*, for example, Stolz is in the company of a writer, "a stout, apathetic-looking man with melancholy and, as it were, sleepy eyes."[1] Another self-portrait is given in "A Literary Evening" in the guise of the middle-aged writer Skudelnikov, who

> sat in his armchair without stirring, as if he had grown onto it or had gone to sleep. From time to time he raised his apathetic eyes, glanced at the author and again lowered them. Evidently, he was indifferent to the reading as well as to literature itself—in general, to everything around him. (VII, 107)

But this man, outwardly so calm, at least in his self-image, was inwardly racked by frustrated ambition, professional jealousies, and all sorts of anxieties. A sedentary person who loved peace and quiet, at the age of forty he joined a sailing expedition bound for the ends of the earth. In a letter to Mr. and Mrs. M. A. Yazykov of September 4, 1852 he writes:

> Everybody was surprised that I could resolve upon such a long and dangerous journey, lazy and spoiled as I am! If they knew me, they would not be surprised at this resolution. Sudden changes constitute my character; I am never the same two weeks in a row, and if I seem externally constant and true to my habits and inclinations, that is only because of the fixity of the forms in which my life is contained. (VIII, 248)

The tension between persona and inner self assumes concrete form through Goncharov's double professional allegiance. Timid and excessively modest about his literary talent, as well as fond of creature comforts, he does not seem to have seriously considered devoting himself exclusively to literature, but decided to make his living as a government official. However, the bureaucratic path was not an easy one; only after his extraordinary service on the *Pallada* did the promotions come quickly. In a reminiscing letter to his intimate friend and literary assistant Sofia Nikitenko, he speaks of a "school undergone for two decades with agonizing daily thoughts as to whether there would be firewood and boots when needed, or if the winter coat ordered on credit at the tailor's could be paid for."[2] But regardless of whether he was near the point of deprivation or well set up, whether he was locked in a subordinate position or moving quickly up the ranks, Goncharov always felt his service duties as a heavy burden. In 1874, more than six years after his retirement, he tells Countess A. A. Tolstoy: "I always wanted, and was called, to *write;* and meanwhile I was obliged to serve. . . . I always did what I did not know how to do or did not want to do." And he exclaims bitterly: "A whole lifetime in the service for a piece of bread."[3]

His situation assumes an ambiguous cast due to the fact that he, a literary man, for eight years served as a censor. The liberal critic A. V. Druzhinin comments on this appointment as follows:

> I have heard . . . that Goncharov will go to work as a censor. One of the foremost Russian writers ought not to accept a position of that kind. I do not consider it a shameful one, but, first, it takes time away from the writer, secondly, it displeases public opinion, and thirdly . . . thirdly, a writer ought not to be a censor.[4]

Goncharov's experience was to justify Druzhinin's doubts. A letter of 1858 to P. V. Annenkov shows that his position as censor caused strain between him and his fellow writers and even was a source of social embarrassment (VIII, 303–4).

Goncharov gives a sociological explanation of his predicament, asserting that during his formative years literature was not yet

considered as an organic part of culture in Russia. "With us," he writes to Miss Nikitenko in 1860,

> the literary man was not a plant that grew up on social soil, out of social needs; he was some sort of solitary, separate, accidental plant, a luxury and not at all a necessity and, moreover, a luxury long declared to be harmful, like tobacco in the old days. He was trampled on, crushed, exterminated—and he was almost always contraband.

A change came only with Gogol's time, he declares, when finally "people began to see in the belletrist something serious, necessary, and important." But by 1830, when he was reaching maturity, this had not yet come to pass, and he was therefore unable at the time to choose literature as his "duty" and his "calling" (VIII, 333). Though this may be nothing but the special pleading of a wretched man who felt artistically unfulfilled, the subjective point is worth noting: Goncharov was convinced that his failure to find his calling and develop his talent at the most opportune time was due to Russian backwardness.

His frustrations, however, may be partly traceable to his own social background. By birth Goncharov belonged to the merchant class (*kuptsy*), not especially famous for its cultural interests. Though his family was well above the average level of its class—referred to by the critic Dobrolyubov as the "dark kingdom"—when the time came to choose a school for Vanya, his widowed mother decided upon a mercantile education. The years spent at the Moscow School of Commerce were, in Goncharov's opinion, largely wasted. In his mid-fifties he could still, in a letter to his brother, write with rancor about his experience at the school, in which, he says,

> we moped around . . . for eight years, our best eight years, without anything to do. Yes, without anything to do. And, what is more, he [the principal] held me back for four years in a junior class, though I was better than everybody else, just because I was too young, i.e., too small. . . . He saw to it that it was quiet during the lessons, that we didn't make noise, that we didn't read anything unnecessary, what didn't belong to the lessons; but he wasn't smart enough to appraise and dismiss his dull and stupid teachers.[5]

He mentions several incompetent teachers by name and comments on the dry, unimaginative methods of instruction. Finally, at eighteen, Goncharov evidently convinced his mother during the summer holidays that a commercial career was not for him, and he left the school without graduating.

By its very mediocrity the School of Commerce may have deeply influenced the formation of Goncharov's character. During his last years there, A. Rybasov reports, the boy read a great many French romantic novels in the original, but "neither among the teachers nor his schoolmates did Goncharov meet a person who could teach him to examine what he read, to understand poetry, and to form his taste."[6] Actually, he had engaged in haphazard reading from a very early age, ever since he was sent to boarding school across the Volga in 1820. Within two years, the extent of his stay, he devoured every book in the small library, ranging from travel descriptions, history, and poetry to works by Voltaire, Rousseau, Sterne, and Mrs. Radcliffe—"in short, an inconceivable mixture." In his own judgment,

> this indiscriminate reading, without supervision, without guidance and, of course, without any criticism or even any consecutive order, prematurely opened the boy's eyes to many things and inevitably speeded up the growth of his imagination, already too lively by nature. (VIII, 228)

This sustained habit of reading, at the School of Commerce chiefly a means of escape from a dull, humiliating reality, may have fostered a tendency to create a "special world," as young Aduev in *A Common Story* puts it.[7] Though as a university student Goncharov allegedly overcame his passion for French Romantic fiction by means of "English and German literature, as well as by acquaintance with ancient historians and poets" (225), "the exclusive concentration of bookish interests," Rybasov suggests, "created the possibility of a certain alienation from life, withdrawal into a world of lofty, but lifeless dreaming."[8] In any case, the evils of an excessively active fancy, as opposed to the demands of real life, were to become one of the major themes of Goncharov's fiction. In his life, as we have seen, the dualism was reversed: the "evil" necessity to work interfered with his creative imagination.

This creative imagination was an ambiguous gift; the adult Goncharov was haunted by the fear that it might fail him. In childhood his fantasy, that of a boy who "loved to hide in a corner and read everything he came across" (VII, 513), could rely on outside sources for stimulation; now he depended on his *own* imagination not only for personal happiness but also for artistic success. Significantly, Goncharov explains his manic-depressive moods in terms of the action or inaction of the imagination. Ennui, his greatest evil, is attributed to the exhaustion of the imagination, no longer able to sustain the ideal world. The analytical activity which replaces it is a double-edged sword; for though "analysis cuts through falsehood, darkness, and drives away the fog"—he writes to his friend I. I. Lkhovsky in 1858—it also discloses, "behind the fog, the abyss." Thus, ennui will always threaten, peeping out through "every gap between two pleasures, that is, every time the imagination has grown tired and keeps silent" (VIII, 300). This personal dilemma never ceased to supply themes for Goncharov's fiction and is dealt with on an elaborate scale through Raysky in *The Precipice*.

The almost Schopenhauerian role of the imagination, and of art, in Goncharov's thought may be related to a deep neurosis. His letters abound with references to spleen (*khandra*) and to various physical maladies. After his return from Japan in 1855 until the early 1870's Goncharov spent nearly every summer at European spas. Sometimes he seems to suspect the psychological nature of his condition. Writing from Marienbad to the Nikitenko sisters in 1860, he tells how the desire to write was interrupted by "dejection, heaviness, spleen—in short, by that sickness . . . for which, perhaps, other waters than those of Marienbad are necessary." Then he rationalizes his condition as due to "the inception of old age" (VIII, 340), a reason for creative sterility invoked as early as 1849, at the age of thirty-seven (246). In his correspondence these complaints are repeated *ad nauseam* with no apparent solution in sight.

Partly, at least, these were symptoms of incipient mental illness. The first serious outbreak of Goncharov's latent paranoia occurred in his late forties, at a time when he was unsuccessfully trying to complete his third novel, *The Precipice*. Leon Stilman implies that his illness had been contained as long as "new im-

pressions . . . [were] creatively reworked."[9] But now, with his imagination in the doldrums, it erupted in a quite crass form: on the publication of Turgenev's *On the Eve* (1860) Goncharov repeated, in no uncertain terms, a charge made against his colleague already the previous year, namely, that he had plagiarized the "program" for his own unfinished book. From this point on, Turgenev and his associates—all of whom are discussed in minute detail in *An Uncommon Story*[10]—provided the magic key to all his misery and frustration. In that strange document he systematized his feelings, erecting an intricate structure of self-aggrandizement to soothe his lacerated ego. In the process, most of Turgenev's longer fiction, Flaubert's *Madame Bovary* and *Sentimental Education,* as well as several other European novels, were reduced to echoes of his own work. This complex tissue of fabrications betrays a profound sense of insecurity and inferiority, feelings that in his last fifteen years became institutionalized, so to speak, in a reclusive way of life.

His psychic malady, for which apparently he had a hereditary predisposition,[11] clearly hampered Goncharov both in his natural quest for love and happiness, and in his writing. Highly susceptible to women and frequently in love, he had little success in his courtships and remained a bachelor all his life. His tendency to treat passion intellectually, as a theme, may be related to this situation. His problems are reflected in Alexander Aduev, Oblomov and Raysky, whose behavior at times is quite neurotic. Their relationships with women are a source of great suffering; they are extremely egocentric, often to the point of infantilism; and while subject to extreme changes in mood, from the euphoric to the abysmally wretched, they are all afflicted with ennui and can escape it only through the workings of fantasy. And yet, with such unpromising heroes, molded from the stuff of his own unhappy experience without his creative triumphs, Goncharov is a great writer.

For the fictional world of which these neurotic heroes are a part is eminently sane, rooted as it is in the life of the landed gentry, still a dominant class in Russia. Goncharov acquired an early familiarity with this class through his godfather, N. N. Tregubov, a country squire who had settled permanently in Simbirsk and lived in a wing at the Goncharovs'. After the death

of Ivan's father in 1819 he merged his household with that of Mrs. Goncharov. In consequence, her housekeeping was on a large scale, and their life differed little from that of the middle gentry. Much has been made of the resulting double class heritage, whereby the cultural aspirations of the gentry were engrafted upon the practical bourgeois ethos.[12] Potentially a source of conflict as well as of a broader humanity, this peculiarity of his social background helps to elucidate important aspects of Goncharov's work.

CHAPTER 2

Goncharov's Literary Apprenticeship

UNTIL the 1920's Goncharov's literary beginnings were largely unexplored, and his brilliant first novel, *A Common Story,* could only be seen as the product of a natural, untutored talent. While André Mazon discusses "A Lucky Error" in his book of 1914, this early story was made available only in 1920, in an appendix to the Stockholm edition of a critical study by E. A. Lyatsky.[1] In Russia it was first printed in 1927, with a foreword by Alexander Tseitlin.[2] Gradually, an extended apprenticeship, going back to the novelist's mid-teens, was uncovered. The fact that Goncharov had reached the age of thirty-five when he first was published, was partly due to lack of confidence in his talent, and partly to a highly exacting taste.

Nor was the literary scene during Goncharov's formative years conducive to promoting a quick and early focusing of literary ambitions. The 1830's form a transitional period in Russian literature. While producing romantically-inspired literature as varied as the historical novel, Lermontov's *mal du siècle* poetry, and Gogol's fantastic tales, these years also show—especially from 1835 on—a definite trend toward realism. This trend is manifest in several ways: in the growing importance of prose fiction, in the broadening base of literary subject matter and, despite the official nationalism sponsored by the Government, in the beginnings of a literature of social criticism.

The shift in public taste from poetry to prose is perhaps best shown by the fact that Pushkin, a "born" poet, from 1830 on devoted much time to prose composition. His *Tales of Belkin* (1831) significantly extended the domain of Russian letters, particularly through "The Station Master," the first successful portrayal of the "little man" in Russian fiction. Stylistically, the

flair for parody demonstrated in this collection places it within the realistic trend. Though a decade and a half were yet to pass before the founding of the national school of Realism, pioneered by such leading figures of the Natural School as Dal, Sollogub, Butkov, and Gogol, the critical tendency associated with realism was already present. This tendency is traceable in such diverse writers as the fabulist Krylov—still active in the 1830's—the romantic Bestuzhev-Marlinsky, and N. F. Pavlov, author of *Three Tales* (1835), a work which sounds a clear note of social protest.

The simultaneous currency of several literary trends inevitably led to a mixture of styles. Thus, Pavlov presents the theme of "the insulted and the injured" in typical romantic manner, replete with unexpected twists of fortune, exceptional passions, and resounding rhetoric. Some of the early stories of Prince Vladimir Odoevsky show an even sharper contrast between theme and manner. In *Motley Stories* (1833), a critique of fashionable education takes the form of a gruesome allegory: a young girl has her heart torn out and her tongue twisted, after which she is consigned to a dress shop as a dummy. Though Goncharov was held back from stylistic vagaries of this kind by his conservative temperament and artistic tact, his early attempts to write show that, while trying to shape his own style, he was sensitive to the contending literary manners of the day.

Goncharov's introduction to the literary world came about in 1835, through his acquaintance with the family of Nikolay and Eugenia Maykov, whose two oldest sons, Apollon and Valerian, he subsequently tutored. For a person who, since the age of fourteen or fifteen, had read indiscriminately whatever he could lay his hands on and, without any notion that he had talent, had been writing "continually,"[3] the art-intoxicated atmosphere of the Maykovs' literary salon must have been exhilarating, indeed. The members of this family constituted a sort of miniature art colony. The elder Maykov was a famous academic painter, while his wife was a poetess and a writer of children's books; two of four sons who were later to have a literary career were already trying out their talents. The romantic idealism prevailing within the Maykov Circle was well suited to Goncharov, then a recent graduate of Moscow University, a seedbed of idealism, and somewhat of a romantic himself. The group's estheticism,

too, must have been agreeable to a person who, at a time when Moscow University was being watched by government agents, stayed aloof from the critical spirits among the students and met neither Belinsky nor Herzen. In his university reminiscences, written in the 1860's, Goncharov speaks about the "youthful crowd" of students as a "little republic of learning over which stretched an eternally blue sky, without clouds, without storm and without internal shocks, and without any history except universal and Russian history as taught from the rostrum" (VII, 203).

Deferring to the widespread contemporary view that poetry was a sort of ticket of admission to the intellectual world (VIII, 75), Goncharov, like Gogol and Turgenev, began by trying his hand at verse, imitating the artificial romantic manner of V. G. Benediktov, a slightly older poet with whom he became intimate in the Maykov salon.[4] The four poems we know, included in three separate issues of the Maykovs' private journal "The Snowdrop" (*Podsnezhnik*) in 1836,[5] are pale exercises in lyrical reminiscence, thin in substance and conventionally elegiac in mood. They are important to us mainly because eleven years later parts of them turn up, slightly debased, in Goncharov's first novel. His merciless self-parody in this instance climaxes a movement away from romanticism which is already apparent in Goncharov's first attempt at prose narrative.

I *"The Evil Sickness": An Exercise in Burlesque*

"The Evil Sickness" ("Likhaia bolest'")[6] appeared in "The Snowdrop" for April, 1838. It grew out of Goncharov's intimacy with the Maykov family and is aimed at the romantic fads of the author's best friends. Despite his low estimate of the story,[7] it is of great interest for two reasons: it shows him in the process of developing his comic manner, and it contains an early version of the Oblomov type.

According to the mock equation at the basis of the story, romanticism is a contagious disease requiring the serious attention of the medical profession. While not a physician, the narrator, a devoted friend of the afflicted Zurovs, assumes the mask of a meticulous observer who is torn between his natural inertia

and a desire to save the sufferers. The chief symptom of the "evil sickness" is an inordinate lust for country hikes, a reference to the Maykovs' enthusiasm for the outdoors. Minor symptoms are "endless yawning, pensiveness, depression, lack of sleep and appetite, pallor and, at the same time, strange spots all over the face, and a queer wild gleam in the eye."[8] The recurrent yawning, a permanent motif in Goncharov's fiction, is particularly effective in focusing attention on the presumed pathological basis of the Zurovs' predicament.

The essence of the burlesque manner, here as elsewhere, consists in constant shifts from the sublime to the ridiculous. Coming upon a ravine, Mme Zurov calls it a "gloomy abyss" (35), whereupon Zinaida, a family friend, glimpses at the bottom of the ravine the skeletons of "sundry noble animals," soon identified as the bones of cats and dogs. The presentation of every object is determined by a sort of bifocal vision, which breaks up reality into opposed perspectives. Thus, a "still, smooth" lake is later said to be little more than a puddle, and a bridge across this so-called lake, constructed with "wonderful art and boldness" (32), allegedly has a pavement of dung. These are among the crudest examples of intentional bathos in the story; most shifts are more subtle and would require lengthier illustration. But whether subtle or crude, they embody the basic principles of Goncharov's developing comic style, one of maximum incongruity between a world perceived through romantic illusion and ordinary, sordid reality. Nature, with which the Zurovs wish to commune, is tainted with the evils of industry: in an earthly paradise where the birds in "harmonious choir sing a hymn of praise to the Creator," Nature's devotees nearly choke to death with the smoke and stench from a tallow-melting factory (33). This kind of style is familiar to any reader of satire. In view of Goncharov's modest experience at the time, his exercise in burlesque must be deemed quite successful. With the exception of a few lapses from good taste, he manages to maintain a light and airy tone throughout.

One is happy, nevertheless, for a modicum of character interest. In a story which may seem simplistic, Tyazhelenko, a corpulent landowner, is the redeeming nuance. Apart from his importance as a precursor to Oblomov—both conceal a lively

imagination and a warm heart beneath an apathetic exterior—this figure introduces a sort of counterpoint into the story's structure. Whereas the Zurovs are ever restless, flitting like birds from one place to another and eventually "migrating" abroad, Tyazhelenko, as his name—derived from *tiazhëlyi*, meaning "heavy"—suggests, is a veritable rock of stability, an embodiment of gross earthiness. Both in temperament and character he is the direct opposite of the spiritually flatulent Zurovs. Known since early youth for his "methodical laziness and his heroic indifference to the bustle of the world" (15), Tyazhelenko approaches a state of absolute equilibrium, being little more than an extension of his bed. He gets up only for the main ritual of the day, dinner, transacted in true Gargantuan style. While producing a flourishing paunch, his manner of life is a cause of grave concern to his doctors. It is this monument to obesity that, in a long early conversation, opens the narrator's eyes to the true condition of the Zurovs; at the same time he helps to project an amusing contrast between a quiet life centered on food and a dreamy enthusiasm for the outdoors.

It soon becomes apparent, however, that the Zurovs and their inert friend are not related simply by contrast. For like the afflicted family, Tyazhelenko is also repeatedly associated with sickness. The narrator calls his laziness a "far more dangerous sickness" than that which Tyazhelenko has diagnosed in the nature lovers (18), and at another time he asks himself who is sick, they or Tyazhelenko (25). The parallel is strengthened by his being associated with Verenitsyn, a Byronic friend of the Zurovs thought to be the source of the baneful infection; both are referred to as friends of the family who "play an important role in this business" (14). The parallel between the gross Epicurean and the rapturous Romantics becomes even more striking in view of their ends. In a brief epilogue the narrator reports that, as predicted by his physicians, Tyazhelenko has succumbed to a stroke, while the Zurovs, having left for America, evidently perished on an excursion. At any rate, they never returned. This ironic coincidence of opposites will turn up in more subtle variations in Goncharov's later work.

One aspect of the story is untouched by the author's anti-Romantic animus. Influenced, no doubt, by Pushkin's *Onegin*

manner, as well as by the narrative exuberance of Gogol's early stories and the idiosyncrasies of Laurence Sterne,[9] Goncharov utilizes a subjective mode of narration. He sets the scene through a prolonged series of reminiscences on the part of the narrator, followed by a humorous-sentimental allusion à la Sterne to his psychological state at the time of writing. His heart and mind, he confides, are too full for utterance; only after he has wiped his tears, which have overflowed onto the writing paper, is he able to go on with his story (11). The playful subjectivity of this narrative attitude agrees with the whole tone and tenor of "The Evil Sickness." However, in Goncharov's next story, much more serious in intent, the adoption of a subjective, at times even lyrical manner is partly responsible for its artistic failure.

II *"A Lucky Error": A Mixture of Styles*

Included in a private miscellany of the Maykovs, "Moonlit Nights" (*Lunnye nochi,* 1839), "A Lucky Error" ("Schastlivaia oshibka") belongs by genre to the stories of high society first practiced by Marlinsky and very popular in the 1830's. Obviously based on an anecdote—a young man is invited to a ball, but is by a "lucky error" brought to another—the story asks for the laconic treatment of Pushkin's *Tales of Belkin.* Instead, Goncharov's manner is early Gogolian, characterized by old-fashioned rhetoric, lyrical digressions, addresses to the reader, and apostrophes to his characters. The author's attitude toward his own created world is marked by an embarrassed archness which comes between the reader and the story.

The narrative begins with an elaborate passage of mood painting as twilight descends upon St. Petersburg, bringing a palpable change to every drawing room of the city. For a moment the decorous manners of high society relax their wonted rigor and passions emerge, to vanish once more as the candles are lit. This opening, oscillating between lyricism and humor, has little bearing upon the plot, which begins with a visit of young Egor Aduev, owner of three thousand serfs, to a good-natured but slightly spoiled society beauty of eighteen, whom he hopes to marry. The comic domestic vignettes that follow, technically motivated by Egor's observations as he wanders from room to

room in search of Helen, his lovely baroness, are even less integral to the action. Of some importance, however, is a bit of information about Egor, a world-weary man and a somewhat jaded amorist who feels that his passion is the last sweet stirring of a calloused heart and therefore his only hope for happiness. This, together with his suspicion that Helen may be a coquette, informs the situation with a minimum of dramatic interest.

The ensuing scene between the lovers comes off poorly for several reasons. Generally it is too static, so that when the break occurs it is not prepared for. The dialogue is stilted and the psychology shallow. As we discover later, Helen has relapsed into her cold, supercilious society manner, which Aduev reads as a sign that she no longer loves him. This complication is patently contrived: Aduev's lack of perspicacity is out of character for a man of his experience. As it turns out, however, the Byronic Egor is a sham, the young man being no less callow than his namesake Alexander Aduev, the future hero of Goncharov's first novel, for whom he seems to have been a study; he also shares the latter's taste for romantic cliché.

A. Rybasov explains the divided image as follows: trying to create a contemporary romantic type, Goncharov ended up imitating Griboedov and Pushkin. Consequently, Aduev is a synthetic figure, part man of the world like Chatsky and Onegin, part a naïve idealist like Lensky.[10] Rybasov's note goes to the heart of Goncharov's failure in this story: he was still too overwhelmed by his predecessors to shape his own fictional world.

The complication is followed by a rather heavy-handed attempt at exposition, an element new to the society story, and by two scenes showing the characters' reaction to their predicament. Helen's unhappiness is set off against a sort of boudoir peep show as she is being primped up for a ball, while Egor's frustration stands out from the way he acts the tyrannical master, refusing every petition of his steward and viciously abusing his old valet. Then we return to the plot as Aduev accidentally finds a ticket of admission to a ball at the Commerce Club. The dénouement comes about through a mistake of the driver, who takes him to a fancier ball at the Neapolitan Embassy, where, again, he meets his beloved Helen. But before presenting the reconciliation and betrothal the same evening, the author,

through Aduev, lovingly conveys the splendor and *bon ton* of the fashionable ambience. After Aduev returns home, the scenes with the steward and the valet are repeated with beneficent variations; ecstatic with happiness, the repentant master is ready to grant their every wish. It remains merely to enlighten Aduev and the reader concerning the "lucky error."

This lengthy summary was given chiefly because the story offers an insight into the creative laboratory of young Goncharov, who was clearly searching both for a subject and a style. Though his failure is due to several things, it lies mainly in his inability to fuse the compositional elements of the story into a coherent unity. Possibly because the conventional subject—a misunderstanding in love cleared up by a happy accident—did not really engage him, the author may have felt an unconscious need to give his story body through digressions from his theme. In any case, he devotes an inordinate amount of attention to atmosphere and *byt* ("way of life," morals and manners), presenting a number of sharply etched vignettes from several spheres of life. A second genuine ingredient in the story, though even less appropriate to the conventional *donnée* and the plot, is the psychological interest, manifesting itself, however awkwardly, in an attempt to explain the characters' predicament by their milieu and education. Unfortunately, since these characters are as stereotyped as the subject, the psychological analysis seems out of place. Add to all this the self-conscious narrative manner, with its excessive archness and obtrusive rhetoric, and we have an incongruous mixture indeed.

Stylistically, a similar confusion appears. The story shuttles back and forth between realism and conventional romanticism. On balance, it is the latter that wins out, although Egor Aduev is portrayed both with humor and irony. They are especially evident in Goncharov's treatment of Egor's righteous indignation at the peasants' petitions after his debacle. " 'Well, now I am calm,' he said, convulsively tearing at a button with one hand, while with the other he scratched his ear till it nearly bled—'completely calm!' " After a passage which shows him recalling the "picture of his forfeited bliss," the same gestures are repeated more forcefully. "He tore off the button completely and scratched his ear all over till it bled" (VII, 459). Admittedly, this contains

more than a hint of the comic-satiric manner developed with such zest in "The Evil Sickness." And yet, despite the ironic deflation of Aduev's emotionalism, a heavy residue of stereotyped romanticism remains both in the character portrayal and in other elements of the story. For example, the author's ridicule of Aduev's erotic utopianism, his Oblomovesque dream of marriage as a "poetic refuge" from "stupid neighbors, from the whole world" (450), does not prevent him from rejoicing in the sentimental success of his hero. Furthermore, the story embodies a motif of redemption of patently romantic provenience: the disillusioned Byronic hero, "to whom experience has . . . brought bitter fruits, mistrust toward people and an ironic outlook on life" (442), is saved through the love of a beautiful damsel. With such a highly charged psychological situation, no wonder that Goncharov's anti-Romantic tendency remained in abeyance and that his as yet unfocused striving toward realism could have little impact on his style.

III *"Ivan Savich Podzhabrin": Realism Triumphant*

In part, the limited success of "A Lucky Error" was due to its unrealistic genre. Significantly, Goncharov never again chose his heroes from the fashionable upper classes, but stayed within the confines of the provincial gentry and the middle ranks of the bureaucracy, circles which more readily lent themselves to realistic representation. His next story, the physiological sketch "Ivan Savich Podzhabrin," shows how much he gained thereby in terms of stylistic and structural unity. Though published only in 1848, this work was written in 1842, at the very time when the genre it exemplifies was being initiated by such men as Nekrasov, Grigorovich, Panaev, and Dal. In retrospect, Goncharov's decision not to publish the story at once seems to have been unwise, as it compares favorably to what other "physiologues" were turning out at the time. But whatever its literary value, as marking a stage in Goncharov's artistic development—his breakthrough to realism—"Podzhabrin" is of crucial significance.

A transitional literary form of the early and middle 1840's, the "physiological sketch" grew out of a desire to replace the stilted heroes, overblown passions, and unnatural language of the ro-

mantic story with true descriptions of actual life as conditioned by a particular locale and social milieu. Usually the object in these sketches is to depict the "physiology of life," the *byt* characteristic of certain urban groups, especially such as had hitherto remained outside the perimeter of literature. Most practitioners of the genre described life in the capital, St. Petersburg, and their characters range all the way from government clerks and lower-class intellectuals to organ-grinders and common drudges. A close Western counterpart to the Russian physiological sketch is Charles Dickens' *Sketches by Boz* (1836–37), which present life and manners among low-living Londoners as well as places of foregathering such as taverns, playhouses, and police courts. The Russian form, however, is both more humanitarian and more clearly a training ground for the realistic novel.[11]

Though "Ivan Savich Podzhabrin," subtitled "Sketches," has a larger format than most examples of its kind, it conforms quite nicely to type. The setting is a St. Petersburg tenement house, where Ivan Savich achieves notoriety for his unconscionable philandering. The action, consisting of a number of affairs, or attempts at such, between Ivan and four tenants—Anna Pavlovna, Masha, the "Baroness," and Praskovya Mikhailovna—is repetitive, yet varied because of the different social and occupational status of the women. The entire work is framed by a motif of moving; it begins with Ivan Savich looking for a new apartment because his neighbors are complaining about him, and it ends with a move in order to forestall catastrophe: being inveigled into a stupid marriage. No longer does Goncharov, as in "A Lucky Error," feel obliged to put together a plot, however perfunctory. Plot in the sense of a progressive sequence of events has disappeared, to be replaced by a simple rhythm of recurrence. This rhythm, which conforms to that of everyday life, has two advantages: it is realistic and it is comic. "Ivan Savich Podzhabrin" is a masterpiece of realistic comedy.

The basic pattern is that of a comedy of errors: except for Masha, the Baroness' maid, Ivan Savich's lady friends all turn out to be something else than they seem. Anna Pavlovna, who rents a few rooms across from him, soon becomes deliciously uninhibited and freely visits him. Every time she makes a nice remark about a rug, a chair, or some other piece of furniture,

he lets her take it to her own apartment. When the young man's ardor has begun to simmer down, a middle-aged military man—clearly her sugar-daddy—turns up, momentarily frightening Ivan with the hint of an imminent challenge; but the danger evaporates as the two men become friends over drinks. Next day, however, Anna Pavlovna and her "uncle" are gone, along with Podzhabrin's "sofa, table, clock, mirror, rug, two vases, a completely new tub, and a hammer" (VII, 36).

The sentimental loss to Ivan is minimal; he has lately been "gaping at the windows of other apartments" (VII, 31), particularly that of the "Baroness." Discovering that a pretty girl ironing across from his own apartment is this lady's maid, he dresses up as a lackey and makes love to her. This is a patently hackneyed device, but quite in character, and it does not reduce the story's air of verisimilitude. When Ivan finally stands in the presence of the Baroness, supposedly because he has his eye on her horse, he finds a quite different person from pliable Anna Pavlovna: she is lofty, cold, sophisticated. He becomes fired with the ambition to subdue this exquisite creature, who boasts counts and princes among her friends. However, after being ill-used by her—she refuses to acknowledge his loan of two thousand rubles, not even his own money—and deeply insulted by her "friends" at a wild party, Ivan must give up the Baroness, whom the reader sizes up as a clever, unscrupulous courtesan.

The next affair, however, has already been prepared by a chance meeting on the stairs. Indeed, the pattern throughout is that of the round, the successive incidents being hooked onto one another by partial overlapping. It is motivated psychologically by Ivan's curse of boredom and his attempts to escape it. The new prospect, Praskovya Mikhailovna, is petit-bourgeois and astringently virtuous. A regularly visiting godfather and a dependent niece make for an unmistakable family setup, and Ivan's discovery that he and the godfather have mutual friends strengthens one's sense of encroachment: the tentacles are visibly reaching out for the kill. The climax comes by way of a misunderstanding; for as soon as Ivan broaches the subject of love, Praskovya interrupts him, thinking he is about to make a proposal. Not that she is unwilling, she simply needs time. A few days later Ivan is astonished when the porter congratulates him,

intimating that his neighbors are busy preparing an engagement party. Panicky, he tells his valet to find another apartment at once and as usual absents himself for the day. For a moment the godfather contemplates suing, but gives it up because he has had trouble with the department in which Ivan serves. The story ends on an appropriately low note, with honor being replaced by honest appetite: "And they sat down to the table" (VII, 77).

The manner of "Podzhabrin" is that of the mature Goncharov, serene, unhurried, ironic. The battle with Romanticism may not be over, but it is suspended; so is his wrestling with psychology, which turned out none too well in "A Lucky Error." Instead, the author's burden of initiative seems to have been shifted over to the characters. A spirit of improvisation permeates the story, particularly the life of the title character, whose very existence, threatened by chronic boredom, depends on his ability to maintain a "questing" attitude in a drab world. Meanwhile the writer, having hit upon one of his great themes, boredom, gives the impression of effortless composition. The technical problems which beset him previously no longer arise, perhaps because they are solved indirectly and by the way, through the verve with which the central situation is apprehended. Consequently, the author appears not so much to create a world as to contemplate and describe one already in existence. He manifests himself as pure observer.

This is merely another way of saying that the author is in perfect control of his material, an impression that is confirmed by the fact that what he owes to others, a not inconsiderable amount, has been transformed and given his own imprint. Ivan Savich himself is undoubtedly inspired by Ivan Khlestakov, the gay adventurer and confidence man of Gogol's comedy *The Inspector General* (1836). Both Ivans are government clerks more noted for their zeal in the pursuit of pleasure than for devotion to the service. Prodigal sons of sorts, they squander their small independent fortunes on assorted vices: Khlestakov's greatest weakness is gambling, Podzhabrin's—women. But Khlestakov, too, cuts quite a figure as a ladies' man, having two affairs perking, with mother and daughter, before he stages his vanishing act. His boudoir chitchat is ever at the tip of his

tongue: "How happy I am to be sitting by your side at last!" he coos, on first being introduced to the Mayor's wife.[12] Goncharov's Ivan makes love by the book, and the style of his formulaic wooing clearly owes something to Khlestakov. Furthermore, the latter mentions, besides "the fair sex," cigars as a weakness of his; the first thing we know about Podzhabrin is that he smokes cigars. These similarities suffice to establish an affinity between the two characters. Yet, Goncharov has in no way imitated Gogol. Whereas, for example, the burgeoning love intrigues in *The Inspector General* merely add a bitter-sweet excess to Gogol's comic-satiric theme, in "Podzhabrin" seduction is central. A ritual of lechery lays down the pattern of life for Ivan Savich, while Khlestakov is a nimble virtuoso of many vices. Even a detail like the cigars is used distinctively. For while in Gogol's comedy the cigars are just a part of Khlestakov's portrayal as a snob, in "Podzhabrin" they express the theme of ennui, as evidenced by the story's opening sentence: "Ivan Savich sat in his high-backed armchair smoking a cigar after dinner. To all appearance he was extremely bored" (VII, 7).

The main proof of Goncharov's originality, however, is his use of the main character. Apart from his intrinsic comic interest, Khlestakov is the vehicle of a collective epiphany, the gradual self-exposure of a provincial town. Podzhabrin's story may also expose the underlying mechanism of the life it touches, but the author's primary intent is a more modest one: to evoke in vivid detail the milieu of middle-class St. Petersburg. In doing so, he covers a broad social and moral spectrum, from the pseudo-elegant debaucheries of the *jeunesse dorée* frequenting the salon of the "Baroness" to the prickly petit-bourgeois respectability of Praskovya Mikhailovna. These extremes are pointedly contrasted through two parties, the Roman orgy at the courtesan's, where Ivan Savich is *de trop* and ends up in the role of scapegoat, and the Thursday family get-together at her successor's, where he is fêted as a man of the world. These ensemble scenes serve to depict two entire ways of life, from the characteristic style of the furnishings to related areas like manners and morals. For, actually, furniture is part of the moral picture in this story. With their showy elegance, the "huge chandelier," "mahogany sideboard," and cabinet for dainty tableware in the dining room of

the "Baroness" (VII, 54) suggest a profound vulgarity under the surface glitter. The hard-core truth about virtuous Praskovya and her circle is similarly implicit in the quality of her dining room furniture, especially a sofa whose inviting appearance, inducing a sense of "quiet and comfort," is merely a front: when you try to sit on it, you rebound as from a rock: "So well were the springs made. . ." (69).

Ultimately, the individual milieus treated in the story intersect: the deceptiveness is general. "Loving" though she is, Anna Pavlovna is as mercenary as the "Baroness," with Praskovya not far behind: as soon as she finds out that Ivan Savich has an independent income, her virtue becomes less abrasive. Thus, a theme of acquisitiveness, of human feelings and relationships corrupted by money, pervades the story. In this connection, the order of the episodes is not coincidental; the sequence of kept woman, courtesan, and good girl is pointedly appropriate. Respectability comes to appear as hypocrisy, and the vivid portrayal of *byt* becomes a trenchant socio-psychological exposé.

Curiously, Goncharov balances these unflattering portraits with an almost sentimental presentation of real love in Masha, the Baroness' maid. This is no mere echo of Karamzin's saying in *Poor Liza* (1791) that "peasant girls too know how to love!" Masha is morally superior to the other women. Though as mercenary as the others at the outset, suffering not only fosters deep feeling, but activates her pride and sense of dignity. The author shows open sympathy for her as she cries "bitterly," contemptuously returns the money she has received from Ivan Savich, and begs him not to go to the Baroness' party. It is left to Avdey to console her. The valet's summing up of the situation sounds almost like an indictment: " 'These gentry think they are the only ones who have a heart,' he said, taking a sip from his glass, 'just because they drink liqueur!' " (VII, 53).

Such moments of pathos and potential criticism, however, are soon dispelled by the breezy realism of the tale; the many trifling details undercut emotion. Moreover, the characters have an air of farcical absurdity, especially incidental figures done in low relief. When a peasant in a sheepskin coat is asked whether he is the janitor, he merely yawns and looks away. Only at the fourth question, whether he is deaf, does he answer, "lazily":

"I'm not from here!" The janitor himself, sleeping through an awesome racket of repeated ringing and banging—a peasant knocked on his door until "the windowpanes rattled" (VII, 10)—later comments what a light sleeper he is. The enormous curiosity of the new neighbors as Avdey is moving his master's things is equally without rhyme or reason. These characters are not so much "humors" dominated by a single trait as eccentrics whose behavior, though habitual and true to life, is yet quite irrational.

Such vignettes of human unreason are more than isolated instances; they typify an absurd society of which Ivan Savich is very much a part.[13] Here is no agon between *alazon* and *eiron*, the old forms and the new vitality. The protagonist and the intended victims imply each other, as do Khlestakov and the townspeople in *The Inspector General;* indeed, Ivan Savich is more of a victim than his female opposites. His actions, certainly, are far less accountable than theirs, for neither lechery nor boredom can fully explain them. He is utterly devoid not only of a higher intelligence but of ordinary common sense, and finally must take flight to avoid entrapment. The sole counterpoise to this absurd society is offered by Avdey, who, unlike Zakhar in *Oblomov,* is more than a grotesque parody of his master. Avdey's role may be far from that of the "plain dealer," a sympathetic figure in ironic comedy who advocates a "moral norm,"[14] but he is all that Goncharov has seen fit to offer in the way of a norm. Avdey possesses not only intelligence and good judgment, but also a sense of honor. Whatever their faults, it is he and Masha, the servants, who ironically come closest to the human center in this story.

Technically and stylistically, "Podzhabrin" is executed with great tact and a fine ear for colloquial and fashionable speech. As fond of deliberate bathos as ever, Goncharov uses it less crudely than in "The Evil Sickness." The serial structure itself is built on bathos: despite his tender involvement, Ivan Savich sails on to the next affair with the zest of a Columbus in quest of the New World. The individual episodes tend to assume the same configuration, such as the menacing encounter with the sugar-daddy, Strekoza (meaning "dragonfly"), in which talk of wanting "satisfaction" dissolves under the mollifying influence of tea with cognac and Ivan Savich's cigars. The final scene, in

which the godfather's thoughts of honorable revenge give way to his design upon the dainties meant for the engagement party, is true to pattern.

Goncharov's language displays an analogous characteristic through the intermingling of romantic and sentimental clichés with everyday speech. The handling of the rhetoric marks a distinct advance over "A Lucky Error," where the author's narrative is still tainted with stylistic stereotypes. In "Podzhabrin" the stereotypes are relegated to the dialogue. Thus the residues of second-hand romanticism have been objectified and now exist once removed from the author, forming a part of his subject matter alone. Liberated from solemn cliché, Goncharov uses it wonderfully for comic effect and to play up the contrast between appearance and reality. Anna Pavlovna, for example, is greatly addicted to pompous platitudes: among remarks about items of furniture, sofas, rugs, and mirrors upon which she turns a covetous eye, she scatters precious phrases about the "blows of fate" and being "destined for happiness" (VII, 30). When the sugar-daddy surprises their tête-à-tête, she becomes poetic in her despair: "What a storm-cloud has burst upon us. The dawn of our bliss is eclipsed" (33). Ivan, however, is quite a match for her in this sort of florid, pseudo-profound speech. Aside from his compulsive saying, " 'Life is short,' said one philosopher," he gets carried away occasionally by his own pretty sentiments. In a tender moment he tells Anna Pavlovna: "Tomorrow . . . I'll strew flowers on your life's way," to which she responds with: "And some nice pots from Poskochin's" (31). After her disappearance he reminisces to his drinking companions: "She was...how can I express it?...a sweet vision, a dream so to say...she brought variety to the tedium of a dead life" (37).

Despite Goncharov's low opinion of his early work, his apprenticeship to short fiction prepared him well for his subsequent endeavors as a novelist. His point of departure was the ethos and manner of romanticism, and he found his own style only through a struggle of exorcism which still left romanticism intact as a future subject. Stylistically, his early writings cover a wide range. While the characters and the plot of "A Lucky Error" are largely based on conventional romantic models, in "The Evil Sickness" the figures are drawn directly from life,

exemplifying what Goncharov later contemptuously called "sketches"–*risunki* (VIII, 82). However, in "Ivan Savich Podzhabrin" he transcended both local particularity and conventional stereotypes to create a type of character which embodied salient features of contemporary society. Podzhabrin, a comic subspecies of the alienated man, is among other things an expression of and protest against the "dead life" of Czarist officialdom. The combination of individuality and the typical here achieved is one of the most important manifestations of realism in the story.

Goncharov's early stories have a special significance for his first novel. Boris Engelhardt, pointing out that *A Common Story* not only "makes use of the skills and devices worked out in the writing of the stories, but also absorbs much of their content," calls them "preliminary studies" for this work. The monologues of Alexander Aduev echo the "enraptured speeches" of the Zurovs, the love scenes between Alexander and Nadenka go back in part to "A Lucky Error," and a number of genre scenes in the novel recall comparable scenes in "Podzhabrin."[15] For all this, the novel represents a new level of achievement, far surpassing its predecessors in scope and complexity as well as in seriousness of artistic purpose.

CHAPTER 3

A Common Story

GONCHAROV'S first novel was a great success and, in the words of Belinsky, "produced a furor in St. Petersburg."[1] A later critic commented that *A Common Story* (*Obyknovennaia istoriia*) was to its time what *Fathers and Sons* was to be to a later period.[2] Formally, it is equally important. By 1847 a good many outstanding novels had appeared, exemplifying a wide variety of types such as the novel-in-verse (*Eugene Onegin*), the "frame-novel" composed of a cycle of stories (*A Hero of Our Time*), the "epic" novel (*Dead Souls*), and the epistolary novel (*Poor Folk*). Though notable achievements, each in its own way, from a formal standpoint these works are marginal, relying on the principles of other literary categories. Closer to the central norm of the modern novel, *A Common Story* stands at a turning point in the development of Russian fiction. From now on it is a steadily growing stream, with tributaries drawing upon most areas of Russian life.

The outline of the novel has a simple, archetypal quality reminiscent of a fairy tale: a young man of twenty leaves his placid country home to seek his fortune in the big city. But through this naïve fable Goncharov focuses on issues of prime importance to his contemporaries. The keynote is one of conflict between old and new, the provinces and the capital, country squire and industrialist-in-the-making—a dialectic that is reminiscent of the polarization between Westernists and Slavophiles. To Goncharov this struggle is ambiguous, and victory turns into a sort of defeat. For when the hero wins the princess, he is much tarnished. The fairy tale has become ironic, parodistic.

The opening scene, where Alexander Aduev is sent off to the capital, memorably describes the manner of life among the pro-

vincial gentry. The fussy mother with her endless advice about anything from almsgiving to sex; the hanger-on Anton Ivanych, a kind of comic "Wandering Jew" (I, 16); the pair of servants, Evsey and Agrafena, the latter with a tender heart beneath her shrewish manner—all these figures, though dissimilar in social standing, help to characterize the *byt* (mode of life) of the provinces. Its essence is an absolute belief in physical well-being; anything that threatens it is taboo. Such a creed not only fosters excessive pampering and emotionalism, but also breeds vice, as evidenced by the routine gluttony of an Anton Ivanych. To Alexander, this milieu must have acted as a sort of cocoon or womb, and the romantic idealism imbibed at the university does nothing to extricate him from it. Indeed, his academic dreams of love, friendship, and fame are merely another kind of sleep.

The rude awakening begins with Chapter II as Alexander meets his uncle, Peter Aduev, in St. Petersburg. The plot grows out of the ensuing conflict and is chiefly made up of Alexander's untoward adventures, interspersed with lengthy discussions between uncle and nephew. Peter, an inveterate city dweller who has not visited his provincial home since he left it seventeen years ago, is a utilitarian, well adapted to the cold, competitive, and lonely life of the capital. A successful official and manufacturer, he is initially a bachelor, but marries in the course of the story. With his nephew, however, his success is mediocre; despite repeated lessons in the uncle's pragmatic ethic, Alexander follows the will-o'-the-wisps of love, friendship and fame, and finds only disappointment. His colleagues in the office make friends to clean him out at cards, his beloved Nadenka "betrays" him, and his uncle has little faith in his verses. At the end of Part I, with the collapse of his love affair, Alexander is in a state of utter despondency: all his dreams have come to naught. At this juncture the aggressive uncle, whose star has been constantly rising, is suddenly caught short, his lessons in rational morality seeming beside the point. It falls to the lot of Lizaveta, his young wife, to bring Alexander out of the doldrums.

In Part II the author plays variations on the same themes, friendship, love and creativity, and yet avoids monotony. Goncharov is veritably Jamesian in the amount of "doing" to which

he submits his subject. The first turn of the screw is applied to the theme of friendship, after Alexander meets his best friend, Pospelov, on Nevsky Prospect. But to his disappointment, this believer in eternal friendship who had "galloped over a hundred miles to say goodbye" when Alexander left for St. Petersburg some years ago (I, 21), takes their meeting very matter-of-factly and laughs at the other's hankering for "sincere effusions" (160). Alexander's always latent literary ambition fares no better when, encouraged by his aunt, he again turns to writing. Asked to judge the result, this time a novel, Peter—who believes his nephew should develop his proven ability as a translator and writer in the field of agriculture—offers no balm, but agrees to send it under his own name to an editor friend. The manuscript is returned, accompanied by a letter in which the editor, who realizes the uncle is just a front, indirectly accuses the author of "vanity, dreaminess, the precocious development of emotional predilections along with mental inertia, the inevitable consequence being idleness . . ." (179). After the manuscript has gone up in smoke, in a symbolic scene directed by Peter, the latter unintentionally launches Alexander on another love affair by asking him to cut out his business partner, Surkov, with Julia Tafaev, a young widow, because an affair might be harmful to their partnership. The ensuing romance, the longest episode in Part II, is an ironic parallel to the affair with Nadenka in Part I. For strangely enough, Julia, a languid voluptuary of the emotions whose romantic penchant for "sincere effusions" matches Alexander's own, soon wearies him; this time *he* becomes the betrayer. Feeling battered by life he tries to lose himself, withdrawing from society and mixing only with simple, uneducated people. The extent of his deterioration is shown by his treatment of Liza, a pure but passionate girl who comes his way while he is out fishing with the boys. Only a father's watchful eye prevents the seduction.

What option is left for such a man, a total failure in everything he has undertaken? Peter thinks he should go back to the country where he came from. And so he does. At the end of Part II, therefore, the book comes full circle, bringing us back to the patriarchal simplicities of the provinces. There, life has run its placid course; nothing has changed. But while the pastoral set-

ting serves as a frame, it does not provide a set of values whereby the whole can be judged. True, Alexander's contact with his native soil and with his mother brings back revivifying memories of his childhood and youth and eventually cures his malaise, but soon he becomes bored and yearns once more for St. Petersburg. The book proper ends with two letters, one each to his aunt and uncle, in which he informs them of his speedy return to the city. In these letters, especially the one to his aunt, speaks a person who has reached the "time of consciousness" (I, 293), without losing his capacity for feeling.

The epilogue, in which the characters are shown four years later, gives a distinct hourglass shape to the work. The success of Alexander is complete as, balding and potbellied, he is about to wed a young heiress: "career and fortune" (I, 314).[3] Peter, on the other hand, is visibly declining, racked by rheumatism and anxious about the condition of his wife, who in the meantime has lost all zest for life. Pressured by circumstance, he is cutting short his career at the very moment when the younger generation is coming into its own. This ending suggests a round, an impression that is strengthened by Peter's forced admission that he, too, was once a dreamer. Uncle and nephew seemingly merge, and it looks as if maturing is to be equated with shedding of one's illusions and adjusting to life as it is.

I A Common Story *and the Age*

Goncharov's first novel is closely related to its time, and a brief comment on the contemporary intellectual climate may help to elucidate its meaning. During the 1840's Romanticism was still an important force, and some of the leading thinkers, such as Herzen and Belinsky, severely criticized what they considered to be an obsolete view of life. Among Herzen's articles one is worthy of note, namely, "Romantic Dilettantes,"[4] which appeared in *Notes of the Fatherland* in 1843.

Belinsky's campaign against Romanticism provides specific parallels to Goncharov's novel. In "Russian Literature in 1842" he contrasts two extreme types of men, one utterly devoid of "soul and heart" as of ideal aspirations, the other being its diametrical opposite.[5] This contrast is further developed in "St.

Petersburg and Moscow," Belinsky's contribution to Nekrasov's collection *The Physiology of St. Petersburg* (*Fiziologiia Peterburga*), published in the spring of 1845 while Goncharov was at work on his book. Considering these types of men the "classical ones of our time," Belinsky comments: "Not belonging to either of them, we see something in the latter [the practical type], while as for the first—sorry—we see absolutely nothing."[6] In an earlier article, displaying similarities with Goncharov's novel both in thought and imagery, the critic gives a contemptuous description of the *schöne Seele,* Alexander's spiritual prototype. These "beautiful souls" recognize the "sublime and the beautiful" in a book, he writes, but lack "all sense of reality"; consequently, whatever they undertake they quickly "get *disillusioned* (their favorite word!) [and] their spirit grows cold. . . ." In the end they either "get reconciled to reality whatever it is like, that is, they fall from the clouds straight into the mire [*griaz'*], or they become mystics, misanthropes, lunatics, or somnambulists."[7]

Though similar in tendency, Goncharov's own view of the novel as reported some thirty years afterwards in *Better Late Than Never,* takes the "practical" type much more seriously. He writes:

> . . . the meeting between the soft nephew, a dreamer spoiled by idleness and gentility, and the practical uncle gave a hint of a theme which had barely begun to emerge even in the busiest place of all, St. Petersburg. This theme was a faint glimmering of the consciousness that *labor*—real and not routine, but *active work*—was necessary in the struggle against the general stagnation of Russia.

In reference to the "concepts and mores" represented by the nephew, he says: "All that was becoming obsolete and was passing away, while faint gleams of a new dawn, of something sober, business-like and necessary were appearing" (VIII, 73). Peter is clearly conceived as an emerging type, one that embodies a new sense of life and a new ethic, while Alexander, the Schillerian romantic,[8] represents a type on its way out.

In a modified form, Soviet critics have extended this view toward a full-fledged sociological interpretation of the novel. In his introduction to Goncharov's *Collected Works* (1952–55),

S. M. Petrov sees the Aduevs as representatives of two distinct social classes, one in the process of deterioration, the other just forming. Stripped of its veils, the pseudo-romanticism of Alexander allegedly reveals the "egoism, self-admiration, and unfitness for life" of the serfdom-based gentry, while the pragmatism of Peter, the official turned entrepreneur, represents the no less egoistic and individualistic *Weltanschauung* of the rising bourgeoisie (I, xv). The ideal term within the dialectic triad is Lizaveta, who as the only truly positive character embodies, in Petrov's words, "the progressive idea of asserting women's right to happiness, to an independent spiritual life, an idea which is as much antiserfdom as antibourgeois" (xvi).

While plausible on the face of it, Petrov's assumption of a distinct class basis in Goncharov's treatment of his characters is scarcely tenable. Both the Aduevs come from the gentry, a fact which suggests that their dissimilar reactions to metropolitan life are due chiefly to differences in temperament. Despite a sociological bias in Goncharov's own critical pronouncements, his typology is more psychological than social.[9] He chose as the province of his art a limited sphere, loosely defined as that of personal relations, with society as a rather abstract entity felt mainly as the "spirit of the time." This "spirit" is incarnate in St. Petersburg life, which Alexander is unable to cope with—until the Epilogue. The book dramatizes the terrible cost of his success. To his aunt's wish to turn back the clock to four years ago when, as she says, he was "beautiful, noble, wise," he can only answer: "It's the age. I'm keeping up with the times—you can't lag behind!" (I, 312) Lizaveta's nostalgia suggests that it is the characters' purely human substance, not their class traits, which finds expression in the dialectic triad noted by Petrov.

By following the movement within this triad, partly precipitated by the tendency of the age, partly by Goncharov's subliminal humanism, the reader arrives at a true assessment of the novel's meaning. Initially his sympathies are all with Alexander, but in the course of the action they shift to Peter, an impressive figure of wide learning, high social standing and, seemingly, fine culture. Subsequently he, too, is undercut, leaving the aunt as the only character who has the author's full approval. Thus the novel creates a series of shifting moral perspectives or, to change

the figure, a group of reflectors with unequal capacity for projecting the human image.

II *Ironic Form in* A Common Story

The tension between reality and appearance revealed by this play of perspectives is an indication of the basically ironic form of the book. Irony not only marks its narrative manner, placing a cool distance between the author and the paragons of success he portrays; it also informs the portrayal of character and the deployment of the action.

The ironic pattern takes definite shape as we watch Alexander and Peter turn into puppets of circumstance, false philosophy, and the vagaries of time. Despite his self-assurance, Peter is progressively overwhelmed by those forces which his pragmatic outlook has ignored. Having repressed his own feelings, he cannot understand the emotions he despises, so that, when he asks his relative to do him a good turn (cutting out Surkov with Mme. Tafaev), he causes human complications he has failed to foresee. This is a strange quandary for a man who preaches a prudential ethic, according to which an act is judged as good or bad by its consequences. When, eventually, Peter begins to speak "extravagantly," trying to bring Alexander back to his favorite ideas, the latter simply suggests a cigar, an emblem of his uncle's mercantile mind (I, 227). But spurn materialism as he may, Alexander gradually succumbs to it. Having seen through the petty mechanism of life, the lofty idealist turns into an inverted hermit, trying to "kill the spiritual principle in himself" (233). In the end he becomes a mockery of his former self and a "fat, bald, and rosy" (307) copy of the man whose values he once despised. In Merezhkovsky's apt phrase, his life is a "tragedy of banality."[10]

The Epilogue clinches the ironies of the story. The picture of Alexander—a former champion of abused child-brides against the ogre of an elderly husband—holding the trembling hand of his fiancée in his own without the slightest feeling, is sardonic. This is Hegel's "reconciliation with reality" with a vengeance. Peter's situation, that of a highly successful official who, to save his wife, chooses retirement at fifty to cultivate precisely those

illusions which he has persistently ridiculed, is fraught with unmistakable comic irony. The erring ways of reason always seem more comic, perhaps because more avoidable, than the inexorable attrition of the feelings. But both characters are adept at self-deception: having found their ambition, they carry it to such a fanatical extreme that their humanity is fatally damaged.

III *The Fall of a Romantic*

Despite being doomed by the tendency of the age, Alexander is portrayed with considerable sympathy, with the result that his story is riddled with ambiguity. It is impossible not to pity the young man who, with the equivalent of a college education, is by upbringing and experience completely unprepared for "the struggle with what was in store for him, as for everyone." On the other hand, Peter makes such exquisite fun of his naïveté, his spontaneity, his lofty dreams of a "mighty passion" (I, 11) and other attainments that Alexander begins to look ridiculous. As late survivals of Romantic stereotypes, such ideas as eternal love and friendship, along with divine inspiration, were highly vulnerable to ridicule, and *A Common Story* exploits this vulnerability to the limit. Ridiculed, too, are the sentimental clichés with which Alexander's speech abounds, such as "sacred fire," "sincere effusions," "cup of happiness," and the like. Possibly because of his preference for "lofty" language and ideas, the curve of his experience is a descending one, conveyed graphically through a cluster of related images, mainly those of flight and fall.

A prodigal son rather than a hero of his time, Alexander sets out for those "foreign parts" (I, 13) so much dreaded by his mother to "try his wings" (20), to quote Anton Ivanych. And he does his best; at least his uncle finds him ever "soaring" or being "carried away" by something or other, whether on the "wings" of poetry or love. The young man believes that as a poet inspired from on high he stands far above the common crowd. Sometimes his "high" intent assumes concrete physical expression. Crossing the river to Nadya's home, for example, he acts like a man who is only vaguely aware of gravity (86). The author invariably accompanies these aspiring impulses with a mocking counter-

point, hinting at the inevitable fall. Consequently, Goncharov's double-edged style, oscillating between pathos and burlesque, acquires its full significance only within the framework of the imagery of flight and fall that shapes the novel's action. This imagery is so closely enmeshed in the book's texture that it makes even common clichés come alive, as when Nadya's threat to "tell mother" at a moment when he is still transported by his first kiss, causes Alexander to fall "from the clouds" (96). Indeed, the entire action seems to enact a single metaphorical idiom, namely, *popast' v omut* (to "get into trouble"), which literally means to fall into a slough, swamp, or pit. Variations are provided by expressions with *tina* (mire) and *griaz'* (mud). Some permutations of this dominant image will be examined, starting with expressions based on *omut.*

At the outset the mother, warning her son about the imminent venture, voices fear that he may be in for trouble, literally "get stuck in a swamp" (I, 10). Her fear is justified when, in his dejection, Alexander can see no way out of "the slough of . . . [his] doubts" (230). When his aunt tries to awaken him from his torpor, he tells her: "I would go to sleep for good, and here you arouse my mind and heart only to push them once more into the whirlpool" (256). "Whirlpool" brings out an additional connotation of *omut,* one which is more fully exploited later. According to Dal's dictionary this word originally denoted the pit under the mill wheel, a favorite haunt of malevolent water sprites; but these demons also used to sit in depressions in lakes and rivers, another meaning of *omut.* A moment before Alexander's return his mother tells Anton Ivanych a strange dream. In the dream Alexander comes to say goodbye to her for ever. When she asks him where he comes from, he points to the lake and says: "Out of the pit[11] . . . from the water sprites" (272). The motif is repeated twice by the mother, who from Evsey's and Alexander's reports on life in the capital has concluded that her dream was true. To her, evidently, only the word *omut* can describe a condition in which people wear themselves out with work, do not go to church, make love before they wed, and "betray" each other (280, 286). Yet, after one and a half years of a placid country existence, Alexan-

der "yearned to go back to the now familiar swamp" (291). The fact that St. Petersburg was built on marshland playfully extends the range of the idiom.

The association of *omut* with the lake sets up a connection with *tina,* meaning "mud," "slime," "ooze" and, figuratively, "mire." The first context in which this word appears makes it expressive of the idea of "naked" reality. Carried away by his own rhetoric, Alexander compares life to a "beautiful smooth lake." Like a lake, he says, it is "full of something mysterious and alluring, concealing so much–" whereupon the uncle rudely breaks in, "Mud, my friend" (I, 52–53). The lake and the yellow flowers that grow in it stand for idealized love of the sort dreamt of by Alexander's maiden aunt. His own use of "lake" as an image of life shows his romantic tendencies not only because it is an idyllic piece of nature, but also because a lake can act as a mirror, a romantic symbol of self-communion. Through these juxtaposed images, namely, the smooth, reflecting surface and the dark, turbid depths of the lake, two distinct views of reality are epitomized. Though Goncharov seems to favor the view of the uncle, other uses of *tina* suggest a different attitude. For example, after the near seduction of Liza, Alexander's soul once more "got sunk in the mire [*v tine*] of petty ideas and material cares. But fate was not slumbering and he did not manage utterly to perish [lit., "drown"] in this mire" (251). It may be significant that *tina* is here, among other things, an image of materialism, which is the creed of Peter Aduev. In any case, Alexander falls through the "beautiful" surface and, while getting a taste of the mud, also becomes acquainted with the water demons–quite an accomplishment for someone who was setting out for the Promised Land (10). Peter, incidentally, is several times referred to as a demon. At one time Alexander asks himself: "Isn't he a demon sent me by fate?" (101)

The vertical imagery, ranging from heaven to hell in a seemingly Manichean universe, is too intense to be mere comic hyperbole. One senses at the source of it the author's own feeling and experience, magnified, to be sure, by a lively imagination. Alexander sees people as "wallowing in filth" (*griaz',* I, 163; also "dirt," "mud") and his "sacred, exalted" feelings are "trampled

in the mud" (147); even his government job and his work as a journalist are referred to by the same term (101). Interestingly, Goncharov uses similar expressions in describing his own life experience, particularly in a letter to Sofia Nikitenko of June 20, 1860. Having reminded her of "all the coarseness and filth [*griaz'*] which hides in our Oblomovkas, in the midst of our official and private institutions, and in the emptiness and depravity of social life," he goes on: "If . . . you'd got immersed in this swamp [*boloto*] as I did, you . . . would perhaps wonder that I did not utterly perish" (lit. "drown"). Envisaging his past as a long "struggle with life" in the name of an "indestructible idealistic philosophy," he asks her to imagine a situation of "incessant falling" (VIII, 332–33). In *Better Late Than Never* Goncharov openly admits his closeness to Alexander:

> When writing *A Common Story* I naturally had in mind myself and many like myself who received their education either at home or at a university, lived in a backwater beneath the wings of a good mother, and then were torn away from their blissful condition, from hearth and home, and sent off with tears (as in the first chapters of *A Common Story*), to appear next on the main field of action, St. Petersburg. (73)

Thus, while Goncharov may disapprove of Alexander's conduct, he deeply sympathizes with his sufferings, springing as they do from the defeat of the ideal in a bitter conflict between body and spirit, capacity and aspiration. He also sympathizes with his desire for happiness, as evidenced by his description of the St. Petersburg night which envelops a sweet moment in Alexander's romance with Nadenka:

> How irresistibly everything disposed the mind to dreams, the heart to those rare sensations which in the light of regular austere everyday life appear such senseless, misplaced, and absurd digressions. Useless, to be sure; and yet it is only in such moments that the soul vaguely perceives the possibility of that happiness so strenuously sought and not found at other times. (I, 95)

Moreover, no satisfactory alternative is offered in the novel, the moralism of the uncle being woefully uninspiring.

IV *A Rationalist's Debacle*

At first glance, Peter Aduev seems not only intelligent, but likable. His personal aplomb, ready wit, and adroit handling of his nephew are both impressive and entertaining. His debunking of antiquated rhetoric and pretentious emotions is laudable, and even his utilitarianism fulfils a need of the age. Discussing Peter's role in *Better Late Than Never*, Goncharov speaks with evident admiration of his own character, who in becoming a factory owner allegedly took a daring step for an official of his rank.[12] Besides, he gave him some of his own pet ideas. A permanent ingredient in Goncharov's fiction is a counterpassion theme, and in *A Common Story* Peter is its chief vehicle. To the latter, passion is an illness. His dislike of excessive emotionalism is quite in keeping with the timely, socially-oriented ethos of work which he embodies, and in both respects he seems to have his creator's approval.

And yet, what a frightful bore Peter turns out to be eventually. While we may smile at Alexander's naïve deification of impulse, Peter's worship of reason, in a narrow pragmatic sense, is depressing and dehumanizing. The ultimate goals are taken for granted, his priorities being determined by the omnipotent spirit of the age. Though clearly not intended as such, Peter comes to look very much like an ironic reflection of Hegelianism. "For Hegel," we are told, "the only significance of the empirical history which we experience and in which we act lies in its embodiment of the necessary, dialectical movement of the Absolute Spirit." What option is there for man within such a perspective? ". . . must we not let history carry us along with it?"[13] Clearly, the individual becomes a medium for the dictates of the age.

And so, whereas Alexander's ethics are centered on the ego, Peter's are socio-centered, predicated on doing what the *Zeitgeist* demands. At the behest of the age Peter turns himself into a tool for accomplishing work; he lives for work and money, his Epicurean liking for comfort being just an ornament. What he really values are the things that momentarily are most highly prized by society: rank and financial success. And to accomplish these goals he treats both himself and others as objects. This is best shown in the Surkov affair, where he makes a convenience

of Alexander. His wife is a permanent convenience, necessary for his complete success. To ensure her loyalty within their passionless marriage, Peter works out a system of psychological control.[14] Thus, the "progressive" antagonist turns out to be a systematic upholder of the status quo, a result quite in keeping with Hegelian premises.

By his manipulation of other people Peter causes great damage. A thoroughgoing rationalist, he considers right action possible only if based on a clear analytical understanding of one's motives and on the ability to predict the consequences of one's behavior. Applying these principles from the outside to Alexander, he unintentionally puts him in the position of a guinea pig, depersonalizing him in the process. In their long discussions, Peter picks his nephew to pieces, exposing his "true" motives and plotting the course of his conduct. Only half-humorously, he explains love in terms of Leyden jars (I, 13) and tells him lovers have changed very little since Adam and Eve. Scientifically correct perhaps, he is morally wrong. For this view turns Alexander, up to now proof against becoming a manifestation of the age, into a puppet of the ages: he becomes an illustration of a general human predicament. Thus, both he and Nadenka are reduced to anonymity, an idea that is reinforced by a frequent motif: "What's her name?" Nearly a score of these appear in the text, with different names for the girl. Whatever Nadenka does, even when she "betrays" him, is viewed by the uncle as "in the order of things," with the result, Alexander says, that "at twenty-five I lost confidence in happiness and in life and my soul grew old" (261).

The theme of changing human nature through science was a common subject for allegory in nineteenth-century fiction; the results of such experiments were usually shown to be disastrous. Examples of this theme in American literature can be found in Hawthorne's stories "Rappaccini's Daughter" and "The Birthmark." Though written in an entirely different style, *A Common Story* treats the same theme, since Peter aims at nothing less than to work a complete change in Alexander's nature (I, 259). Without being strictly scientific, his analytical method has the same provenience as the method of the scientist. In Alexander's case the result is not death, as in Hawthorne's stories, but inner

division and dehumanization. He tells his uncle: "You evoked a struggle in me between two different views of life and you were unable to reconcile them. And what was the result? Everything in me turned to doubt, to a kind of chaos" (259–60). More specifically, Alexander was alienated from his own immediate experience, having become excessively aware of its causes and processes. For example, he started to analyze love, he says, "the way a student dissects a corpse under the guidance of a professor, seeing instead of the beauty of forms only muscles, nerves" (261). Not only, then, did the reeducation fail, but it introduced into the subject a foreign body which poisoned his system and vitiated his relationships with others.

Peter is shown up most thoroughly through his marriage. Upholding "rational" love against his nephew's insistence on mutual feeling (I, 75), he is at the end a sort of involuntary jailer to his own wife, who has lost not only her good health but her desire for freedom. She has been forced into a straightjacket of routine and conformity and can only echo the petty concerns of her husband. A perfect Philistine by now, Peter is too far gone to change his ways, and his belated efforts to make a new start are quite comic. Though impotent to assert herself, Lizaveta is morally superior to both men, combining an awareness of the claims of the heart with a fine intelligence. Therefore, her nostalgic vision of what might have been can still serve as an ideal norm whereby the two men are judged and found wanting.

V Tertium quid: *The Reconciling Vision*

Women often function as touchstones in literature. This is particularly true for Russian fiction, where failure to win a woman's approval often spells decline or doom. In Dostoevsky, characters as diametrically opposed as Svidrigaylov in *Crime and Punishment* and Myshkin in *The Idiot* founder on this rock; rejected by Dunya, the former kills himself, while the latter, unable to meet Aglaya's demand for a full human love, ultimately collapses under the pressures of life. Goncharov employs women in this capacity in every one of his three novels. Oblomov understands he is damned when Olga leaves him, and in *The Precipice* Vera's rejection of both Raysky and Volokhov, together

with her deepening feeling of friendship for Tushin, is a barometer of Goncharov's relative estimate of the three characters. In *A Common Story* Lizaveta performs the same function in regard to both husband and nephew.

What raises Lizaveta above both men is her broad humanity, harmoniously balanced between the conflicting demands of head and heart, reality and dream, self and society. In discussing Alexander with her husband, she says that "his mind is not on a level with his heart, and so he is to blame in the eyes of those whose minds have run too far ahead and who want to succeed everywhere by dint of reason alone" (I, 157). In her relationship with Alexander she wisely refrains from direct advice or criticism, knowing that he gets enough of that from her husband. After the collapse of his romance with Nadya she leaves it to her husband to show off his post-mortem wisdom, while she simply shares Alexander's suffering; afterwards "she returned to her bedroom with tear-stained eyes" (146). As skeptical of her nephew's literary talent as her husband, she knows that man cannot live without hope and tempers the reality principle with illusion. Therefore, after his other ventures have failed she encourages Alexander to take up writing again. Her interests also embrace society; she wonders, for example, whether Peter's unceasing labors are undertaken only "for petty reasons," such as the desire to "attain importance among men due to rank and wealth," or for a "common human aim" (150). But despite her clear vision, warm heart and good judgment, Lizaveta must perish, a victim of psychological tyranny.

She must perish partly because of the kind of novel Goncharov was writing, a double-edged comic exposure of two modes of life and two sets of values. In satire, particularly of the moral-philosophical kind, there is often a great deal of suffering, even death, without compensatory catharsis. Not to speak of the horrors of *Candide* (1759), there is the suicide of the Savage in *Brave New World* (1931), and a contemporary work like Dickens' *Hard Times* (1855) ends with a slew of disasters. When Gradgrind sees his daughter, Louisa, "the pride of his heart and the triumph of his system, lying, an insensible heap, at his feet" at the end of the second book of Dickens' hard-hitting novel,[15] he experiences the collapse of his entire philosophy of

life. Similarly, Peter Aduev, about to be made a privy councilor, breaks out in a "cold sweat" (I, 304) at his impotence before the fateful consequences of his "system's" success. It is characteristic of the mid-nineteenth century that in both instances utilitarianism is the target of attack. Whether artistically justified or not, such strategic use of characters as vehicles of exposure is very effective in criticizing an ideology, if not in projecting a valid criticism of life.

VI *Character Portrayal in* A Common Story

It is quite in keeping with the qualities of satirical comedy that Goncharov's major characters in *A Common Story* should be intellectually conceived and sometimes act like disembodied abstractions rather than as semblances of real people. Conversely, those figures are most real who are least essential for implementing the theme. Not having to be at the author's beck and call, they are free to be themselves, to express their full esthetic potentiality.

Artistically weakest is Peter, on whom, ideologically, the novel turns, but Alexander, too, shows traces of abstraction. Convincingly to act the eternal "country bumpkin" untouched by his college education and city experience is not easy, and actually the young man is completely natural only in his native habitat. The formula for Alexander's behavior is similar to that for any *ingénu* figure and, as always, delightful situation comedy results from his inability to learn from experience. The opening scene in St. Petersburg, during which he nearly impales himself on his uncle's razor several times in succession in the attempt to embrace him, comes immediately to mind. However, such effects can be overdone, as happens when, regardless of Peter's murderous criticism of his poetry, Alexander holds out a sheaf of translations from Schiller and offers to make a "table of contents for all his articles in chronological order" (I, 58). This is perilously close to caricature. The *idea* of Alexander, of a person living in his own "special world," takes precedence over verisimilitude. Even worse, glaring inconsistencies arise from the different satirical functions he is called upon to fulfil. While

Alexander shows both insight and wit when the author uses him to expose the inanity of office work (59–60), the dull uniformity of young ladies (65), or the atrocious marriage practices that prevail in society (77–79), at other times he is degraded to the level of a fool, as when the young man calls a ring and a lock of hair "material signs . . . of immaterial relations" (45) or, after more than two years in the capital, behaves so childishly with Nadya.

Against the all-too-evident concept of Alexander, the real person comes through best in the abortive romance with Liza, an episode from daily life turned into a gem of youthful pathos. Here he is no longer one-dimensional: though he speaks like a mentor to Liza, he is constantly aware of her sexually; all along there is an obscure conflict between moral will and lust. Along with the later rustic Alexander, who is reminiscent of Oblomov, this agonized individual contains the core of a living character, a quality lacking not only in the country bumpkin but also in the rosy, balding man with a paunch who is put through his paces in the Epilogue. Although socially justified, Alexander's behind-the-scenes change from a disillusioned romantic to a bourgeois official cannot but affect his "artistic wholeness."[16]

Compared to Peter, however, his nephew is a "round" character, shown not only in his present action and in his natural setting, but with glimpses of childhood and school as well. Though Peter is said to have come from the same milieu, we know nothing of his past except that, in early youth, he picked yellow flowers from the lake for Alexander's aunt. In any case, his temperament is quite unaffected by his rustic past; indeed, he represents the exact opposite of everything that the country holds dear. This negative conception of Peter explains many of his artistic deficiencies, more, in any case, than are explained by Goncharov's own *ex post facto* arguments in *Better Late Than Never.* The reason why Alexander turned out "rounder and clearer," while the uncle is "paler," Goncharov writes, was that he embodied the old established life, while Peter represented something that was just coming into being (VIII, 74). While such a circumstance might cause a figure to be vaguely

conceived, Peter's papier-mâché quality stems rather from Goncharov's need for a sharp profile and his desire to maximize his thematic thrust.

The abstract quality of Peter becomes manifest in several ways. First, as the negation of provincial sentimentality he is unceremonious to the point of incredible rudeness: he throws Alexander's ring—a farewell gift from his country sweetheart—out of the window, lights his cigar with Alexander's letter to her, and treats his "collected works" like waste paper. His brilliant performances, as excoriating critic, professional counselor and apologist for his doctrine, are quite entertaining, but at the cost of his human reality. Nor is he capable of change: a "humorous" character with a bee in his bonnet about work and rational living, he becomes quite absurd whenever he acts in opposition to this built-in bias. His decision to turn over a new leaf is a curious lapse of decorum on Goncharov's part, certain effects, such as psychological depth, pathos, and basic change being ruled out by Peter's very essence as a character. Ultimately, anyway, all pretenses are dropped. Despite his embarrassment as Alexander keeps parroting his maxims in front of Lizaveta in the final three-way scene, the old Peter is still very much in evidence. His "reformed" variant is forgotten by the author in order to sound a last mocking echo of some favorite motifs, such as "yellow flowers," "sincere effusions," and "what's her name?"

However, many characters are almost wholly free of such weaknesses, especially the women, whose portrayal was noted with high praise by Belinsky and other critics. The only exception may be Julia Tafaev, a feminine exponent of romanticism. A hysterical widow, she "gave herself up to her love the way people give themselves up to opium and greedily drank the heart's poison" (I, 205). This reckless abandon is less a personal quality than an illustration of the effects of bad education. Prematurely aroused by unwise tutoring, Julia's emotions were later artificially stimulated through novel reading. A travesty of Pushkin's Tatyana in this respect, she is an old stereotype, though effective enough as a female counterpart to Alexander.

Nadenka is another matter, eternally fresh in her girlish innocence and perverse charm. Goncharov's attempt, in retrospect,

to see her as the representative of a definite stage in the development of Russian womanhood seems heavy-handed. He writes in *Better Late Than Never: "I did not draw Nadenka, but the Russian girl of a certain circle, at a certain moment of that period."* As compared to Pushkin's Olga and Tatyana, who married according to their parents' wishes, Nadenka—Goncharov says—breathes a slightly freer air and, in giving up Alexander for the Count, takes the first *"conscious step of the Russian girl*—tacit emancipation." However, she did not follow this up, he says, but "remained in ignorance" (VIII, 75). Though this representative quality may well be present, Nadenka is interesting chiefly because of her vivid reality, that of a girl awakening from the sleep of childhood.

Both Liza and Nadenka reveal the excellence of Goncharov's art when unhampered by didacticism or a program. Since they were necessary to the plot simply to put Alexander through his school of love, Goncharov's intuition had relatively free play in their creation. The portrayal of Liza, of course, is not very detailed, but memorable because of the skill with which the author has rendered the irresistible growth of passion in an inexperienced heart. She possesses a fervent nature under her placid exterior. Intrigued by Alexander's studied indifference, she is in the end overwhelmed by her own emotions. More playful than Liza, Nadya, too, is caught unawares by her feelings; but she knows intuitively how to handle them. There is a detached and whimsical air about her, one that is difficult to convey directly; consequently, we learn little from her formal portrait, done in an undistinguished manner, with the usual sprinkling of romantic clichés—eyes that emit a "penetrating ray," flash "like lightning" and "scorch," and an occasional hint of a "marble statue" in her appearance (I, 87).

It is in the dialogue and the use of gesture that the delightfully capricious creature comes into her own. As against Alexander's hackneyed amorous folly, she is "cool," and with instinctive tact controls both her lover and her mother. The reader is offered no indiscreet glances into her mind, but her feelings are at her fingertips, whether she plays with a beetle, nips off ivy leaves or snatches away her hand (Ch. 4). And—a far more difficult accomplishment—in the course of a few brief scenes

we see her change from a charming adolescent, a big child, to a mature young woman. The extent of her growth is shown by two incidents, in each of which her feelings can be inferred from her actions. In one, she pets a beetle and then, in sudden disgust, squashes it with her foot; in the other, the last glimpse we have of her, she is nervously playing the piano while Alexander demands to know his "fate." The fact that her feelings are conveyed indirectly, as objectified in her suddenly changing musical touch and her gestures, goes far to explain the perfect illusion here attained, both of a life-like scene and a living person.

Alexander's and Nadya's mothers form another pair, idolizing their offspring, both conform to the mother archetype. But while Mrs. Aduev is protective to the point of fussiness, her city counterpart is resigned to be dominated. And though both are comic figures, the source of their incongruities differs. Mrs. Aduev's world is defined by the narrow horizon of food, marriage and children, and her comic quality derives largely from her absolute horror at the godless practices in "foreign parts" like St. Petersburg. She is close to being a "humorous" character in the original sense of the term, her one thought being her son. The comedy of Mrs. Lyubetsky is partly one of situation, because of the inversion of the traditional mother-daughter relationship: Nadya had an "obedient mother" (I, 90). Clearly, Nadya does exactly what she wants, and the true state of things is symbolized by her mother's dozing in an armchair when Alexander comes visiting. A tendency to launch out into long monologues strengthens the impression of her remoteness from reality. Though the mold is the same as that used for Mrs. Aduev, the mother hen, the effect is sufficiently different to give her a distinctive stamp.

Goncharov's mastery is seldom as flawless as in his portraits of simple folk, caught with unfailing tact through a mannerism or a quirk of perspective. All his simple characters are slanted toward the physical and the idiosyncratic. Evsey, a twin to Avdey in "Ivan Savich Podzhabrin," remains skeptical of the "higher" life in the capital and at his return has praise only for the shoe polish, "good enough to eat" (I, 281). At the outset he is as sorry to leave his corner behind the stove as to part

from Agrafena, his affectionate shrew of a sweetheart. Though prescribed by a time-honored tradition in the portraiture of plain folk, the earthiness of these figures may partly derive from their being drawn from life.[17] The same air of real-life profiles envelops Anton Ivanych, the "Wandering Jew," and Kostyakov, Alexander's petit-bourgeois friend; these look like two variants of the same comic type. Both live vicariously, Anton Ivanych in a crude parasitic way, Kostyakov like a sort of spiritual scavenger. While Anton Ivanych passes the time in ritual gluttony, Kostyakov thrives on human misfortune: he likes to be present at "extraordinary events like fights, fatal accidents, collapse of ceilings and so on, and with special enjoyment read reports on such accidents in the newspapers" (233). Both these figures have a definite folk flavor.

A clear dichotomy is evident in Goncharov's character portrayal in *A Common Story*. The central figures, those essential to his theme, are deficient in vividness, psychological verisimilitude, and depth. While partly due to literary constants such as the comic-ironic mode and a gently satiric intent, these deficiencies are aggravated by poor judgment and a tendency to strain for effect. After all, even a comic character must show a certain consistency in his behavior. These strictures apply even to Lizaveta, however sympathetic she may be; though present until the very end, she is far less vivid than Nadenka. But where he simply follows his talent for drawing without worrying what a figure means or represents, Goncharov is superb. Significantly, his successful characters—whether young girls on the verge of maturity, middle-aged mothers, hangers-on or servants—have one thing in common: they are all types who have been around, in life or in literature, for a long time, in the course of which they have developed an unmistakable aura, one which Goncharov knew how to capture.

VII *Structure and Texture in* A Common Story

In its composition, as in the portrayal of character, *A Common Story* combines a general tendency toward abstraction with sufficient nuances in structure and texture to avoid monotony. Its two balanced parts of six chapters each, with an epilogue,

conform to the rules of classical symmetry. This neat shape, as well as the internal balance of two opposing figures which ultimately converge, has brought the charge of schematicism against the book. However, in its total result, affecting not only the novel's general design but also the interrelations of parts, whether situations, characters or scenes, the principle of symmetry produces formal intricacy. Over and above this, the novel's texture, with its wealth of verbal and other motifs, does much to diversify the overall scheme as well as Goncharov's scenic structure.

To show how symmetry may produce intricacy, we shall look briefly at the device of mirroring, a symmetrical relation that permeates the book. Affecting the treatment of both character and situation, this device usually functions ironically. Already we know that Alexander's second romance is an inverted reflection of his first and that, within the second romance, his image and double, Julia, more and more assumes the quality of a mocking mirror. But there are also less obvious mirrorings, possibly not consciously intended and evident only from a close reading of the text. For example, a connection is set up between Peter Aduev and the late Mr. Tafaev, a "man with all the attributes of a fiancé, that is, respectable rank, a good income and a star on his uniform—in short, career and fortune" (I, 204). Not only do we recognize in "career and fortune" Peter's chief slogan, but with Mr. Tafaev Peter also shares his knowledge of Russian "industrial needs" as well as his inability to recall his classical education. Moreover, Tafaev's marriage to Julia—she was eighteen, he forty-five—is a distorted reflection of Peter's to Lizaveta, just as Julia's hysteria is a more dramatic instance of Lizaveta's nervous ailment. Generally, the burlesque style in which Mr. Tafaev is presented, particularly his education (204–5), casts a dim light on Peter's culture and on his human worth.

Some of the most striking instances of "mirroring" are produced by the characters' habits, gestures, and other nuances of behavior. Highly interesting is the ironic parallel between the habits of Peter, especially as he grows older, and life in the provinces. Curiously, this champion of "active work" is almost constantly seen eating or dozing. While these activities are

effective as means of deflating Alexander's windy sentimental talk, thematically they are chiefly associated with the stagnant life of the countryside. And so, subtly, here as in "The Evil Sickness" extremes meet.

All these crisscross patterns and reflexive references enliven the book, variegating its design with a web of half-submerged interrelations of parts and overlaying the obvious themes with a rich tapestry of meanings. Or, to change the figure, they set up little eddies of countermotion to the simple pressure of the theme, revealing its many possible twists and turns.

Goncharov's handling of scene demonstrates, on a smaller scale, the same combination of a simple structural scheme with a texture that at times is quite complex and poetic. The scheme is that of bathos, deliberate anticlimax, though the continual shifts from one mode to another might justify a term like modal counterpoint. The scenes are built on a tension of opposites, with some higher feeling or ideal set against material interests or physical need. The pathos of the leave-taking, for example, is undercut by a generous consumption of food; embarrassed by the maudlin talk of his mother, even Alexander mentions food. This sets a pattern for subsequent scenes in which the amorous ecstasies and torments of Alexander are deflated by his uncle, who warns him to close his "valve" (a reference to emotion as steam) and not to break things (Pt. I, ch. 3), emits satisfied grunts over a turkey dinner (Pt. I, ch. 6), and asks him to make out a bill for services rendered in the Surkov affair (Pt. II, ch. 3). Alexander's literary aspirations receive the same treatment: while reading the young man's poems, Peter yawns and fusses with his cigar, and as Alexander reads the rejection letter from the editor to him, he blows smoke rings (Pt. II, ch. 2). In scenes where Peter's sober, mocking voice is not heard, others take his place, such as Nadya's mother and Kostyakov. Alexander's most rapturous moment with Nadya is dispersed by Mrs. Lyubetsky's summons to buttermilk (Pt. II, ch. 4), and for the "pain" in his chest, anything but physical, she recommends opodeldoc (Pt. I, ch. 5). Kostyakov, like Peter, measures everything in terms of money, and during Alexander's misanthropic spell supplies a much needed complementary perspective.

Shifting perspectives also characterize the manner in which scenes are brought to a close. An excellent instance is Alexander's last departure from the Lyubetskys', which is turned into sheer farce. Characteristically, the farcical element is introduced by way of two lower-class characters, the janitor and his wife, whose crude but understandable suspicions bring Alexander's loudly expressed grief within an ordinary, down-to-earth context. One of the great masters of this technique is Shakespeare, as in the scene of "knocking at the gate" in *Macbeth.* Goncharov's success varies. In this case he may have slightly overdone the undercutting: for example, the word "howl" (*revet'*; used mostly about animals and children) is applied to Alexander's sobbing six times on less than half a page (I, 126), and the couple's speculations on what has happened have references to such "low" matters as theft, drunkenness, and hunger. The scene ends with a veritable monologue by the janitor about a possible loss of money. This is the end of Alexander's first romance.

By comparison, the way the affair with Julia is concluded (Pt. II, ch. 3) is more subtle, enriched with overtones by verbal and situational motifs. To appreciate this, however, it is necessary to refer back to the time of Alexander's first love, when he developed a habit of self-communion: "To converse with his own *self* was for him the highest pleasure. 'Only when alone with himself,' he wrote in some story, 'can man see himself, as in a mirror; only then does he learn to believe in human greatness and dignity.'" As he is communing, Evsey enters, borne along by enthusiasm over his expertise in cleaning boots. "He considered this occupation his chief and almost only duty, and generally judged the value of a servant, or any other man, by his ability to clean boots" (I, 100). In a brief exchange, during which Alexander and Evsey accuse each other of being senselessly occupied, Evsey, using Peter's phrase, protests, "I do real work," and he "placed the boot on the table and looked lovingly at himself in the mirrorlike gloss of the leather" (101).

At the end of the affair with Julia, after his uncle, to Alexander's apparent regret, has managed to soothe the "betrayed" lady's feelings, this situation is repeated. When Peter leaves, having dropped some hints about the necessity of work, Evsey once more comes rushing in with his polished boot. The wax,

he says, is so good that the surface of the boot is "like a mirror" (I, 222). This subtle little scene, the coda to a chapter-long romance, speaks louder than any number of avuncular exhortations. The romantic mirror of self-communion is echoed in the mirror of the boot, at once a ludicrous parody and a modest symbol of being usefully occupied. The scene cuts the other way, too, making light of the ponderous advice of the uncle. Thus, through a kind of symbolism, along with the familiar device of mirroring, the simple scenic structure is enriched by a texture fraught with multiple meanings. Needless to say, Alexander acts true to himself, showing his unregenerate egoism by abusing Evsey and chasing him from the room.

VIII *The Use of Motifs*

Motifs are such an important part of Goncharov's technique in *A Common Story* that they deserve separate treatment. A basic ingredient of dialogue, the verbal motif has far wider ramifications. Indeed, the motif structure in *A Common Story* is as essential as plot and theme, both of which acquire their tonality and meaning from the way this structure is developed. Thus, the contours of Alexander's story are fairly defined by the image cluster associated with the Icarian-Christian theme of flight and fall. Other important clusters are built around words and images like "mirror," "cup," "crowd," "flowers," and "money." Far from being self-sufficient units, these clusters tend to interact and to form more and more complex units, at the same time as they acquire new tones and meanings from different contexts.

This will become clear from examining a few of these motifs, of which "mirror" has already appeared as a constituent of scene. After the fiasco of his second romance, Alexander temporarily gives himself up to dissipation. "A flock of friends appeared and, along with them, the inevitable *goblet* (*chasha*). The friends contemplated their own faces in the foamy liquid and then in their patent-leather boots" (I, 228). The word *chasha* has previously figured in romantic contexts, in cliché metaphorical expressions like "cup of happiness" (100), "draining the cup to the dregs" (179), and "cup of life" (199); now, in debased

form, it appears within the context of a drunken orgy, and no longer as a figure of speech but simply in the meaning of a drinking bowl. Both the reification of the figurative image and its debasement are an expression of a basic tendency of Goncharov's novel: to apprehend the reality beneath the layers of antiquated rhetoric. The ironic use of the mirror image, which here occurs in two permutations, continues the anti-romantic mockery of previous scenes.

It is worth noting that toward the end of the book "mirror" functions somewhat differently. First, Peter acts the bear in Krylov's fable "The Mirror and the Monkey," holding up a mirror to Alexander (I, 168–69), just as the latter has used Krylov to expose the weaknesses of his acquaintances. Secondly, one entire scene, Alexander's attendance at a concert with Lizaveta, acts as a *true* mirror to the young man. The successive moods of the musical offerings are described so as to suggest the stages of man's life, and Alexander sees his own life pass in review before him. "These sounds seemed, on purpose, to be relating with full intelligibility his past, his whole life, so bitter and disappointed" (253). Moreover, he sees himself in the German soloist and thereby recognizes his fault in having despised the "crowd": "I shunned the crowd, despised it, but that German, with his strong deep soul, his poetic nature, does not renounce the world and does not shun the crowd: he is proud of their applause. He understands that he is a barely noticeable link in the endless chain of humanity" (256). Thus the mirror motif, associated with things as varied in connotation as a pastoral lake with yellow flowers, polished boots, drinking bowls, and a concert, has a psychological amplitude ranging from romantic self-communion to its grotesque parody, with a somewhat bitter self-knowledge as the point of balance.

Two frequently recurring motifs related in tendency are "crowd" and "money"; the entire action of the novel may to a degree be understood as Alexander's reconciliation to these realities of life. Although in the first moment of rapture he speaks of being ready to "merge" with what he calls the "rationally active crowd" (I, 41) in the capital, up to the time of the concert he acts out the conventional romantic scorn for the masses and seeks solitude, or intimacy with a select few. The uncle's positive relationship to these masses, at least in

theory, is evident from his holding up what he calls the "contemporary educated, thinking and acting" crowd as a model to his nephew (263). The money motif is deployed similarly, by a counterpoint method which constantly juxtaposes it to Alexander's nonmaterialistic values. Peter, the businessman, often talks about money and offers it to his nephew whenever he is in trouble. However, the latter keeps turning it down, refusing to give up his idealistic attitude. His ultimate adoption of Peter's values is appropriately reserved for the very last scene, where the uncle for the first time—and the last—allows his nephew to embrace him, while the latter takes money from him, also for the first and the last time: "This is an unusual [uncommon] occasion," says Alexander, punning as if he knows the novel's title.

A special kind of motif is formed by the use of literary allusion, particularly to the poetry of Pushkin. Such allusions are quite natural in a work focusing on an aspiring poet, and useful in recreating the intellectual climate of the period. However, Goncharov goes much further than this. One can truly speak of a complex Pushkin motif, associated with a multiplicity of opposing themes that ramify across the entire work.

Two poems, "The Poet and the Crowd" and "The Demon," provide most of the material for this motif. The first work consists of a dialogue between the "rabble" and the poet. The crowd motif already referred to is in Pushkin's poem associated with the most crass utilitarianism; the phrases "worm of the earth" and "son of the heavens" vividly formulate the opposed positions.[18] "We are born for inspiration/ For sweet sounds and for prayers," run the last two lines of the poem.[19] The poetic argument is closely reflected in a discussion between uncle and nephew about creativity. In one stanza Pushkin's poet says that, to the crowd, an earthenware pot is "more precious" than the Apollo Belvedere.[20] Without being impugned, the uncle's view is not so very different from that of the crowd. Interestingly, he owns a porcelain factory, and his concept of creativity seems to equate the gifts of an artisan who could improve the native porcelain with the "higher power" of a Shakespeare or a Dante (I, 56). Appropriately enough, after he has read Alexander's poetry he proposes they walk together to his factory (59).

"The Demon" is not only a source of verbal motifs, but offers

a kind of archetypal pattern for the novel's action—one of disillusionment. In the poem, a demon visits the young persona, causing "the hours of delight and hope" to be overshadowed by a "sudden ennui." The soul of Pushkin's innocent youth, animated by the "sublime feelings" of freedom, fame, and love as well as by art, is filled with a "cold poison" through the "inscrutable glance" and the "caustic speeches" of his "evil genius," who dismisses beauty as a dream, flouts inspiration, and denies love and freedom.[21] Romantic as it may be, Alexander's identification of Peter with Pushkin's demon is a leitmotif in the book. Besides several direct references to demon,[22] there are subtle indirect allusions by way of imagery from the poem. First among these is the image of poison, in association with "glance" and "cold analysis," all connected with the uncle's "caustic speeches." "You poison . . . [life] with your glance," Alexander tells him (I, 69–70), and a little later he rejects his "cold analysis" on the ground that it would "poison" his happiness (83). This imagery is also used elsewhere, with implicit reference to the Pushkinian context. Warning Liza against reading Byron, another poet of disillusionment, Alexander enacts the role of an anti-demon as he compares the naïve and the analytical approach to life by way of an analogy. While one poet, he says, will show you the scent and beauty of a flower, another will show you only the "poisonous juice in its calyx . . . and then both beauty and fragrance will go lost for you." That he connects this side of the analogy with his uncle's "cold analysis" is clear from his advice to the young girl: "Do not seek poison, do not try to get at the origin of everything that goes on within and around us; do not seek unnecessary experience: it is not that which leads to happiness" (243).

IX *Literary Influences in* A Common Story

Whether the use of Pushkin just discussed comes under the heading of literary "influence" is a moot point. Altogether it is difficult to define precisely the relationship of Goncharov to Pushkin in *A Common Story.* On the one hand, the novel is saturated with allusions to Pushkin's work and, to a degree, young Aduev reenacts a Pushkinian role. On the other hand,

the upshot of the work is as anti-Pushkin as it is anti-Romantic, for in *A Common Story* the only poet that Goncharov ever idolized (VIII, 263) provides thematic materials for an attitude and a *Weltanschauung* that he considered *passé*. Thus, while Pushkinesque in many of its themes, the novel at the same time represents a catharsis of the poet's influence; in fact, the free use of allusions shows that Goncharov was no longer under his sway. Since, then, he was perfectly aware of what he borrowed, other terms, whether take-off, parody, or thematic variations, might be more appropriate.

However, it is dubious whether the novel was *consciously* intended to reenact a variation of *Eugene Onegin*. Though quite candid about his general dependence on Pushkin's literary example, especially *Eugene Onegin* (1825–31), Goncharov never refers to the most obvious resemblance between his own novel and Pushkin's, namely, the parallel between the triangle Lensky-Olga-Onegin and that of Alexander-Nadya-Count Novinsky. While the only similarity between Onegin and Count Novinsky is their nobility, Olga and Nadya are essentially one and the same character, with allowance being made for Goncharov's more intensive treatment. As for Alexander, not only is he cut to the pattern of Lensky, as critics since Belinsky have been aware, but he seems set on enacting Lensky's role. When he suspects Nadya's interest in Novinsky, he recalls Lensky's thoughts about revenge on the day after the ill-fated ball (I, 114). Seeing the Count as a scheming seducer, Aduev, like Lensky, poses as the champion of innocence. When Nadya's "fickleness" is beyond doubt, Alexander wants to carry his allusive threat into action and fight the Count (132), a plan from which his uncle manages to dissuade him.

Some critics have seen Pushkin's suggestion of an alternate fate for Lensky as a model for Goncharov's treatment of the reconciled Aduev. Having first conjured up the image of a great future poet or sage, Pushkin says that maybe Lensky would have had an "ordinary" fate after all. And he paints a picture of comfortable middle age: the poetic ardor of youth has expired and he lives in the country, "happy and cuckolded," wearing a "quilted robe." Now he knows what life is about, eats and gets fat, and dies in the bosom of "his children, / Crying women and

the doctors" (Ch. 6, st. 39).[23] During his visit to his mother's estate this fate seems a distinct possibility for Alexander, especially when he exchanges his "tight-fitting dress coat" for a "loose home-made robe" (I, 290). Perhaps to call to mind the "ordinary" lot envisioned for Lensky, Goncharov combines this transformation of Aduev with some echoes from a stanza in "Excerpts from Onegin's Travels," which Pushkin decided not to include in his work. Interestingly, the stanza in question contrasts the sublime images favored by the youthful Pushkin, such as desert, sea and mountains, with a number of homely images,[24] of which Goncharov, with slight inaccuracies, mentions *"the gray sky, the broken fence, the wicket gates, the muddy pond, the folk dance"* (290). Alexander, we are told, is beginning to "grasp the poetry" of these things. And yet, this was not to be his lot. One could argue, of course, that both the "ordinary" Lensky and Aduev end up as Philistines; however, the latter is adapted, at whatever cost, to the prose of a seemingly thriving life rather than to the "poetry" of a decaying order.

Among possible foreign influences two French novels, George Sand's *Horace* (1841) and Balzac's *Lost Illusions* (1837–39), have been prominently mentioned.[25] Goncharov may have been stimulated by these works to write a Russian counterpart to the European novel of disillusionment. One French critic has said that *Horace* and *A Common Story* fulfilled comparable tasks in their respective countries, namely, depicting a generation tragically deceived by the chimerical dreams of romanticism.[26] More specifically, Goncharov, who admired George Sand's subtle portrayal of character (VIII, 58), may have picked up a few hints from her profound exploration of the psychology of vanity and self-deception in *Horace*. *Lost Illusions*, a really great novel,[27] may have affected Goncharov more deeply. Though broader in scope than *A Common Story* and different in many of its themes, its basic outline is similar.

Lucien Chardon, alias de Rubempré, a young middle-class provincial of promise, is less a poet than a man with a poetic temperament. He is an indolent and weak-willed youth who, like Alexander Aduev, goes astray because of excessive imagination. After ruining his family by reckless living in Paris, where he has forged his brother-in-law's name on some bills, he returns

home only to put them into deeper trouble still. Having caused his brother-in-law's arrest, he decides to end his life. However, before he manages to carry out his plan, he is picked up by a Spanish canon with aristocratic connections. This premature Nietzschean undertakes his reeducation. The canon, the epitome of cynical worldliness, is glad to find him so thoroughly disillusioned, making it possible for him to form the young man completely in his own image.

More striking than these general resemblances in the plot and the heroes are some detailed similarities in the imagery, despite its conventional quality. Considering Balzac's sparing use of figurative language, the abundance of imagery of flight in *Lost Illusions* is a coincidence worth noting. Not only does Lucien and his rustic friend David, later his brother-in-law, take soaring "flights" of fancy, but Lucien is frequently compared to royal birds, like eagles. And the imagery of falling is here, too. Both his mother and his sister, Eve, at one time or another think of him as "wallowing in the mire." There are also the yellow flowers, ostensibly a symbol of the poet. Finally, Peter's trademark, the cigar, is also the canon's.

While Goncharov may have wanted to accomplish something comparable to what Sand and, in particular, Balzac had done in their respective novels, his talent was very different and something new emerged. Aduev's experience is truly a sentimental education or even purgation, in the course of which he becomes transformed into a new person, whereas Horace retains his self-deceptions to the very end. Chardon does not, and here is a close link between him and Alexander Aduev. However, Balzac paints a broad canvas on which social, political, and economic processes are minutely analyzed, along with manners and the characters' psychology; Goncharov's focus is narrow, largely concentrated on the experiences of one person. Yet, in his character portrayal he is no match for Balzac, though his artistry in some ways is finer, as a study of his imagery and motif structure demonstrates. Despite Goncharov's possible indebtedness to these novels, *A Common Story* is a wholly original work; any elements that may have been borrowed are completely assimilated.

CHAPTER 4

Oblomov

THE publication of *Oblomov* was a landmark in Russian literature. Initially overshadowed by Turgenev's *A Nest of the Gentry,* it was catapulted to fame by Dobrolyubov's article "What Is Oblomovism?" which came out in May, 1859. Prince Kropotkin reports that the appearance of *Oblomov* was a far greater event than the publication of a new work by Turgenev.[1] Its characters assumed a life of their own, especially Oblomov; they evoked a sense of recognition in the reader and were discussed as real, living people.

The exceptionally long period of gestation may partly account for the book's profound appeal. At its publication in *Notes of the Fatherland* in 1859, ten years had passed since the appearance of the fragment "Oblomov's Dream" and twelve years since the novel's conception. Apart from ordinary official duties, which always claimed the better part of his time, for nearly three years Goncharov was a world traveller. After his return from Japan in 1855, he spent a couple of years editing his travel sketches, based upon the log book, assorted letters to friends, and the journal he kept during the voyage. *The Frigate "Pallada,"* which makes up two volumes of his collected works, came out in book form in 1858. In the meantime, during an exceptionally prolific summer the year before in Marienbad, Goncharov all but completed *Oblomov;* what remained to do was mostly revision.

With such a record of activity, Goncharov was clearly no "Oblomov," a byword for a sluggard, and conversely Oblomov is not a direct image of his creator. On the other hand, we know that already in his twenties Goncharov used to flaunt his indolence and was in the habit of signing himself "Prince de *Len'*" (meaning "laziness"), a take-off on Prince de Ligne. There is

unquestionably a close connection between Goncharov's biography and his fiction, but it is not simply one of self-dramatization. In *Better Late Than Never* he says he could only write about what he had himself experienced (VIII, 113), but he always insists on the shaping and transforming power of the imagination. Even his reminiscences temper *Wahrheit* with *Dichtung*, this being for him the only possible way of achieving artistic truth (VII, 225). In his fiction an important element of *Dichtung* derives from imaginary extensions of his own major predilections, such as the indolence intrinsic to an "artistic contemplative nature"[2] and its opposite, bustling activity. Through his heroes he gives hyperbolized expression to his own innate possibilities, while embodying them in forms which, in Hamlet's phrase, showed the "body of the time his form and pressure." Thus, thirty-two or thirty-three year old Ilya Oblomov, a provincial landowner living in St. Petersburg, is a type of his class—the middle or petty gentry—at a difficult period for the Russian landowner; but at the same time Goncharov projects through Oblomov an imaginative extension of himself.

The story of *Oblomov* is extremely simple. In a novel that is thematically poised on inaction, the lack of a complex plot is quite appropriate. The first of the four parts, following an "all life in a day" scheme, shows Oblomov comically unable to get out of bed. He receives some visitors and has an epic dream of his childhood home, Oblomovka. With the beginning of Part II, using the half-German businessman Stolz as his prod, the author puts his major character through his paces. Stolz introduces him to Olga Ilinsky (the complication), and Oblomov undergoes an agonizing love affair with the charming young girl, who is set on curing him of his apathy. A critical moment arrives when—in panic—he sends Olga a parting letter, though the seriousness of his intention is mocked by his subsequent spying on her as she reads it. The result of this pathetic-humorous interlude is that, at the end of Part II, Oblomov falls down "at the feet" of his bride-to-be (the climax). However, soon he retreats, in a critic's words, with all the "faultless strategic skill of the neurotic."[3] His hesitations, fears, and unconscious deceptions during the next few months compel Olga to realize that she has made a mistake; as she tells him, she has been in love with an imaginary

figure (IV, 382). Convinced that he is incorrigible, she drops him, deeply grieved by the futility of her mission (the dénouement). This affair extends roughly through Parts II and III.

Meanwhile, since Oblomov's move to suburban Vyborg, a contrary force has been at work, namely, the elemental attraction of his landlady, Agafya Matveyevna Pshenitsyn, a widow who in Part IV first becomes his mistress and then his wife (the aftermath). Juxtaposed with Oblomov's decline into the petit-bourgeois routine of Vyborg, we observe Stolz moving in to replace his friend in the affections of Olga. In an epilogue we are informed of Oblomov's end; eight or nine years after the time of the opening chapter he dies of a stroke—appropriately, in his sleep. His son, Andrey, named for Stolz, is given over to his successful namesake for upbringing, so as to enable him to take over the family estate which Stolz has looked after in the meantime. In the last scene we meet Zakhar, Oblomov's valet, begging in the streets of St. Petersburg; though fallen on evil days, he refuses to leave the city where his master is buried. The four parts of the book could be called Sleep, Awakening, Relapse and Sleep, respectively.

Stolz from beginning to end endeavors to arouse Oblomov, while a pair of crooks, Tarantiev and Agafya's brother, Mukhoyarov, constitute an evil opposing force. A sworn enemy of Stolz, as of all men of "foreign" background, big, hulky, furiously active Tarantiev is Oblomov's chief parasite.[4] Oblomov's inability to live without parasites is inherited from Oblomovka, where such people were a necessary adjunct of life. Both Tarantiev and another parasite, the faceless Alexeyev, serve as distorting mirrors to their host. Tarantiev, besides, plays a fateful role in his life. Frustrated professionally, he allows the "theory of graft and fraud" (IV, 42) instilled in him by his father to invade and dominate his personal relations. It is this crook that the naïve and unpractical Oblomov, with his fatalistic trust in words like "perhaps, maybe, and somehow" (99), chooses to consult about his "two misfortunes," namely, his landlord's request to vacate the apartment and an upsetting letter from the steward of his estate. In collusion with Mukhoyarov, Tarantiev writes an outrageous lease, which Oblomov signs unread. Though he has no desire to move to Vyborg, his hands are now tied: he has no

money, and court action is threatened if he breaks the lease. This intrigue à la Dickens gathers increasing momentum when, to avoid going to the country himself, Oblomov seeks the advice of crafty Mukhoyarov, who finds an agent for him among his friends. Together, the three of them mercilessly fleece their gullible victim, who is rescued only through the arrival of Stolz.

When their designs are thwarted by Stolz's leasing of Oblomovka, Tarantiev and Mukhoyarov resort to outright blackmail. Exploiting Oblomov's growing interest in his sister, Mukhoyarov threatens him with serious consequences unless he signs an IOU for 10,000 rubles to his sister, who in turn is forced to issue an identical paper to her brother. Thus, both Oblomov and his landlady are ruined, until Stolz again intervenes to expose the nefarious scheme, enabling Oblomov to enjoy a period of tranquillity before he dies.

This brief summary gives only the vaguest idea of Goncharov's masterpiece. The outer format is obviously biographical, as in so many contemporary French and English novels; together with the prehistory, the action extends over several decades of the hero's life. Because of the pitiless deterioration of a potentially noble figure, the book has been called a psychological tragedy, while Georg Lukács uses the term "novel of disillusionment."[5] But *Oblomov* also has much in common with the novel of everyday life (*bytovoi roman*), since it contains a microscopic treatment of the routine of life, its sea of trivia. The critic Druzhinin saw it in epic terms as encompassing the "entire live of a given sphere, a given epoch, and a given society."[6] Moreover, it also fulfils a key requirement of the chronicle novel; for despite the paucity of allusion to contemporary events, the book creates a strong sense of the ground swell of time, mostly because of the changes at Oblomovka. These varied contents suggest that we have to do with a work *sui generis.* The same is true for the central character, who like Hamlet or Faust invites any number of different interpretations.

Partly because of its great complexity, partly to convey a sense of its finely woven texture, the following examination of the novel will begin with some fairly close reading, combined with analysis of structure. It seems wiser initially to ask how the parts of this intricate organism interact than what it all means.

I *A Picaresque Duo: Oblomov and Zakhar*

A notable feature of *Oblomov* is the enormously long exposition, occupying more than one entire part and accounting for nearly one third of the novel's length. Most of this material deals with the central character, whose personality, unlike that of young Aduev, is given at the outset. Moreover, in the exceptionally long chapter "Oblomov's Dream" the author projects a total image of the socio-psychological matrix from which this personality developed.

Oblomov is first seen in the horizontal, his "normal state," clad in a dressing gown, a "genuine Oriental robe without the slightest suggestion of Europe." Man and garment are one: the robe is "soft and supple, his body did not feel it; it obeyed the slightest movement of his body, like a docile slave" (IV, 8). Along with his slippers, his bed and robe will accompany Oblomov as leitmotifs throughout most of the story.

In describing Oblomov's room, Goncharov follows Gogol, but transcends his technique. In *Dead Souls* the surroundings express the man; everything on Sobakevich's estate is big and sturdy, while on Plyushkin's things decay and rot from the sheer force of miserly cumulation. The minute details in the description of Oblomov's apartment—the "dusty cobwebs" around the pictures, the dirty plate with remnants of last night's supper, the crumb-covered table; the old newspaper, the open pages of the book, yellow and with a coating of dust; the "startled fly" emerging from the inkwell at the dip of the pen (IV, 9–10)—all these minutiae of Oblomov's immediate surroundings reveal the pupil of Gogol. However, the indifference manifested by this condition of "neglect and untidiness" has a quality of sublimity about it that prevents it from being simply a negative thing. Anyone who can look at the furniture of his study "coldly and absently, as though wondering who had brought . . . all that stuff there" (9), must live elsewhere, in a different dimension. Cut off from the actual and finding "happiness" only through dream and through his "plan" for improving his estate, Oblomov sees life as "divided into two parts: one consisted of work and boredom—these words were synonymous to him—the other of rest and peaceful joy" (58).[7] Clearly, such a char-

acter defies portrayal by sheer accumulation of everyday details; he can only be adequately presented in terms of his inner world. But, for the sake of convenience, we shall postpone the discussion of "Oblomov's Dream" and follow the order of the narrative.

Most of the action in Part I is verbal, consisting of the surly exchanges between Oblomov and Zakhar and of Oblomov's discussions with a string of visitors, who want him to join their celebration of May Day. The relationship between Oblomov and Zakhar calls to mind Don Quixote and Sancho Panza. Both Oblomov and Quixote are dreamers and their servants are down-to-earth men. But here the similarities end. What is more, Oblomov could be seen as an anti-Quixote. Far from setting out to kill dragons and fight windmills, Oblomov has contempt for action and prefers to stay in bed: he likes his "visions" pure. Secondly, Zakhar is so closely associated with his master that he lives in a sort of symbiosis with him. He is essentially a grotesque counterpart to Oblomov on a lower social level. Finally, whatever picaresque movement this part of the story may have, is in reverse. The use of a succession of callers is reminiscent of a morality play like *Everyman,* in which the title character is visited by a number of allegorical figures.

Oblomov's three first visitors have symbolic names that show up the conventional roles they play. Volkov—derived from *volk,* "wolf"—wants to be a lion but is merely an infatuated dandy on a social whirligig. Sudbinsky's fate (*sud'ba*) is to be overworked as a successful official about to make a "good match." Finally, Penkin, with a name suggesting sheer froth (*pena*) and the nuisance of "skin" on milk (*penka*), is a fashionable journalist excited about the latest exposé of social corruption. Oblomov parries these tempters, sleazy near-burlesque types of no psychological depth, with shivers, yawns, frowns, and shakes of the head. They have no relation whatever to his life.

It is different with Zakhar, his permanent companion, who is anything but a servant stereotype. His ambivalent feelings toward his master, alternately abused and idolized, show his psychological complexity. Technically, his chief importance consists in being a symbol of Oblomov's past, for Zakhar has adapted even less to city ways than Oblomov. An elderly man now, he still acts and dresses as in his early days at Oblomovka. At a

time when the old patriarchal order is changing, the servants alone preserve the tradition. As Goncharov writes: "Only the gray-haired servants of the family preserved and handed down to one another faithful memories of the past, prizing them as something holy" (IV, 12). Therefore, though "torn under the arm and showing his shirt," his gray coat is treasured by Zakhar as a "dim reflection of bygone greatness" (11). Ironically, even Oblomov's whims seem to evoke the great past, for without them "he somehow would not have felt he had a master over him; without them there would have been nothing to bring back his youth, the country they had left years ago, and the legends of the old house . . ." (11–12). Goncharov suggests that even his whiskers, big enough for birds to nest in, may be dear to him precisely "because in childhood he had seen many old servants with that old-fashioned aristocratic adornment" (12).

And yet, even Zakhar is tainted with newfangledness. Belonging to two "different epochs," he has inherited from one a "boundless devotion to the Oblomov family, from the other, the later one, subtlety and corrupted morals" (IV, 70). In a tour de force of comic portraiture (Pt. I, ch. 7) the author creates a vivid and entertaining semblance of a real person, at the same time projecting a series of ironical contrasts which highlight the theme of social change. While the old servants were models of sobriety, Zakhar drinks with his friends "at the master's expense"; whereas they were "chaste as eunuchs," he visits "a lady of doubtful virtue"; while the old-time servants "guarded their master's money better than any coffer," Zakhar is addicted to petty thievery (70–71). But despite these signs of being in tune with the times, Zakhar still belongs to the old order. Indirectly, his portrayal shows how out of place Oblomov is in the cold, impersonal, socially buzzing atmosphere of the capital. In his crude, clumsy and, above all, lazy rustic ways, Zakhar is an anachronism in the city, and his master is a spiritual exile.

II *"Oblomov's Dream"*

The spiritual home of both is Oblomovka. This is no "nest of the gentry," a synonym for culture, enlightenment and a refined humanity. Rather, it is an old-fashioned estate located in a

backwater close to the borders of Asia. A masterpiece of evocative description, interspersed with brief dialogues and typical incidents, Goncharov's chapter on Oblomovka (Pt. I, ch. 9) creates an entire world, from its placid landscape and unhurried life to its customs and beliefs. The form is a literary "dream," which is by no means a real psychological experience. True, the author suggests that Oblomov is actually reliving his past, as when, seeing his mother, the dreamer "even in his sleep . . . thrilled with joy and ardent love for her; two warm tears slowly emerged from under the sleeper's eyelashes and rested on his cheeks" (IV, 110). Nevertheless, the value of the "dream" as pure experience, an act of unconscious memory taking Oblomov back to his childhood home, is questionable. In particular, neither Oblomov the dreamer nor Ilyusha, the dreamer as a child, can possibly appreciate the author's irony. And the associations are poetically rather than psychologically motivated, as the author composes a sort of literary symphony or a tone poem of the past. Apart from its intrinsic value, its chief function is to explain the personality of Oblomov.

As the narrative proceeds, it becomes clear that the ethos of patriarchal life is at the root of Oblomov's malaise. However, as in any neurotic condition, this knowledge is not accessible to the subject. The desire of Oblomov, uttered as he enters his enchanted world, to know why he is as he is, is not answered: "'It must be . . . it's because . . .' He made an effort to form the words but could not" (IV, 102). It is the reader who discovers the answer, as this highly structured pre-Freudian dream unfolds before him, adding another dimension to Oblomov's character.

Chronologically, the dream deals mainly with two periods of Ilya's life; first, he is a child of seven, then a boy of thirteen or fourteen. The several parts, devoted to such facets of life as the daily routine, holidays, folklore, and attitudes to the outside world, are all unified by tone and imagery, and by periodic returns to the dreamer. The author contemplates the scene with Olympian calm; the occasional bursts of lyricism are balanced by flashes of irony. The imagery has a pastoral quality, heightened by Biblical and classical allusions. The eternal recurrence of Oblomovka life emerges through a series of neatly-placed

sound motifs. All in all, the dreamer's world is vividly real, dense with sensory content, while the whole is veiled in an aura of myth.

The landscape of this "blessed" spot suggests an earthly paradise exempt from the ills of mortality. It has "no sea, no high mountains, cliffs or precipices and no dense forests–nothing grand, gloomy, or wild" (IV, 102).[8] Nature at Oblomovka is domesticated; the sky is not a remote and indifferent blue, but "stretched low overhead like a trusty parental roof, as if to preserve the chosen spot from every misfortune" (103). Personifying nature, Goncharov underscores its oneness with the human world: the sun towards autumn seems reluctant to withdraw, the river runs "merrily, sporting and playing" (104), and the summer rain splashes down "like the big hot tears of a person overcome with sudden joy" (105). But if nature is close to man, man in turn is close to nature, unperturbed by thought. Barely awakened, consciousness easily lapses into sleep: the gentle murmur of the river "lulls one sweetly into drowsiness" and death itself "comes unnoticed like sleep" (104). The leitmotif of sleep, increasing in amplitude as the dream continues, is thus subtly introduced already in the description of the landscape. Life in the village, too, is "still and sleepy": "only the flies swarm and buzz in the sultry air" (107).

In describing a typical day at Oblomovka as seen by little Ilya, Goncharov has his eye on the psychology of growth. From the very outset an evident conflict exists between the lively natural impulses of the boy and the well-regulated life around him. When his mother takes him to the icon to pray in the morning, he repeats the prayer after her "absentmindedly, looking out of the window through which the morning freshness and the scent of lilacs poured into the room" (IV, 111). In Part II the lilac, called "the flower of life," will be the chief motif of Oblomov's romance with Olga, and together with a bit of wormwood it will bloom on Oblomov's grave. What the lilac stands for is unattainable because Ilya lives in a kind of hothouse, unnaturally overprotected; his fussy nurse frustrates his attempts to explore the world around him and, finding no outlet, his energies "drooped and withered" (146). Forced into the role of a pure observer, he takes in the decaying house, the drowsy

garden, the general ambience of idleness; and he watches the solemn rituals of preparing food, the heroic postprandial siesta, the Homeric thirst quenched in oceans of tea and kvass. The siesta suggests a canvas by Breughel: the whole household lies prostrate, noisily asleep "wherever the heat or the heavy dinner had overcome them." But the genre quality is heightened by a pervasive image: "It was an all-engulfing, irresistible sleep, a veritable semblance of death," the author comments, with a possible allusion to the fairy tale *The Sleeping Beauty*. Occasionally, someone would wake up from thirst, take a quick drink and then "fall back on the bed as if shot" (116). And all the time Ilya's "sensitive mind, impregnated by the examples before him, was unconsciously tracing a plan for his life in accordance with the life around him" (113).

The fairy-tale section which follows shows an important part of Oblomovka culture and education; in fact, fairy tales seem to be the chief spiritual sustenance of children at Oblomovka. Part of this sequence forms a sort of mini-Oblomovka, one of pure fancy, within the fictively real one. Oblomov dreams how his nurse told him "of an unknown country where there was no night or cold and where miracles were happening all the time: rivers flowed with milk and honey, no one ever worked, and fine fellows like Ilya Ilyich, and maidens more beautiful than words can tell, did nothing but make merry all day long" (IV, 120). A good fairy chooses for her favorite "some quiet, harmless man—in other words some sluggard," who has nothing to do but eat and who marries some "peerless beauty," Militrisa Kirbitievna. Then Goncharov goes on to make a didactic point: because these tales avoided reality, he says, "the mind and the imagination, imbued with make-believe, remained enslaved by it till old age." For though Ilya eventually saw through the pretense and even made fun of this fairy-tale world, "his smile was not sincere and was accompanied by a secret sigh: the fairy tale had become confused with life in his mind and at times he was sad that the fairy tale was not life and life not a fairy tale" (121). The effect of the horror stories he heard was no less harmful, the author suggests. They peopled the boy's imagination with "strange phantoms" (123), and even after he no longer believed in phantoms "there remained a residue of fear

and unaccountable anguish." At the sight of a corpse or when alone in a room, he would still feel "a tremor of that ill-boding anguish implanted in his soul as a child" (124).

A sort of epic of the "unexamined life," according to Socrates not worth living,[9] "Oblomov's Dream" shows life as a closed cycle, every day alike and each year repeating its predecessor. Typical, or habitual, narrative is the natural vehicle for a routine of this kind and Goncharov uses it successfully, first in presenting an ordinary day at Oblomovka and later in evoking a "long winter evening." The conversation about visitors, births, deaths, and omens on this latter occasion is pointedly inane. The atmosphere is conveyed concretely by means of a series of auditory motifs. "All was still; only the tread of Ilya Ivanovich's heavy home-made boots, the muffled ticking of a clock in its case on the wall, and the occasional snapping of a thread . . . disturbed the profound stillness" (IV, 132). Variations are provided by communal yawning and fits of laughter. Apropos of next to nothing, their mirth rolls in resounding peals throughout the house as they laugh in unison "like the Olympian gods" (135). This laughter is like a force of nature rushing in to fill the inner vacuum of their lives. When it subsides, the more subdued sound motifs are recapitulated: "As before the only sounds were the ticking of the clock, the tread of Oblomov's boots and the light snapping of . . . thread" (135). More than just a fact of life, to them this monotony is an ideal: "They would have been utterly miserable if tomorrow were not like today and if the day after tomorrow were not like tomorrow" (137). When, in a rare moment, the father senses the intrusion of change in their lives, he reflects: "How much better it would be if every day were like the day before and tomorrow just like yesterday!" (134).

The Oblomovs do, of course, have a means of neutralizing change, namely ritualism. All events, from the momentous triad of birth, marriage, and death to the most trivial such as visits and dinner parties, are strictly managed in accordance with tradition. Living by the Church calendar, "they reckoned the time by holy days, by the seasons of the year, by various family and domestic occurrences, and never referred to dates or months" (IV, 133). Thus, time at Oblomovka is a highly regulated pat-

tern, an archetype reminiscent of the "eternal return" intrinsic to archaic ontology. According to the anthropologist Mircea Eliade, the purpose of ritual in what he calls "premodern societies" was to recreate the cosmogonic act *in illo tempore,* to effect a merging of the present with the time of the beginning and thus annul history and change.[10] With Christianity functioning as myth, the dichotomy of mythic and profane—that is, meaningless—time made by Eliade has a clear counterpart in Oblomovka existence: "Their hearts throbbing with excitement, they waited for some ceremony, feast or rite, and then, having christened, married or buried a man, they forgot all about him and sank back into their usual apathy, from which some similar occasion—a name day, a wedding, etc.—roused them once again" (127).

The antihistorical bias of primitive man, expressing itself in a need "periodically to abolish" history,[11] is clearly present, though in attenuated form, in Oblomovka. It is demonstrated not only by the incident of the letter, an unwelcome intrusion from the larger world, but also by the handling of Ilya's education. The arrival of the letter is an unprecedented event; failing to fit into the traditional pattern, it represents a threat. After they survive opening it, answering the sender's request for a beer recipe is postponed to fit in with the holy-day pattern, and eventually the whole thing seems to be forgotten. Anyway, "it is not known whether or not Filip Matveyevich ever received the recipe" (IV, 141). History, in a manner of speaking, was cheated. Similarly, the need for education, though recognized in a crude utilitarian way, is successfully bypassed. Their life being self-contained, "they had no need of anything; life flowed by them like a quiet river, and all they had to do was to sit upon the bank of that river and watch the inevitable events which presented themselves . . ." (126–27). Moreover, "their way of life was ready-formed and was taught to them by their parents, who in turn had received it ready-made from the grandparents," and so on *ad infinitum.* With traditional wisdom giving all the answers, they "never troubled about any obscure moral or intellectual problems"; in no hurry to explain "the meaning of life" to a child, they viewed books merely as a source of problems that "gnaw at your heart and mind and shorten life." In

conjunction with their concept of work as a "punishment imposed upon our forefathers" (126), these attitudes indicate the great odds against a child at Oblomovka receiving an effective education and entering the stream of history.

Appropriately, the "dream" ends with a picture of Ilya, at the age of thirteen or fourteen still caught between his natural desire for healthy activity and the Oblomovka way of life, now about to become second nature to him. We watch the holiday celebrations—the traditional culture—interfere with his school term at old Stolz's and see his character become tainted by a parasitic existence in which his every whim is carried out by a horde of lackeys. At this point, Goncharov hints, it may already have been too late to start educating Ilya, whose "heart and mind" had been imbued with the slow lazy rhythms of Oblomovka from the cradle. "Who can tell how early the seed of intellect begins to develop in a child's brain?" he asks, suggesting that even before he can walk or talk a baby may perceive what goes on around it. Perhaps Ilyusha's "childish mind had decided long ago that the only way to live was the way the grown-ups around him lived. How, indeed, could he have decided otherwise?" (IV, 125). Yet, the final vignette raises the nostalgic possibility of a different fate as Ilya rushes out of the house one winter day to join the neighboring children in a snowball fight. The whole household is mobilized to retrieve the missing boy, who is kept "three days in bed, though only one thing could have done him any good—playing snowballs again" (147).

III *Story and Structure in* Oblomov

The rest of the novel seems like a demonstration of the impossibility of another fate for Oblomov. The signs of real conflict which appear in him as soon as Stolz assumes his role as prompter, are presented in mock-heroic fashion, a mode which does not permit basic change. By way of an ironic parallel with Hamlet, the author shows Oblomov trying to make up his mind:

> What was he to do now? Go forward or remain where he was? This Oblomov question was for him deeper than Hamlet's. To go forward meant suddenly to throw his loose robe not only off his shoulders but

also from his mind and soul, to sweep the cobwebs from his eyes along with the dust and cobwebs on the walls and recover his sight again!

The outcome may be predicted from his attempt to rise: " 'Now or never!' 'To be or not to be!' Oblomov raised himself a little from the chair, but when his feet did not find his slippers at once he sat down again" (IV, 193).

The principal stages of the action are marked by variations on such motifs, significant details which assume new meanings as they occur in different contexts. It is as if the action proceeds on two tracks or levels, that of event and motif. The robe functions as an effective vehicle of both story and theme; with an amazing economy of means Goncharov conveys the vicissitudes of its owner's psychological condition through his behavior toward it. At the height of his love for Olga, Oblomov does not wear the robe; except for a single lapse (IV, 235), he even stays away from his inviting sofa. With his move to the Vyborg district, however, the situation changes. Though we are told that his robe has been put away in a closet, he "sometimes casually lay down on the sofa to read a book," a good intention undermined by its context. Moreover, various Oblomovka motifs, such as the "deep clucking of the broody hen, the peeping of the chicks and the twitter of the canaries and siskins" (323), show the underlying drift of Oblomov's life. From now on, these and other sound motifs recur regularly. The gradualness of his relapse is conveyed by the return of more and more of the old familiar objects. Once, Oblomov lies "carelessly on the sofa playing with his slipper: he dropped it on the floor, threw it in the air, twirled it, and picked it up from the floor with his foot when it fell" (328). He is subconsciously flirting with his old life. By the middle of Part III he already sleeps after dinner. And now, in good time, Agafya brings his old robe out of the storeroom for washing and mending. Praising the "nice material," she says it will still last him a long time (347). After returning from his final visit to Olga at the very end of Part III, he "hardly noticed" Zakhar's slipping the refurbished garment across his shoulders. Oblomov's life has come full circle. All that can happen from now on, to the robe as to Oblomov's life, is that they fall apart.

Many kinds of conflict are implicit in the motifs used: between country and city, tradition and modernism, childhood and adult responsibility, stagnation and striving, passionate love and mere sensual indulgence. All of these oppositions are rooted in a polarity within time itself, between continuity and change. Oblomov is unable to come to grips with time, finding transience, mutability—always a part of the human experience of time—too painful to bear. Therefore, relinquishing "all his youthful hopes . . . and all the bright, bittersweet memories that make the heart beat faster" (IV, 63), he tries to reduce time to a dimensionless point. Taking refuge from the real within his "poetic moment" out of time—as when he prefers daydreaming of Olga to actually being with her—Oblomov may escape suffering, but at the cost of near petrifaction. Even so, his escape is not complete: occasionally the "forgotten memories" and "unfulfilled dreams" return to consciousness to disturb his quasi-hermetic state, causing great anguish of soul before he can once more resume his reverie (487).

In conveying the flux of life and the characters' attitudes toward it, Goncharov uses organic imagery. The love of Olga and Oblomov grows like a flower, which reaches its time of blossoming and then withers; a spray of lilac accompanies their romance throughout. Where the actual flower is not present, its image is evoked by association of place (IV, 238) or, more subtly, by a lilac motif in the design of Olga's embroidery (241); there are also several mentions of "lilac" dresses. Oblomov receives the lilac, "the flower of life," from Olga after complaining that "the flower of life has fallen, only the thorns remain" (242). Through this metaphor of transience Oblomov expresses his pessimistic sense of life, while Olga uses similar expressions affirmatively; on her lips a word like "wither" expresses a positive acceptance of time and its changes. Thus, when Oblomov alludes to her "stern 'never' " spoken in a moment of anger (272), she softly answers, "It will wither." To him, on the other hand, the idea of withering seems menacing, as he realizes that even the most rapturous moments "will pass, like the lilac." Recalling his dream of love, he reflects:

"I thought it would hang over lovers like a hot noon and that nothing

would stir or breathe in its atmosphere. But even in love there is no rest; it too is always moving somewhere, on and on . . . 'like all life,' Stolz says. And the Joshua who could tell it, 'Stand still and do not move!' has not yet been born." (273)

In this way, the lilac not only registers the changing course of their romance, but also dramatizes Oblomov's and Olga's psychology and values through their attitudes to time.

The further use of the lilac motif seems to universalize the problem faced by Oblomov. For when Olga breaks with him she hopelessly applies the image of withering to her own past (IV, 381), and afterwards she falls into an Oblomovesque apathy. During Stolz's courtship she thinks in terms of Oblomov's fatalistic language: the "flower of life has faded forever" (419), the "flower of life had fallen" (422). Just as Olga tried her best to reconcile Oblomov to transience, so Stolz frees Olga from her temporary fixation on the past and brings her back into the stream of life. When she raises the question of her past, Stolz tells her, "It will wither like your lilac" (434), after which he exhorts her to begin life afresh with him. In a last variation the motif of "withering" occurs in the final chapter dealing with Olga and Stolz. Like all else, their relationship has changed: "There were no sounds of kisses and laughter, no tremulously musing conversations in the grove, among the flowers, at the festival of life and nature. All that had 'withered and gone'." But not everything passes away: for an "unfading and indestructible love, strong as the life force, could be seen in their faces. . ." (476).

The "language of flowers" is only the most striking aspect of the intricate artistry of *Oblomov,* a novel notable for an unusually close interaction between the various elements of composition. Just as Oblomov's manner of dress and furniture, along with the externals of life at Oblomovka, transcend realism and become symbols of a way of life, so nature during the romance of Olga and Oblomov intimately merges with their lives. Compositionally, this means that setting and character, event and image, nature and psychology become so closely interwoven that a texture results to which the word "poetic" is appropriate.

Though nothing unusual, the parallel between the love affair and the seasonal cycle gives rise to a rich poetic imagery. Gon-

charov seems to orchestrate the "living concord" Olga perceives between herself and things in nature (IV, 244). When summer was at its height, "ardent summer reigned within them too, with occasional clouds gathering and disappearing." If Oblomov is troubled, a bright look from her sets everything right again: "once more feeling flowed smoothly like a river, reflecting the changing patterns of the sky" (275). Conversely, Olga's lapse into "a kind of somnambulism of love," seemingly a euphemism for sexual passion, takes place on a "hot and sultry" evening under a "heavily overcast" sky (277). It is dark and suffocating, and Olga's breath on his cheek is as hot as the evening. But "despite the frequent alterations in the rosy atmosphere" (282), in Part II the horizon is mostly clear: their tribulations pass as quickly as clouds in a summer sky.

However, when they return to the city, the natural setting for their love is missing: "the blooming summer poem of their love seemed to have come to an end, proceeded more lazily as if short of substance" (IV, 311). And by the time they have a rendezvous in the Summer Garden, a city park, the grounds are covered with fallen leaves (Pt. III, ch. 5). At the breakup, Olga says farewell to bright images of summer: "The summer . . . the park . . . do you remember? I am sorry for our avenue, the lilac . . . It has all grown into my heart: it hurts to tear it out!" (381). Another season imbues her soul, the tears streaming "coldly and cheerlessly, like autumn rain pitilessly drenching the fields" (381). As Oblomov afterwards sits in his chair, the long discarded robe around his shoulders and his heart "dead," the surroundings are "plunged in sleep and darkness." Next morning when, numb and feverish, he walks over to the window, heavy snow is falling: " 'Snow, snow, snow,' he repeated senselessly, gazing at the snow which had covered the fence, the wattled hedge and the beds in the kitchen garden with a thick layer. 'It has buried everything,' he whispered in despair" (384).

In showing the opposing force acting upon Oblomov from the beginning of Part III, Goncharov focuses on simple everyday things, most of which reecho the Oblomovka motifs so masterfully developed in "Oblomov's Dream." The pastoral surroundings of the summer house where Olga and Oblomov suffered

and rejoiced are replaced by an ambience that seems part barnyard, part prison: the "poem of love" is followed by a "physiological sketch."[12] The announcement of Oblomov's arrival in Vyborg by a flock of cackling hens and a big black dog trying to break loose and "barking desperately" (IV, 304), recalls the atmosphere of Oblomovka, with its "ruminating cows, bleating sheep, and cackling hens" (106). The chained dog is a particularly suggestive leitmotif and recurs regularly until the very end of the book. The clue to its meaning may be found on the very last page of "Oblomov's Dream," where several dogs help to hunt down runaway Ilya. Moreover, Zakhar's response to Oblomov's summons is frequently compared to the "growling of a chained dog" (11), an image that, with the close relationship that exists between master and servant, seems relevant also to the former. The cages of canaries and siskins in Oblomov's new apartment as well as the many fences in the Vyborg district and around the Pshenitsyn house, reinforce the sense of confinement. Oblomov becomes a captive of his atavistic yearning for Oblomovka.

The motif structure of *Oblomov* is worked out with meticulous care and unerring intuition. In particular, Goncharov shows great subtlety in associating Oblomov's pipe dreams of Oblomovka with the attractions of life at Vyborg. The keynote is one of easy gratifications. Thus, while "the paradisal life" includes a wife and children, Oblomov is not immune to collateral temptations. For example, he imagines a "red-cheeked servant girl with soft round bare elbows and sunburnt neck" bringing him dinner as he sprawls on the grass underneath a tree; "the little rogue drops her eyes and smiles" (IV, 80). Oblomov repeats this reverie to Stolz with every sensual detail: "sunburnt neck," "bare elbows" and the "timidly lowered but arch glance" (186). The repetitions of this motif of easy love in Part III, especially the "bare elbows" of his landlady—suitably varied and amplified by motifs like "bare arms," "high bosom" and others—express Oblomov's growing fascination with his illicit dream, while Olga and the idea of marriage recede into the background.

Eventually, the image of the mistress merges with that of the mother, so that Oblomov's relationship to Agafya acquires a quasi-incestuous quality.[13] At Oblomovka, essentially a matri-

archy, little Ilya was fed, dressed, and even "educated" by his mother, or by substitute mother figures like the nurse. Life centered on food, and the "clatter of knives" in the kitchen is a dominant motif both in "Oblomov's Dream" and in his reveries about the ideal life; it is also prominent in the Vyborg chapters. Oblomov still likes to be treated like a child; Zakhar even puts on his socks, as his nurse used to do—under protest—many years ago at Oblomovka. Agafya's maternal concern for her gentleman is clearly one of her chief attractions to Oblomov. The landlady's "high bosom, firm as a sofa cushion and never agitated" (IV, 307), has an irresistible fascination for him. Connoting a rudimentary desire, along with the infantile need for a mother's care and an inexorable urge for a life of indolence, this image sums up Oblomov's "dream," "the paradisal life."

The long recapitulation of motifs near the end is a sort of pre-Proustian instance of *temps retrouvé,* by which, like some spiritual Odysseus, Oblomov returns to his beloved Oblomovka, fittingly described by way of a mock-Greek analogy. The *nostos* motif has been kept alive through repeated mention of the contemplated trip to his estate as well as through his favorite reading, travel literature. Curiously, the nostalgic quest of this imaginary traveller seems to succeed: shortly before he dies he concludes that "he had no further to go, nothing more to seek, that the ideal of his life had been fulfilled" (486). His recapture of the Oblomovka past in the St. Petersburg present seems to bear this out. This ironic "fulfilment" without a real quest ties in neatly with the parodistic Hamlet motif, "To move forward or not to move forward," and with the anti-Faust theme which has been discerned by some critics.

The passage of recapture intermingles sensory impressions of Oblomov's Vyborg life with the principal Oblomovka motifs, while the time of his romance—mere history—is passed over. Suspended between sleep and waking, Oblomov falls into a "vague, mysterious state, a sort of hallucination," in which "the present and the past merged and intermingled." In this experience of *déjà vu* the old silence envelops him and he hears "the familiar ticking of the clock and the snap of thread being bitten off." And when he looks at the face of Agafya Matveyevna, who is sewing, "from the depths of his memory there arose a

familiar image," clearly that of his mother; for next he sees the drawing room at Oblomovka with his mother and her visitors sewing at the table, while his father paces the floor. Not only has he now—in spirit—returned home, but within his hallucinatory *nostos* there lies an even more gratifying fulfilment, conveyed through a mixture of Biblical and fairy-tale imagery: "He was dreaming he had reached the promised land flowing with milk and honey, where people ate the bread of idleness and were dressed in gold and silver . . ." (IV, 493). And while he listens to the "rattle of plates and the clatter of knives," he hears his nanny's voice pronounce the name "Militrisa Kirbitievna," as she points to Agafya. With his mother, Agafya, and the story-book beauty merging into one, his fairy-tale dream has come true. Then the illusion is broken by the entrance of Stolz.

The breaking of the illusion, as well as Stolz's subsequent rebuke of his friend for his moral dereliction, emphasizes the merely imaginary fulfilment of a mock-*nostos*. Yet, by comparison with Stolz, who like the Zurovs in "The Evil Sickness" flits from one place to another without stop, Oblomov, like Tyazhelenko, acquires a solid presence. Whatever his faults, he has not dissipated his energies by chasing the chimeras of fashion and success; he has simply satisfied the primordial human need for a home, a place to be.

IV *Oblomov and Oblomovism*

Oblomov is one of those relatively few characters in world literature which seem to be virtually inexhaustible in meaning. In his esthetic solidity he yields something to the most varied critical approaches. He is best understood by those who avoid extreme positions. Curiously, one of the extremists was Chekhov, who fairly dismissed him as an "exaggerated figure," a "flabby sluggard";[14] others have seen him as being part of a long tradition of comic lie-abeds. Oblomov is lazy, certainly—Kropotkin calls his reveries "the supreme poetry of laziness"[15]—and he is comic; however, this is saying very little. The substance of Oblomov, however idiosyncratic and "exaggerated," is very real and belongs to his own, as to all time.

Historically, Oblomov derives from romanticism; in a way, he

is Goncharov's final judgment on the romantic ethos. Like a romantic hero, Oblomov scorns society and social man, whom he sees as fragmented; he lives in his own world of fantasy; and he suffers from ennui and melancholy, typical manifestations of the *mal du siècle.* Of course, he lacks the energy and striving of a *bona fide* romantic hero. Too, his scorn of society is largely passive, and his dreams are merely tepid idyllic reveries that spur no action. A fragmentary man himself, his name being related to *oblom* or *oblomok*—meaning a "broken piece" or "fragment"—Oblomov would be shattered altogether by the potent ingredients of a genuine romanticism. But however decadent, the romantic element is nonetheless the basis of his character.

This can be shown concretely by comparing him with young Aduev in *A Common Story*. Before his conversion to the gospel of success, Aduev runs through several stages of romanticism: 1) a positive blue-eyed romanticism of the Schillerian type; 2) a negative romanticism of disillusionment à la Byron characterized by spiritual dejection and withdrawal from society; and 3) a stage with a slightly Baudelairean tinge to it that we shall call the "poetry of decay." While *A Common Story* deals mainly with the first of these stages, Oblomov concentrates on the last two. Already in Aduev's case these stages are associated with a lethargic lie-abed existence, an Oblomovesque sleep of the spirit, in the third stage also with an Oriental-type dressing gown (*khalat*). A sort of unregenerate Aduev, Oblomov seems like an answer to one of Belinsky's criticisms of *A Common Story*, namely, that a character like Aduev, a threefold romantic—"by nature, by education, and by circumstances"[16]—could never be cured of his romanticism and had better be left to rot on his estate. We note that, while Oblomov remains physically in the city, psychologically he fulfils Belinsky's requirement: he virtually rots in a hallucinatory Oblomovka.

Oblomov's romance with Olga, who attempts to "resurrect" him, merely hastens the process of decay. His malady is too advanced to allow him to respond actively to her healthy, realistic appeal. For though seen through a romantic haze,[17] Olga is no dreamer. True, as always with Goncharov's young women, her development comes about through emotional experience, but motifs like her habit of frowning and the crease of "con-

centrated thought" over her eye show the dominance of reason in her make-up. Fond as she may be of Ilya, there is a strong ideological component in her love, evident both in her reforming zeal and in her decision to drop him when she realizes he will never change. Her strict view of life and love as duty is as alien to Oblomov as are the obligations of marriage that she wishes him to assume. Neither Olga's charm nor her moral passion can reconcile Oblomov, with his "poetic dream" of married life, to its prosaic particulars. The fact that, ultimately, he marries Agafya is here irrelevant, since his union with her is intrinsically one of master and servant and, as such, is an aspect of the "poetry of decay." Olga's idealism as well as its failure acquire depth through literary allusion. First, with a double twist to a classical myth, Goncharov makes her into a Pygmalion *manqué*, in the end unable to breathe life into a male but rather womanish Galatea; secondly, the failure of Olga's exhortations to Oblomov to go "higher, higher" (IV, 364) sets up a mocking echo of *Faust:* no "Eternal Feminine" can lead Oblomov "upward."

The death of the romantic hero would be a banal theme were it not used to express specifically Russian realities, in particular the disintegration of the old indigenous Russian culture and the primitive natural economy in which it was rooted. However crude, the culture of Oblomovka was integral; Oblomovkan society corresponds to what sociologists have called *Gemeinschaft*, a living community based on an organic relationship between man and nature and, ideally, on relations of personal fealty between master and man. A member of such a community joining the civilized *Gesellschaft*, in which all pieties have broken down and relationships between people have become impersonalized, would be handicapped in much the same way the American Indian is in our society—and this despite having acquired an "education." In Oblomov's case, in fact, education is a major reason for his tragedy, awakening him to the "great gulf between life and learning" (IV, 66). His experience of boarding school and university served merely to accumulate whole archives of dead things, with no relation whatsoever to his life. His way of thinking and his expectations of life remained those of Oblomovka. Going to work for the government, he expects his department to be a big happy family, with the result that he is

cruelly disappointed and resigns from his post after two years. At the same time, he is also spoiled for Oblomovka. Thus he gets the worst of both worlds: his exposure to European civilization merely accentuates the weaknesses inherent in the old culture, above all its Asiatic quietism, while the Oblomovka mentality with which he is imbued makes history, and civilization itself, look like a never-ending pantomime (64–65). He can only subside into the banal and soulless routine of Vyborg, a petit-bourgeois idyl dominated by semi-ritual events and sharing in the same primordial rhythm as Oblomovka. Doomed by Oblomovism as by the writing on the wall in Belshazzar's Feast (192), he is to be pitied, in the words of Pisarev, as one of the "innocent victims of historical necessity."[18]

The class aspects of Oblomovism, which at first glance may seem the most obvious, are not Goncharov's chief concern; they are important chiefly as far as serfdom is involved. This institution is clearly a main reason for Oblomov's failure. In describing little Ilya's upbringing, Goncharov shows the harmful effects of being catered to by hosts of servants. As Stolz tells Oblomov: "It began with your not knowing how to put on your socks and ended with your not knowing how to live" (IV, 403). Being saturated with the spirit of serfdom, Oblomov in his freedom from work paradoxically becomes the slave of everyone, a point well taken by Dobrolyubov.[19] And, Goncharov suggests, to the extent that the squirearchy allows its life to be determined by the ethos of serfdom, personified by armies of Zakhars, it will be destroyed by the forces of capitalism. In this limited sense, the fate of Oblomov spells the doom of serfdom Russia and of its dominant class, the gentry. But Dobrolyubov was wrong in seeing Oblomov as the so-called "superfluous man" gone to seed, with the implication that the entire gentry intelligentsia was bankrupt. That the author did not think the gentry as a class was finished is evident from his benignly humorous description of an Oblomovesque, but efficient landowner in *The Frigate "Pallada,"* a man who has reconciled the necessity of work with his temperamental predilections through a life of "active indolence and indolent activity" (II, 70). Instead of the gentry's destruction, Goncharov envisaged its revitalization through the bourgeois spirit of the Stolzes.

Moreover, Goncharov plainly suggests that Oblomovism is confined neither to the old autochthonous culture nor to the unprogressive landed gentry. In a discussion with Oblomov, Stolz mentions, besides "rural" Oblomovism, a St. Petersburg variety, defined as gaining "importance and social position through service and afterwards enjoy[ing] a well-earned rest in honorable inactivity" (IV, 189). The jejune dream of the average "educated" Russian of the time, this brand of Oblomovism is equally insidious; its essence is the absence of a genuine purpose and higher values, causing life to be bogged down in materialism and conformity. That Goncharov himself was not unaware of the broader representativeness of his hero is evident from a passage in *Better Late Than Never,* where he writes: ". . . I instinctively felt that the elementary qualities of the Russian were gradually absorbed in this figure . . ." (VIII, 71). Later in the same article he calls Oblomov an "undiluted expression of the masses, reposing in a long and deep sleep" (82). The word "masses" seems to include practically everyone, regardless of class, since in the same paragraph he mentions that nearly all of his acquaintances recognized themselves in Oblomov.

These statements invite the kind of conclusion drawn by Ovsyaniko-Kulikovsky, who saw in Oblomov an image of the " 'sickness' of the Russian national psyche." However, he qualifies this by saying that in Oblomovism "the normal Russian ways of thinking and acting received an extreme, hyperbolic expression." If the exaggeration is deducted, we have a "picture of the Russian national psyche."[20] This is "normal" Oblomovism, "expressing itself, in the sphere of will, . . . as inadequate initiative, firmness and perseverance, and in thought by a tendency to fatalistic optimism."[21] Another characteristic is the "absence of a sense of the social value of man."[22] The term "psychological conservatism"[23] used by Kulikovsky is a convenient way of summing up these congeries of allegedly national traits. Interestingly, Lenin seems to have held this broad national interpretation of Goncharov's hero. In a speech made in 1922 he said:

Russia has made three revolutions, and still the Oblomovs have remained, because Oblomov was not only a landowner, but also a peasant; and not

only a peasant, but also an intellectual; and not only an intellectual, but also a worker and a Communist. . . . *the old Oblomov has remained, and he must be washed, cleaned, pulled about, and flogged for a long time before any kind of sense will emerge.*[24]

Many critics see Oblomov as a character of broad symbolic reach, expressing problems that concern people everywhere. V. S. Pritchett calls him an "enormous character" who exists on several planes: "Now he seems to symbolize the soul, now he is the folly of idleness, now he is the accuser of success."[25] Mostly these larger meanings are explicated in the light of a particular philosophy or psychological theory. Thus, L. Ganchikov, from an existentialist perspective, sees Oblomov's predicament to consist in an irreconcilable conflict between the human spirit and the indifference of the world, more oppressive in Russia than elsewhere because of its vast size. "The torment of consciousness at being unable to give a truly absolute significance to life, while it cannot resign itself to the relative values—this is what *Oblomov* profoundly expresses."[26] In this perspective Oblomov becomes almost a symbol of the human soul imprisoned in matter and consciously refusing to pay homage to the uses of this world. Such a view, however, has only a limited validity. True, Oblomov does refuse to play the game and join the rat race; he also stands up for integral man and deplores the fragmentation of people in a society which is becoming more and more an arena for the Stolzes of this world. But though his situation and, partly, his ideas can be defined within the existentialist context, his attitude cannot. For instead of choosing to keep the flame of life burning because life is short, as Stolz urges him to do, he prefers to go to sleep forever (IV, 402–3). Indeed, apart from certain idealizing tendencies that are out of key with the general tone of a study in decay, Oblomov sinks deeper and deeper into a mediocre anonymity, what Heidegger calls *das Man.* Spiritually atrophied, Oblomov refuses to confront the human condition in full consciousness.

The psychoanalytical approach seems more pertinent. Shorn of their philosophical frills, Oblomov's absolute spiritual demands become an instance of "infantile omnipotence."[27] It is certainly possible to view not only Oblomov's sexual backwardness and

his entropic leaning toward Agafya, but also his dream of attaining the lost paradise, the emphasis on wholeness and so forth, as manifestations of a deep yearning to return to the womb,[28] a death wish. The great theme of Goncharov's *oeuvre*, according to Leon Stilman, is the stages of man's life: infancy, adolescence, adulthood; the key issue is moving from one stage to another and being able, or not being able, to make the transitions successfully. Oblomov refuses to make these transitions; instead he regresses to his childhood, and his death, Stilman writes, suggests a "return to the darkness and peace of the prenatal universe."[29] Thus, Oblomov is seen as a "neurotic personality of a century ago."[30] While removing the odium of neurosis, Milton A. Mays also appeals to psychoanalysis. In his archetypal interpretation of Oblomov, the latter emerges as an embodiment of Freud's ego or death instinct, as opposed to Faust, the expression of the sexual or life instinct.[31] Neither of these views invalidates the socio-historical meaning of the novel, the best works of art uniting the universal and the particular. The dynamics of the *id* may acquire historical significance if a great intuitive artist looks deep enough into himself and his age to make a creative synthesis.

However Oblomov is interpreted, some part of him will resist rationalization. No explication of Oblomovism can explain why Oblomov is an attractive figure for whom we feel a deep sympathy. It is hardly just because he bears the burden of our secret inclinations, toward laziness, social indifference and provisional living, or that, as V. S. Pritchett puts it, he is the expression of our "underwater self."[32] Nor is an appeal to his good qualities, his gentleness and residual nobility, to the point. The gilded phrases of Stolz—an "honest faithful heart," a soul "translucent, clear as crystal," a man who would never "bow down to false idols" (IV, 480–81)—are equally irrelevant. Stolz's eulogy, pronounced *before* Oblomov's death, is no less flattering than most eulogies: Goncharov's beloved hero committed all the sins that Stolz acquits him of. Despite his indifference to society, he is a weak conformist; all his life he respected shams. And he was anything but faithful to Olga; in fact, he "betrayed" her. Assuming that Stolz speaks for the author, the idealizing trend in the passage shows a kind of dichotomy between Gon-

charov the thinker and the artist. As a thinker he is bound by the traditional psychology and uses terms like "soul" and "heart" to signify unchanging essences, while as artist, in describing Oblomov's actual behavior, he dispenses with such preconceptions. No exception is made for Oblomov's "heart," "soul," or faithfulness when, during one of Stolz's visits, we watch him get drunk on home-made currant vodka and "greedily" attack the mutton. Meanwhile he constantly praises Agafya: Olga, he says, may sing "Casta diva," "but she can't make vodka like this!" (449) This is the real Oblomov. In order to discover his virtues, we must know the pitiless truth about him.

The truth is that Oblomov is a study in decay, of a maimed life. Oblomov says himself that, unlike other lives, his never knew a dawn which gradually became a "blazing day," to wane slowly into the "evening twilight." His life, he says, "began in extinction." In a sentence that sounds like an unwitting parody of the Cartesian *cogito,* Oblomov continues: "From the very moment I became conscious of myself, I felt that I was expiring" (IV, 190), which could be paraphrased as follows: I think, therefore, I am not. His habit of watching the sunset is a symbolic expression of this feeling. One is reminded of the naturalistic tendency to stress the descending phase of the life cycle, along with the mind's and the heart's dependence upon the ceaselessly changing body. Steeped in matter, Oblomov is no Daedalus to take wing above a sea of trouble, to vary Goncharov's own imagery; even the loftiest feeling generates only a brief arc of flight, the longest being that of his romance. And afterwards he falls into a more hopeless morass than ever. When Stolz on his last visit urges him to get "out of this pit, this bog, into the light," he answers: "I have grown bodily into this pit; if you try to tear me out it will be my death" (496).

We seem to have arrived at the commonplace appeal of "a world I never made," which can only scratch the surface of our feeling for Oblomov. The key to that feeling lies in his arrested development. Goncharov's maimed hero, lacking the adult adaptation to real life, is by compensation endowed with certain qualities that evoke a nostalgic empathy. He is childlike, feminine, androgynous. After Penkin's departure he "rejoiced that he lay as carefree as a newborn babe" (IV, 31); his loves "were

as innocent, simple, and pure as the love stories of a boarding school girl" (62); and his body "seemed too delicate for a man" (8). Moreover, he demands both from Zakhar and from Olga a loyalty and love as absolute as the one a child demands from its mother. His inability to meet the challenge of a young girl's love is reminiscent of Prince Myshkin in Dostoevsky's *The Idiot.* These two characters are also alike in other ways. Both are nonviolent, nonacquisitive men beloved of all, but inviting evil by their passive goodness; easy victims, they attract evil parasites who encroach upon their moral space.[33] Yet, to speak of Oblomov, his very weakness acquires a positive value, associated as it is with images of pure potentiality. Apart from those that have been mentioned, the image of paralysis recalls Oblomov's great namesake, the Russian *bogatyr* Ilya Muromets, who entered upon his hero's mission in his early thirties after being cured of actual paralysis. There is in Oblomov, who at the outset of the story has reached Ilya Muromets' critical age, the seed of something great; however lost, he keeps a rich treasure buried in his soul, "hidden like gold in the depths of a mountain"; though he may be to blame for not putting it "into circulation" (100–101), it is undeniably there, like the core of a second, undeveloped self. This is the basis of Goncharov's love of his hero, despite his severe judgment of him. It also justifies that very moving moment of communion in which Oblomov posthumously unites Olga, Stolz, and Agafya (503). And it is the basis of our own ability to identify with this tragicomic figure, whose unlived life—symbolized by the lilac—must strike a responsive chord in every man.

V *Stolz and Stolzism*

The alternative to Oblomov and Oblomovism presented in a subplot is singularly unattractive, and its representative, Stolz, has not been kindly treated by the critics. Most unfavorable, perhaps, was the opinion of the reviewer for *The Russian Messenger,* quipping that Stolz was not born of a father and mother, but as an "ideal antithesis." He goes on to call him Oblomov's Mephistopheles, his "paradoxical and misplaced double." And, he says, since an abstraction tends toward the thing

it is abstracted from, Stolz "tends toward Oblomovism, despite the contrast."[34] Orest Miller later called him "an eternally moving Oblomov." Since his ambition stops at material well-being, his life, Miller comments, is essentially "empty, deprived of any higher aims and in this sense Oblomovesque, or even lower; for Oblomov feels the emptiness of his life, while Stolz smugly plunges into his."[35] Even Goncharov joined the chorus of criticism. In a letter of 1860 addressed to the Nikitenko sisters, he takes a contemptuous attitude toward Stolz (VIII, 329), and in *Better Late Than Never* he writes: "He is weak, pale—the idea stands out too baldly" (80). As compared to these criticisms, Dobrolyubov's main objection, namely, that Stolz cannot utter the word "Forward!"[36] is mild indeed.

A kind of Sir Charles Grandison of Russian literature, Andrey Stolz sums up all the perfections of man. While down-to-earth and practical, he is also an idealist; he combines the qualities of a businessman with the refinements of high intellectual culture. His programmatic quality is most evident from his heredity and social milieu. Whereas Oblomov is the product of one single environment, which dyed him in the wool and held him captive for life, Stolz is the composite creation of several: his social inheritance ranges from the petit-bourgeois world of his plebeian father, an estate steward, to the aristocratic elegancies of the Prince's mansion, with Oblomovka somewhere in between.

Goncharov stresses the variety of his social experience; as he grew up, Andrey "with his childish green eyes looked at three or four different social circles at once, and with his quick mind eagerly and unconsciously watched the different types of this heterogeneous crowd . . ." (IV, 163). The multiple milieu also reaches into his home, where the social inequalities between a Russian lady and a German *Bürger* are compounded by national differences. The intermingling of all these traditions and milieus is presumably the key to the harmonious development of Stolz, whose names—Andrey, derived from the Greek *anér, andrós,* "man," and Stolz, German for "pride"—mark him as the expression of a humanist ideal. Accordingly, the mother's fear that he might become a commonplace and pedantic German is groundless: "The German element was confronted on the one hand by Oblomovka, on the other by the Prince's castle with

its manorial life of ease and opulence, and Andrey did not grow up to be either a good *Bursch,* or even a Philistine" (164). The German element merely provided the groundwork of the structure, while Russia allegedly gave it life and beauty.

A result of cross-cultural breeding, the "bourgeois" hero of Goncharov, therefore, is conceived as anything but the representative of a single class, or even a single country; he represents an idea. It is true that, through Stolz, the author claims to have expressed a real historical fact, namely, the great importance of the German contribution to Russian civilization. "The best and richest branches of industry, commercial and other enterprises are in their hands," he writes (VIII, 81). But over and above his deference to social dynamics, one senses a cultural ideal. More than a Russified German of mixed background, Stolz is the epitome of a vigorous cosmopolitan civilization as opposed to the decadent autochthonous culture of Oblomovka. Interestingly, Goncharov ends his discussion of Stolz in *Better Late Than Never* with a statement that in the future the Slavophiles, while preserving the Russian spirit, will "sincerely hold out their hands to universal, that is European, culture; for if feelings and convictions are national, knowledge is one everywhere and for all" (82).

Even Oblomov finds a place within this grand design. To Stolz, Oblomov is inseparably associated with warm feelings of home, childhood and his native land, and the famous sofa is a welcome haven to him (IV, 171–72). Ultimately, Goncharov's multicultural concept, a sort of cross-fertilization of subcultures, is predicated on a harmonious synthesis of indigenous and foreign, gentry and bourgeois, conservatism and progress. None of the various strands which make up the texture of Russian culture and determine the Russian character is entirely rejected, whether the "ideal stillness" of Oblomovka or the quasi-Faustian streak in Stolz; both must be subsumed within the new national identity. The hope for such a synthesis, which seems quite impossible to a sober mind, may be the only *raison d'être* of Andrey Oblomov, Oblomov's son, whose name unites those of two opposites.

Here, however, we are dealing with intangibles: the highest synthesis is merely a hint.[37] What really is at stake is the idea

represented by Stolz. Whatever this idea may be worth, the author did not succeed in making either Andrey or Olga Stolz believable characters. Partly this may be due to the nature of his work, which could hardly contain another world of equal density to Oblomov's. Secondly, the very idea of an ideal character causes strain and artificiality. When, for example, we read that Stolz lived "according to a set plan and tried to spend each day as he spent each ruble, keeping a firm and unremitting watch over the expenditure of his time, his labor, and his mental and emotional powers" and that he "seemed to govern his joys and sorrows like the movements of his hands and feet" (IV, 167–68), we are struck by a sense of unconscious burlesque. Much worse, however, is the fact that, once married, he also totally "governs" Olga, while their much vaunted love comes to seem a mirage.

Regrettably, Olga Stolz is several rungs below Olga Ilinsky. Whereas the latter is a lively, intelligent, and mildly ironic young lady of enlightened views, the former is dull and conformist. Olga's decline is evident already in Switzerland, where she acts like a real ninny. On account of her inconclusive romance with Oblomov, the girl who, through that romance, supposedly entered "the realm of consciousness" (IV, 235) and who has a "correct understanding of true, sincere, and independent morality" (418), treats herself as a "fallen" woman, an attitude which places Stolz in the position of a noble rescuer. And despite her natural vivacity, their life together bears his imprint: "Like a thinker and an artist he was weaving a rational existence for her" (467). Goncharov was apparently aware of the change in her character. In a letter of August 14, 1857, he writes that, at first, Olga was simple and natural, but then seemingly "fell apart" (VIII, 292). Only at the end of the last scene with Stolz (Pt. IV, ch. 8) do we again glimpse the former strong-willed, stubborn Olga, though she has lost her old charm.

The chief weakness of Goncharov's handling of the Olga-Stolz relationship is his imposition of an ideal scheme which, on examination, turns out to be hollow or, worse, a mask for a drab reality. We are told in extolling tones that "nothing was done without her knowledge or participation. Not a single letter was sent without first reading it to her, not a single idea, still

less its realization, was kept from her; she knew everything, and everything interested her because it interested him" (IV, 466). But what is this except the complete triumph of the worst side of Stolzism: conceived as a model of mutual equality, the ideal marriage has turned into a business partnership, the epitome of Philistinism. This is also the basis on which Olga judges her husband, solely by his worth, as one estimates the value of a piece of property, or a commodity. "Having once recognized the worth of the man she had chosen and his claims upon her, she believed in him and therefore loved him, and if she ceased to believe she would also cease to love . . ." (477). Stolz's anxious fears before his proposal that "she submitted to him consciously," whereas "in love merit is acquired blindly, without any conscious reason," with the inference that "it is in this very blindness and unconsciousness that happiness lies" (415), are therefore fully justified.

Probably against his will, Goncharov has suggested the artistic truth, namely, that Olga does not love Stolz and that, despite her contemptuous sneer at Oblomov's capacity for "tenderness" in the moment of parting from him (IV, 382), she has always retained a warm affection for him. Deep within her heart she does not go along with Stolz's attempt, following Oblomov's lead in his frantic letter to Olga, to reduce her feelings for him to mere illusion. For that matter, their own family life —the children, her difficult confinements and all—is little better than illusory, and Goncharov is less than credible in portraying Olga's feelings toward her husband. One evening during a long conversation she "threw herself into his [Stolz's] arms like one possessed and, clasping her arms around his neck like a bacchante, stood still for a moment in passionate self-abandonment" (475). Instead of passion there is a convulsion. This outburst, in conjunction with Goncharov's candid exposition of Olga's "strange malady" (470), suggests that the underlying cause of Olga's recurrent attacks of depression is a deep erotic frustration.

Though forestalling a sexual interpretation, Goncharov at the same time invites it. For the conversation just referred to, taking place on a walk in a poplar avenue, reechoes the "hot and sultry" evening with Oblomov and another walk down a tree-lined avenue. Pathological terms like "morbid symptoms,"

"mysterious attack," and others are either used or implied in both instances, and some of Olga's gestures recur. Since the "morbid symptoms" of Olga in the first scene are clearly sexual in origin, her malaise as a married woman may be assumed to stem from similar causes. This is hardly surprising considering her husband's well-regulated character. Moreover, her discontent is also moral and psychological. She is clearly irked by an egocentric streak in her husband's make-up, as when he complains of the trouble that Oblomov has given him, and Olga seems to prefer the prospect of any privation and disaster to their unadventurous mundane life. He never succeeded in filling the "whole depth of her soul" (IV, 464). What emerges is a recurrence of the predicament of Peter Aduev and Lizaveta, and like the latter, Olga, the "soul" of the novel in the author's words (VIII, 285), is the touchstone of both male characters. But it is as if Goncharov tries to hide this insight, which comes to us by surreptitious and seemingly unconscious hints and allusions. For consciously, as a thinker, the author tries to resolve Olga's problem philosophically.

With misplaced consistency the author connects Olga's malaise with Oblomovism, in the sense of being steeped in an existence without meaning and purpose. To judge by the fact that the motifs recalled at Stolz's engagement to Olga are all associated with gentry life (IV, 435), as well as by the statement that they lived "like everyone else, and as Oblomov had dreamed" (465), the basis of their way of life is that of the landed gentry; however, it is allegedly enriched both with bourgeois features and such as are associated with the liberal intelligentsia. Nevertheless, Olga is "afraid of sinking into an apathy like Oblomov's." But whereas Oblomov's apathy is a priori, so to speak, hers is a posteriori, a result of having experienced whatever happiness life can offer. She is faced with the thorny Tolstoyan question so memorably dramatized through Levin in *Anna Karenina.* The closed "circle of life" leaves her unsatisfied, and nature is in league with the great god boredom: it "said the same thing over and over again; she saw in it the endless, monotonous flow of life without beginning or end" (469).

As presented by Goncharov, the problem faced by Olga is bound to emerge wherever nature is demythologized, causing

ritual to be replaced by routine. In such a context consciousness becomes isolated from total being and starts challenging life itself. Stolz says: "A lively searching mind . . . sometimes strives to go beyond the boundaries of life and finding, of course, no answers, becomes melancholy . . . temporarily dissatisfied with life . . . It is the melancholy of the soul questioning life about its mysteries." Then he speaks eloquently about her feeling of bitterness in the midst of happiness as "what one has to pay for the Promethean fire!" These doubts and questions, he says, are the "surplus, the luxury of life, and mostly appear on the summits of happiness when there are no coarse desires; they do not arise in ordinary life: those in need and sorrow cannot be bothered with them" (IV, 474). We recognize this theme as a variant of the Hamletic tragedy of mind, whereby pure consciousness, its organic relations with nature and society severed, reduces life to a "weary, stale, flat, and unprofitable" routine.

Goncharov's handling of this theme, which could be called the Oblomovism of the élite, is hardly satisfactory. The allusion to "Promethean fire" would seem to strike a heroic note, a challenge to the gods and the status quo; but soon Stolz is feeding Olga the pabulum of traditional wisdom. "You and I are not Titans," he says, to "struggle defiantly with insoluble questions"; instead, he tells her, "we shall . . . bow our heads and humbly live through the difficult time . . ." (IV, 475). Then, again, he strikes a slightly more affirmative, "modern" note. Though these questions, Stolz says, "bring us to an abyss from which we can get no answer, . . . they challenge well-tried forces to do battle with them, as if on purpose not to let them go to sleep" (474). The implication, reminiscent of an existentialist idea, is that the sense of life, as of love and consciousness, is heightened by the glance into the abyss.

The wavering attitude suggests that some of this is mere rhetoric. In fact, Goncharov frequently succumbs to the facile allure of rhetoric in describing Stolz's education of Olga. He speaks of "the fire with which he lighted the cosmos" he created for her, of the "fruitful drop" of his talk sinking, "like a pearl, into the limpid depths of her being" (IV, 467), and of entering the "labyrinth of her mind and character" with the "torch of

experience" (413). This pretentious imagery confirms our suspicion of Stolz, who fails to project a clearly realized *Weltanschauung*. Moreover, the whole situation is marked by unreality, despite Stolz's indirect assertion, in saying that the "common malady" of mankind is "frightening [only] when one has lost touch with life" (475), that his and Olga's life is solidly anchored in the real. Such an assertion is meaningless unless the author proves it by a convincing character portrayal, and this kind of proof is toward the end of the novel offered only by Oblomov and Agafya. Seemingly, Goncharov is at this point esthetically schizoid, switching back and forth between the extremes of subjective and objective art. While the presumably rich, vibrant, and fully conscious life of the Stolzes is, in effect, just a bag of dry bones, the dull, monotonous, and virtually unconscious existence of Oblomov and Agafya is very much alive. This is the central paradox of Goncharov's art. Significantly, the Vyborg sections, even where general narrative is used, create distinctive moods ranging from burlesque humor to pathos, while the description of the Stolzes—prize exhibits for a positive philosophy—lacks a distinctive emotional coloring.

VI *Goncharov's Comic-Epic Vision in* Oblomov

In *Oblomov* Goncharov shows great artistic versatility. As might be expected from a prose writer who began with burlesque, he is a master of the comic, especially the mock-heroic variety; but at the same time he is a great lyric poet in prose, as shown by his "love poem" (*poema liubvi*), a term he applies to the Oblomov-Olga romance. He displays veritable genius for what we have called the "poetry of decay," a loving portrayal of the process of disintegration. Together with his epic sweep in encompassing the life of an entire culture in "Oblomov's Dream," as well as his gift for minute observation, this constitutes an impressive array of talents. One notes that every one of these talents is directed toward the existing world, whether to expose, celebrate, or simply paint it. When, however, he leaves the actual for the ideal, he becomes much too abstract and rhetorical. In this respect he is the antithesis of a writer like Dostoevsky, most of whose great characters are "ideal" in

the esthetic sense; but though based on a *Weltanschauung* or even an ideology, they have an almost terrifying reality.

All of Goncharov's talents come to full fruition in *Oblomov*. Whereas previously, for example, his comedy is largely situational, now he creates a great comic figure. We recall how in his early work humor is produced through juxtaposing incongruous perspectives, romantic and utilitarian; now it derives chiefly from incongruities within the world of the central character. The basic formula is the tension between the dreams, fancies and visions of a contemplative mind, and a body dominated by inertia and crude physical need. Thus, while showing Oblomov impassioned by heroic zeal to expose the evil in the world—his thoughts surge "like ocean waves" and "set his blood on fire"—Goncharov subtly reminds the reader of the physical fact of a body in bed: "impelled by a moral force, he rapidly changed his position two or three times within one minute . . ." (IV, 69). Again, in the very heat of his decision to rise and order his affairs, Oblomov's sentences suddenly dribble away. His arms relaxing and his knees giving way, he yawns and thinks of food. Extended use of this technique produces effects that verge on psychological incoherence, a comic version of the split personality. " 'Yes, there's plenty to do,' he said softly. 'Take the plan alone—lots of work still to be done on it! . . . But there certainly was some cheese left,' he added thoughtfully. 'Zakhar has eaten it, and now he says there wasn't any' " (82). The image of Oblomov is produced by such shifts from the serious to the ludicrous, while his "fate" is incongruously decided by such things as an insect bite, a pair of elbows, rich pies, and home-made brandy. Into the gaps between these extremes, laughter inserts itself, sometimes tinged with irony or pathos, but mostly humorous.

Occasionally, the author rises beyond psychological incongruities to cosmic ones. Oblomov's convalescence is seen against the background of the slow erosion of a mountain and the rise and recession of the sea; then these natural phenomena become metaphors of human events: "The gradual raising or lowering of the sea bed and the crumbling away of the mountain was going on in all of them . . ." (IV, 388). When Goncharov conveys Agafya's falling in love with Oblomov by way of these

phenomena, supplemented by "slight volcanic eruptions" (389), his vision is reminiscent of that of Joyce, who places Molly and Leopold Bloom in relation to the stellar universe. Like Joyce, Goncharov uses shifting camera angles and distances. Thus, Oblomov's stroke is first viewed as part of a cosmic order, the proximate causes—his indolence and gluttony—being presented later. The shocks of life reach even that quiet little corner, Goncharov says, just as a "thunderclap that shakes the foundations of mountains and vast aerial spaces is also heard in a mousehole—less loudly and strongly, it is true, but still quite perceptibly" (488). Then follows a description of Oblomov's routine of easy living and hard eating and drinking. Curiously, the effect of placing the characters within this rigorous framework of sea and rock and of comparing them to animals and plants, is anything but chilling; on the contrary, it is in such moments that the author seems to love them most. Softened by Goncharov's cosmic humor, warm and all-encompassing, the absorption of their lives within this framework confers a humble dignity upon them.

These techniques reflect a definite sense of life, best defined perhaps by the word "epic." An equable temper rules in the world of Goncharov, where potentially shattering events such as love, passion, and death are treated as ordinary occurrences. The homely image of the "stream of life" appears not only in the description of Oblomovka; the calm sense of existence it connotes is shared by characters as dissimilar as Oblomov and Stolz. Proposing to Olga, Oblomov only momentarily longed for "tears, passion, intoxicating happiness . . . ; afterwards life could flow on in unruffled calm!" (IV, 294). And Stolz, the author says, "did not want violent passion any more than Oblomov"; he merely wanted it to "surge up hotly at the source" before it settled into its "even stream" (417). The "stream" image tends to occur also in "summary moments" where a character discovers his place in life. After accepting Stolz, Olga felt as if he had taken her "not into a brilliant, dazzling light but, as it were, to a broad, overflowing river, to wide fields and friendly, smiling hills. . . . Her gaze rested with quiet joy on the broad stream of life, on its vast fields and green hills" (435).

While deflating elements of drama and passion, Goncharov's epic manner is no hindrance to a sympathetic understanding of little things and people. This is most evident in the story of Agafya, which to some extent parallels that of Oblomov. For, at a lower level, Oblomov offers her what Olga had offered him: a chance to wake up and realize herself as an individual. However, once awakened, Agafya never entirely reverts to her previous torpor. The low-keyed description of the vicissitudes of her love for Oblomov, which causes her to grow thin or plump depending upon the gentleman's attitude toward her (IV, 390), is one of the highpoints of Goncharov's humane realism, capable of investing the lowliest and most bovine existence with meaning. "In her own way she began to live a full and varied life" (391). Through her humble role as Oblomov's housekeeper her life is transfigured and his death means a new initiation.

> Before her husband's body . . . she seemed suddenly to have grasped the meaning of her life and to have grown thoughtful, and ever since this thoughtfulness lay like a shadow over her face. . . . She realized that . . . the sunshine that had illumined . . . [her life] was darkened forever . . . ; but her life had been given meaning forever, too. (502)

The most inarticulate existences find esthetic redemption in Goncharov.

VII *Archetypal and Other Imagery in* Oblomov

The epic vision does not, however, monopolize Goncharov's art; the latter also takes in areas of experience which transcend the organic, evoking them through appropriate imagery. In particular, Goncharov expresses both the ecstasy and the torment of love, using images of music and light, as well as such archetypal ones as heaven and hell.

Though firmly placed within its natural setting, the "poem of love" reaches beyond it toward an ideal realm. It does so mainly through a consistent use of visual and auditory imagery, unified by a musical analogy of theme and variations. This analogy seems a fitting extension of the inspiration of Oblomov's love, namely, Olga's singing of "Casta diva" from Bellini's opera

Norma, a motif initially associated with Oblomov's dream of an earthly paradise (IV, 186). The scheme is set out in the following passage:

> Thus the same theme was played by them in different variations. Their meetings, their conversations—it was all one song, one melody, one bright light refracted . . . into rays of rose, green, and amber which shimmered in the surrounding atmosphere. Each day and hour brought new sounds and colors, but the light and the theme were the same. (253)

Then, as love seems to turn into duty after their secret betrothal, it begins to "lose its rainbow tints. That morning, perhaps, he had caught its last roseate rays, and from now on it would no longer shine so brightly, but warm his life unseen. . . . The poem of love was over and stern reality was beginning" (301–2).

Implicitly, the organic image of heat and the more esthetically stirring sound and color imagery express the prose and the poetry of love, respectively. The combination of these images suggests an ideal harmony of body and spirit. Oblomov is incapable of achieving this harmony. In his relationship with Olga he tends to alternate between one extreme and another, rarely attaining a sense of plenitude. Only in a last euphoric moment a couple of days before the breakup does he feel both the poetry and the comfort of love: "he had warmth and light—and how good life was then!" (IV, 365). His connection with Agafya is by the imagery firmly placed within the prose of life: "He drew nearer to Agafya Matveyevna as one does to a fire which makes one feel warmer and warmer, but which cannot be loved" (394). On the other hand, Agafya's love, said at one time to be without "the play and music of the nerves" (391), is retrospectively completed by the missing part; after Oblomov's death she "realized that her life had had its music and its radiance" (502). And though the love of Stolz and Olga is deliberately conveyed in antiromantic, "epic" imagery, such as a tree "spreading its branches over the whole of life" (462), "broad wings" (436) or a protective shadow (465), Goncharov means their love to unite heat and light in ideal synthesis. He speaks several times of Stolz's fire and

brilliance and, more subtly, makes Olga at her betrothal to him fix her mental gaze on the "blue still night, warm, fragrant, and with a gently shimmering radiance" (436). By contrast, Olga's feeling for Oblomov is compared to a "false flame, a light without heat" (259). Though slightly artificial, this use of imagery to set up a standard of perfect love is less obtrusive than other attempts to present the ideal in Goncharov's fiction.

The imagery of love often merges with archetypal concepts of heaven, hell, and earthly paradise. Olga, whose face makes Oblomov feel as though he is looking into an "infinite distance or a bottomless abyss" (IV, 206) and who "liked the role of guiding star" (239), is an Eve with a perceptible streak of Beatrice in her. Oblomov constantly imagines Olga as belonging to a different, higher sphere, which occasionally gives him the sensation of flying. More frequently, however, he despairs of attaining this sphere, seeing Olga as a "pure angel" soaring above the "abyss," at the bottom of which he envisages himself (258); or a Tarantiev may, "in an instant," bring him "down from heaven, as it were, into the bog again" (297). These images are not without a realistic basis in his experience: they are the dreamlike exaggerations of the fearful ravine—supposedly swarming with all sorts of horrors—that little Ilya was not allowed to approach.[38] The region of the unknown, and of his undeveloped self, becomes his hell; for both abyss and bog are appropriate images of hell. Moreover, "bog" and its variants bear closely upon Oblomov's particular failings. The marsh called Styx which forms the fifth circle of Dante's *Inferno* accommodates the souls of those who were gloomy-sluggish:

> Fixed in the slime, they say: "Sullen were we
> in the sweet air, that is gladdened by the sun,
> carrying lazy smoke within our hearts;
> now lie we sullen here in the black mire."[39]

After Olga's visit at his Vyborg lodgings, Oblomov thinks of her as an angel descending into a "bog" (*boloto,* with the figurative meaning of "mire"). And Stolz speaks about Oblomov in the same terms, telling him that "if an angel like Olga could not carry you out of the bog on her wings, then I can do nothing" (401).

The idea of an earthly paradise, which received a new lease on life through Romanticism, plays a significant role in the book. Oblomov implicitly defines his goal as attaining the "lost paradise" (IV, 187), conceived as a rustic idyl with submissive peasants and even more submissive peasant girls, and he envisages himself with Olga "in his earthly paradise, Oblomovka" (224). But his dream of escape to an ivory tower of love finds its ironic fulfilment in the Vyborg district, a "bog" of low pleasures in which Oblomov's spirit nearly chokes to death. The vulnerability of the dream is early suspected by Olga; even before their secret engagement she would occasionally sink into an "oppressive reverie: something cold as a snake crept into her heart, wakening her from her dream, and the warm fairy-tale world of love turned into a gray autumn day" (282). Here, as in every earthly paradise, the proverbial serpent lurks around the corner.

The use of this traditional imagery, which may or may not have been suggested by Dante, does not necessarily imply a Christian *Weltanschauung;* in fact, Goncharov seems closer to Greek humanism than to Christianity. The "wing" image, for example, connotes something like self-motivation. "You had wings once, but you took them off," Stolz tells Oblomov. "You lost your ability to do things when still a child at Oblomovka, among your aunts and nurses" (IV, 403). The paralysis of the will, abulia, which afflicts Oblomov is not rooted in original sin and is beyond redemption. Whatever its ultimate cause, it is surely connected with Oblomov's self-confessed lack of pride (218), quite distinct from Christian humility. According to Stolz, pride (*samoliubie*) is "almost the only motivating force that controls the will" (207); consequently, it is a positive moral force. It is not for pride as such but for *excess* of pride, on account of her singlehanded endeavor to arouse the pride of life in Oblomov, that Olga—Greek fashion—is "punished." There is nothing in Goncharov's use of Christian archetypes that conflicts with this humanistic bias. Moreover, the context in which they appear invites a psychological rather than a religious interpretation: they are chiefly a means of evoking the dreamy, anguished inner world of Oblomov, whose point of view justifies the most exalted rhetoric.

VIII *Goncharov's Inspiration*

Goncharov is a very "literary" writer, absorbing ideas and images from a wide variety of sources, but by the time he wrote *Oblomov* his borrowings are so transformed that one can hardly speak of literary "influences" in the ordinary sense. The only exception may be Gogol, whose story "Old-time Landowners" had inspired Goncharov's first idea for a novel, "The Old People" (*Stariki*). Though the novel was never written, *Oblomov* includes a masterly treatment of the same theme; however, the center of gravity is no longer manners and everyday life, but psychological portraiture. Because of this shift, specific counterparts to Oblomov in Gogol's work, such as Manilov, Tentetnikov, and Platonov in *Dead Souls*, bear only a superficial likeness to Goncharov's character.[40] Moreover, long before *Dead Souls* was published, an Oblomovesque figure had been realized in Tyazhelenko, the gluttonous sloth of "The Evil Sickness" (1838). Thus, while Goncharov is "literary" in the sense that he freely assimilates devices, themes, and even imagery from other writers, the basis of his work, as he says himself in *Better Late Than Never,* was his own experience and the observation of his contemporaries.

This fact is strongly supported by his recollections in "At Home" ("Na rodine"), which presents vignettes of the sleepy town of Simbirsk and of local gentry life. From his childhood the author, then seventy-five, recalls how Yakubov—actually Tregubov, his godfather—and his gentlemen friends used to lie in bed practically all day: "It seems to me that already then, at the sight of all these figures, this carefree life, idleness and lying around, there arose in me, a very sharp-eyed and impressionable boy, a vague idea of 'Oblomovism'." And when he returned to Simbirsk in 1834, he was surrounded by the same "Oblomovism" which he had observed in childhood. "The very appearance of my native town presented nothing else than a picture of sleep and stagnation." Interestingly, the details are reminiscent of the St. Petersburg suburb where Oblomov ends up. The houses were "surrounded by ditches, thickly overgrown with wormwood and nettles," and there were "endless fences" (VII, 242). One felt like going to sleep, he writes, just

looking at this calm, at the sleepy countenances of those sitting around in the houses or of the people you run into in the street. 'We have nothing to do!' each of these people seems to think, yawning and looking lazily at us; 'we are not in a hurry, we live—we chew our bread and idle our life away.' (243)

Goncharov's septuagenarian recollections are quite prosaic; the memory which operates here is largely factual. In his novel, on the other hand, emotive memory imbues with poetry the sleepy world that he had observed. The source of this poetry, as well as of the vividness and undeniable charm of his hero, is no doubt the author's intimacy with "Oblomovs" from his childhood. Little Vanya loved Tregubov with all his lying around, and Ivan Goncharov, the author, loves his Oblomov, whose chronic idleness is more attractive than Stolz's fussy activity. And though the story of Oblomov seems to be offered as a caveat—"it may be of use to someone" (IV, 507), Stolz tells the stand-in for the author at the end of the novel—it has a bitter-sweet beauty, nostalgic but serene, which is extremely alluring. Love-laden "branches of lilac . . . drowse over his grave," tempering the "scent of wormwood" in the still air (499). The lesson we may forget, or not need; but the bizarre, somewhat decadent loveliness of Oblomov's tragicomic figure will always haunt the reader of Goncharov's masterpiece.

CHAPTER 5

The Precipice

GONCHAROV's last novel was conceived in 1849 on a visit to Simbirsk, his native town, but was published only twenty years later. The delay in completing the work was partly due to the distractions of service and the prior claim of *Oblomov;* less obvious reasons were connected with the nature of his talent and the contemporary literary scene. Endowed with an extraordinary gift for observation and precise description, Goncharov had a weak structural imagination and his creative process often lacked direction. Much like his artist-hero Raysky in *The Precipice,* he would sketch isolated scenes, characters, and settings with only the vaguest idea as to how they were to be integrated. The spark which triggered the unifying conception was slow in coming, dependent upon the imponderables of personal experience. In the writing of *Oblomov* the breakthrough occurred when the romance with Olga assumed concrete shape under the influence of Goncharov's unhappy wooing of Elizabeth Tolstoy. As for *The Precipice,* several stages are apparent in its genesis. However, in order fully to understand the changes in the author's plan one must have a general notion of the finished work.

Boris Raysky, a gentry intellectual living in St. Petersburg, is a genteel Bohemian with a knack for art and a taste for amour. Now in his mid-thirties, his talent is still undeveloped because of indolence and a romantic concept of art. A dilettante, he flits from one art to another or practices them all together; painting, music, and literature become merely stages on the way to his "true" vocation: sculpture. Though Raysky is in dead earnest, these recurrences make his passion for art some-

what suspect. The same applies to the parallel quest for the perfect woman, which turns him into a sort of Russian Don Juan. However, by blending Don Juanism with an all but Hamletic penchant for self-scrutiny Goncharov produces a nearly schizoid type whose pursuit of beauty and passion alternates with profound boredom. Yet, boredom only intensifies Raysky's eroticism, driving him on from one woman to another. First fascinated by Sofia Belovodov, a cold St. Petersburg society lady, he forgets her for buxom Marfenka, his country cousin, to end up falling hopelessly in love with her darkly attractive sister, Vera, the novel's heroine. Altogether, Raysky has all the cardinal traits of the "superfluous man," by then a somewhat antiquated type, a fact that may account for the elements of parody in Goncharov's portrayal.

Whereas Oblomov returns to his childhood home via dream, Raysky visits his estate, Malinovka. Once more Goncharov uses his favorite device of contrasting two cultures, rural and metropolitan, at the same time showing significant parallels. The St. Petersburg circles in which Raysky moves are stuffy and dull, concealing their dead spirit by heavy folds of decorum and drapery. In presenting this milieu the author uses extensive imagery of death as well as of sleep and confinement: its people lack self-awareness and inner freedom. Sofia, to Raysky, is wrapped in a cocoon, smugly unaware of the world around her and of her own innermost needs. She is a canary in a golden cage, a doll whose old-style marriage—she is a widow—has left her as virginal as ever and seemingly quite contented with her passionless existence. Raysky's ambition is to awaken her from sleep, to bring her out from under the shadow of the family portraits and the ancestral mores they signify. In this part of *The Precipice* the theme of tradition versus novelty is emphatically slanted in favor of the latter. To be sure, Raysky is "not preaching communism" (V, 35) and may seem merely a spineless liberal, but his foil, the prosaic official Ivan Ayanov, is so colorless that, by contrast, he appears admirable.

The transition to the four remaining parts, which take place in a picturesque rural setting, is effected by Raysky's desire to get away from St. Petersburg. Disenchanted both with his futile wooing of Sofia and with his failure as a painter, he gladly

accepts his great-aunt's invitation to visit his estate, which she manages for him. This is a real sentimental journey, his first visit since he was a student some fifteen years ago. The pace of the narrative becomes extremely relaxed as, with Raysky as a recording consciousness, the author amplifies the rustic portions already given in Part I with new vignettes of life in the provinces. Besides major figures like Vera and Granny—a petname for Raysky's great-aunt, Tatyana Markovna Berezhkov—there is a host of minor characters: Kozlov, a language teacher at the local high school, and his wife, the vivacious vamp Ulinka; Savely, a dour middle-aged peasant and his chronically unfaithful wife, Marina; and, among the other servants, staid Vasilisa and Yakov, the lady-killer Egor, and gnomelike Ulita. Most of these figures are portrayed with great zest and humor. Even Titus Nikonych Vatutin, Granny's intimate, and Openkin, a somewhat degraded *iurodivyi* (holy fool) who visits regularly once a month, gets drunk on madeira and invariably ends up sleeping it off in the barn—even these figures have a spark of life in them. There are also many incidental characters, such as peasants seen at work, shopkeepers at their counters, and neighboring gentry. Altogether, Goncharov has created a fictional model of an entire rural and small town community.

The first half of *The Precipice* combines two basic novel types: the *Bildungsroman* and the novel of manners—more precisely what the Russians call *bytovoi roman,* the novel of everyday life. But from the moment when, in Chapter 5 of Part III, Raysky finds Vera reading a letter on blue paper, an entirely new element is added. From now on Raysky recedes into the background, while Vera's romance with Mark Volokhov, a young man under police surveillance, becomes the real stuff of the book. First mentioned by Kozlov in a letter to Raysky, Volokhov has by this time been established as a character through several meetings with the latter. He is a sort of nineteenth-century "yippie," a social rebel who rejects every accepted principle and even scorns common decency, to say nothing of the amenities of civilized living. He rarely enters a house the normal way, but prefers to climb in at the window after approaching through the garden. To Raysky he appears as a modern Diogenes, a name that is quite apt; for though Volokhov lacks a barrel, a

farm wagon will do, at a pinch, for sleeping quarters. To respectable citizens the young man is a sort of bogey, while sundry teen-agers enthusiastically, though ineptly, respond to his "new truth," a conglomerate of atheism, immoralism and socio-political rebellion—in short, Nihilism. After meeting Vera in the course of his apple-stealing excursions to the Malinovka orchard, Volokhov gains her confidence and affection. Though a sort of beauty and beast combination—Volokhov is associated with various animals—Vera's fascination with him is quite believable, since stodgy, constricting Malinovka offers little in the way of stimulating company.

By the time Raysky turns up, the relationship is quite advanced, though short of physical intimacy. Vera and Volokhov have been seeing each other secretly since the preceding autumn—it is now summer—and the situation is coming to a head. Vera wants to "save" Mark, while he insists that she take him on his terms: no promises. Their favorite trysting place is at the bottom of a steep within the Malinovka park, a place shunned by all except Vera because of its evil reputation. The reason is given in Part I: many years ago a woman and her lover were brutally murdered there by her husband, who then killed himself. The murderer was buried on the site of the crime, which has since reverted to its natural state.

> The wattle fence separating the Rayskys' park from the forest had collapsed long ago and disappeared. Trees from the park were mixed with fir trees and with sweetbrier and honeysuckle bushes; intertwining, they formed together an overgrown, wild place, in which was hidden an abandoned half-ruined arbor. (V, 76)

It is in this run-down arbor, situated in a moral no-man's-land, that Mark and Vera have their rendezvous. However, the identity of Vera's lover is withheld until the end of Part III, where it is directly revealed by the author. This causes considerable strain, turning Raysky's continued pursuit of the mystery of the blue letter into tedious and incredible melodrama. The available clues, such as Mark's possession of a rifle and the repeated gunfire with which he summons Vera, could fool no one. It seems to fool Raysky, though; not until Chapter 14 of Part IV, after

letting Vera descend to her rendezvous despite his given promise to restrain her, does he resolve the "mystery" by spying on the lovers in their hideaway. This is the night of Vera's "fall," which occurs just after she and Volokhov have decided to part forever.

The rest of the novel, one entire part, is taken up with Vera's rehabilitation. This is a complicated affair involving repeated confessions of her error to intimates, including her admirer Tushin, a bearish landowner-entrepreneur of thirty-eight who proposes to her the day after her downfall. When Mark, willing now to marry her in spite of principle, keeps pestering her with his blue letters, Tushin volunteers to be her messenger. Meanwhile, Granny has assumed a key role in the resolution of Vera's predicament. When, at Vera's insistence, Raysky informs her of the fateful encounter in the arbor, the old lady nearly breaks down. For days she wanders about the estate like a sleepwalker, uttering the ambiguous little phrase *Moi grekh:* "It's my fault" (lit. "My sin"). Only when she discovers that Vera is ill does she recover her former self. Given new hope by Granny's love and understanding, Vera relinquishes her death wish. However, a deeper communion is necessary before she can fully recover, and for this the author reaches back into Granny's past.

The pattern which emerges is one of tragic recurrence, as Vera's impulsive surrender to Volokhov comes to appear as a kind of repetition of Tatyana Markovna's youthful lapse with her friend Vatutin, then her lover, some forty-five years ago. One evening they were caught unawares in the hothouse by Count Sergey Ivanych, a rejected suitor of Tatyana Markovna's. The Count insulted Vatutin, throwing him into an insensate fury checked only by Tatyana's intervention. This is a primitive drama of passion, though quite civilized by comparison with the recalled crime at the bottom of the precipice. Certainly the end result, though cruel, was more civilized: a gentlemen's agreement by which the Count promised not to reveal the incident, while Vatutin agreed never to marry Tatyana Markovna. Vera learns just enough of this story to make her feel that life may still be possible. In the "obligatory scene" the two women, so long estranged because of Vera's stubborn independence, find their way toward a new relationship. This marks

the real turning point for Vera: "the grave turned into a flower bed" (VI, 345). The only question is, Will she marry Tushin? Though it is hinted that she will, Goncharov refrains from an outright "happy" ending. The novel comes to a close with Raysky's fond memories of Malinovka, especially of Granny, Marfa and Vera, as he travels in Europe, where he has gone to take up sculpture.

I *The Genesis of the Novel*

The Precipice contains a variety of formal elements, some of which conflict with one another. The chief conflict is between the *Bildungsroman* centered on Raysky and the novel-drama based on Vera and Volokhov, with scenes from everyday life (*bytovoi roman*) qualifying both. Apart from being a hero in his own story, Raysky also provides the point of view through which the love plot comes to us. Though Goncharov tries to sustain the quest theme along with the love story, Raysky as hero comes to seem an encumbrance as, from Part III on, we get increasingly involved in the Vera-Volokhov romance and its aftermath.

This conflict goes back to the original intention: to offer an apology for a "fallen" woman—an idea inspired by rumors about a connection between Goncharov's widowed mother and her friend N. N. Tregubov (d. 1849)—along with a study of the artistic temperament and the plight of the artist in a society afflicted with Oblomovism. In an instructive examination of the "creative history" of *The Precipice,* the Soviet critic O. M. Chemena stresses the "enormous role" initially attributed to Granny, by Goncharov himself said to have been partly modelled on his mother (VIII, 400). The crucial scene of mutual confession in Part V, referred to above as the "obligatory scene," was one of the first sketched, though in somewhat different form and without being connected to a plot. Subsequently, Vera came to assume the main burden of the apologia.[1] The importance ascribed to Raysky and the associated socio-psychological theme, also conceived in 1849, is shown by the fact that when "Sofia Nikolaevna Belovodov" appeared in *The Contemporary* in 1860 it was offered as a fragment from the un-

finished novel "Episodes in the Life of Raysky." The modest title betrays Goncharov's main difficulty in writing the book, frankly admitted in *Better Late Than Never:* "What caused me most trouble was the architectonics, the reduction of the entire mass of characters and scenes to a shapely whole; and this was one of the reasons for the slowness" (VIII, 80).

The impetus toward a first structuring of his work apparently came from a personal experience, namely, Goncharov's meeting with a number of Decembrist exiles on his return from Japan through Siberia in 1854–55.[2] In the article "Intentions, Problems and Ideas of the Novel *The Precipice,*" first published posthumously in 1895, the author states what his original plot idea entailed. Vera falls in love with the outsider—a "more restrained and better educated" person than Volokhov—in disregard of Granny's wishes and of the feelings of the entire community, then marries him and follows him into Siberian exile (VIII, 218). Though this plot is far more liberal in tendency than the one finally adopted, it is difficult to see how it could have unified the author's disparate materials any more effectively. However, one serious flaw of *The Precipice* as we know it would have been avoided: the glaring anachronism of having a Nihilist, allegedly based on observations stemming from 1862 (VIII, 218), appear in a novel which, however vaguely set in time, belongs to pre-Emancipation times in its social and economic background. Incidentally, the author was well aware of this anachronism (VIII, 145).

The rejection of the original plot was due to Goncharov's suspicion that Turgenev had plagiarized it. The plan for *The Precipice* had been confided to Turgenev, apparently in minute detail, in 1855.[3] In July, 1860 Goncharov writes to Sofia Nikitenko:

> . . . he took my best passages from me, gems, and played them on his lyre; if he had taken the content it wouldn't have mattered, but he took the details, the sparks of poetry—like the shoots of new life on the ruins of the old, the story of the ancestors, the garden setting, traits of my old lady—it is enough to make one boil. (VIII, 344)

Curiously, he does not mention what may have been the most

painful loss of all—his plot idea. After describing his first plan in a letter to Catherine Maykov of April, 1869, he notes that this plot had already been used "a hundred times" (VIII, 398). Whatever the basis of this assertion, psychologically it is pure rhetoric: the only competitor who counted to Goncharov was Turgenev. Most likely, it was the dénouement of *On the Eve,* Elena's self-exile with the revolutionary Insarov, that caused him to reject his original plan. As Chemena comments, he could not tolerate giving the impression of following Turgenev.[4]

According to the Soviet critic, the actual dénouement of the love plot came to Goncharov only in 1867,[5] several years after the new image of Vera's lover appeared. This image is a decidedly debased variant of the earlier figure, befitting the change from marriage to seduction in the resolution of the plot.[6] While the originally envisaged character was a liberal, a "man of the forties" with whom Goncharov could sympathize, the Nihilist rebel of the 1860's, Volokhov, represents everything in contemporary life that was anathema to him. Goncharov's temperament and circumstances were not such as to make him feel kindly toward the new radicals, whose writings he had plenty of opportunity to study as a censor; his *bête noire* was Pisarev, against whom he carried on a sort of vendetta in 1865–66. While the deteriorating fate of Vera's lover, along with the more tragic dénouement, is symptomatic of Goncharov's growing conservatism, it is also a reflection of the intensified ideological conflict in the 1860's.

Inevitably, the unfavorable reception of *The Precipice* was to a large degree determined by this latter fact. But there were also special circumstances. The publication of the novel had been awaited for so long that nothing but a masterpiece could have satisfied the expectations of the critics. When, therefore, it turned out to be seriously flawed, an avalanche of excoriating reviews streamed from the presses, sufficiently activating Goncharov's latent paranoia to make him write to Sofia Nikitenko in June, 1869: ". . . I sometimes seriously fear for my reason."[7] About a year later the effect of the hostile reviews is still apparent in his continued mood of despondency. He tells Sofia Nikitenko: "I don't do anything, i.e., I do not write, and I feel that I shall never write again. They have killed me spir-

itually, and they have killed every living talent in me."[8] But despite his complaints of unfair treatment by the reviewers, Goncharov was quite aware of the weaknesses of his work. In early 1869, before the reviews had taken their toll, he humorously compared his novel to a "cumbersome omnibus jogging along a bumpy road" (VIII, 397). And writing to the poet A. A. Fet in August, 1869, in the midst of the critical attacks, he ruefully gives one of the chief reasons for its flaws, its overlong gestation: ". . . *The Precipice* . . . is the child of my heart; I carried it too long . . . in my breast [*pod lozhechkoi*] and so it turned out big and awkward" (VIII, 421).

II *Three Major Themes: 1. Passion, or the Loves of the Parallels*

And yet, with all its flaws—prolixity, longueurs, strained dialogue, gratuitous editorializing, and others—*The Precipice* is a remarkable work of impressive scope. It takes in everything from love to politics, with art, morality, and much else in between. Here we shall focus on three major themes, two of which were discussed elsewhere by the author: passion, humanization, and the "fallen" woman.

The first of these themes permeates Goncharov's fiction. Alexander Aduev yearns for a "mighty" passion, with disastrous consequences, and Oblomov fears its "morbid" promptings. Like George Eliot, who in *The Mill on the Floss* (1860) makes Maggie Tulliver renounce Stephen Guest, Goncharov distrusts passion, seeing it as a destructive force. In his last novel this force threatens to undermine not only religion and morality, but the social order itself. As the setting suggests, Vera and Volokhov conform neither to nature nor to civilization in their sensual orgy in the old arbor. One is reminded of the time-honored myth examined by Denis de Rougemont;[9] for though adultery is practiced only by such "low" characters as Ulinka and Marina, the recurrent imagery of night, illness, and self-destruction betrays the passion archetype. In any case, marriage has an entirely different basis, revealed through the innocent love of Marfa and Vikentiev which counterpoints Vera's hectic romance; their union is one of quiet, tender affection. This represents a "simple, natural" relationship between the sexes, the

author says, while all other such relationships in the novel are characterized as "perverted," that is, as marked by "unfortunate or monstrous passions, illnesses which affect the body and soul at once." As causes which induce such illnesses he mentions the presence of obstacles, abuse of love, bad education, and lack of human understanding (VIII, 210).[10]

Despite this harsh judgment, passion is the substance of the book. Goncharov says he had always been aware of the "diverse manifestations of passion" and that, initially carried away by the passion of a "pure and proud" woman, he "involuntarily" came to portray "almost all the forms of passion" in the novel. The "parallels of passion appeared of themselves," he says; they were not due to "algebraic calculation" (VIII, 208–9). Though his hierarchy of feeling, ranging from Tushin's "human" love to Savely's savage craze, is morally based, Goncharov was well aware of the purely esthetic possibilities of the subject; passion, he writes, is conducive to more living characters, "vivid effects and dramatic situations" (209). Moreover, those of his characters who have been in its toils seem to have profited from the experience. Granny's commanding presence is unthinkable apart from her tragic love story, and Vera supposedly becomes more conscious, wise, and humane because of her dark initiation. Compared to them, Marfenka and Vikentiev, said to represent the great majority (97), are simply grown-up children. Inevitably, we are less interested in the model propriety and clean healthy joy of the latter, whether as lovers, engaged couple, or bride and groom, than in those "perverted" passions which the author morally deplores. The pivotal figure in this connection is Raysky, the apostle of passion whose gospel turns sour as the action unfolds.

An artist *manqué,* Raysky fritters away his "excess of imagination" in philandering and facile improvisations. His existence is centered in pure sensation, intensified to agony or ecstasy by an ever active fancy. When in love, he creates an ideal image of the beloved, and it is to this image that he is attached, not the real person. Thus, he loves only "in and with his imagination" (VIII, 214). Accordingly, his concept of passion is quite idealistic. As his name suggests (*rai* means "paradise"), Raysky

sees passion as a magic key to the lost paradise. Through it, he seeks both to give meaning to his own life and to arouse others to do the same for themselves. In particular, he wants to awaken Russian women, to whom he dedicates his projected novel, *Vera.*[11] However, Raysky's idealism is belied by certain ironic patterns, and we come to suspect that the real substance of his philosophy, whether it manifests itself as a cult of passion, art or ideal womanhood, is libertinism.

The inner truth of the gospel of passion emerges through a series of distorting mirrors. Besides Volokhov, three women, each engaged upon her own kind of quest, are the chief vehicles of this ironic mirror technique. First, Mme Kritsky, a middle-aged local coquette with mincing airs, overexquisite French and a constant itch for young men, is a parody of Raysky as amorist, in addition to being a caricature of the provincial lion hunter. The satirical intent is evident from the fact that several three-way scenes in which Raysky attempts to "woo" Vera, are spoiled by the intrusion of the importunate double. This is a stock satiric device: causing a character's "humor" or emotional bias to ricochet upon him. Ulinka, Kozlov's lecherous wife, effects a cruder ricochet: on one of his visits she throws a hysterical fit and "rapes" the would-be Don Juan. Her sexual frenzy, a grotesque version of Raysky's ecstasies, exposes the basis of his creed. Both these parallels are sustained by echoes of some of Raysky's pet ideas, such as the ennui of life and the mutual exclusion of love and marriage, in the ladies' small talk. While Ulinka and Mme Kritsky mirror the violence and the false gallantry of passion-love respectively, Marina, the irrepressibly lustful maid, shows up its inbred promiscuity.

The most devastating example of mirroring comes about by way of Volokhov, acting as self-appointed gadfly and sponge to Raysky. Though the two men are far apart in background, manners and social views, they have enough in common to establish a connection. Significantly, they are both associated with the Greek cynic Diogenes, and they are sometimes seen wearing each other's clothes; moreover, Mark spends Raysky's money, which Raysky is too genteel to withhold from him. Both admire Vera and court her assiduously, but neither believes in constant,

"eternal" love. What they believe in is sex, Raysky as a transcending experience, Volokhov as the fulfilment of a natural need. The similarities between their eulogies of passion as a rapturous experience conferring true happiness are quite apparent. But while Raysky can only dream of Vera, Volokhov subdues her, thus acting out the other's inmost desire.

The relationship between the two men is reminiscent of that between a person and his double. In its Dostoevskian form, this relationship entails that the morally inferior man acquires a strange power over his semblable, partly depriving him of his moral freedom. Volokhov, a definitely "lower" person than Raysky, manipulates him unconscionably: Raysky seems to be completely powerless against his insolent demands and highly vulnerable to his insults. On the other hand, there are clear hints that Raysky has facilitated Volokhov's designs on Vera. According to her testimony, her cousin's praise of love has made her more susceptible to passion and therefore to Volokhov's influence, a fact that, put bluntly, turns Raysky into a kind of pimp for the cruder man. Though thematically quite different from the Ivan Karamazov-Smerdyakov relationship, the connection between Raysky and Volokhov resembles it in at least one respect: just as Ivan, so to speak, gives the lecture, the justifying arguments, while Smerdyakov carries out the demonstration, so Raysky supplies the sublime love talk while Volokhov performs the seduction. The main difference is that no direct "infection" occurs between the two, Raysky's accessory guilt deriving solely from his demoralizing effect on Vera.

Ultimately, Goncharov relates the harmful psychology of Raysky and Volokhov to a common, quasi-philosophical root, for which we can find no better word than "libertinism." Though Volokhov is philosophically simpler, more one-dimensional, his views are well described by libertinism, which is clearly a part of the Don Juan theme associated with Raysky. It is mainly a matter of degree. The libertinism of Mark is more extreme, militant and consistent, taking in active irreligion as well as free thought and free love. And unlike Raysky's romantic ego cult, Mark's creed finds a formidable opponent in a religiously rooted morality supported by the conservative folkways of the provinces.

2. *A Counter-theme: The Making of Man*

The second major theme discussed in "Intentions . . . ," that of "the nature of the artist" and its "manifestations in art and life" (VIII, 216), is of lesser interest, partly because it has been treated so much better by others, partly because Raysky is not a real artist, but an esthete and dilettante. Moreover, its social aspect seems both antiquated and unreal, since members of the gentry, despite "lack of artistic education" and the "idle life of almost all of society fifty years ago" (ca. 1826!), nevertheless managed to make an artistic career. The only interesting part of the art theme is the demonstration of what happens when, as in the case of Raysky, the artistic sensibility is projected into life, making of it "now paradise, now a torture." He is either completely identified with his sensations and the objects of his fancy, or he is a victim of cold destructive analysis, traits that may derive from the figures of Don Quixote and Hamlet as interpreted by Turgenev.[12] Raysky, Goncharov comments, is a "person without a distinctive personality, a form which constantly reflects passing phenomena . . . and steeps itself in the color of successive moments" (214). Such a character may be useful as a narrator's proxy, "the wire to which the puppets are attached" (397), but he is intolerable as the major figure in a "three-decker" novel. At this point we shall mention just one idea which Goncharov expresses through him and then develops into one of the major themes of his work.

This is the theme of "humanization" (*ochelovechivaniia*), initially part of Raysky's quest for the perfect woman. Soon after meeting Vera he realizes what a "titanic force" there is in her; but it needs to be "rationally" directed. He conceives of his achievements as her teacher and guide as a "feat of humanization, a duty to which we are all called and without which any progress is unthinkable" (VI, 8).

This idea may be conveniently approached by way of the animal imagery in the book. While often such images are simply part of a burlesque manner, if recurrent they may be significant. Volokhov is a "wolf," Tushin a "bear," and other characters are momentarily associated with different animals. This is crude, but the technique does show some refinements. Thus, at a time

when she is in an especially anxious and impassioned state, Vera throughout an entire chapter keeps digging her "thin fingers, like the claws of a bird of prey" (VI, 226), into Raysky's shoulder. This image suggests the precarious nature of civilization, vulnerable to encroachment by the beast in man as soon as his passions are excessively aroused. Gradually, the animal imagery acquires moral overtones, particularly as it affects Volokhov. As the balked immoralist in his last inner monologue ponders what will remain of him in Vera's memory, he can think only of animal traits: ". . . there won't be a trace of man!" (VI, 388). Volokhov transformed into a beast is Goncharov's image of moral anarchy; it is the logical climax to his deployment of animal imagery in *The Precipice.* Despite the obvious tendentiousness of this characterization, negatively it points up the enormous importance of the theme of humanization to Goncharov.

In one form or another this theme pervades Goncharov's fiction. It underlies his critique of an automated or purely instrumental man in *A Common Story* as well as his exposure, through Oblomov's visitors, of the fragmentation caused by success. It also informs Goncharov's quest for an ideal, whether embodied in the fragile nostalgic charm of Lizaveta Aduev or in the prim perfections of Stolz. *The Precipice* also expresses both aspects of this theme. Besides Volokhov's reversion to animalism, paradoxically a result of his one-sided rationalism, there is Raysky's romantic reliance upon the "heart," an attitude which panders to and invites "wolfish" or "tigerish" passion, as in Ulinka's rape (VI, 87). The positive side of the theme emerges through Raysky's changing ideal of woman and through Tushin.

From being simply an erotic object or an embodied *schöne Seele* satisfying the requirements of an idealistic esthetic, woman acquires a religious aura in Raysky's eyes. This corresponds to the general movement of the book, one from esthetic idealism to religious faith. Mediated by suffering, the new attitude frankly recognizes human fallibility and accepts the necessity of constant self-perfection. Only after Vera's "fall" does her name, meaning "faith," assume its full significance, as does that of Granny, the name Berezhkov suggesting "preserver." Directed both against rationalism and romanticism, the new ideal places man firmly within history and a religious tradition.

Vera and Granny reveal the inspiration of the new idea of man; Tushin is its programmatic embodiment. Coming from beyond the Volga and drawing his strength from the Russian hinterland, Tushin is rooted in the tradition of the gentry, enriched with a strong scent of soil and forest. While honoring the amenities characteristic of his class, he also has some of the sturdy qualities of a merchant, such as initiative, industriousness, and practicality. Moreover, in comparing him to a Robert Owen of the Volga, Goncharov stamps him unmistakably as a social progressive, though, unlike Owen, he is neither a socialist nor an atheist. Most likely the author has in mind Tushin's position as *primus inter pares* in relation to his workmen (VI, 395–96). Thus, Goncharov's ideal man is a synthesis of the best traits of three classes, the landed gentry, the mercantile class, and the working class. Psychologically, his make-up is equally balanced, uniting several elements usually conceived as polarities, such as head, heart and soul, conscious and unconscious, theory and practice. A fine blueprint, perhaps, but as we shall see later, one that, like almost any concept of the complete or perfect man, was hard to incarnate believably in artistic form.

3. *The Woman Question*

The third theme mentioned in "Intentions . . . ," that of the "fallen" woman, is more special than the two contrasting themes just discussed; yet the author makes it the focal point of a wide range of contemporary problems. Volokhov disputes convention and authority all along the line and tries in a small way to create discontent among the young. Though Vera is immune to his influence,[13] Goncharov nevertheless uses her predicament as a test case in the struggle between the "new" and the "old truth." For this he has been criticized, on the ground that the seduction lacks ideological significance.[14] Only indirectly, by way of Vera's arrogant disregard of Granny, does a sort of moral battle come about.

Judging from some of his comments, the author saw the key issue as one of self-will: "Vera was drawn into a false position by her independent and proud will. . . . At the end of her drama . . . she finds salvation from despair only in the em-

braces . . . of Granny" (VIII, 218). The chief reason for Part V of *The Precipice*—in which Vera, crushed by her disaster, gradually assumes Marfenka's place in relation to Granny—is precisely to prove this point: the psychic wound incurred in her skirmish with evil can be cured only by a return to the old verities. She is redeemed through suffering.[15] This is Goncharov's answer to the arguments about women's emancipation, in particular Chernyshevsky's novel *What Is To Be Done?* (1863).

With this conservative view clearly implicit in Vera's story, other statements in "Intentions . . ." may cause some surprise. Inspired with feminist ardor, Goncharov inveighs against the double standard in sexual morality and against the cruel treatment of so-called "fallen" women, who are granted no extenuating circumstances and are frequently condemned to continue, "in hopelessness and despair, . . . along the same path" (VIII, 216). To the fallen woman he opposes the coquette, seen as someone who, though not fallen in deed, has preserved her "virtue" only by a fluke, through fear or with a view to advantage, all the while "wasting all feminine feelings on anyone who comes along . . ." (217). Though admitting that his coquette in the novel, Mme Kritsky, is a caricature, Goncharov asks pointblank: Is she not "a hundred times more" a fallen woman than Vera and Granny, though never guilty "in *deed*"? (219). In accordance with this slant, he set out to depict in his work "*two women guilty in deed, but not fallen*" (217), a formula reminiscent of Thomas Hardy's *Tess of the D'Urbervilles* (1891), subtitled "A Pure Woman" in challenge to Victorian hypocrisy.

Goncharov's handling of the theme of the fallen woman has both good and bad sides. It avoids the worst clichés of sentimentalism, the heroine being neither doomed to die nor condemned to eternal spinsterhood. By the same token the resolution of Vera's story is nontragic; the turbulence of passion is eventually absorbed into the calm stream of life. In view of the novel's generous admixture of genre scenes, its most realistic element, the almost happy resolution of Vera's plight is not surprising. However, one wishes it could have come about without melodrama and without obviously made-up characters.

Melodrama agrees poorly with Goncharov's narrative manner, yet in *The Precipice* he resorts to it, and quite understandably.

For despite his disclaimer in "Intentions . . ." that the novelist is not a moralist (VIII, 217), in his last novel he even goes further and becomes an ideologue. A novelist concerned with expressing ideas will often choose extreme situations or use an emphatic style. A good example of a situation of this kind is the duel between Bazarov and Pavel Petrovich in *Fathers and Sons*. The extraordinary seduction of Vera in *The Precipice* belongs to the same category, but is less tactfully handled. Essentially, Goncharov exploits this seduction as a pawn in a reckless attack on the new radicalism, and his anti-Nihilist animus tends to drown out not only the enlightened idea of his work but its realistic features as well.

For all her independent ways, Vera reacts to her misfortune precisely like a heroine in a sentimental novel: thinking that life is over, she wishes to die. In the same vein, Tatyana Markovna after forty-five years supposedly feels a profound sense of guilt for her nocturnal escapade in the hothouse. These reactions, along with much else in the characters' behavior, are strained and unbelievable, certainly unrealistic; nor are they the natural accompaniment of an enlightened view of the fallen woman, or of a more humane sexual ethic. On the contrary, they play into the hands of a rigoristic morality, religious obscurantism, and the traditional subjection of women; and this despite Goncharov's creation of Tushin, willing to take Vera for his wife even after her night with Volokhov.

Admittedly, for the position of women to change, men's attitudes toward them must change simultaneously with women's attitudes toward themselves. But Tushin, who could represent a new, more liberal sexual morality, is a cardboard figure. Therefore, marriage to him would be an unreal dénouement, proving nothing.

III *Character and Theme in* The Precipice

Many critics have commented on Goncharov's extraordinary ability to portray simple characters, whereas he is less successful with more complex and sophisticated ones. V. P. Botkin, in a letter to Fet of June 21, 1869, goes even further. Having characterized *The Precipice* as a "lengthy, verbose rhapsody, weari-

some to the point of nausea," he praises the author for his descriptions: "He is more successful at describing things than people."[16] This has a crude ring of truth about it, at any rate enough to highlight some of the strengths and weaknesses of Goncharov's character portrayal in *The Precipice.*

Following those who have praised the Flemish quality of Goncharov's "brush,"[17] we have several times mentioned his talent for genre and indicated the broad representation of everyday life in his works. *The Precipice* has a large proportion of genre scenes and characters, ranging from life in the servants' quarter to festivals and celebrations, from an almost insectlike house serf like Ulita to the fearsome witch doctor Melankholikha and drunken Openkin. Naturally, all of these figures are observed from the outside only, but with a steady eye. More important characters like Marfenka and Vikentiev, also fairly pure expressions of *byt,* are excellently done as long as Goncharov retains his objectivity. However, when he turns the simple, unsophisticated girl into a shining example of the old morality as she tells Granny of her beau's "insolent" proposal, she loses her charm (Pt. III, ch. 16). In another scene she is credited with an impossible dream, one of statues coming alive, solely because Goncharov needs it for his theme of awakening. Both these weak spots are incurred because of poorly handled dialogue, an element of composition that is very sensitive to false touches.

In varying degrees, all the major figures suffer similar damage. Even the colorful image of Granny, often said to be the best-drawn character in the book, is tainted by the author's tendency, his attempt to erect a monument to the "old, conservative Russian life" (VIII, 90). An efficient, domineering and class-conscious lady of the manor whose narrow views are tempered by folk wisdom, Granny is also highly intelligent and possesses a great store of kindness and generosity. The principle which holds this bundle of traits together, as far as her portrayal is successful, is nothing rational, but rather a vigorous zest for life in all its forms and a profound organic sense of her place in the community. The author comes closest to the elemental core of the old lady in an extended animal analogy, by which he evokes her growing suspicion after Vera's misadventure:

> . . . from midday on Tatyana Markovna changed so much, scrutinized everybody so suspiciously and listened so attentively to everything, that Raysky compared her to a horse who is carelessly munching his oats, putting his muzzle in up to his ears, and then suddenly hears a rustle or catches the scent of some unknown and invisible enemy. Pricking up his ears and lifting his head, he gracefully turns around and listens motionlessly with wide-open eyes and heavily breathing nostrils. Nothing. Then, slowly, he turns around to his crib and, still listening, unhurriedly shakes his head three times and rhythmically stamps his hoof three times, whether to calm himself, to demand a reason or to warn his enemy of his vigilance—and again he puts his muzzle into the oats; but now he crunches cautiously, lifting his head occasionally and turning around. He is forewarned and has grown wary. He munches, but his shoulder keeps quivering and his ear keeps turning, back and forth and back again. (VI, 299)

A truly epic simile, this passage describes horse and woman at once, without strain. Obviously, to describe a human being directly in such a detailed manner would be demeaning to his dignity, turning him into an object of inspection; on the other hand, a generalization would fall flat. The analogy is the perfect solution: Granny's human dignity is maintained, while at the same time her profound instinctive core of being is evoked.

A comparison of this passage with two longer ones, one in dialogue, the second a kind of lyrical rhapsody, illustrates how art—simplicity, verisimilitude, psychological truth—can be vitiated by a too overt tendency. In the first sequence, following Vikentiev's declaration to Marfenka, Granny goes through the ritual of marital negotiations with the young man's mother, adopting a pose of pompous antiquarianism which is an insult to her intelligence (Pt. III, ch. 18). This is not simply a joke, either on her part or on the author's, but a deliberate plea of respect for the old mores. Deplorably, Goncharov's sense of humor, for which he rightly takes credit in a letter to Sofia Nikitenko in 1860 (VIII, 354–55), in *The Precipice* seems curiously impaired. While Oblomov is treated with the equilibrium of a mind which can contain irreconcilables and live with uncertainties, allowing the character to acquire depth and body, in Goncharov's last novel we sometimes get only a profile, or a series of contradictory profiles, of the characters. One such profile of

Tatyana Markovna is the heavy-handed cliché of the "fallen ruler," repeated *ad nauseam* in the lyrical rhapsody just referred to (Pt. V, ch. 7). In this passage, while Granny is wandering about the fields in despair because of Vera's misfortune, Raysky perceives her grief and her grandeur through images of great women in history. The meretriciousness of the author's poetic prose momentarily turns a living woman into a relic.

Other characters fare worse, for different reasons. Both Tushin and Mark Volokhov, good and bad guy respectively, are schematic, Tushin more so. First, he is introduced too late and dropped for too long, considering his important role as the answer to Volokhov; that is, he is too minor to assume the burden of that role. Secondly, he is too thematically conceived and too abstractly presented; the author himself admitted he was "contrived" (VIII, 423). In his behavior he is directed by his creator, who holds him strictly to his script. The resulting puppet quality is particularly apparent in his meeting with Volokhov on the site of the old arbor. In this scene he speaks to Volokhov as if reading from a book of etiquette; indeed, one has the impression that it is Goncharov the connoisseur of the amenities who represents Vera at the rendezvous.[18] Still, there is something real in Tushin, as shown by his social awkwardness, his love of bear-hunting and, especially, his periodic drunken sprees with his cronies. There is nothing comparable to this emotional generosity in Stolz. Nevertheless, like Stolz, Tushin must buckle under to Goncharov's grand design and be an ideal human being, as well as a perfect gentleman. In the process of making him so, Goncharov spoils his best effects and the poetry is lost in the program.

Critics have objected to Mark Volokhov as a caricature, and they are right. Though Goncharov used the same extreme device of characterization in creating Oblomov, a sort of human slug, in his case the all but grotesque exaggeration discloses a complex, idiosyncratic inner life. Georg Lukács says that "by this 'exaggeration' all the mental conflicts engendered by Oblomov's sloth are thrown into bold relief. . . ."[19] But in Mark's case the human complexity is lacking; he is little more than an emblematic symbol of the author's contempt and hatred for the so-called "new men."

Only in his early meetings with Raysky, and in sporadic glimpses here and there, does Volokhov appear as a living character. He is not only intelligent but also sensitive, and a shrewd judge of people. His opinion of Raysky cuts through the bland hypocrisies and self-deceptions of polite society. Stripping the veils of idealization from Raysky's cult of beauty, he exposes the underlying cause, eroticism, and with a cynic's privileged vision sums him up as a "dud" (*neudachnik*). Some of these traits are undoubtedly a residue of the initial Mark, a Bohemian radical of the 1840's related to the "Byronists" of the preceding generation.[20] If this image were sustained and deepened, as by the "autobiography" of Mark which Goncharov wrote but did not include,[21] his bizarre behavior would acquire the human content it so sorely needs, as that of Lermontov's hero, Pechorin, does through the more psychological portions of "Princess Mary" (in *A Hero of Our Time*).

With the "new man" of the 1860's superimposed upon the earlier figure, a process of which Goncharov was perfectly aware (VIII, 401), the burlesque style of portrayal becomes out of place. For while such a hyperbolic style can successfully convey a social attitude, it can only make a travesty of an entire philosophy, however crude. Being concrete and vivid, Mark's exaggerated features—his habit of entering a house by the window, his mutilations of books, his sponging on Raysky, his sleeping in a wagon—memorably evoke his supreme contempt of society; generally, his devil-may-care attitude and hobo manners are the best part of his portrayal. But the attempt to connect these traits with the philosophy of Nihilism is a failure: his bizarre actions remain mere eccentricities without ideological importance. And where the author tries to convey his "philosophy" and moral substance directly, the character gets swallowed up in the doctrine.

In the dialectical haze enveloping the scenes between Vera and Volokhov, Goncharov seems to lose all sense of the reality of his characters. Their meetings are virtual debates in which naturalistic philosophy confronts a religious concept of man. In one way or another, both characters become vehicles of the author's *Weltanschauung,* Volokhov in the process losing his good judgment and keen psychological sense, along with his

residual humanity. However, worse is yet to come. After his encounter with Tushin, Mark is given an internal monologue—a technique for which Goncharov had no particular flair—in which he expresses his reaction to the collapse of his affair. The result is a monologue-sermon in which the author violates the integrity of his own character: he breaks into its inmost recesses and, clearing out the furniture, uses the empty walls as a resonance chamber for his own views. Though he does the same with Raysky, in his case the treatment is excessively flattering, so that at the end the "dud" becomes almost a positive hero. But, really, is there such a great difference between Mark and Raysky? A cynic might say: Raysky is nothing but Mark with *Kinderstube.* But while one is condemned, the other undergoes apotheosis.

Vera, Goncharov's darling—he says she was his ideal at the time she was conceived (VIII, 400)[22]—suffers as a character because, in direct contrast to Volokhov, she is too close to his old man's heart. At first presented as a saucy provincial beauty, she delights the reader by the way she puts down Raysky, who richly deserves her scorn by his adolescent importunities. Apart from being intriguing, her secretive ways bespeak a free spirit, a welcome relief in the midst of so much provincial mediocrity. Though she is never seen with a book, she is evidently a well-read person familiar with advanced thought in many fields. And yet, this intelligent, knowledgeable young lady falls victim to a devouring passion, for which she blames Raysky and his libertine preaching. Goncharov must have it both ways: Vera, to be meaningful as a symbol of the best in Russian womanhood, must be intelligent and well-read; however, for her "fall" to be possible she must also be vulnerable to vehement passion: a pretty neat trick, something like grafting a gypsy onto a bluestocking. This is no trivial matter, because Vera's passionate nature is the direct occasion for the religious turn in her life, by which Granny's "old truth" triumphs over Volokhov's "new lie." Initially she is seemingly indifferent to religion, but suddenly one day Raysky finds her praying in the chapel (Pt. III, ch. 15). From that point on a continuous tug-of-war is supposedly taking place within her between those forces which pull her down the precipice to Mark and those which draw her to the chapel and

Granny: she becomes a sort of victim of the generation gap.

However, this inner battle is not very convincing. Rather, there seem to be two Veras, one a secular devotee of freedom, the other a follower of orthodox religion and traditional morality; which is the more real is a matter of taste. To us it looks as if the seeds of a truly independent, self-reliant Vera were squashed by fiat of the author, fearful of following out the inner logic of his initial conception. And so we are left with a quite ordinary girl whose rebellious phase may be dismissed, along with her Gothic preference for the gloomy old house, as a romantic whim without deeper significance. In any case, she soon forgets Volokhov, being wounded in her pride rather than her heart. The effect of her reading, quite exaggerated, seems equally superficial; apparently it was never assimilated. The implied contradiction between the authorial voice and Vera's nature as shown by her behavior indicates Goncharov's loss of critical focus in regard to his character. Perhaps he shared some of the uncertainty of Raysky, his alias, who vacillates from one extreme to another in his view of Vera. When she annoys him he sees her as an average girl from the sticks, but as soon as she makes a friendly gesture he raises her to symbolic status. However, instead of exalting her, Raysky's shoddy lyricism has a banal effect.

A pattern begins to emerge in Goncharov's character portrayal in *The Precipice.* The first half of the novel, though lacking drama and a great theme, is fairly realistic, dominated by the epic calm we associate with Goncharov; the last two parts, those in which Vera's fall and redemption take place, are in spots so contrived as seriously to damage the entire novel, though the author thought they were the best (VIII, 111). One reason for this decline is evident from the portrayal of Vera and Volokhov: the characters are somehow changed, not through experience, but because of a shift in authorial tendency. Raysky, the central figure, suffers most of all from this kind of manipulation. For the Don Juan who encourages Mme Belovodov to break out of her prison[23] is the diametrical opposite, or nearly so, of the man who watches the end of Vera's drama. From being a person who loves to *épater le bourgeois* and to awaken young women to a new awareness of self and society, he becomes a celebrant of the

status quo; the iconoclast turns into a kind of idol worshiper, bowing down before images of past greatness.

The very conception of a character sometimes precludes change. In Raysky's case, fundamental change contradicts the pattern he follows in the book, flitting from one woman and vocation to another, from city to country and back again, finally to leave for Europe to pursue his latest mirage. Basically, he is a comic figure, with some features of the picaresque hero. Apart from this, the unconscious process of moral growth that Raysky supposedly undergoes has to be taken on faith; it is not dramatized.

> With beating heart and a thrill of pure tears he overheard, amid the filth and noise of passion, a quiet subterranean work going on in his human essence, some sort of mysterious spirit . . . calling him . . . to hard, never-ending work on himself, on his own statue, on the ideal of man.

The ponderous language alone is enough to make one skeptical of this "subterranean" activity. Apparently, something like sublimation is intended, because the author continues:

> Due to this consciousness of creative work within himself, the passionate, caustic Vera now disappeared from his memory, and if she turned up again it was only because he summoned her, with a prayer, to the work of the mysterious spirit, in order to show her the sacred fire within himself and to kindle it in her. . . . (VI, 207)

Regrettably, the only tangible evidence of change shows that it has been for the worse, as Raysky increasingly becomes a vehicle of inflated lyrical passages, whether to celebrate the new beauty of Granny and Vera, or the destiny of Russian women in general. What a relief under these circumstances to discover that Goncharov is still capable of the light touch, as in the last scene between Raysky and Mme Kritsky, in which the lady tries to wangle out the truth behind the spicy rumor about Granny (Pt. V, ch. 21). Instead of giving us a rhapsody or a sermon, the author simply reveals a humorist's frank delight in the vagaries of human nature.

Though the relationship between character and theme in *The Precipice* is a complex one, one generalization may be offered.

Whereas in *Oblomov* the theme, broad and all-encompassing, mostly grows out of the characters and therefore an illusion of reality is sustained, in *The Precipice* all too frequently the themes interfere with truth, falsifying the psychology of the characters and turning elements of composition like dialogue, internal monologue, and *erlebte Rede* into vehicles of authorial rhetoric. A similar process of constraining the real is evident in Goncharov's handling of symbolic imagery.

IV *Imagery and Symbolism in* The Precipice

Goncharov told the truth when, in a letter to Sofia Nikitenko, he said there was "much poetry" in him (VIII, 363); it is also part of his work. His last novel, like *Oblomov,* shows clear signs of being a "poetic" novel. However, unlike its predecessor *The Precipice* is lyrically conceived; that is, it is conceived as a species of self-expression and is held together by a scheme of imagery and symbol which arises from this conception. In recent times *Doctor Zhivago* is the best example of this kind of novel, a great poet's novel. But whether written by a great or a minor poet, such a novel tends to have certain distinctive qualities: historical reality is freely handled, characters tend to be symbols of the author's values, and symbolic motifs form a basic element of structure. We need not consider all of these traits, of which the first is implicit in Goncharov's casual acceptance of anachronism, while the second is sufficiently evident from our discussion of theme and character. But the third is well worth examining.

Of the many image patterns in *The Precipice,* one of the most apparent is the opposition between flow and fixity, usually expressed through water and stone imagery. Water, an archetypal life symbol, is associated with the workings of the imagination, with art as experience. The following passage conveys Raysky's impressions as he hears a neighbor play the cello: "The sounds obediently wept and laughed, seemed to bathe him in a wave of the sea, cast him into the deep and then suddenly threw him upon the heights and carried him into airy space." He listened "with a tremor of near terror to these wide-flowing waves of harmony" (V, 112). Art through Goncharov's imagery acquires a space of its own, where ordinary laws of motion no longer hold

and where forms dissolve into swirling undulations. This world of the imagination is continuous with memory, whose emotive depths are stirred by Raysky's listening to his schoolmate Vasyukov's playing. "The figure of a woman [his mother] revived more and more clearly in his memory, as if in these moments she had risen from the grave to appear as alive" (V, 57). One is reminded of a *Künstlernovelle* like Thomas Mann's *Tonio Kröger* (1903), in which images of life and home such as sea, walnut tree, and fountain are grouped with the art motif, the violin.

The opposing image, the statue, is applied mostly to the "pillars" of society, petrified or ossified forms of life which require the breath of an artist to come alive. Consequently, Raysky's dream is to become a sort of Pygmalion, one who will rouse dead, inert Russia, especially its women, from stony sleep. At the end of Part I Raysky has a vision in which he sees a woman in stone in the rocky desert, yearning for awakening. Suddenly there flashes a "bright light, the leaves trembled on the trees and streams of water began to purl. . . ." Then, among a swirling play of light and color, "a wave of life ran along her thighs" and the statue comes to life (V, 154–55). Apart from several minor repetitions, Marfenka's dream of how the statues in the Count's gallery came alive is an elaborate restatement of the Pygmalion theme (VI, 161–62). This sculptural conceit is, as it were, embodied in the action of the novel when, driven by her agony of grief, Granny leaves her house to wander around the estate: it was "as if a bronze monument had stepped down from its pedestal and started moving . . ." (VI, 322).

Through this imagery, mostly projected through Raysky and at the end psychologically explained by his newly discovered talent for sculpture, Goncharov also seems to convey another idea, that of moral perfection. Thus, Vera "was forming for herself a strong, living life out of the old 'dead' life—and to him [Volokhov] as to Raysky she was a sort of beautiful statue, breathing with original life, living by her own mind, not a borrowed one, and by her own proud will" (VI, 270). Both spiritual torpor and moral perfection are understandable as symbolic meanings of "statue," but confusion arises when they appear together in the same work. Eventually, it is true, the "deadness" initially connoted by the word "statue," as by the

ancestral portraits, seems largely forgotten; all the same the ambiguity is never resolved and seriously flaws the novel's symbolic scheme.

Other images enter more naturally into the texture of the work, like those which arise from the landscape with its fauna and flora, and atmospheric ones like clouds, thunderstorms and lightning. Some of them, like birds, are also associated with interiors. Through frequent figurative use, the bird images come to express definite socio-moral and philosophical concepts. Raysky likes to speak of caged birds, an epithet he applies both to Sofia and Marfenka. Other phrases have reference to the notion of a "nest of the gentry," used as the title of a Turgenev novel and connoting an entire way of life. Marfenka likes to stay around the "nest," Vera does not. But there are all sorts of birds, predatory ones, for example, or "nocturnal" birds like Volokhov. In connection with the theme of passion we have commented on the crude naturalism expressed through such images. Volokhov, who likes to speak in terms of bird imagery, believes in imitating "Nature, red in tooth and claw," but the fledgling from the nest of Malinovka finds his philosophy unattractive. Goncharov rings similar changes on his other animal images. Though respectable enough, this bird and beast talk falsifies the dialogue by the language of fable, as in the long debate between Vera and Volokhov (Pt. IV, ch. 1), and overloads the author's narrative with too many coded symbols.

Any writer using a rustic setting will exploit the weather and the changing seasons to create atmosphere and pace the story. Appropriately enough, Vera's seduction occurs in late September and is followed by cloudy days and descriptions of a dying season. This is simply sympathetic coloring, or lyrical use of setting. But as in *Oblomov,* though less successfully, Goncharov goes further, so that gradually the sense of an inner landscape and a weather of the soul suggests itself.

To illustrate by just one example: a thunderstorm in Part III, however vividly described in itself, is most important for its contribution to character portrayal and to Goncharov's symbolic scheme. Vera is fearless, Granny and Marfenka are scared. Granny prays during the storm and asks the others to do the same; Marfenka goes to bed and buries her head under the

pillows. However, this mildly humorous way of suggesting different attitudes soon gives way to more weighty matters. Granny says something about "thunderstorms" happening in life too, which makes it important to have a good man on the box—an allusion to Tushin who has just accomplished a ticklish maneuver up the steep (*obryv*) with his carriage. The "symbolic" idea here disclosed not only underlies the frequent occurrence of words like "thunder," "thunderstorm," "stormcloud," and "lightning" in the parts about Vera, but also suggests the future role of Tushin in her life.

Such a symbolic style can be very effective if used tactfully, permitting a muted indirect expression which at the same time is concrete and immediate. However, if it becomes compulsive and didactic, the effect soon wears off and one is left only with rhetoric. This is even more so with traditional images like "fire" and "light" discussed in connection with *Oblomov*. "Fire" mostly functions in its destructive aspect in Goncharov, and in *The Precipice* there is a scorching amount of it. One is reminded of Hawthorne, whose symbolic technique is similar, though far more economical. At its worst, the pseudo-imagist style of the novel tends both to confuse and inflate language: words no longer have their ordinary meanings and the insistent use of metaphor precludes simplicity and directness. A smile always "flashes," passion invariably "burns," and a frown "darkens" the brow. Instead of disclosing the real, such heavy, hackneyed "imagistic" rhetoric conceals it under vaguely conceived archetypes.

The most important symbol in the book is the one in the title, and this is handled quite well. The word used simply means "steep," a precipitous slope, but in the text this word is richly supplemented by others such as *propast'* (gulf) and *bezdna* (abyss), with both literal and figurative meanings. As a result of the combined use of these related words, the bottom of the precipice where much of the action takes place becomes a sort of bottomless pit, connoting irreligion, immorality, social rebellion, and catastrophe—indeed, everything which threatens the established order and the Christian faith. Conversely, imagery of heights is related to positive values. In his contemplated dedication to his novel within the novel, Raysky refers to having

called the women of Russia up to the mountain to work toward the perfection of their souls (VI, 420). More centrally, Vera, who "falls" from the heights down the precipice, is retrieved from the pit by Granny and Tushin; the latter says he will throw a bridge across the precipice and carry Vera to safety. Basically, this is an emblematic presentation of the Christian pattern of fall and redemption. Other features reinforce this pattern. Volokhov is a tempter, a sort of devil figure, and the passion through which he lures his Eve to ruin is enveloped in "serpent" imagery; Volokhov even mimics the Biblical serpent, saying that with the new freedom they shall be "like gods" (VI, 318). Goncharov, then, is writing a reenactment of the fall of man, giving the drama a broad social and cultural orchestration.

Most obvious are the religious and the social analogues of Vera's personal drama. Volokhov, the outcast, is the representative of a crude force for change in Russian life, a force that puts itself against the established order on all fronts. As an atheist he is the "wolf" that breaks into the fold of believers, attacking "faith" (*vera*) itself. The wolf is cast out once more and faith is victorious. Socially, the rootless Volokhov, possibly of nongentry background, represents rebellion from below, Tushin being anxious that he might dare to ascend the steep (VI, 373). But no accommodation is contemplated with the "new force": Volokhov's proposal of marriage is rejected both by Vera and Granny. The reconciler is Tushin, a gentleman who at the same time is said to embody a new progressive force, the real "party of action" in Raysky's words (394).

The Greek myth of Demeter and Kore may underlie certain symbolic usages that go beyond the Christian archetype of redemption, while being in accord with it. This myth, symbolizing an eternal struggle between the forces of darkness and destruction and those of preservation and light, is suggested in particular by the relationship between Vera and Granny, referred to several times as mother and daughter. Though no direct allusions are made to these mythological figures in the novel, there are several to Isis, identified by the Greeks with Demeter.[24] In her capacity as a thrifty manager of Malinovka, Granny is a worthy incarnation of Demeter, Earth Mother and

goddess of agriculture; several times called the ruler of a kingdom, at the very end Granny is seen by Raysky as Mother Russia herself. Through his reenactment of Demeter's wanderings in search of her lost daughter, abducted by Hades, the author betrays a distinctly feminine religious sensibility. This sensibility is tuned to the sacred mystery of life itself, as shown by the context of the author's allusions to Isis, consistently associated with the idea of a mysterious secret which modern science is working to dispel.[25] Judging by the action of the champion of scientism in the novel, Volokhov, its effect is indeed destructive, causing the realm of Granny-Demeter to be thrown into temporary disarray.

Though myth may be effective in ordering a complex series of events, it usually tends to oversimplify these events, making them conform to universal patterns. Insofar as it uses symbolic myth, whether Christian or Greek, *The Precipice* does not offer an objective portrayal of social reality; instead it presents a highly personal vision.

V *Concluding Evaluation of* The Precipice

The variety of symbolic imagery in *The Precipice,* artistic, natural and mythic, considerably qualifies the novel's realism. Evidently, Goncharov wanted above all to convey a *Weltanschauung,* the fruit of his experience both as man and artist. This is confirmed by a letter of 1868 in which he says: "In this work are transposed into images my own convictions, rules and impressions, and all this is drawn from the good, healthy and—I dare say—honest sources of life."[26] As this statement implies, his vision was to be an affirmative one, a factor which goes far to explain the book's weaknesses.

Traditionally, Russian writers of Goncharov's generation failed when the critical attitude (*otritsanie*) was replaced by a positive tendency. An exposé can never dispense with realism, even when it takes the form of allegory, while didacticism often does. Goncharov's desire to communicate a "message" to his contemporaries turns the history of his last novel into a tragic repetition of Gogol's failure in the continuation of *Dead Souls,*

with the difference that his project was completed. A mediocre thinker and a rather narrow moralist, Goncharov falls short of his stature as a supreme artist when encroaching upon alien territory. The sense of his own characters leaves him as he develops lengthy arguments obviously unfit for them, strains their dialogue with obtrusive motifs or elevates them to symbolic status.

Symbolic writing which violates the real is usually either confused or it becomes allegory; Goncharov's practice has a touch of both. But while the confusion is part of a general structural defect, his tendency towards allegory stems from his inability successfully to join the One and the Many, the rich variety of experience with the idea. The two realms tend to break apart, creating not a comic but a distressing incongruity. In this respect, it is instructive to observe the extreme outer limit to which Goncharov will carry allegory. By the very end the author in pseudo-classical style introduces a triad of personified abstractions, Nature, Art and History, which are said to accompany Raysky on his travels in Europe. Since they appear in close conjunction with his three beloved women, Marfenka, Vera and Granny, one wonders whether these are not, at least momentarily, conceived as the human embodiments of those abstractions. But apart from this extreme example, more general evidences of allegory exist in the triteness and the rather mechanical handling of some of the symbols, as well as the authorial constraint exerted upon the characters. Of course, Goncharov's shortcomings were not unique, and in view of the fact that symbolic fiction at the time had neither an esthetic nor a tradition, they were all but unavoidable.

The cardinal fault of *The Precipice* is a structural one: it has a broken back. In addition to the change in focus occurring in Part III, there is another in tendency, and a third in style. The shift in narrative focus makes Raysky superfluous except as an observer, but all the same the reader must endure long arid stretches of his banal, involuted self-reflections. The change in tendency is evident in many ways, some implicitly discussed in connection with the character portrayal. While splitting the characters, it also adversely affects the symbolic scheme. For example, the Pygmalion-Galatea conceit is a pervasive motif; as

we have shown, it is even acted out. Yet, it does not really inform the book as a whole: no statues come alive. Mme Belovodov merely makes a silly *faux pas* with Milari,[27] while Granny, despite her act of contrition, ends up on a higher pedestal than ever.

Equally damaging is the change in Goncharov's language, anticipated already in Raysky's first meditations on Vera. However, in the last two parts the rhetoric becomes quite unconstrained; it is as if the author's youthful romanticism is breaking through the barrier of repression. At the same time the behavior of the characters, in Part V continuously in tears or sharing sexual secrets, becomes more tainted with melodrama and sentimentality. Phrases like "quivering passion," "evil brilliance," beauty "sparkling like the night" or enveloped in a "mysterious veil," suggest the high-pitched tone of the narrative, as if style has to do for substance. Worst are the long-winded analytical and expository passages, which betray a lack of talent to *dramatize.* This makes the novel unduly drawn out. Goncharov would have been wiser to omit the commentary, but then, of course, his precious "message" might be jeopardized.

What that message is, however, one hardly knows; language and thought cannot be separated. His thinking is worth attending to only when it is implicit, absorbed within the shapes and rhythms of his created world. When he waxes "profound," his thought becomes banal and his language trite and pretentious. Occasionally, Goncharov's writing sounds like a prose ode in the style of Lomonosov. His aspiration to monumentality is the more deplorable as even in old age Goncharov was capable of racy narrative, to judge by the "Fish Soup" (*Ukha*), a delightful farce from his latest years.[28]

The Precipice is a frustrating book. Vaguely conceived, on a grand scale, it was elaborated through years of mental anguish and delivered in pain. All too clearly it shows the struggle of the author to shape his inner world, torn by many conflicts—between old and new, art and life, intellectual freedom and traditional constraints, between the nostalgia of youthful memories and the cruel urgencies of contemporary history. His artistic problems are reflected in Raysky, who periodically enters in his notebook

as material for a novel what Goncharov has already given us as the finished product. This device is not quite what the Russian formalists call "exposure of the method" (*obnazhenie priëma*), used by such writers as Pirandello, Gide, Aldous Huxley, and others, though if brought to a significant point it might have become that. Raysky's attempt to write is not exploited as a source of yet another perspective on life. Rather, his role as a would-be writer annoyingly interferes with the illusion of reality, without any evident compensation. What are we to think of a character who not only makes, and records, the same observations of life as the author has already presented, but until the very end means to shape a novel from them? The relationship between the author and Raysky is quite confusing. Having made a belated embodiment of his youthful romantic self,[29] Goncharov seems to view his character as belonging to the same ontological order as himself, since what the one cannot shape, the other (Goncharov) simply publishes. Is the author ridiculing Raysky, who goes to sleep à la Oblomov over his novel, or is he laughing at himself, admitting the reader to his creative laboratory and using Raysky to reflect his own agonizing struggle with his material? The fact that such questions come to mind means there is something fundamentally wrong with the way the artist-hero functions in the book.

In its confusion of tendencies, novel forms, styles, and artistic techniques, *The Precipice* belongs to no style and is too amorphous to fit any particular novel type. It transcends all categories —but, unfortunately, not because it is a unique masterpiece but because it is a unique failure. Goncharov obviously felt hampered writing in the realistic tradition; he was groping for something new. The lyrical conception, the contrapuntal movements of the characters, the structural role of symbolic motifs, the use of a recording consciousness and of a novelist *manqué* writing a novel within the novel—these are all features more readily found in twentieth- than in nineteenth-century fiction. Apparently, the author did not fully grasp the implications of what he was doing; had he done so he would hardly have ventured to apply all these relatively untried devices in a work of such magnitude. And into this chaos of literary materials, untested techniques and styles

falls the ingredient that is to shape it all—his tendency, a disenchanted and disturbed man's attempt to create a firmly established world. No wonder that the baby, to pick up his own metaphor, got "big and awkward." But readers have found the book continuously interesting despite its deformities. A museum piece, yes, but what an extraordinary one, possessing more life than several "living" novels of a minor order.

CHAPTER 6

The Art of Goncharov

IN reviewing *A Common Story* and Herzen's *Who Is To Blame,* Belinsky distinguished between two kinds of writers, the conscious thinker and the "poet-artist."[1] Using slightly different terms, "conscious" and "unconscious" creation, Goncharov agrees with Belinsky that he belongs to the critic's second category and repeats the latter's remark that he was above all carried away "by his ability to draw." He continues:

As I draw, I seldom know at the moment what my image, portrait, or character means: I only see him alive before me—and watch whether I draw correctly. I see him in action with others and therefore I see scenes and draw the others, sometimes far ahead of the novel's plan, not yet quite foreseeing how all the parts of the whole that, by now, are scattered about in my head are to be connected. (VIII, 70)

It is worth noting that the preconceived plan does not direct the working of his imagination. On the contrary, the latter is completely independent, to the point of assuming a hallucinatory presence, and the process of writing acquires an automatic quality. Writing to Lkhovsky after the creative miracle of Marienbad in 1857, he says that

much appeared unintentionally; somebody sat invisibly beside me and told me what to write. For example, in my plan a woman was noted down as passionate, but the pencil made the first stroke quite differently and went on to complete the drawing according to this stroke, and another figure came out. (VIII, 291)

As E. A. Lyatsky comments, his talent mastered the writer rather than vice versa.[2]

However, Goncharov's emphasis on unconscious creation, his assumption that reality was reflected in his imagination as in a mirror, "apart from my consciousness" (VIII, 72), is somewhat exaggerated; besides, other statements conflict with it. His creative process was considerably more complex. One critic distinguishes between three stages: 1) unconscious vision, 2) reflection and testing (*poverka*) and 3) structuring (*arkhitektonika*).[3] The last stage was the most difficult, to judge by a letter of 1860 where Goncharov says: "It is not difficult to draw, at least not for me . . . ; but to develop the meaning, determine the aim of the work, the *necessity* by which the whole work must be sustained—this is both boring and inexpressibly difficult" (341). In *Better Late Than Never* he says that "the structuring alone . . . is enough to absorb the entire intellectual activity of the author"; he mentions, among other things, the handling of the action, the characters' roles and their mutual relations. While the writer's "instinct" helps in the execution of the design, "the mind lays down . . . the main lines, the situations, and devises the necessities . . ." (112). The dichotomy apparent in these statements between his talent, intuitive and organic—he speaks of how his work "grew" and "matured" in him (113)—and his thought, is more or less evident in everything that he produced. While he wrote from inspiration, he tended to order what was given him according to a deliberate scheme.

I *Goncharov's Artistic Method*

Our discussion has implicitly shown the dual nature of Goncharov's art, with its masterly rendering of the variety of experience on the one hand and the construction of intellectual schemata on the other. Goncharov had an unfailing eye for the contours of the physical world and was an excellent mimic—in the sense, that is, of reproducing the external movements of life. His genre pictures catch the tone and tenor of everyday life with great verve and delicate precision. One critic connects this gift with his "centripetal" sense,[4] which attuned him to village life, local color, and folklore. Within this domain his art assumes the appearance of a spirited improvisation, with only minimal concern for the esthetic effect; the author simply revels in the

plenitude of life. At the other extreme is the carefully arranged sequence, whether landscapes, portraits or dialogues, all held together by a dominant idea. The best of Goncharov fuses the idea and the real in a concrete universal.

While "Ivan Savich Podzhabrin" and *The Frigate "Pallada"* offer the purest examples of genre sketches, his first novel, *A Common Story,* is rigorously controlled by an idea. Its portraits are simple, with little light and shadow, and its landscapes are done in strict monochrome. The description of Peter Aduev gives a mere outline: we know how he is regarded by members of his social circle, but his manners, designed to hide his feelings, preclude anything individual. He is a pure type. Alexander's initial "portrait" sets up a contrast between the country bumpkin he once was and the city man he has become, making him representative of a stage of life and a common social situation. Julia is an exemplification of "weak nerves" and a bad education. Nadenka's portrait, too, embodies only one trait, changeability, shown successively in her face, movements, and speech. Much of the dialogue illustrates these traits, or it is held together by specific themes. Similarly, the night on the Neva, one of the novel's few landscapes, adheres strictly to one dominant impression, stillness; an idyl, it marks the romance it envelops as an escape from life. Later, in *Oblomov,* this one-dimensional method is in abeyance; Stolz alone—a man "all bone, muscle and nerve" (IV, 167)—is flat, an expression of the "golden mean." In *The Precipice* Volokhov's traits are unified by their antisocial coloring, Tushin is a tower of strength—*tusha* means a "hulk of a man"—and the essence of Raysky is defined by the opening descriptive trait: a lively, changeable physiognomy. Even Vera, with her "double" look, is described in conformity with an idea, namely, that of the precipice from which she will fall: she has a "bottomless" gaze, her glance draws one into the "depths."

These patterns demonstrate a deep concern with the clarity and unity of the artistic effect. One senses the discipline of a classical taste behind this practice, as contrasted with the baroque portrayals of a Gogol; for though unified by one basic trait, the latter are abundantly rich and varied. In his first and, to a lesser degree, his last novel, Goncharov seems to hold back his "instinct" to draw. But in *Oblomov* he creates artistic pat-

terns in landscape, character portrayal and dialogue that are far more spontaneous.

Here even burlesque characters and scenes—whether Tarantiev with his loud empty talk or Zakhar with his whiskers and his torn coat—acquire a depth of intense life. While Oblomov's gentlemen visitors are pale stereotypes from a book of etiquette and Alexeyev and Mukhoyarov are no less flat, Tarantiev's "humor," his windbag quality, is amplified by an assortment of traits that relate him to Oblomov. He, too, is a victim of his background, a do-nothing with a "dormant" power within him (IV, 42). However, besides representing one variety of Oblomovism, he is also an individual. Unlike Julia in *A Common Story*, a straight example of bad education, he has a pulsating life of his own. The same may be said of Zakhar. It is true that the author's elaborate description of Zakhar, with his slovenliness, clumsiness and petty thievery, is held together by the valet's incongruous position between two ages, so to speak; but Zakhar's distinctive contribution to the novel's theme does not deprive him of psychological depth. Significantly, both these figures are endemic to the Russian national scene, for which Goncharov had a prodigious flair. The most splendid example of this gift, "Oblomov's Dream," unites vivid realism with a deliberate theme: the idea and the real attains a perfect fusion.

At the highest level the synthesis achieved by Goncharov between sensory immediacy and the underlying idea, between material and structure, is truly admirable. A great deal depends upon the skill with which motifs are used, mostly in the form of physical details; some of these have been examined, especially those that have structural and thematic significance. As long as they are used tactfully so as not to violate the changing contours of reality, they effectively fulfil their double function: to evoke a concrete image and convey a unifying concept. The same applies to the character motifs, in the use of which Goncharov anticipated Tolstoy, just as he developed the "language of gesture" which tells the true story.

Character motifs define and suggest at the same time; while implying identity, they also render the movement of life and take on new colors as the action proceeds. The portrayal of Olga, allegedly a "model of harmony and grace" and "artisti-

cally formed," comes alive only when the author describes her face, referring to the "light" of thought in her eyes, her thin compressed lips, and the "tiny wrinkle" over one eyebrow. These motifs, especially the eyebrows, indicate Olga's dominant trait: a tendency toward reflection. Her eyebrows were two "brown, fluffy, almost straight streaks that were seldom symmetrical: one was slightly higher than the other, causing a tiny wrinkle above it which seemed to say something, as if some thought rested there" (IV, 198–99); the wrinkle is also associated with tenacity (275).[5] Henceforth a simple reference to this facial detail suffices to evoke the essence of her character. Yet, the repeated motif does not limit her; on the contrary, Olga is a developing character, and she moves precisely in the direction of a more intense consciousness and a stronger will. Thus, the leading motifs suggest potentiality as much as identity. They also facilitate illuminating character comparisons and contrasts.

The most perfect integration of part and whole, physical detail and psychology, even fate, is seen in the portrayal of Oblomov. Goncharov's general description seems almost studiedly vague, stressing Oblomov's softness and the "absence of any definite idea, any concentration, in the features of his face" (IV, 7). Apart from the contrast with Olga, who has a concentrated look, the description indicates the unformed nature of Oblomov, as well as his lack of purpose. However, it is the sharply observed detail through which Oblomov becomes real. For example, his slippers were "long, soft and wide; when he put his feet out of bed onto the floor he invariably stepped straight into them without looking" (8). These details tell us a great deal about Oblomov's way of life, of habits engrained by years of lying around. A variation of this motif accompanying his decision "Now or never!" not only conveys his inner disturbance, but the insight it offers helps us to forecast his fate: "Oblomov raised himself a little from the chair, but when his feet did not find his slippers at once he sat down again" (193). It is by the repeated use of such trifles that Goncharov's best effects in character portrayal are attained and the inner structure of his work is projected.

The structural effect is one of symbolic foreshadowing, a device that occurs frequently in *Oblomov*. It is best exemplified

by the way Goncharov handles the motif of the *khalat,* the robe. During his romance Oblomov throws off his robe, but there are several mentions of it. Each reference awakens all the associations of the symbolic garment; the robe, as it were, falls like a shadow upon the future and spells doom for his love. V. G. Korolenko pointed out an extremely subtle detail of this sort, namely, some flies drowning in a jug of kvass in "Oblomov's Dream." An awakened sleeper seizes the jug and blows on the flies in preparation for drinking, "at which the flies, hitherto motionless, began to stir intensely in the hope of improving their situation" (IV, 116). The critic comments:

> There emerges the notion of something that is still alive, capable of flying, but already dying in an atmosphere of motionless stagnation and nightmare sleep. . . . And you feel that the child's soul is also helplessly struggling, trying to take wing above this realm of sleep; but already fine threads are entangling the childish spirit in a sticky net.

One recalls how Stolz tells Oblomov he has shed his wings. This instance of unconscious symbolism, Korolenko suggests, not only expresses the history of Oblomov, but presents an image of prereform Russia in general.[6]

Goncharov's art at its best makes the physical transparent, imbuing it with psychological value or symbolic meaning. We read the curve of Agafya's feelings for Oblomov—and in particular his response to them—in her changing waistline, and her shrinking physique under the impact of Oblomov's death is eloquent of her profound grief. Oblomov's own sorrow at the loss of Olga comes to us by way of a bleak winter landscape to which he reacts. Generally, his inner world is revealed through everything that surrounds him, his clothing, his furniture, all the little items that make up his daily life. This indirect psychological analysis, performed in terms of objective correlatives—objects which acquire symbolic value—is the only one at which Goncharov excels; for he is mediocre at presenting states of mind and internal change directly. Hence the importance of symbolic action, the only adequate term for Oblomov's behavior in regard to his slippers, his sofa and his robe, as well as for the elaborate development of the lilac motif. However, the perfect mastery

of this technique does not extend beyond *Oblomov.* When used in connection with the central symbol in *The Precipice,* for example, it becomes melodramatic and approaches allegory.

Goncharov's broad use of imagery is an extension of this method, reflecting a need to give sensory form to an idea, a feeling or a mood. At times his figurative language is truly inspired, such as the bird image that evokes the whimsical quality of Oblomov's mind: "Thoughts strayed all over his face like birds, fluttered in his eyes, perched on his half-parted lips, hid in the furrows of his brow, and then vanished . . ." (IV, 7). The poetic suggestiveness of Goncharov's art is startlingly manifest in one variation of this image: "How terrible he felt . . . when, one after another, various vital questions wakened in his mind, whirling about confusedly like frightened birds roused suddenly by a ray of sunlight in a slumbering ruin" (100). The delicate vignette sketched in this extended simile has a clear meaning—the anguish of spiritual decay—but, beyond this, its inner landscape is fraught with a wide range of connotations, esthetic as well as psychological.

Goncharov knew, however, that the ever-present tension between concept and percept, idea and image, was not always so happily resolved. Occasionally he manipulated his motifs in the interest of a tendency or a program. He felt himself that even in *Oblomov* he had been overexplicit in a couple of instances, namely, in his handling of the motifs of Oblomovka and Oblomovism. At the moment of leaving the Vyborg district on his last visit, Stolz, "with a last look at the windows of the little house," says: "Goodbye, old Oblomovka! . . . . Your day is over." And when Olga asks him "what is going on there," he answers, "Oblomovism" (IV, 498). Goncharov says that Stolz's parting words were unnecessary: "Oblomov explains himself sufficiently by himself, asking Stolz to *go, not to touch him,* saying that *he had grown bodily onto the old; if you tear me away I shall die!*" (VIII, 79). Furthermore, he notes that if he had seen in the image of Oblomov what "Dobrolyubov and others, and finally I myself, later found in him, I . . . would deliberately have strengthened this or that trait and, of course, would have spoiled it" (71).

The element of didacticism, of revealing too explicitly the

drift of his theme, appears mainly in dialogue and descriptions, important components of the Goncharov novel. The dialogue of educated people suffers most in this respect. The conversations of the Aduevs as well as those of Oblomov with Stolz are frankly thematic, as are too many of the exchanges in *The Precipice.* But where he has no special axe to grind and yields to the subsurface of human relationships, Goncharov shows remarkable psychological insight and the ability to give it vivid form. Thus, the bizarre tug of war between Oblomov, on the one hand, and Zakhar and Tarantiev on the other, charged with the explosive connotations of words like "venomous," "other people" and "Germans," is a wonderful shadow fencing in which the real content of these ambivalent relationships comes through in all sorts of humorous ways. The element of suggestion is strongest where an attendant action, or a gesture, undercuts the verbal exchange or the inner speech. For example, at the moment of announcing his decision not to take the new apartment, Oblomov has his eyes glued to the landlady's bosom (IV, 310). Olga's reaction to Oblomov's attempt to withdraw his involuntary love declaration illustrates the same basic pattern. While her thoughts go, "It's just as well . . . nothing to worry about now. We can talk and joke as before," her feelings run contrary: "She violently tore a twig from a tree as she walked, bit off a leaf and immediately threw both the twig and the leaf onto the path" (216–17). Indicating a sensitive awareness of the disparate strata of the psyche, these examples demonstrate an ability to present the human image in all its ambiguous complexity, unhampered by any preconceptions.

The general tension between reality and the idea affects also the larger aspects of Goncharov's fiction. An admirer of Pushkin's classical art, he consciously pursued formal harmony and shaped his novels in terms of symmetrical balance; his favorite arrangement is variations on a theme. But within this general pattern there is a great difference between *A Common Story,* with its linear structure, strict composition and rather skimpy substance, and the almost excessive plenitude of *Oblomov,* where his talent and his thought approach a state of harmony. In *The Precipice* the formal scheme is wider and the many parallel actions make it abundant with vivid life; however, as we have

shown, ideas of a nonesthetic kind inflict damaging flaws upon the novel. The precarious balance has collapsed.

II *The Source and Nature of Goncharov's Inspiration*

In commenting on his own work Goncharov stressed its objective aspects, claiming that he had written a trilogy describing three periods of Russian life, "the old life, *sleep,* and *awakening*" (VIII, 162). On the other hand he says he wrote only about his own life and about "*what had grown onto it*" (113). The truth is that his work oscillates between many extremes, self and society, subjectivity and objectivity, contemporary history and the eternal problems of man.

Goncharov's concept of the novel was very broad. Raysky, comparing it to the ocean, says "all of life can be put into the novel, both as a whole and in its parts" (V, 41–42). Goncharov's creative experience fully agrees with this concept. He says that he never envisaged one action; instead, "all at once there opened before my eyes, as from a mountain, an entire region with towns, villages, forests, and with a crowd of people–in short, a large sphere of a full, integral life."[7] But while he formulates a panoramic concept of the novel, he does not see the author as a mere recorder of phenomena. As against the cold observation that he found in the products of the "new Realist school," he champions the rights of the imagination and the heart in literature. Nature, he says, cannot be represented directly: "From a direct snapshot of it one gets only a pitiful, feeble copy. It allows itself to be approached only by way of the creative imagination." As other "powerful instruments of art" he mentions humor and typicality, "in short, poetry" (VIII, 108), in another context also "feeling" (211). A mouthpiece for the author in "A Literary Evening" says that "the living connection between the artist and his work should be felt by the spectator or the reader; they, so to speak, enjoy the picture with the help of the author's feelings . . ." (VII, 157). Despite his dispassionate narrative manner, Goncharov did not seek to express the nature of reality apart from his own attitudes. Without being an impressionist, he assumes that in art reality is refracted through a temperament.

While "memory" cannot form part of a literary work in the same way as "feeling" or "humor," it can certainly color it, whether with retrospective pleasure or pain, nostalgia or disenchantment. Though Goncharov never directly mentions the role of memory in his writing, its importance is quite clear from scattered comments in his letters and essays as well as from the novels themselves. Leon Stilman in particular stresses the retrospective quality of his fiction, ascribing to it a "chronology of memory."[8] Just as his heroes experience the healing or consoling effects of spontaneous memory—whether Alexander Aduev during his stay at Grachi, Oblomov in his recapture of his childhood, or Raysky on his visit to Malinovka—so Goncharov as a writer seems to have drawn largely upon his own store of personal memories, sealed within the chambers of his mind. His account of the inception of *The Precipice* suggests that the spark of creation came from a collision between his old memories of his birthplace and the new impressions received on his visit home in 1849. He writes: "Here old, familiar faces gushed up in a crowd. . . . The gardens, the Volga, the steeps on its banks, the native air, childhood recollections—all this was deposited in my head and nearly prevented me from completing *Oblomov* . . ." (VIII, 71–72). For the task of artistically shaping this vision, retained over the years, absolute quiet was an "indispensable" condition (358). Goncharov's inspiration, seemingly rooted in a profound nostalgia for the vanishing old life, was as intimate as that of Proust in his cork-lined room.

This is also evident from the reflection of the author's deepest preoccupations in his heroes, formed around the contrast between youth and maturity, romanticism and sober adjustment. Interestingly, he says at one time that they are all "one person being successively reborn" (VIII, 162). The "evil sickness" of romanticism associated with his youth never ceased to interest him, and romantics of one kind or another were always at the center of his novels; Raysky is especially close to his creator and fails as a character largely because of lack of esthetic distance. But while Goncharov is unreasonably attached to the failures he shows up, probably because the old order of life to which they belong is seen in a golden haze of reminiscence, the mature, pragmatic representatives of an emerging capitalistic

civilization who have his intellectual assent are subtly discredited, in particular through their shortcomings as husbands or lovers. These ambivalences manifest Goncharov's deep involvement in his work. Wholly contented with neither world, in the words of one critic his response to life was tinged with the "unsatisfied yearning of the chosen."[9]

To Goncharov writing was an act of self-knowledge, as it is to Raysky (VI, 206). Seemingly indifferent after a certain age to acquire new experience, he expressed in his novels—all incidentally dating back to the 1840's—a personal vision of life. But this does not mean that his fiction "reflected little but the various aspects of his own personality."[10] Goncharov often refers to the transforming power of the imagination, whereby what is personal by derivation acquires a broader significance. It has been suggested that his greatest claim to immortality is precisely his ability to generalize the results of self-observation and thus give a "truly objective picture of his society."[11] Through his gift of artistic generalization, Goncharov expanded his narrow world of "observations, impressions and memories" (VIII, 113) to embrace typical phenomena not only of his own age, but of human life at all times.

III *The Fictional World of Goncharov*

From his early years Goncharov was familiar mostly with the life of the middle landed gentry and the patriarchal merchants (*kuptsy*), and it is the calm rhythms of the life of these social groups, in its phases of evolution and decline, that lie at the basis of his work. Though St. Petersburg is important as a setting, it does not affect the style and form of his fiction, as it did in the case of Gogol and Dostoevsky.

The rhythm of Goncharov's novels is attuned to the slow tides of organic change, within a recurring cycle of life. Oblomov's existence at Vyborg, we recall, is paced by geological time, which works with imperceptible slowness: only the *effects* of change are noted. This is also Goncharov's procedure when he shows human life and experience against the background of the seasons; he presents a series of significant moments, making change perceptible through the differences between succes-

sive stages. This procedure is explained by his talent, which is best at rendering a settled order of things, stasis; one critic correctly points out his delight in still life.[12]

Violent change, with which society was rife in the 1860's when he was writing *The Precipice,* he simply considered unfit for literary treatment in the novel form. The "new life," being caught in a "process of ferment," could only be reflected in the "mirror of satire, the light sketch, and not in large epic works" (VIII, 80); its heroes, living only "in theory" (161), had not crystalized a recognizable way of life. Actually, he saw such attempts at breaking with the past merely as eddies in the stream of life that soon merge back into the main current. His thinking on this score is typified by the opening sentences of a chapter subsequent to Vera's fall: "The days passed by and once more brought stillness to hover above Malinovka. Once again life, held back by catastrophe like a river by rapids, broke through the barrier and flowed on, more calmly" (VI, 347). Passion, as well as social rebellion, is an aberration within such a context, where every transition is gradual. At the end of *The Precipice* life is renewed from the best of the old—so, at least, is the intent.

Goncharov's dislike of violent change is related to his artistic aim, namely, to "illuminate all the depths of life, lay bare its hidden bases and whole mechanism" (VIII, 212), a task that can be realized only when life is fairly stable. Within this ambitious project the focal point is man as embedded in an order proceeding from several generations, even centuries; nature is important chiefly as it conforms to, or reflects, this life. One reason why Goncharov admired the playwright Ostrovsky was the broad temporal reach of his work, which he called a "millennial monument to Russia" (VIII, 179). His own span was narrow by comparison, but the life he describes best is always that which has endured for a long time and therefore has assumed a finished form—the life of Oblomovka and Malinovka. Merezhkovsky speaks of a "poetry of the past,"[13] stressing Goncharov's ability to draw the completed forms of reality. Appropriately enough, Goncharov defined a literary type in terms of recurrence: "a type is made up of many and long repetitions or accumulations of phenomena and persons, where

the similarities of both become more frequent in the course of time and finally become established . . ." (457). Thus he presents entire eras and orders of life rather than the changing profiles of successive decades as implied in his notion of having produced a trilogy.

Within any order of life, in Goncharov's organic view, the old and the new meet. In terms of his own world, the impact of European civilization had introduced a seed of change into the patriarchal order of Russian life. A moderate Westernist deeply attached to the old Russian ways, he attempts to reconcile the conflicting forces. However, these forces are unequally portrayed. While the representatives of the old order, especially Oblomov, are shown in the round, the antagonists are pale ideal figures without depth. Significantly, his attempts to catch or stem the drift of the future in such characters as Stolz, Tushin, and Volokhov are contrary to his literary theory, which required esthetic distance and assumed the impossibility of describing the "process of [contemporary] ferment." Tushin and Stolz are ideal solutions to the problem of change rather than living embodiments of new social forces.

The resulting polarity is related to a permanent bifurcation in Goncharov's esthetic thrust, divided between his eye upon the object and his own inner needs. As a keen observer he is—in Schillerian language—a "naïve" writer who finds reality to be an adequate object of representation; but as a thinker, intent upon what ought to be, he is a "sentimental" writer and tries to improve upon reality by creating esthetic embodiments of ideas and ideals.[14] With a self-confessed longing for a "beautiful image of man" (VIII, 258),[15] he was unable to embody it without violating his most fundamental tenet, expressed in Belinsky's formula "thinking in images." In his endeavor to create works of art that would help to "crown education and perfect man" (VIII, 211)—an aim that, according to Raysky, is the sine qua non of progress (VI, 8)—he was no more successful than others before him. Quite understandably; for how could "humor" and "poetry" be made to serve the moral perfection of man? Though he wished to offer a positive hero, he was incapable of showing him from within or of giving him his affection. With all "feeling" and "poetry," along with most of

the "imagination," expended upon the nonhero, Oblomov, how can Stolz, however valiant, compete? And how can Tushin, the lumber king, be a match for Volokhov, who, however maligned, has the advantage of being loved by the beautiful heroine?

Only in portraying the life he knew and loved best was Goncharov able to follow his deepest artistic insights. Here, in the words of Dobrolyubov, he is able to "grasp the complete image of an object . . . [,] to halt the fleeting phenomenon of life in all its fullness and freshness." Dobrolyubov's characterization of Goncharov's distinguishing trait as a novelist has been unjustly neglected in favor of his thesis of the "superfluous man"; it still provides the best description of his artistic profile. Stressing the "calm and completeness" of his poetic perception, the critic notes that Goncharov "is not struck by one aspect of an object, one moment of an event; he turns the object around full circle and waits until all the moments of a phenomenon have occurred. . . ." He does not let go of an object until he has "discovered its causes and understood its connections with all the phenomena surrounding it."[16] Interestingly, Dobrolyubov echoes a thought that Goncharov expressed in a letter of 1857 while he was working on *Oblomov.* He says that with him the main thing is not the style, but "the completeness and finish of the whole structure." He fears that Oblomov may be an "incomplete" character, that some aspect or other may be missing or not related; but he hopes the reader will supply the missing items from his own imagination. Only Cervantes said all, he adds, and not without some boredom (VIII, 291).

Also, Goncharov and Dobrolyubov both refer to the psychological aspect of the picture of life. The critic writes that "the very inwardness, the soul, of every person and of every object" is revealed.[17] Speaking of *The Precipice,* Goncharov notes that descriptions of manners and morals "never make a profound impression unless at the same time they touch man himself, his psychological aspect" (VIII, 159). Though he is very modest about his own accomplishment in this regard, he makes it clear that it was part of his task. The important words here are "man himself," as against the collective image of life which Goncharov evokes with such apparent ease.

In his endeavor to combine the broad picture of life with

psychological depth, Goncharov followed the example of some of the greatest writers of the past. We know that, apart from Pushkin and Gogol, his masters were Shakespeare, Cervantes and Molière (VIII, 108); these were his models of realism. Cervantes was more to him than a paragon of esthetic completeness. Don Quixote and Hamlet, in his view, embodied "almost everything that is comic and tragic in human nature" (366). One notes the similarities between Goncharov's structural principles and the clashing perspectives, of faith and scepticism, action and contemplation, self and society, which lie at the basis of *Don Quixote* and of *Hamlet*. The crucial importance of these works to Goncharov may be due to historical coincidence: both Shakespeare and Cervantes reflect a culture in transition from feudalism to the modern age, and two hundred and fifty years later Goncharov found himself in a country undergoing a comparable change. This makes his fiction contemporary in a new, broader sense, and retrospectively historical, just as *Don Quixote* and *Hamlet* can be said to be historical. Lyatsky may have had something like this in mind when he called his work a "living reflection of the historical moment."[18] At the same time, his practice of juxtaposing his own characters with heroic figures like those just mentioned, or with Don Juan and Faust, gives them a wider amplitude. For whether it dwarfs or dignifies, this device places his characters, especially Oblomov, on a line with some of the supreme literary archetypes of all time, and the juxtaposition suggests that, however different, they struggle with the same eternal questions faced by their illustrious counterparts. Similar in effect to the mythic method, this technique is less rigorous, working through an allusive style which sets up a series of mock-mirrors or virtual parallels.

IV *Goncharov's Position as a Novelist*

The significance of Goncharov in the Russian and European novel is very great. For in the course of chronicling the old life he created a fictional form of striking originality. Starting out by parodying the fashionable stories in vogue in the 1830's and going on to the physiological sketch, he produced in *Oblomov* a work which set a landmark in the Russian novel. He

was the first Russian to develop the novel to a point at which it became comparable in esthetic stature to the ancient epic, by its magnitude, complexity, national relevance, and poetic quality. Compared to Goncharov, Turgenev becomes a writer of novelettes. And though Tolstoy worked on a much broader scale, his novels are less poetic.

We have used the word "poetic" before in discussing *Oblomov* and *The Precipice.* In *The Modern Psychological Novel* Leon Edel devotes a chapter to "The Novel as Poem," showing that "the stream of consciousness novel approaches the condition of poetry."[19] In a different form this quality was anticipated by certain nineteenth-century writers, of whom Goncharov is one of the most important. *Oblomov,* to choose his best work, is marked by a far more intimate interweaving of parts and of the compositional elements than we find in most contemporary novels; Dostoevsky's best work has this quality, as does Chekhov's. "Poetic" is here used in the sense of organic structure, in which every part is interrelated with every other, bringing the texture of language to a level of complexity and richness which is characteristic of good verse.

To illustrate, setting in Goncharov's work, whether landscapes or interiors, becomes interlaced with man and turns into a source of changing symbols of human experience. Moreover, through the use of motifs, plot is supplemented by another, nonlinear, principle of structure, which sets up rhythms and counterrhythms in time. The use of motifs also means that the story is partly conveyed by suggestion, another method associated more with poetry than with prose. Finally, Goncharov's language displays image clusters of considerable consistency, sometimes with archetypal connotations. That he was unable to repeat the triumph of *Oblomov* is deplorable; but in any case, like so many great novels of our own time *The Precipice* was intended as a symbolic embodiment of the author's own experience, possibly the reason why Goncharov had a special affection for it.

The techniques and qualities just mentioned are all such as came to the forefront only after the turn of the century, when Thomas Mann, James Joyce, and Marcel Proust entered upon the literary scene. Yet, Goncharov's work also fits into the con-

text of European literature of his day. Indeed, it acquires its full meaning only when seen in this context.

The novel of disillusionment which Goncharov cultivated flourished in France for several decades after the Restoration. Among famous works, aside from Balzac's *Lost Illusions* discussed in connection with *A Common Story*, Flaubert's *Madame Bovary* (1857), published two years before *Oblomov*, belongs to this category. Goncharov's affinity with Flaubert has frequently been noted. Strange as it may sound, *Madame Bovary* and *Oblomov* have quite a few things in common.

Both are stories of disillusionment and of the total destruction of personality, though in different modes. Emma, like Oblomov, is tainted by romanticism—pseudo-romanticism in her case, decadent romanticism in his. An almost total alienation occurs between their private worlds and the society around them. As in the case of Oblomov, despite her many failings we feel attracted to Emma, who, if we disregard Charles's rather bovine integrity, is the only character in the book with a modicum of aspiration. And, without sounding too false a note, Goncharov could probably have said, *"Oblomov—c'est moi!"* Moreover, both writers were equally concerned with the niceties of style. Goncharov's style combines the spontaneity of an improvisation with meticulous workmanship. To illustrate the latter, in his letter to Olga, Oblomov uses the phrase "fragrant memory" (IV, 260), an adjective which seems deliberately chosen by the author to echo the flower symbolism of the "poem of love."

At the same time there are obvious differences between the two novels: the treatment of Oblomov is less objective and ironic, alternating between humor and lyricism and avoiding the more sordid naturalistic details. Too, the antagonists differ greatly. Homais, the pharmacist who receives the medal of the Legion of Honor at the end of *Madame Bovary*, is an ironically treated Philistine, and one wonders whether Goncharov's book would not have profited by meting out a similar treatment to Stolz. By compensation, *Oblomov* is superior in poetic value.

While Flaubert and *Madame Bovary* have influenced the modern novel much more.[20] *Oblomov* stands just as close to the structural principles and esthetic qualities of the great

works of fiction of our century. Its literary value to us is twofold: formally, it combines a structure of monumental simplicity with an intricate imagistic texture; in terms of substance it presents a hero who unites idiosyncratic traits with class, national and universal characteristics in tragicomic synthesis. The depth and charm of this figure is amply proven by the fact that, in 1963 and 1964, two different plays based on *Oblomov* were running on Paris and London stages respectively. As long as literary art will be valued for its intrinsic merit, Oblomov will continue to enact his slow rise and fall before our eyes, evoking our bemused wonder, pity, and laughter at the vagaries of the human heart.

Notes and References

Preface

1. See "O prichinakh upadka i o novykh techeniiakh sovremennoi russkoi literatury," in *Polnoe sobranie sochinenii,* XV (St. Petersburg-Moscow, 1912), 252–54.

Chapter One

1. I. A. Goncharov, *Sobranie sochinenii* (Collected Works), with an Introd. by S. M. Petrov, 8 vols. (Moscow, 1952–55), IV, 503. Subsequent references to this publication will be included in the text, with indication of volume number and page unless the former is evident from the context.
2. Letter of July 15, 1865 as quoted by A. P. Rybasov, *I. A. Goncharov* (Moscow, 1962), p. 29.
3. *Ibid.,* p. 30.
4. From Druzhinin's unpublished diary as quoted by A. G. Tseitlin, *I. A. Goncharov* (Moscow, 1950), p. 219. (Unspaced periods are part of the quoted text, spaced periods indicate omission.)
5. As quoted by Tseitlin, *ibid.,* p. 20.
6. Rybasov, *op. cit.,* p. 12.
7. It is Raysky in *The Precipice,* however, who most fully reflects Goncharov's negative reaction to the world in which he grew up, as well as the compensations offered by the vicarious experiences of reading.
8. Rybasov, *loc. cit.*
9. "Oblomovka Revisited," *American Slavic and East European Review,* VI (1948), 69.
10. *Neobyknovennaia istoriia,* in *Sbornik Rossiiskoi Publichnoi biblioteki,* II, No. 1 (Petrograd, 1924), pp. 7–189.
11. There is evidence of extensive psychopathology in Goncharov's family, affecting his father, his brother, and one of his sisters. (See André Mazon, *Un maître du roman russe: Ivan Gontcharov* [Paris, 1914], pp. 6, 240.) Goncharov himself speaks of his suspiciousness as an "inborn and hereditary malady" transmitted from his mother (VIII, 409).
12. The view of V. F. Pereverzev, argued on the premises of Marxist

sociologism, that Goncharov's gentlemen of the gentry are masks for bourgeois types representing different stages of development of the Russian bourgeoisie, has not been widely accepted. For Pereverzev's view, see in particular "Sotsial'nyi genezis oblomovshchiny," *Pechat' i revoliutsiia,* 1925, No. 2, pp. 61–78, and "K voprosu o monisticheskom ponimanii tvorchestva Goncharova," in *Literaturovedenie: Sbornik statei,* ed. V. F. Pereverzev (Moscow, 1928), pp. 201–29; for criticism and rebuttal, see B. Neumann, "Die Gontscharow-Forschung von 1918–1928," *Zeitschrift für slavische Philologie,* VII (1930), 170–72, and V. Desnitskii, "Trilogiia Goncharova," in *Izbrannye stat'i po russkoi literature 18–19 vekov* (M.–L., 1958), pp. 291–332.

Chapter Two

1. *Goncharov: Zhizn', lichnost', tvorchestvo,* 3. ed., pp. 323–55.

2. In the series *Nedra,* X (Moscow, 1927), 243–82.

3. I. A. Goncharov, *Literaturno-kriticheskie stat'i i pis'ma,* ed. A. P. Rybasov (Leningrad, 1938), p. 337.

4. As late as 1874, in his "Notes on the Personality of Belinsky," Goncharov stands up for his late friend Benediktov (d. 1873), about whose talent he used to disagree with Belinsky (VIII, 55). For all that, A. Rybasov surmises (*op. cit.,* p. 35) that the "crushing blow" which Belinsky dealt the poetry of Benediktov in an article of 1835 may have opened Goncharov's eyes to the worthlessness of his own verse.

5. The poems were published in 1938 (*Zvezda,* no. 5, pp. 243–46), with a brief commentary by A. Rybasov.

6. In an article in *Russkaia literatura* for 1960 (No. 1, pp. 39–44) the Soviet critic O. Demikhovskaia argues, mainly on stylistic grounds, that Goncharov wrote an earlier story, "Nimfodora Ivanovna," which appeared, without signature or initials, in supplements to two successive issues of *Podsnezhnik* ("The Snowdrop") for 1836. This attribution is apparently accepted by A. D. Alekseev, who lists the item both in his chronicle and his bibliography of Goncharov. However, we have been informed by the Institute of Russian Literature in Leningrad (IRLI), where the manuscript (f. 168, No. 16494. CU. b. 1. 1. 126–75) is kept, that many Goncharov specialists consider his authorship "extremely doubtful." After reading the story, graciously made available to us in microfilm by Dr. N. V. Izmaylov, we cannot help agreeing with this judgment. However, the story has already been published as Goncharov's by Demikhovskaia, who in 1968 had it printed in the weekly supplement to *Izvestiia* (Nos. 1-3).

7. In his autobiographical sketch of 1858 Goncharov alludes rather condescendingly to certain stories of "domestic content, that is, such as related to private affairs and people, on the humorous side and in no way remarkable" (VIII, 223).

8. I. A. Goncharov, *Povesti i ocherki,* ed. B. M. Engel'gardt (Leningrad, 1937), p. 20. Subsequent references will appear in the text.

9. Goncharov was quite candid about his own, and others', indebtedness to Pushkin and Gogol. In *Better Late Than Never* (written in the 1870's) he alleges that all subsequent writers of fiction have only further developed "the material bequeathed by them" (VIII, 76). "Pushkin, I say, was our teacher—and I was brought up, so to speak, on his poetry. Gogol influenced me much later and less; I had begun writing myself before Gogol's career came to an end" (77). Goncharov's early acquaintance with Sterne is indicated in his third autobiographical sketch (228).

10. Rybasov, *op. cit.,* pp. 41–42.

11. For an interesting discussion of the physiological sketch, see A. G. Tseitlin's posthumously published work *Stanovlenie realizma v russkoi literature* (Moscow, 1965).

12. See *The Inspector General,* Act III, Scene vi.—Podzhabrin's opening formula runs, with minor variations: "At last I am with you! Can it really be true? Or am I dreaming?" (VII, 26).

13. Cf. Northrop Frye's statement to the effect that "the more ironic the comedy, the more absurd the society." (*Anatomy of Criticism* [Princeton, 1957], p. 176.)

14. *Ibid.*

15. Introduction to I. A. Goncharov, *Povesti i ocherki,* p. 7.

Chapter Three

1. *Polnoe sobranie sochinenii,* XII (Moscow, 1956), 352.

2. V. Burenin, "Romanist prezhnego vremeni," in *Kriticheskie etiudy* (St. Petersburg, 1888), p. 76.

3. Belinsky called this ending "unnatural and false." The critic sensed the profound temperamental differences between uncle and nephew, and believed the latter should have been left in the "rustic wilderness" to perish in "apathy and idleness," or even better, he might be made into that "quite modern romantic," a Slavophile. (*I. A. Goncharov v russkoi kritike* [Moscow, 1951], pp. 50–51.) By contrast, Dostoevsky in *The Underground Man* conceives of the Russian romantic as a breed capable of the most base materialism (Pt. IX, ch. 1).

4. A. I. Herzen, *Sobranie sochinenii,* III (Moscow, 1954), 24–42.

5. *Poln. sobr. soch.,* VI (1955), 524. Tseitlin (*I. A. Goncharov,* p. 62) sees a literal echo of this idea of two extremes in the author's comment that Lizaveta "was the witness of two terrible extremes in her nephew and uncle. One was rhapsodic to the point of madness, the other cold to the point of hardness" (I, 151).

6. *Poln. sobr. soch.,* VIII (1955), 396.

7. *Ibid.,* VI, 672.

8. Young Aduev refers to his having translated Schiller (I, 58); Goncharov did the same in his early youth (see his *Literaturno-kriticheskie stat'i i pis'ma,* p. 337).

9. A study by Clarence A. Manning is relevant in this connection. By relating the chronology of *A Common Story* to Russian history, Manning shows the lack of historical perspective in the novel. He claims that Goncharov was "singularly untouched by the agitation and the developments of his day." "The Neglect of Time in the Russian Novel," *Slavic Studies,* ed. Alexander Kaun & Ernest J. Simmons (Ithaca, 1943), pp. 109–10.

10. "Goncharov," *op. cit.,* XIII: *Vechnye sputniki* (St. Petersburg-Moscow, 1911), p. 241.

11. In making translations of phrases for illustration, we have not necessarily chosen the best form of expression all around, but the one which best brings out the point under discussion.

12. In creating Peter, the author may have drawn upon the world of bureaucrats in which he moved. The theme of "active work" of which the uncle is the representative was, he says, "reflected by my little mirror in the intermediate ranks of the bureaucracy" (VIII, 73). For a discussion of possible models both for Peter and for other figures in *A Common Story,* see Tseitlin, *I. A. Goncharov,* p. 57.

13. James M. Edie et al., eds. *Russian Philosophy* (Chicago, 1965), I, 276.

14. André Mazon (*op. cit.,* pp. 70, 318, 325) has pointed out a possible indebtedness to Balzac's *The Physiology of Marriage* (1829) in this connection.

15. *Hard Times,* Norton Critical Edition (New York, 1966), p. 167.

16. Mazon, *op. cit.,* p. 50.

17. See the reminiscence of G. N. Potanin in *I. A. Goncharov v vospominaniiakh sovremennikov* (Leningrad, 1969), p. 24.

18. A. S. Pushkin, *Stikhotvoreniia,* ed. B. Meilakh, 3rd ed., Biblioteka poeta, Malaia seriia (Leningrad, 1954), I, 387.

19. *Ibid.,* p. 389.

20. *Ibid.,* p. 388.

21. *Ibid.,* p. 233.

22. See *Collected Works,* I, pp. 45, 101, 152, 247.

23. It is worth noting that Belinsky thought the alternate fate, that of a Philistine, the only possible one for Lensky. This view was expressed in Part VIII of his Pushkin critique; it was printed in *Notes of the Fatherland* for December, 1844, in the same year that Goncharov worked out the plan for his novel. See *Poln. sobr. soch.,* VII (1955), 472.

24. Pushkin, *op. cit.,* III, 224.

25. For comments on these possibilities as well as parallels with other French novels, see Mazon, *op. cit.*, pp. 73–75, 312–14, 317–18.

26. René Marchand, *Parallèles littéraires franco-russes* (Mexico, Escuela normal superior, 1949), p. 136.

27. For an interesting interpretation of this novel, see Georg Lukács, *Studies in European Realism* (New York, 1964), pp. 47–64.

Chapter Four

1. Piotr A. Kropotkin, *Ideals and Realities in Russian Literature* (New York, 1915), p. 159.

2. *Neobyknovennaia istoriia*, in *op. cit.*, p. 129.

3. V. S. Pritchett, "The Great Absentee," in *The Living Novel* (London, 1946), p. 235.

4. Tarantiev's name, derived from *tarantit'* or *taranta*, both with the root meaning of glib, empty talk, suggests a "windbag."

5. Georg Lukács, *Die Theorie des Romans*, 2nd ed. (Berlin, 1963), p. 123.

6. A. V. Druzhinin, in *I. A. Goncharov v russkoi kritike*, p. 166.

7. This distinction is very close to one made in the brief sketch "Khorosho ili durno zhit' na svete," written by Goncharov in the early 1840's after several visits to the Catherine Institute, a boarding school for girls. See Tseitlin, *I. A. Goncharov*, pp. 445–49.

8. Cf. Goncharov's laconic reaction to a storm at sea: "Hideousness, disorder!" (II, 255). He says he could never understand "the poetry of the sea" (II, 40).

9. "Apology," in *The Dialogues of Plato*, tr. B. Jowett, with an Introduction by R. Demos (New York, 1937), I, 420.

10. *Cosmos and History: The Myth of the Eternal Return*, tr. Willard R. Trask (New York, 1959), p. 35.

11. *Ibid.*, p. 36.

12. N. I. Prutskov, *Masterstvo Goncharova-romanista* (M.-L., 1962), p. 110.

13. There is a striking similarity between Agafya Matveyevna's name and patronymic, and those of Goncharov's own mother, Avdotya Matveyevna. Whatever inferences one wishes to draw from this, it may be noted that, externally, Oblomov's relationship with Agafya reflects the connection between the gentleman N. N. Tregubov and Mrs. Goncharov. As already indicated, Tregubov for many years had a common household with Goncharov's mother.

14. *Polnoe sobranie sochinenii i pisem*, XIV (Moscow, 1949), 354.

15. Kropotkin, *op. cit.*, p. 155.

16. *I. A. Goncharov v russkoi kritike*, p. 38.

17. This no doubt reflects Goncharov's own feeling for Elizabeth Tolstoy, whom he courted assiduously for a brief period in 1855. The many coincidences between Oblomov's language and the images, thoughts, and feelings occurring in Goncharov's correspondence with Elizabeth Tolstoy (*Golos minuvshego*, 1913, No. 11, pp. 215–35, & No. 12, pp. 222–52) conclusively show that Goncharov's personal torment found sublimated expression in *Oblomov*. (See P. Sakulin, "Novaia glava iz biografii I. A. Goncharova v neizdannykh pis'makh," *Golos minuvshego*, 1913, No. 11, pp. 45–65.) However, O. Chemena denies that Elizabeth Tolstoy was the prototype for Olga, claiming this distinction for Catherine P. Maykov, to whom Goncharov was deeply devoted. ("*Oblomov* I. A. Goncharova i Ekaterina Maikova," *Russkaia literatura*, 1959, No. 3, pp. 159–68.)

18. *I. A. Goncharov v russkoi kritike*, p. 102.

19. *Ibid.*, p. 66.

20. *Istoriia russkoi intelligentsii*, Pt. I, 6th ed., in *Sobranie sochinenii* (Moscow, 1923–24), VII, 210–11.

21. "I. A. Goncharov," *Vestnik Evropy*, 1912, No. 6, pp. 209–10.

22. *Istoriia russkoi intelligentsii*, p. 217. This trait is interesting in view of current American usage in regard to the term "Oblomovism." A review of a book about Senator Eugene McCarthy in *Time* (March 2, 1970, p. 78) headed "Oblomov for President" speaks of the Senator's "acedia, his spiritual Oblomovism." "He [McCarthy] emerges from these pages as an almost hermetically private man."

23. *Ibid.*, p. 220. In varying formulations, this characterization of Oblomovism has a long history. Druzhinin says that Oblomovism is in the same relation to everyday life that conservatism is to politics (*I. A. Goncharov v russkoi kritike*, p. 179); Kropotkin equates Oblomov with the conservative type, "in the sense of the conservatism of well-being" (*op. cit.*, p. 160); and Renato Poggioli speaks in positive terms of Oblomov as the "personal symbol . . . of what Karamzin used to call . . . [Russia's] 'historical patience'." ("On Goncharov and His *Oblomov*," in *The Phoenix and the Spider* [Cambridge, Mass., 1957], p. 47.)

24. V. I. Lenin, *O literature i iskusstve*, 2nd ed. (Moscow, 1960), p. 479.

25. V. S. Pritchett, *op. cit.*, p. 239.

26. L. Ganchikov, "In tema di 'Oblomovismo'," *Ricerche slavistiche*, IV (1955–56), 175.

27. Stilman, *op. cit.*, p. 66.

28. A French critic, stressing Oblomov's "weaning complex," sees a "symbol of the return to prenatal life" in the way Oblomov is fed at Vyborg by a "bare arm" being thrust through the door (Pt. III, ch. 3); he also suggests that the robe is a womb symbol. François de Labriolle, "Oblomov n'est-il qu'un paresseux?," *Cahiers du monde russe et soviétique*, X (1969), No. 1, pp. 48, 50–51.

29. Stilman, *op. cit.*, p. 68.
30. *Ibid.*, p. 63.
31. "Oblomov as Anti-Faust," *Western Humanities Review*, XXI (1967), 152.
32. Review of David Magarshack's translation of *Oblomov*, in *The New Statesman and Nation*, No. 20, 1954, p. 661.
33. Dostoevsky seems to have been aware of the similarity between the two heroes and is reported to have commented upon it in conversation: "And my 'Idiot,' you know, is also an Oblomov. . . . Only, my idiot is better than Goncharov's. Goncharov's idiot is petty; there is a great deal of Philistinism in him, while my idiot is noble, elevated." M. A. Aleksandrov, "Dostoevskii v vospominaniiakh tipografskogo naborshchika v 1872–1881 godakh," *Russkaia starina*, LXXIV (1892), No. 3, p. 308.
34. N. Akhsharumov, "*Oblomov*. Roman I. Goncharova. 1859," *Russkii vestnik*, XXV (1860), No. 2, pp. 614, 625, 621.
35. Orest Miller, *Russkie pistateli posle Gogolia*, 3rd ed. (St. Petersburg, 1886), II, 18.
36. *I. A. Goncharov v russkoi kritike*, p. 91.
37. The real thrust of the action, in one critic's view, is a complete triumph of the social forces of Stolzism. It is not for nothing, he notes, that it is Stolz who pronounces Oblomov's death sentence ("Goodbye, old Oblomovka! . . .") and that Stolz takes over his bride, his estate and finally his son. V. E. Evgen'ev-Maksimov, *I. A. Goncharov* (Moscow, 1925), pp. 86–88.
38. V. S. Pritchett suggests that the "dreaded abyss" in Oblomov's love scenes with Olga is sex (*The New Statesman and Nation*, Nov. 20, 1954, p. 662); certainly, Oblomov's fear of sexual passion is evident throughout.
39. Dante Alighieri, *The Inferno*, The Temple Classics (London, 1946), p. 79.
40. For discussion of parallels and influences, see Mazon, *op. cit.*, pp. 158–63; Tseitlin, *I. A. Goncharov*, pp. 152–53; Prutskov, *op. cit.*, pp. 85–90; Desnitskii, *op. cit.*, pp. 296–303; and N. K. Piksanov, "Goncharov," in *Istoriia russkoi literatury*, VIII, Pt. 1 (M.-L., 1956), p. 450.

Chapter Five

1. O. M. Chemena, "Etapy tvorcheskoi istorii romana I. Goncharova *Obryv*," *Russkaia literatura*, 1961, No. 4, pp. 195–96.
2. *Ibid.*, p. 197.
3. See *Neobyknovennaia istoriia*, in *op. cit.*, pp. 14–15.
4. Chemena, *op. cit.*, p. 202.
5. *Ibid.*, p. 205.
6. It is hardly mere coincidence that the dénouement of *The Precipice* came to Goncharov shortly after Catherine Maykov, his intimate friend,

abandoned her husband and children to live with a Nihilist, the student Lyubimov.

7. As quoted by A. D. Alekseev in *Letopis' zhizni i tvorchestva I. A. Goncharova* (M.-L., 1960), p. 184, from manuscript materials in the Pushkin House, Leningrad.

8. *Ibid.*, p. 193.

9. See *Love in the Western World* (New York, 1957), especially the chapter entitled "The Myth is Popularized," pp. 240–44.

10. The notion of the "perversion" of passion suggests Charles Fourier's well-known concept of the "récurrences passionnelles," though the latter was more socially oriented. For comment, see N. K. Piksanov, *Roman Goncharova "Obryv" v svete sotsial'noi istorii* (Leningrad, 1968), p. 166.

11. This dedication was originally intended for *The Precipice* itself. See *M. M. Stasiulevich i ego sovremenniki v ikh perepiske* (St. Petersburg, 1912–13), IV, 10.

12. I. Turgenev, "Gamlet i Don Kikhot," in *Sobranie sochinenii,* XI (Moscow, 1956), 168–86.

13. Note Goncharov's statement in "Intentions . . ." to the effect that, "in the struggle of her character with his, she came out the victor, without giving up fundamental convictions in the matter of religion, or in her ideas of good, honesty, and honor. Morally, she stood her ground" (VIII, 218).

14. See, for example, M. E. Saltykov-Shchedrin, "Ulichnaia filosofia," in *I. A. Goncharov v russkoi kritike,* pp. 212–14.

15. Goncharov characterizes the resolution of the plot of *The Precipice* by these words in *Neobyknovennaia istoriia* (*op. cit.*, p. 143).

16. V. P. Botkin, as quoted by A. A. Fet in *Moi vospominaniia* ("My Reminiscences"), II (Moscow, 1890), 196.

17. One of the first to do so was A. V. Druzhinin in his review article on *Oblomov;* see *I. A. Goncharov v russkoi kritike,* p. 166.

18. It may be noted that as a young man Goncharov wrote a feuilleton about etiquette, with descriptions of the dandy, the man of the world, the well-bred man, and the gentleman. *Ocherki i povesti,* pp. 157–81.

19. *Studies in European Realism,* p. 171.

20. Kropotkin, *op. cit.*, p. 162.

21. Available in Tseitlin, *I. A. Goncharov,* pp. 473–76.

22. Goncharov admits, however, that he borrowed some traits both for her and other characters in the novel from people he knew on the Volga (VIII, 103). For identification of those concerned, see *I. A. Goncharov v vospominaniiakh sovremennikov,* p. 104. O. Chemena claims that the early "sterile" image of Vera received some "human" traits from Catherine Maykov ("I. A. Goncharov i semeinaia drama Maikovykh," in *Voprosy izucheniia russkoi literatury XI–XX vekov* [M.-L., 1958], p. 189). For rebuttal of

Chemena's claims, see Piksanov, *Roman Goncharova "Obryv"* . . . , pp. 190–98.

23. According to O. Chemena ("Etapy . . . ," p. 198) this part was written as early as 1856–57, that is, before the publication of *Oblomov.*

24. *Larousse Encyclopedia of Mythology,* with an Introduction by Robert Graves (New York, 1959), p. 17.

25. It may be pertinent to note that Demeter and Kore were twin objects of worship at the Eleusinian mysteries, an esoteric cult stressing the fate of the individual soul, in particular personal immortality. See Lewis Spence, *An Encyclopedia of Occultism* (New Hyde Park, 1960), pp. 281–82.

26. Letter to A. G. Troinitsky of July 1, 1868, *Vestnik Evropy,* 1908, No. 12, p. 453.

27. According to the original plan, the idea of "awakening" was to be carried through to the very end. A fragment of an unrealized Part VI, where Sofia Belovodov was to be shown "reborn," indicates that Goncharov had meant to justify his allusion to Chatsky (V, 31) and create in Raysky a contemporary counterpart to Griboedov's hero. He considered the latter as a "sincere and passionate doer" and an "exposer of falsehood and of everything that has grown obsolete, that stifles the new life, the 'free life' " (VIII, 13, 30). See "Nabrosok neosushchestvlennogo prodolzheniia romana *Obryv," Literaturnyi arkhiv, III* (Moscow, 1951), 85–90, and *Neobyknovennaia istoriia,* in *op. cit.,* p. 98.

28. *Ocherki i povesti,* pp. 289–93.

29. In his comments on Raysky, Goncharov relates him now to others (VIII, 215–16), now to himself, but with the exception of his own "serious aspects" (VIII, 366). Actually, Raysky bears a strong resemblance to Belinsky's description of the romantic dilettante in his review of *A Common Story* (*I. A. Goncharov v russkoi kritike,* pp. 38–39) as well as to Goncharov's own description of Belinsky, especially his weak points (VIII, 165; *Neobyknovennaia istoriia,* in *op. cit.,* p. 24).

Chapter Six

1. *I. A. Goncharov v russkoi kritike,* pp. 30–31.

2. *Goncharov: Zhizn', lichnost', tvorchestvo,* p. 318.

3. Evgen'ev-Maksimov, *op. cit.,* p. 139.

4. Iulii Aikhenval'd, *Siluety russkikh pisatelei,* 2nd ed. (Moscow, 1908), p. 265.

5. For his minute study of facial characteristics Goncharov may have received some hints from J. C. Lavater, whose work he knew according to A. G. Tseitlin (*Stanovlenie realizma v russkoi literature,* pp. 202–3). Incidentally, the collection in which "Oblomov's Dream" appeared contained an elaborate report on the work of the physiognomists. See *Literaturnyi sbornik,* ed. Sovremennik (St. Petersburg, 1849), pp. 145–210.

6. V. G. Korolenko, in *I. A. Goncharov v russkoi kritike,* p. 330.
7. *Neobyknovennaia istoriia,* in *op. cit.,* p. 17.
8. Stilman, *op. cit.,* pp. 49–50.
9. Aikhenval'd, *op. cit.,* p. 278.
10. Stilman, *op. cit.,* p. 50.
11. Evgen'ev-Maksimov, *op. cit.,* pp. 149–50.
12. Aikhenval'd, *op. cit.,* p. 265.
13. *Op. cit.,* XIII, 253.
14. Though Schiller mentions "imitation of reality" and the "presentation of an ideal" as contrasting possibilities of literary creation, he also says there is a "higher concept which subsumes both," one which coincides with the idea of humanity itself. Significantly, one of Goncharov's thematic ideas, the lack of inner harmony of mind and heart in modern man, is central to Schiller's distinction; this harmony, Schiller thinks, can now only exist "ideally," as moral striving toward unity. ("Über naive und sentimentalische Dichtung," in *Gesammelte Werke,* ed. Reinhold Netolitzky (Bielefeld, 1957), V, 512–13.) This thought seems to underlie Goncharov's "ideal" figures.
15. This "longing" may be related to Goncharov's early interest in Winckelmann's esthetic. A. P. Rybasov says that Stolz and Tushin are "drawn like Hellenes, as perfect human beings revealed according to classical models." (See his Introduction to *Literaturno-kriticheskie stat'i i pis'ma,* p. 38.) Goncharov was well aware of his "idealistic" tendencies. In a letter to Lkhovsky from Marienbad when he was writing *Oblomov* he says: "I am sometimes afraid I don't have a single type, that they are all ideals; will this do?" (VIII, 291).
16. Dobrolyubov, in *I. A. Goncharov v russkoi kritike,* pp. 56–57.
17. *Ibid.,* p. 58.
18. *Op. cit.,* p. 320.
19. Leon Edel, *The Modern Psychological Novel* (New York, 1959), p. 123.
20. The influence of *Oblomov* and Oblomovism is largely limited to Russian literature. Among notable writers, Chekhov deals with similar themes, as in the story "Gooseberries" and in *The Cherry Orchard.* For comment on Gorky's interpretation and treatment of Oblomovism, see Georg Lukács, *Studies in European Realism,* pp. 218–20.

Selected Bibliography

For more extensive listings, the reader is referred to *Istoriia russkoi literatury XIX veka. Bibliograficheskii ukazatel'*, ed. K. D. Muratova (Leningrad, 1962), pp. 247–56, and A. D. Alekseev, *Bibliografiia I. A. Goncharova, 1832–1964* (Leningrad, 1968).

PRIMARY SOURCES

Literaturno-kriticheskie stat'i i pis'ma, ed. A. P. Rybasov. Leningrad, 1938.

Neobyknovennaia istoriia, in *Sbornik Rossiiskoi Publichnoi biblioteki*, II, No. 1. Petrograd, 1924. Pp. 7–189.

Oblomov, tr. Natalie Duddington, with an Introd. by Renato Poggioli. Dutton Paperback. New York, 1960. A lively translation, but with serious omissions.

Oblomov, tr. Ann Dunnigan, with a Foreword by Harry T. Moore. Signet Classics. New York, 1960. The most faithful rendering.

Oblomov, tr. and with an Introd. by David Magarshack. Penguin Classics. Baltimore, 1967. A highly readable translation.

Povesti i ocherki, ed. B. M. Engel'gardt. Leningrad, 1937.

The Same Old Story, tr. Ivy Litvinova. Moscow, 1957. Includes brief excerpts from *Better Late Than Never*.

Sobranie sochinenii, with an Introd. by S. M. Petrov. 8 vols. Moscow, 1952–55.

SECONDARY SOURCES

AIKHENVAL'D, IULII. "Goncharov," in *Siluety russkihk pisatelei*, 2nd ed. (Moscow, 1908), pp. 263–78; also in *The Russian Review*, 1916, Nos. 3 & 4, pp. 108–16, 168–75. A severe but sensitive estimate by a gifted impressionistic critic.

ALEKSEEV, A. D. *Letopis' zhizni i tvorchestva I. A. Goncharova*. M.-L., 1960. An invaluable "chronicle" of Goncharov's personal, official, and literary activities.

ANNENSKII, I. F. "Goncharov i ego Oblomov," *Russkaia shkola*, 1892, No. 4, pp. 71–95. Stresses the visual and contemplative quality of Goncharov's

artistic temperament; accents the attractive aspects of Oblomov, such as his lazy "consciousness of his dignity."

BEISOV, P. S. *Goncharov i rodnoi krai.* 2nd ed. Kuibyshev, 1960. An informative study of Goncharov's connection with his native Simbirsk and environs, and their impact on his work.

BRODSKAIA, V. B. "Iazyk i stil' romana I. A. Goncharova *Obyknovennaia istoriia,*" *Voprosy slavianskogo iazykoznaniia,* 1953, No. 3, pp. 129–54; 1955, No. 4, pp. 203–30. A detailed examination of Goncharov's language in *A Common Story.*

CHEMENA, O. M. *Sozdanie dvukh romanov: Goncharov i shestdesiatnitsa E. P. Maikova.* Moscow, 1966. Examines the influence of Catherine Maykov upon Goncharov's work.

DESNITSKII, V. A. "Trilogiia Goncharova," in *Izbrannye stat'i po russkoi literature XVIII–XIX vekov.* M.-L., 1958. Pp. 291–332. A learned but overly elaborate attempt to disprove the thesis of the "vulgar sociologist" V. F. Pereverzev (see below).

EVGEN'EV-MAKSIMOV, V. E. *I. A. Goncharov.* Moscow, 1925. An excellent brief critical study.

GRIGOR'EV, APOLLON. "I. S. Turgenev i ego deiatel'nost'," in *Sobranie sochinenii,* No. 10 (Moscow, 1915), pp. 100–109, 134. A stimulating though rather negative estimate of *A Common Story* and *Oblomov* by an important critic.

I. A. Goncharov v russkoi kritike, with an Introd. by M. I. Poliakov. Moscow, 1958. This collection contains mainly review articles by contemporary radical critics.

I. A. Goncharov v vospominaniiakh sovremennikov, with an Introd. by A. D. Alekseev. Leningrad, 1969. Reminiscences of the author by his contemporaries.

KRASNOSHCHEKOVA, E. *"Oblomov" I. A. Goncharova.* Moscow, 1970. A sensitive reading of the novel, with emphasis on the psychological and moral complexity of Goncharov's characters.

LABRIOLLE, FRANÇOIS DE. "Oblomov n'est-il qu'un paresseux?," *Cahiers du monde russe et soviétique,* X (1969), No. 1, pp. 38–51. A good psychological study of the personality of Oblomov.

LAVRIN, J. *Goncharov.* New Haven, 1954. A brief, judicious assessment of Goncharov's achievement.

LIATSKII, E. A. *Goncharov: Zhizn', lichnost', tvorchestvo.* 3rd ed. Stockholm, 1920. "Critical-biographical sketches" aimed chiefly at proving the "subjective" inspiration of Goncharov's fiction. Valid insights despite a questionable methodology which blurs the distinction between the man and the artist.

———. *Roman i zhizn'.* Prague, 1925. Subtitled the "development of I. A. Goncharov's creative personality," this book, which covers the years

1812–57, is the first volume of a projected biography that was never completed.

MAYS, MILTON A. "Oblomov as Anti-Faust," *Western Humanities Review,* XXI (1967), 141–52. Sees Oblomov as a new archetype related to Freud's ego instinct as opposed to Faust, viewed as an embodiment of the sexual instinct.

MAZON, ANDRÉ. *Un maître du roman russe: Ivan Gontcharov.* Paris, 1914. A great work of scholarship, this book, organized on the "life and works" principle, is still an invaluable aid to the student of Goncharov. Includes a great many documents pertaining to Goncharov's work as a censor.

MEREZHKOVSKII, D. S. "Goncharov," in *Polnoe sobranie sochinenii,* XIII: *Vechnye sputniki* (St. Petersburg-Moscow, 1911), pp. 237–60. First published as an article in 1890, this critique presents Goncharov as a calm epic portrayer highly sensitive to the "poetry of the past." Occasionally sentimental, idealizing.

MOSER, CHARLES. *Anti-nihilism in the Russian Novel of the 1860's.* The Hague, 1964. Discusses antinihilistic elements in *The Precipice.*

OVSIANIKO-KULIKOVSKII, D. N. *Istoriia russkoi intelligentsii,* Pt. 1. 6th ed., in *Sobranie sochinenii* (Moscow, 1923–24), VII, 194–230. Interprets Oblomovism as a malady of the Russian national psyche.

PEREVERZEV, V. F. "Sotsial'nyi genezis oblomovshchiny," *Pechat' i revoliutsia,* 1925, No. 2, pp. 61–78. One of several articles in which the critic argues that Goncharov's heroes express the patriarchal-bourgeois crisis at the coming of capitalism; the gentry elements in Goncharov's novels are seen as a "masquerade" for bourgeois themes.

PIKSANOV, N. K. *Roman Goncharova "Obryv" v svete sotsial'noi istorii.* Leningrad, 1968. A healthy antidote to Soviet critical eulogies of Goncharov's last novel.

POLITYKO, D. A. *Roman I. A. Goncharova "Obryv."* Minsk, 1962. A detailed study of *The Precipice,* including its "creative history" and its relation to the antinihilist novel.

PRITCHETT, V. S. "The Great Absentee," in *The Living Novel* (London, 1946), pp. 233–40. A witty and enthusiastic essay on *Oblomov,* stressing the book's subjective inspiration and the profound meaning of the title figure, particularly his appeal to our "secret desire."

PRUTSKOV, N. I. *Masterstvo Goncharova-romanista.* Moscow, 1962. Excellent structural analysis, especially of *Oblomov;* the treatment of *The Precipice* is much less satisfactory. The critic brilliantly contrasts Goncharov's style with that of several of his contemporaries.

RAPP, HELEN. "The Art of Ivan Goncharov," *The Slavonic and East European Review,* XXXVI (June, 1958), 370–95. Perceptive discussion of the cardinal features of Goncharov's technique.

REHM, WALTHER. "Gontscharow und die Langeweile," in *Experimentum Medietatis* (Munich, 1947), pp. 96–183. An interesting philosophical study of Goncharov's treatment of boredom, especially in *The Precipice.* But the estimate of the novel is uncritical, particularly in regard to the handling of the double narrative perspective.

RYBASOV, A. P. *Goncharov.* Moscow, 1957. A well-written popular study, though somewhat spoiled by excessive national pathos.

———. *I. A. Goncharov.* Moscow, 1962. A handy abbreviated version of the preceding book.

SABUROV, A. A. *Voina i mir L. N. Tolstogo: Problematika i poetika.* Moscow, 1959. Contains an excellent characterization of Goncharov's dialogue as contrasted with that of Turgenev and Tolstoy.

STILMAN, LEON. "Oblomovka Revisited," *American Slavic and East European Review,* VII (1948), 45–77. Taking his point of departure in Liatskii's theory of Goncharov's subjective inspiration, the author works out a psychoanalytically-tinged interpretation of Goncharov's creative personality.

TSEITLIN, A. G. *I. A. Goncharov.* Moscow, 1950. An exhaustive critical monograph; good, but occasionally plodding. Indispensable to any serious student of Goncharov.

ZAKHARKIN, A. F. *Roman I. A. Goncharova "Oblomov."* Moscow, 1963. A poorly organized study; but it contains a convenient brief survey of *Oblomov* criticism and illustrates Goncharov's careful revision of his manuscript.

Index

(The works of Goncharov are listed under his name)